mi Mundo TEXAS

Estudios Sociales™

Somos Texas

SAVVAS
LEARNING COMPANY

¡Esta también es mi historia!

Tú eres uno de los autores de este libro. ¡Puedes escribir en este libro! ¡Puedes tomar notas en este libro! ¡También puedes dibujar en él! Este libro es para que tú lo guardes.

Escribe tus datos abajo. Luego escribe tu autobiografía. Una autobiografía trata de ti y de lo que te gusta hacer.

Nombre _____

Escuela _____

Ciudad o pueblo _____

Autobiografía _____

_____

_____

Softcover:

ISBN-13: 978-0-328-81358-2
ISBN-10:   0-328-81358-3
                    14   21

Hardcover:

ISBN-13: 978-0-328-84913-0
ISBN-10:   0-328-84913-8
                     1   20

SAVVAS
LEARNING COMPANY

Hecho para Texas

Savvas *Texas myWorld Social Studies* was developed especially for Texas with the help of teachers from across the state and covers 100 percent of the Texas Essential Knowledge and Skills for Social Studies. This story began with a series of teacher roundtables in cities across the state of Texas that inspired a program blueprint for *Texas myWorld Social Studies*. In addition, Judy Brodigan served as our expert advisor, guiding our creation of a dynamic Social Studies curriculum for TEKS mastery. Once this blueprint was finalized, a dedicated team—made up of Savvas authors, content experts, and social studies teachers from Texas—worked to bring our collective vision into reality.

Savvas would like to extend a special thank you to all of the teachers who helped guide the development of this program. We gratefully acknowledge your efforts to realize the possibilities of elementary Social Studies teaching and learning. Together, we will prepare Texas students for their future roles in college, careers, and as active citizens.

Autores asesores del programa

The Colonial Williamsburg Foundation
Williamsburg VA

Armando Cantú Alonzo
Associate Professor of History
Texas A&M University
College Station TX

Dr. Linda Bennett
Associate Professor, Department of
  Learning, Teaching, & Curriculum
College of Education
University of Missouri
Columbia MO

Dr. James B. Kracht
Byrne Chair for Student Success
Executive Associate Dean
College of Education and Human
  Development
College of Education
Texas A&M University
College Station TX

Dr. William E. White
Vice President for Productions,
  Publications and Learning
  Ventures
The Colonial Williamsburg
  Foundation
Williamsburg VA

Asesores y revisores

ASESORES ACADÉMICOS

Kathy Glass
Author, *Lesson Design for
  Differentiated Instruction*
President, Glass Educational
  Consulting
Woodside CA

Roberta Logan
African Studies Specialist
Retired, Boston Public Schools/
  Mission Hill School
Boston MA

Jeanette Menendez
Reading Coach
Doral Academy Elementary
Miami FL

Bob Sandman
Adjunct Assistant Professor of
  Business and Economics
Wilmington College—Cincinnati
  Branches
Blue Ash OH

ASESORA DEL PROGRAMA

Judy Brodigan
Former President, Texas Council
  for Social Studies
Grapevine TX

Costa Nacional Isla del Padre

RELACIONAR

Domina los TEKS con una conexión personal.

miHistoria: ¡Despeguemos!

Las actividades de escritura de **myStory Book** comienzan con la actividad **miHistoria: ¡Despeguemos!** Allí puedes anotar tus ideas iniciales sobre la **Pregunta principal**.

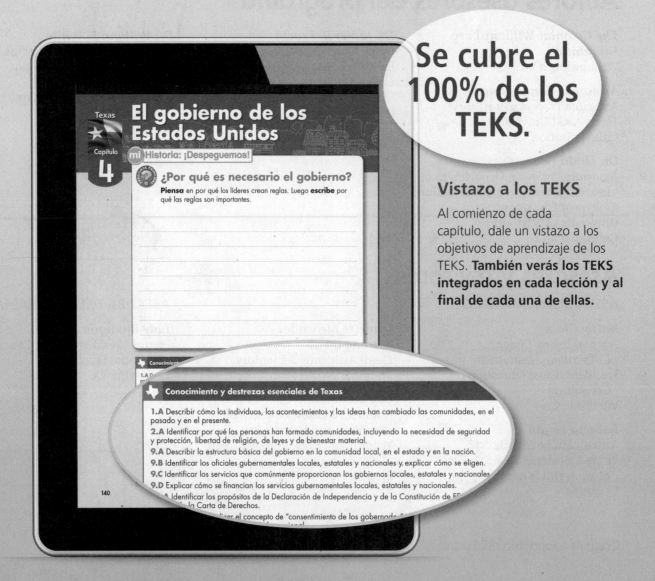

Texas

Capítulo 4

El gobierno de los Estados Unidos

mi Historia: ¡Despeguemos!

¿Por qué es necesario el gobierno?

Piensa en por qué los líderes crean reglas. Luego **escribe** por qué las reglas son importantes.

Conocimiento y destrezas esenciales de Texas

1.A Describir cómo los individuos, los acontecimientos y las ideas han cambiado las comunidades, en el pasado y en el presente.

2.A Identificar por qué las personas han formado comunidades, incluyendo la necesidad de seguridad y protección, libertad de religión, de leyes y de bienestar material.

9.A Describir la estructura básica del gobierno en la comunidad local, en el estado y en la nación.

9.B Identificar los oficiales gubernamentales locales, estatales y nacionales y explicar cómo se eligen.

9.C Identificar los servicios que comúnmente proporcionan los gobiernos locales, estatales y nacionales.

9.D Explicar cómo se financian los servicios gubernamentales locales, estatales y nacionales.

___ Identificar los propósitos de la Declaración de Independencia y de la Constitución de EE. ___ la Carta de Derechos.

___licar el concepto de "consentimiento de los gobernado."

140

Se cubre el 100% de los TEKS.

Vistazo a los TEKS

Al comienzo de cada capítulo, dale un vistazo a los objetivos de aprendizaje de los TEKS. **También verás los TEKS integrados en cada lección y al final de cada una de ellas.**

miHistoria: Video

Pasa del *Libro de trabajo del estudiante* a la tecnología, ¡con toda facilidad! Mira los videos de *miHistoria: Video* para explorar la **Pregunta principal** y las ideas claves del capítulo.

Lección 1 Los primeros pobladores de Norteamérica
Lección 2 Los primeros exploradores
Lección 3 Las primeras comunidades españolas
Lección 4 Las primeras comunidades francesas
Lección 5 Las primeras comunidades inglesas
Lección 6 La formación de una nueva nación

La Misión San Luis
Una comunidad multicultural

Aproximadamente entre 1560 y 1690, se construyeron más de 100 misiones españolas en toda la Florida. Una misión es un asentamiento donde hay una iglesia en la que se enseña religión. Una de las misiones más famosas es la Misión San Luis. Esta misión, ubicada en Tallahassee, es una de las últimas que quedan en pie en la actualidad. "También es el único lugar donde los apalaches y los españoles vivieron juntos", nos cuenta Grace. Los apalaches son indígenas norteamericanos, y los españoles son pobladores que llegaron desde España. "Me encanta aprender sobre otras culturas", añade Grace. Ya nadie vive en la misión, pero la han reconstruido. Los visitantes pueden recorrerla y ver representaciones de cómo era la vida allí hace siglos.

"Los indígenas y los españoles compartían esta misión", explica Grace. En esa época, los indígenas y los colonos europeos no solían vivir juntos. La Misión San Luis era especial.

A Grace le encantó visitar una de las últimas misiones que quedan en pie.

Misión San Luis

Acceso a los TEKS

El programa *miMundo Estudios Sociales* para Texas cubre los TEKS en todos los formatos. Accede al contenido a través de la versión impresa del *Libro de trabajo,* a través del *eText,* o en línea con el curso digital en Realize.

 **Conéctate en línea a:** SavvasTexas.com | Cada lección está respaldada por actividades digitales, miHistoria: Videos y actividades de vocabulario.

EXPERIMENTAR

Disfruta de los Estudios Sociales mientras practicas los TEKS.

Libro de trabajo interactivo del estudiante

Con el *Libro de trabajo del estudiante miMundo Estudios Sociales* para Texas, te encantará tomar notas, dibujar, subrayar y encerrar en un círculo texto o imágenes en tu propio libro.

Texas

Lección 1

Los primeros pobladores de Norteamérica

¡Imagínalo!

Mira la fotografía. Escribe qué recurso natural se usó para construir estas viviendas.

Aprenderé cómo influye la geografía en las comunidades y cómo se relacionan el pasado y el presente.

Vocabulario

costumbre   reserva
vivienda   gobierno
comunal   tradición
confederación
cooperar

Todas las comunidades tienen una historia moldeada por los primeros habitantes del lugar. Tu comunidad es especial tanto por su pasado como por su presente.

Grupos culturales

Los indígenas norteamericanos fueron los primeros pobladores de América del Norte, o Norteamérica. Había muchos grupos de indígenas distintos, y cada uno tenía su propia cultura y sus **costumbres**, es decir, su forma particular de hacer las cosas.

En el mapa se muestran las regiones de América del Norte donde vivían los indígenas. Cada grupo usaba los recursos naturales de su región para satisfacer sus necesidades. Los indígenas que vivían en la región del Pacífico Noroeste pescaban en el océano Pacífico. Los que vivían en las llanuras aprovechaban el suelo fértil para la agricultura.

Grupos de indígenas norteamericanos

LEYENDA
— Límite actual

ÁRTICO
SUBÁRTICO
PACÍFICO NOROESTE
OCÉANO PACÍFICO
MESETA
GRAN CUENCA
LLANURAS
ZONA BOSCOSA DEL NORESTE
CALIFORNIA
ZONA BOSCOSA DEL SURESTE
OCÉANO ATLÁNTICO
SUROESTE
Golfo de México
0   1,000 mi
0   1,000 km

1. Identifica y subraya dos maneras en que norteamericanos usaban los recursos na

Los cheroquíes del Sureste

Hace mucho tiempo, un grupo de indígenas norteamericanos llamados cheroquíes se asentaron en los bosques del sureste de los Estados Unidos. Los cheroquíes escogieron esta región por las características de su geografía: suelo fértil, ríos y árboles.

Los cheroquíes se establecieron por primera vez en América del Norte hace más de 1,000 años. Eran cazadores y agricultores. Comían carne, frutas y verduras. Usaban árboles para construir sus viviendas. Hacían estructuras de madera y las cubrían con lodo de las riberas cercanas. Con el tiempo, los cheroquíes empezaron a construir cabañas de troncos, que los protegían de la nieve y el frío del invierno.

Un cheroquí famoso llamado Sequoyah inventó un sistema de 86 símbolos para escribir en su lengua. Desde entonces es posible leer y escribir en cheroquí.

TEKS
1.A, 1.B, 2.A, 2.B, 2.C, 3.A, 4.B, 15.A, 15.B, 17.B

2. ◉ **Idea principal y detalles Describe** cómo

un sistema de 86 símbolos para escribir en su lengua. Desde entonces es posible leer y escribir en cheroquí.

2. ◉ **Idea principal y detalles Describe** cómo los cheroquíes crearon una nueva comunidad.

94

Destrezas clave de lectura

El *Libro de trabajo* te permite practicar las **Destrezas clave de lectura**, destrezas esenciales que necesitarás al leer textos informativos. Refuerza tus TEKS de Artes del lenguaje en español (SLA) durante el período de Estudios Sociales.

realize   **Conéctate en línea a:** SavvasTexas.com | Cada lección está respaldada por actividades digitales, miHistoria: Videos y actividades de vocabulario.

Libritos por nivel/Leveled Readers

Interesantes libritos por nivel están disponibles en inglés, en formato impreso y en formato digital en Realize.

Actividades digitales

Cada lección incluye **Actividades digitales** que apoyan la Idea principal.

COMPRENDER

Verifica tus conocimientos de los TEKS y demuestra tu comprensión.

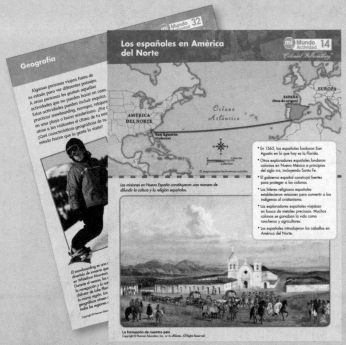

miMundo: Actividades

Trabaja en grupos pequeños con tus compañeros en actividades como crear mapas, gráficas, dramatizaciones, leer en voz alta y analizar fuentes primarias. En Realize puedes hallar versiones digitales de actividades prácticas e innovadoras para cada capítulo.

Las **prácticas de TEKS** se encuentran al final de cada capítulo.

myStory Book

myStory Book te da la oportunidad de escribir e ilustrar tu propio libro digital. Visita **www.Tikatok.com/ myWorldSocialStudies** para más información.

Conéctate en línea a: SavvasTexas.com | Cada lección está respaldada por actividades digitales, miHistoria: Videos y actividades de vocabulario.

Celebremos
Texas y la nación

Texas

Capítulo 1

Geografía de Texas

SAVVAS realize. Go online at:
SavvasTexas.com

▶ eText interactivo

▶ miHistoria: Video
  Parque Nacional Big Bend:
  Un tesoro nacional

▶ Vistazo al vocabulario

▶ Repaso del vocabulario

▶ Exámenes del capítulo

 ¿Cómo influye la geografía en nuestra vida?

Los ocelotes de Texas son una especie en peligro de extinción.

x

Regiones geográficas de Texas

 Go online at:
SavvasTexas.com

- ▶ eText interactivo
- ▶ miHistoria: Video
  Texas: Un estado diverso
- ▶ Vistazo al vocabulario
- ▶ Repaso del vocabulario
- ▶ Exámenes del capítulo

? ¿Qué favorece a una comunidad?

La zona del Cross Timbers, en la región de las Llanuras Centrales del Norte, tiene suelo fértil.

Historia de Texas en sus inicios

SAVVAS realize. **Go online at:**
SavvasTexas.com

- ▶ eText interactivo
- ▶ miHistoria: Video
  Comunidad pueblo Ysleta del Sur:
  Un lugar de cultura
- ▶ Vistazo al vocabulario
- ▶ Repaso del vocabulario
- ▶ Exámenes del capítulo

 ¿Cómo se adaptan las personas al lugar donde viven?

Algunos grupos indígenas norteamericanos vivieron en tipis en las montañas y llanuras del oeste de Texas.

Texas

Capítulo 4

Exploración y colonización de Texas

 ¿Por qué las personas se van de su tierra natal?

En el siglo xv, los conquistadores se llevaron joyas de oro similares a esta a España.

Texas

Capítulo 5

La Revolución y la República de Texas

 ¿Cómo modela el pasado en nuestro presente y nuestro futuro?

SAVVAS realize Go online at:
SavvasTexas.com

▶ eText interactivo

▶ miHistoria: Video
El Álamo: Un símbolo de
la libertad de Texas

▶ Vistazo al vocabulario

▶ Repaso del vocabulario

▶ Exámenes del capítulo

Los texanos lucharon contra
soldados mexicanos,
quienes vestían uniformes
como estos, para lograr
la independencia en la
década de 1830.

Camino a la estadidad

Go online at:
SavvasTexas.com

- ▶ eText interactivo
- ▶ miHistoria: Video
  New Braunfels: Una comunidad
  construida por inmigrantes
- ▶ Vistazo al vocabulario
- ▶ Repaso del vocabulario
- ▶ Exámenes del capítulo

¿Cuándo se vuelve necesario el cambio?

En la actualidad, los texanos mantienen celebraciones de su pasado, como el Cinco de Mayo, que honra la herencia mexicana.

Nuevos retos para Texas

¿Por qué cosas vale la pena luchar?

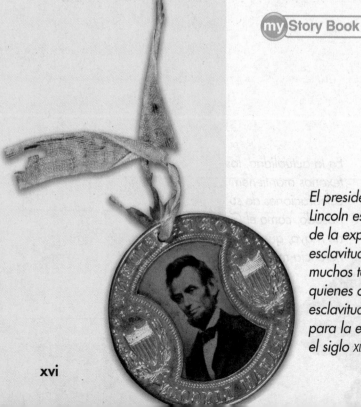

*El presidente Abraham
Lincoln estaba en contra
de la expansión de la
esclavitud, a diferencia de
muchos texanos blancos,
quienes creían que la
esclavitud era importante
para la economía durante
el siglo XIX.*

Un estado en crecimiento

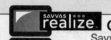 **Go online at:**
SavvasTexas.com

- ▶ eText interactivo
- ▶ miHistoria: Video
  La industria ganadera: El ganado longhorn cambia a Texas
- ▶ Vistazo al vocabulario
- ▶ Repaso del vocabulario
- ▶ Exámenes del capítulo

El ganado longhorn, un símbolo de Texas, es el mamífero oficial del estado.

Tiempos difíciles en Texas y en el mundo

En octubre de 1929, la bolsa de valores se desplomó. Muchas personas de todo el país perdieron sus ahorros.

¿Cómo responden las personas a los buenos y a los malos tiempos?

Texas

Capítulo 10

Texas en la actualidad

Go online at:
SavvasTexas.com

- ▶ eText interactivo
- ▶ miHistoria: Video
  El Centro Espacial Johnson: Un
  lugar para aprender sobre el
  Programa Espacial
- ▶ Vistazo al vocabulario
- ▶ Repaso del vocabulario
- ▶ Exámenes del capítulo

¿Qué metas deberíamos fijar para nuestro estado?

Los agricultores de Texas suelen cultivar más algodón que los agricultores de cualquier otro estado.

El gobierno de Texas

¿Cuáles deben ser los objetivos del gobierno?

Los ciudadanos trabajan en conjunto para mejorar su comunidad e influir en el manejo del gobierno.

xx

Conéctate en línea a SavvasTexas.com para practicar las siguientes destrezas. Estas destrezas serán importantes a lo largo de tu vida.

Después de completar cada tutoría de destrezas en línea, márcalas en esta página de tu *Cuaderno de trabajo*.

⊙ Destrezas clave de lectura

- ☐ Idea principal y detalles
- ☐ Causa y efecto
- ☐ Clasificar y categorizar
- ☐ Hechos y opiniones
- ☐ Sacar conclusiones
- ☐ Generalizar
- ☐ Comparar y contrastar
- ☐ Secuencia
- ☐ Resumir

⊙ Destrezas de colaboración y creatividad

- ☐ Resolver problemas
- ☐ Trabajar en equipo
- ☐ Resolver conflictos
- ☐ Generar nuevas ideas

⊙ Destrezas de gráficos

- ☐ Interpretar gráficos
- ☐ Crear tablas
- ☐ Interpretar líneas cronológicas

⊙ Destrezas de mapas

- ☐ Usar longitud y latitud
- ☐ Interpretar mapas físicos
- ☐ Interpretar datos económicos en mapas
- ☐ Interpretar datos culturales en mapas

⊙ Destrezas de razonamiento crítico

- ☐ Comparar puntos de vista
- ☐ Usar fuentes primarias y secundarias
- ☐ Identificar la parcialidad
- ☐ Tomar decisiones
- ☐ Predecir consecuencias

⊙ Destrezas de medios y tecnología

- ☐ Hacer una investigación
- ☐ Uso seguro de Internet
- ☐ Analizar imágenes
- ☐ Evaluar el contenido de los medios de comunicación
- ☐ Hacer una presentación eficaz

Claves para la buena escritura

El proceso de la escritura

Los buenos escritores siguen cinco pasos cuando escriben.

Prepararse
- Escoge un tema, reúne detalles sobre él y planifica cómo usarlos.

Borrador
- Anota todas tus ideas. No es necesario que el borrador quede perfecto.

Presentar
- Presenta tu escrito a tus compañeros.

Corregir
- Corrige la ortografía, el uso de las mayúsculas, la puntuación y la gramática.
- Prepara el escrito final.

Revisar
- Revisa tu escrito y busca las características de la buena escritura.
- Cambia las partes que no estén claras o completas.

Características de la escritura

Los buenos escritores tienen en cuenta seis cualidades para que su trabajo sea el mejor posible.

Ideas
Transmite un mensaje claro que incluya ideas y detalles específicos.

Organización
Incluye una introducción, un nudo y un desenlace que sean fáciles de seguir.

Voz
Usa un tono natural en tu escrito.

Lenguaje
Escoge sustantivos y verbos fuertes, como así también adjetivos descriptivos.

Oraciones
Varía la estructura y el comienzo de las oraciones para que tu escrito sea fácil de leer.

Normas
Sigue las reglas de ortografía, del uso de las mayúsculas, de la puntuación y de la gramática.

TEKS 15.C, 16.A, 16.B, 16.C, 21.C

Vocabulario

colono

constitución

cultura

enmienda

grupo étnico

Celebremos la libertad

Los Estados Unidos de América siempre fueron una nación que luchó por la libertad y la celebró. Antes de que los Estados Unidos existieran, muchos colonos de Gran Bretaña vieron la necesidad de tener un gobierno independiente. Un **colono** es una persona que vive en un asentamiento lejos del país que lo gobierna. Tres documentos desempeñaron un papel importante en la consolidación de esta libertad: la Declaración de Independencia, la Constitución de los Estados Unidos y la Carta de Derechos.

La Declaración de Independencia

En 1775, las colonias comenzaron una guerra con Gran Bretaña. Luchaban por sus derechos. En 1776, un grupo de colonos, que incluía a Thomas Jefferson, decidió redactar un documento formal que los declarase libres del dominio británico. A este documento formal se lo llamó Declaración de Independencia.

La Declaración de Independencia fue el primer paso hacia la libertad de los Estados Unidos. En la actualidad, celebramos el Día de la Independencia el 4 de julio de todos los años.

1. **Recita** con el resto de la clase el siguiente párrafo de la Declaración de Independencia.

Las tres partes de la Declaración de Independencia son: el preámbulo, o introducción; una lista de cargos contra el rey George III de Gran Bretaña; y una conclusión.

Sostenemos como evidentes estas verdades: que todos los hombres son creados iguales; que son dotados por su Creador de ciertos derechos inalienables; que entre estos están la vida, la libertad, y la búsqueda de la felicidad; que para garantizar estos derechos se instituyen entre los hombres los gobiernos, cuyos poderes legítimos derivan del consentimiento de los gobernados.

La Constitución de los Estados Unidos

Finalmente, los Estados Unidos ganaron su independencia de Gran Bretaña en 1783. Cuatro años más tarde, los líderes del nuevo país redactaron una **constitución**, es decir, un plan escrito para el gobierno de la nación. Se lo llamó Constitución de los Estados Unidos.

La introducción a la Constitución se llama preámbulo. Las tres primeras palabras del preámbulo, "Nosotros, el Pueblo", son muy importantes. Declaran que los Estados Unidos son gobernados por el pueblo y no por un rey. ¿Quién es el pueblo? Es un grupo diverso que representa muchas culturas. Traen sus destrezas, su experiencia y su cultura a Texas y a la nación. La **cultura** es la forma de vida de un grupo de personas.

En la actualidad, muchas personas de diferentes culturas viven en Texas.

La Carta de Derechos

A lo largo de los años, se enmendó, es decir, se modificó, la Constitución de los Estados Unidos. Las diez primeras **enmiendas** a la Constitución se conocen como la Carta de Derechos. La Carta de Derechos se aprobó en 1791. Resume los derechos y las libertades fundamentales de los estadounidenses. Estos derechos incluyen la libertad de expresión, religión y prensa, así como los derechos de los acusados de un delito a un juicio justo y rápido.

2. En una hoja aparte, **ubica, identifica** y escribe el propósito, el significado y la importancia de la Declaración de Independencia, la Constitución de los Estados Unidos y la Carta de Derechos.

Un estado de muchas culturas En la actualidad, nuestra nación y nuestro estado están formados por personas de muchos **grupos étnicos** diferentes. Esto significa que se las puede agrupar por cultura y origen similares.

3. Escoge un grupo étnico que sea parte de Texas. **Averigua** más información sobre las contribuciones que ese grupo ha hecho a Texas. **Crea** una breve presentación para compartir lo que aprendiste con el resto de la clase.

1

La bandera estadounidense

La bandera de los Estados Unidos es un símbolo importante de nuestro país. Un símbolo es algo que representa otra cosa. Tratamos nuestra bandera con cuidado y respeto. Hay reglas y leyes sobre cómo mostrar la bandera. Por ejemplo, la bandera estadounidense debe mostrarse cerca de edificios públicos, tales como escuelas, todos los días.

Al estar frente a la bandera, debes dar una muestra de respeto. Párate firme con tu mano derecha sobre el corazón. Esta regla en particular también debe cumplirse al recitar el Juramento a la bandera. El Juramento a la bandera es una muestra de **lealtad**, es decir, fidelidad.

4. Lee el Juramento a la bandera y completa la actividad que sigue.

> **Juramento a la bandera**
> Prometo lealtad a la bandera de los Estados Unidos de América y a la república que representa, una nación bajo Dios, indivisible, con libertad y justicia para todos.

5. **Analiza** el Juramento a la bandera. Luego reescribe el juramento con tus propias palabras. Usa un diccionario si necesitas ayuda para definir palabras que no conozcas.

....

....

....

....

La bandera de Texas

Vocabulario

lealtad

Cada estado tiene su propia bandera. La bandera de Texas es un símbolo importante del estado. Además, la bandera de Texas tiene su propio Juramento de lealtad. El juramento da testimonio de los valores del estado. Puede recitarse en toda reunión pública o privada en donde se recite el Juramento a la bandera de los Estados Unidos. También puede recitarse en celebraciones y eventos históricos del estado.

Al igual que la bandera de los Estados Unidos, hay reglas y leyes acerca de cómo debe ser exhibida y cómo rendir honor a la bandera de Texas. Por ejemplo, al recitar el Juramento a la bandera de Texas, debes seguir estas reglas:

- **Párate firme.** Mira en dirección a la bandera con tu mano derecha sobre el corazón.
- **Recita el juramento después del juramento a la bandera de los Estados Unidos.** Si en un evento se recitan el Juramento a la bandera del estado y el Juramento a la bandera de los Estados Unidos, el Juramento a la bandera de los Estados Unidos siempre debe recitarse primero.

6. **Recita** el Juramento a la bandera de Texas que está abajo.

> ### Juramento a la bandera de Texas
> Honra a la bandera de Texas; te juro lealtad, Texas, un estado bajo Dios, uno e indivisible.

7. **Explica** en qué se parecen el significado del Juramento a la bandera de Texas y el significado del Juramento a la bandera de los Estados Unidos.

"Texas, nuestro Texas"

William J. Marsh, de Fort Worth, escribió la canción "Texas, nuestro Texas" en 1924. Escribió la letra junto con Gladys Yoakum Wright. Marsh ganó un concurso de canciones del estado y en 1929 el Congreso convirtió a "Texas, nuestro Texas" en la canción oficial del estado.

8. La página que sigue muestra la letra y música de la canción del estado. **Canta** o **recita** "Texas, nuestro Texas" con el resto de la clase. Luego **compone** un nuevo verso que podría agregarse a la canción para actualizarla a nuestro tiempo. Por ejemplo, puedes optar por escribir acerca de un evento reciente en la historia de Texas o acerca de tu lugar favorito del estado. Luego **canta** o **recita** a un compañero la canción del estado, incluyendo tu nuevo verso.

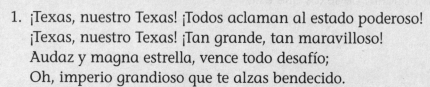

1. ¡Texas, nuestro Texas! ¡Todos aclaman al estado poderoso!
   ¡Texas, nuestro Texas! ¡Tan grande, tan maravilloso!
   Audaz y magna estrella, vence todo desafío;
   Oh, imperio grandioso que te alzas bendecido.
2. ¡Texas, oh Texas! Tu estrella solitaria nació libre.
   Su resplandor ilumina las naciones del globo,
   emblema de libertad que el corazón llena de brío;
   recordamos San Jacinto, El Álamo glorioso.
3. ¡Texas, querido Texas! Rompió las cadenas del tirano.
   ¡Refulge en tu estrella tu destino esplendoroso!
   Eres madre de héroes, y a ti venimos hoy los que somos tus hijos.
   y proclamamos lealtad, nuestra fe en ti, el amor a ti debido.

ESTRIBILLO

¡Que Dios te bendiga, Texas! Que te haga valeroso y fuerte,
que crezcan tu poder y tu valía, y que perduren para siempre.
¡Que Dios te bendiga, Texas! Que te haga valeroso y fuerte,
que crezcan tu poder y tu valía, y que perduren para siempre.

"Texas, Our Texas"

Words by Gladys Yoakum Wright and William J. Marsh   *Music by William J. Marsh*

1. Tex - as, our Tex - as! All hail the might - y state!
2. Tex - as, O Tex - as! your free - born sin - gle star
3. Tex - as, dear Tex - as! From ty - rant grip now free.

Tex - as, our Tex - as! So won - der - ful, so great!
Sends out its ra - diance to na - tions near and far.
Shines forth in splen - dor your star of des - ti - ny!

Bold - est and grand - est, With - stand - ing ev - 'ry test;
Em - blem of free - dom! It sets our hearts a - glow
Moth - er of he - roes! We come, your chil - dren true.

O Em - pire wide and glo - rious, You stand su - preme - ly blest.
With thoughts of San Ja - cin - to and glo - rious A - la - mo.
Pro - claim - ing our al - le - giance, Our faith, our love for you.

REFRAIN

God bless you, Tex - as! And keep you brave and strong,

That you may grow in pow'r and worth, Through-out the ag - es long.

God bless you, Tex - as! And keep you brave and strong,

That you may grow in pow'r and worth, Through-out the ag - es long.

Sitios de interés en Texas

Texas tiene muchos sitios de interés o puntos históricos. Algunos son **monumentos**, es decir, estructuras, que se construyen como muestra de respeto hacia un evento del pasado. Otros son **misiones**, es decir, comunidades religiosas. Cada sitio de interés desempeñó un papel importante en la historia de Texas. En la actualidad, se pueden visitar muchos de estos sitios de interés y vivir la historia de primera mano.

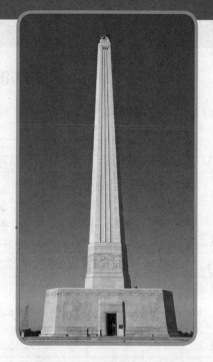

El Monumento de San Jacinto está ubicado en donde tuvo lugar la Batalla de San Jacinto en 1836. Esta famosa batalla llevó a Texas a independizarse de México. Con 567 pies de altura, este monumento es el memorial de guerra más alto del mundo.

Washington-on-the-Brazos es conocido como el lugar de nacimiento de Texas. En este lugar, en el Salón de la Independencia, se firmó la Declaración de Independencia de Texas del dominio mexicano en 1836. Además, fue el lugar del capitolio durante los primeros años de la República de Texas.

El Faro Point Isabel está ubicado en Port Isabel, una de las ciudades más antiguas de Texas. Construido en 1852, el faro guió los barcos a lo largo de la costa de Texas durante la Guerra Civil y hasta el siglo XX.

La Misión San Antonio de Valero se fundó en 1718. Fue el sitio de la famosa Batalla de El Álamo, en 1836. En esta batalla, un pequeño grupo de luchadores por la independencia de Texas se defendieron de un grupo grande de tropas mexicanas. Desde entonces, El Álamo es un símbolo de heroísmo.

Vocabulario

monumento

misión

presidio

La Misión Espíritu Santo se fundó en 1722. Fue trasladada en 1749 a su ubicación actual en el banco norte del río San Antonio, cerca de lo que hoy es Goliad. Cruzando el río se encuentra el Presidio La Bahía. Un **presidio** es un fuerte militar español. La capilla del Presidio La Bahía casi no se ha modificado desde 1749.

La Misión de Corpus Christi de la Isleta (Ysleta) fue una de las primeras misiones de Texas española. Se fundó in 1680 cerca de lo que hoy es El Paso. La Misión Ysleta es la iglesia cristiana más antigua de Texas que permanece en actividad.

La Misión San José y San Miguel de Aguayo se fundó en 1720. Conocida como la "Reina de las Misiones", es la misión más grande de San Antonio.

Fundada en 1716, la Misión San Juan Capistrano se trasladó a San Antonio en 1731. Esta misión tuvo una próspera comunidad, con huertos y jardines que proveían alimento a otras misiones y asentamientos de la región.

9. Escoge uno de los sitios de interés que se describen en estas páginas y **explica** más información sobre él. **Investiga** cuándo se fundó, su significado para el estado y al menos otros dos datos importantes acerca del sitio. Luego **crea** una tarjeta de datos con esta información.

Símbolos del estado

Las plantas, los animales y otros elementos naturales del Suroeste hacen de Texas un lugar especial. Muchos de estos se convirtieron en símbolos oficiales del estado. ¿Cuántos de estos símbolos del estado viste en el lugar en donde vives?

Mamífero pequeño del estado

Los armadillos usan su agudo sentido del olfato para buscar alimento.

Árbol del estado

El nogal pacanero se ganó su título en 1919.

Flor del estado

Las flores de lupino parecen gorros de sol azules.

Planta del estado

El nopal tiene coloridas flores en primavera y verano.

Pájaro del estado

El sinsonte copia los llamados de otros pájaros cantores.

Gema del estado

El topacio azul es una gema común que puede encontrarse en la región central de Texas.

Mamífero grande del estado

En 1927, se formó un rebaño de ganado longhorn oficial del estado para proteger la raza.

10. ¿Sabías que Texas tiene, además, muchos otros símbolos estatales, tales como el vegetal del estado, el zapato del estado y el insecto del estado? Escoge un símbolo que no se muestre en esta página y **crea** un cartel. Incluye en tu cartel un dibujo de tu símbolo y al menos cuatro datos acerca de él. Luego **presenta** tu cartel al resto de la clase.

El buen ciudadano

Las personas muestran que son buenos ciudadanos de Texas y de la nación por su manera de actuar. Lee acerca de las cualidades de un buen ciudadano. Luego completa la actividad.

Responsabilidad significa ser confiable. Significa hacer lo que dices que harás. Cuando eres confiable, las personas pueden confiar en ti.

Responsabilidad

Respeto significa tener en cuenta los sentimientos y las creencias de los demás. Significa no lastimar a otro ni dañar su propiedad.

Justicia significa seguir las reglas. Significa turnarse y dar a otros lo que les corresponde.

Respeto

Patriotismo significa amar al país. Significa trabajar por el bien de tu país.

Valentía significa coraje. Hace falta valentía para hacer lo que está bien y defender aquello en lo que crees.

Tolerancia significa aceptar que otros tienen creencias y opiniones diferentes. Significa respetar las diferencias.

11. Piensa en las cualidades de un buen ciudadano y las palabras de los estudios sociales que expresan esto. Luego escoge una y escribe por qué crees que esa cualidad es importante y cómo puedes mostrar esa cualidad en tu vida. Comparte lo que escribiste con un compañero.

Justicia

Patriotismo

Valentía

Tolerancia

Línea cronológica de Texas

Esta línea cronológica muestra algunos de los eventos que contribuyeron a la singular historia de Texas. Repasa los eventos de la línea cronológica.

1685–1690
Reino de Francia

1685
La Salle trae colonos franceses a lo que hoy es Texas.

800
Los constructores de montículos (caddos) practican la agricultura en lo que hoy es Texas. *Texas* proviene de la palabra caddo que significa "amigo".

1519–1685
Reino de España

1541
La expedición española de Coronado entra al territorio que hoy es Texas en busca de oro.

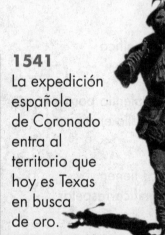

1690–1821
Reino de España

---

800 — **1600** — **1700**

Hace más de 12,000 años
Las primeras personas habitan las llanuras de lo que hoy es Texas.

1528
El explorador español Cabeza de Vaca llega a lo que hoy es Texas.

1680
Los españoles construyen la primera misión, Corpus Christi de la Isleta, en lo que hoy es Texas.

Siglo XVIII
Los españoles comienzan a practicar la ganadería en lo que hoy es Texas.

1821–1836
República Federal Mexicana

1836–1845
República de Texas

Marzo 1836
Texas declara la independencia
y crea un nuevo gobierno. Texas
pierde la Batalla de El Álamo.

1852
Llega a Texas la
primera locomotora.

1824
Stephen F. Austin
funda San Felipe
de Austin.

Abril 1836
Batalla de
San Jacinto

1820   **1835**   **1850**

1821
Stephen F. Austin
trae 300 colonos
americanos para
poblar lo que
hoy es Texas.

1835
Los texanos
luchan
contra tropas
mexicanas
en Gonzales
y Goliad. Las
tropas texanas
expulsan al ejército
mexicano de
San Antonio.

1845
Texas se convierte
en el vigésimo
octavo estado de
los Estados Unidos.

1846–1848
Los Estados
Unidos y México
van a la guerra.

Septiembre, 1836
Sam Houston es
elegido presidente
de la nueva
República
de Texas.

1861–1865
Los Estados
Confederados de América

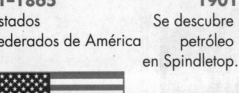

1901
Se descubre
petróleo
en Spindletop.

1911
Texas tiene más
millas de vías
de ferrocarril
que cualquier
otro estado.

1929
Cae la
bolsa de
valores y
comienza
la Gran
Depresión.

1861
Texas
se separa
de la
Unión.

1865–Presente
Los Estados Unidos de América

1865
Tiene lugar la última batalla de la
Guerra Civil y los esclavos de
Texas son liberados. Termina
la Guerra Civil.

1914–1918
Primera Guerra
Mundial

1860   1875   1900   1930

1860
Abraham
Lincoln es
elegido
presidente
de los
Estados
Unidos.

1870
Texas vuelve
a unirse a los
Estados
Unidos.

1874
Joseph
Glidden
desarrolla un
alambre de
púas mejorado.

1900
La agricultura
se convierte
en una importante
industria de Texas.

1925
Miriam A. Ferguson
se convierte en la
primera gobernadora mujer
de Texas.

1928
Texas se
convierte
en el estado
líder en
producción
de petróleo.

1969
Neil Armstrong camina sobre la Luna. El Control de Misión dirige este vuelo desde lo que hoy es el Centro Espacial Johnson.

1973
Bárbara Jordan se convierte en la primera mujer afroamericana del Sur en servir en el Congreso de los Estados Unidos.

2008
El Dr. Michael E. DeBakey, de Texas, recibe la Medalla de Oro del Congreso por sus innovaciones en el campo de la cirugía cardíaca.

1941
Los Estados Unidos entran en la Segunda Guerra Mundial

MS. JORDAN

1940   1960   2000   2020

1945
Termina la Segunda Guerra Mundial.

1963
Lyndon B. Johnson se convierte en presidente de los Estados Unidos.

2000
George W. Bush es elegido presidente de los Estados Unidos.

2013
Se abre la biblioteca presidencial George W. Bush cerca de Dallas.

W. BUSH PRESIDENTIAL LIBRARY AND M

Nuestra tierra y sus regiones
Cinco temas de geografía

La geografía es la ciencia que estudia la Tierra, y puede dividirse en cinco temas que te ayudan a entender por qué hay tantos lugares diferentes en nuestro planeta. Cada tema te enseña algo distinto sobre un lugar, como lo muestra el siguiente ejemplo del Parque Nacional Big Bend.

¿Dónde se encuentra el Parque Nacional Big Bend?

La ubicación aproximada del Parque Nacional Big Bend es 29 °N y 103 °O.

Parque Nacional Big Bend

MONTAÑAS SANTIAGO

Río Grande

385

118

Texas

MONTAÑAS CHISOS

Parque Nacional Big Bend

Río Grande

LEYENDA
— Carretera de los EE. UU.
— Carretera de Texas
— Otro camino
▢ Área del parque

MÉXICO

0   10 mi
0   10 km

29°N

103°O

Lugar

¿En qué se diferencia este lugar de otros?

Big Bend tiene montañas, zonas de desierto y el río más grande de Texas.

La manera en que las personas modifican un lugar representa solo parte de la interacción con el ambiente. La manera en que las personas se adaptan al lugar representa la otra parte.

¿Cómo interactúan las personas con el lugar?

A las personas les gusta caminar a través del paisaje natural que ofrece Big Bend, lugar que se encuentra protegido por su condición de parque nacional.

Interacción con el ambiente

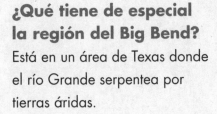

Movimiento

¿Cómo ha cambiado la región debido al movimiento?

El crecimiento de la población y el turismo han conducido a un aumento en el uso de la zona.

¿Qué tiene de especial la región del Big Bend?

Está en un área de Texas donde el río Grande serpentea por tierras áridas.

Región

15

Leer globos terráqueos

Esta es una imagen de la Tierra. En ella se ven algunos de los accidentes geográficos más grandes, llamados continentes. También se ven las masas de agua más grandes, llamadas océanos.

Océano Atlántico

América del Norte

Océano Pacífico

América del Sur

1. **Interpreta** la información del globo terráqueo. Luego **identifica** los dos continentes que se muestran en esta imagen de la Tierra.

....

2. **Identifica** los dos océanos que se muestran.

....

A la derecha hay un **globo terráqueo**, un modelo redondo de la Tierra que puedes sostener con las manos. En él se ve la verdadera forma y ubicación de los continentes y océanos de la Tierra.

En el globo terráqueo suele haber dos líneas que dividen la Tierra en dos mitades. Esas dos líneas se llaman primer meridiano y ecuador. En este globo terráqueo se puede ver el ecuador.

Hemisferios de la Tierra

El ecuador y el primer meridiano dividen la Tierra en mitades llamadas **hemisferios.** El **primer meridiano** es una línea que va del Polo Norte al Polo Sur y que atraviesa Europa y África. Se extiende solo por la mitad del globo. Esa línea divide la Tierra en hemisferio occidental y hemisferio oriental, como se muestra abajo.

El **ecuador** es una línea que rodea la Tierra por el centro, entre el Polo Norte y el Polo Sur. Divide la Tierra en hemisferio norte y hemisferio sur.

Como la Tierra está dividida de dos maneras, tiene cuatro hemisferios.

Vocabulario

globo terráqueo
hemisferio
primer meridiano
ecuador

Hemisferio Occidental	Hemisferio Oriental	Hemisferio Norte	Hemisferio Sur

3. **Interpreta** la información de los globos terráqueos. Luego **identifica** los dos hemisferios donde está ubicada América del Norte.

....

....

4. **Identifica** si Asia está al norte o al sur del ecuador.

....

Mapas políticos

Un mapa es un dibujo plano de toda la Tierra o de parte de ella. Los mapas organizan la información de manera visual y traducen datos geográficos. El mapa muestra un lugar visto desde arriba.

Los distintos tipos de mapas muestran distintos tipos de información. Un mapa que muestra los límites de condados, estados o naciones, además de capitales, se llama **mapa político.** Los mapas políticos traducen datos geográficos como la ubicación de ciudades y pueblos, y la distancia entre ellos. Este mapa suele mostrar grandes accidentes geográficos o masas de agua como ayuda para interpretar la ubicación de lugares.

Todos los mapas tienen título. El **título** dice de qué trata el mapa. En los mapas se usan símbolos para mostrar información. Un **símbolo** es un dibujito, línea o color que representa algo específico. La referencia o **leyenda** del mapa dice qué representa cada símbolo. En el mapa político de abajo, una estrella representa la capital del estado. Las líneas muestran los límites, o fronteras estatales. El color se usa para mostrar el área que conforma Texas. Los estados limítrofes y México están en otro color para mostrar que no es el tema del mapa.

5. **Interpreta** la información del mapa. Usa la leyenda para **identificar** el símbolo que representa la capital de Texas. Luego enciérrala en un círculo en el mapa.

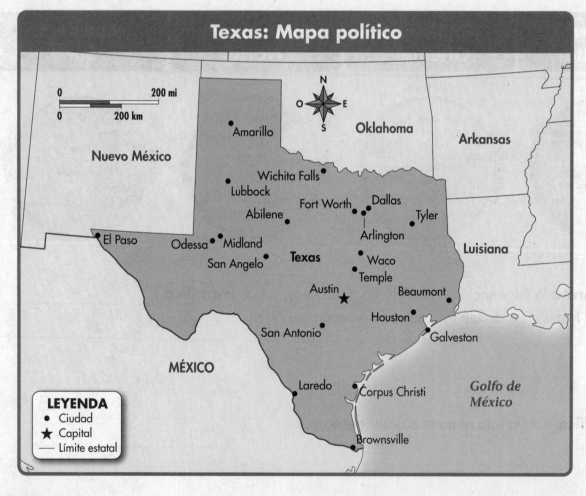

Texas: Mapa político

18

Mapas físicos

Un **mapa físico** muestra accidentes geográficos, como montañas, llanuras y desiertos. También muestra masas de agua, como océanos, lagos y ríos. Los mapas físicos suelen mostrar los límites entre estados y países para ayudar a ubicar los accidentes geográficos. Un buen lugar para buscar mapas políticos y físicos es un atlas. Un **atlas** es una colección o libro de mapas.

El mapa físico de Texas que se muestra abajo incluye rótulos para muchos de los accidentes geográficos de Texas. Una escarpa es una cuesta de gran pendiente y extensión. Una meseta es una planicie más elevada que la tierra que está alrededor de ella. Un isla es tierra que está completamente rodeada por agua. En Texas también hay cuencas, es decir, grandes depresiones con forma de tazón.

6. **Interpreta** la información del mapa. Encierra en un círculo la escarpa del mapa. Marca con una X la meseta.

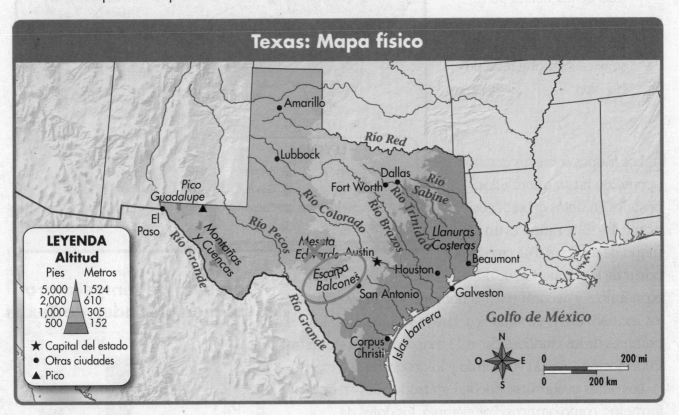

Texas: Mapa físico

LEYENDA
Altitud

Pies	Metros
5,000	1,524
2,000	610
1,000	305
500	152

★ Capital del estado
• Otras ciudades
▲ Pico

Amarillo
Río Red
Lubbock
Dallas
Fort Worth
Río Sabine
Pico Guadalupe
Río Colorado
Río Trinidad
El Paso
Montañas y Cuencas
Río Pecos
Meseta Edwards
Río Brazos
Llanuras Costeras
Austin
Escarpa Balcones
Houston
Beaumont
Río Grande
San Antonio
Galveston
Corpus Christi
Islas barrera
Golfo de México

N O E S
0   200 mi
0   200 km

Los mapas muestran direcciones

Los mapas muestran los puntos cardinales. Una **rosa de los vientos** es un símbolo que indica las direcciones en un mapa. Las cuatro direcciones principales son los **puntos cardinales**: norte, sur, este y oeste. El norte apunta hacia el Polo Norte y se indica con una *N*. El sur apunta hacia el Polo Sur y se indica con una *S*.

Mira la rosa de los vientos en el mapa. Además de indicar los puntos cardinales, indica otros puntos que están entre medio. Son los **puntos cardinales intermedios**. Ellos son el noreste, sureste, suroeste y noroeste.

7. Usa la leyenda y la rosa de los vientos para **interpretar** el mapa. **Identifica** el recurso que se encuentra al sureste de Houston.

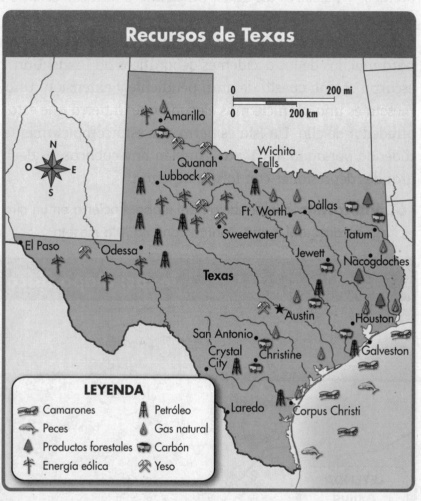

Recursos de Texas

LEYENDA
- Camarones
- Peces
- Productos forestales
- Energía eólica
- Petróleo
- Gas natural
- Carbón
- Yeso

Los mapas sobre los que has aprendido hasta ahora están basados en datos geográficos primarios. Este mapa es un mapa de recursos. Fue creado a partir de la traducción de datos económicos y geográficos (los nombres y la ubicación de los recursos clave) en símbolos. Luego se agregaron los nombres de las ciudades clave. El mapa completo muestra información sobre la economía y la geografía de Texas.

Los datos geográficos pueden ser traducidos en otros formatos, como gráficos. Por ejemplo, los datos de temperatura se pueden traducir en una gráfica de barras.

8. **Investiga** y **analiza** el promedio de precipitación anual de una ciudad de Texas. Luego, en otra hoja de papel, **traduce** los datos en un gráfico.

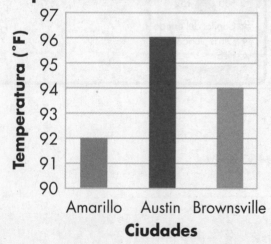

Promedio de temperatura en julio en ciudades de Texas

Temperatura (°F) / Ciudades

Amarillo   Austin   Brownsville

Los mapas muestran distancias

Un mapa es un dibujo muy pequeño de un lugar grande. Sin embargo, con la escala de un mapa, puedes usar destrezas matemáticas para hallar distancias en millas o kilómetros de un punto de la Tierra a otro. La **escala** del mapa muestra la relación entre la distancia que se ve en el mapa y la distancia en la Tierra. Una manera de usar la escala es poner el borde de un papel debajo de la escala y copiarla. Luego, pones tu copia sobre el mapa y mides la distancia entre dos puntos.

El siguiente es un mapa cultural. Puedes usarlo para hallar las distancias entre algunas de las atracciones culturales de Texas.

9. **Usa** la escala y destrezas matemáticas para **interpretar** e **identificar** a cuántas millas está el Parque Estatal Dinosaur Valley, cerca de Fort Worth, del Parque Nacional Big Bend, en la frontera con México.

....

10. **Identifica** si el rancho King está a más o a menos de 100 millas de distancia de El Álamo.

....

....

....

Vocabulario

rosa de los vientos

punto cardinal

punto cardinal intermedio

escala

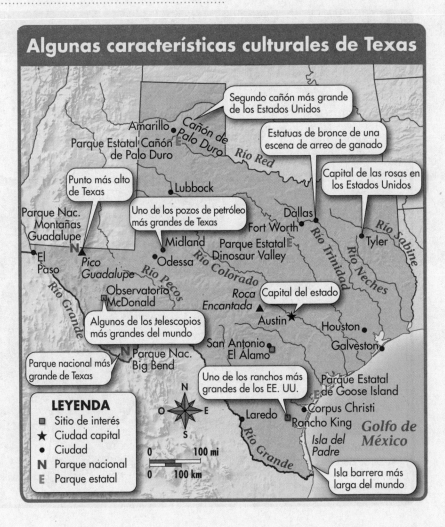

Algunas características culturales de Texas

Segundo cañón más grande de los Estados Unidos

Estatuas de bronce de una escena de arreo de ganado

Capital de las rosas en los Estados Unidos

Amarillo

Cañón de Palo Duro

Parque Estatal Cañón de Palo Duro

Río Red

Punto más alto de Texas

Lubbock

Uno de los pozos de petróleo más grandes de Texas

Dallas

Fort Worth

Río Sabine

Parque Nac. Montañas Guadalupe

El Paso

Pico Guadalupe

Midland

Odessa

Río Pecos

Parque Estatal Dinosaur Valley

Río Colorado

Río Trinidad

Río Neches

Tyler

Observatorio McDonald

Roca Encantada

Capital del estado

Algunos de los telescopios más grandes del mundo

Austin

Houston

Río Grande

Parque Nac. Big Bend

San Antonio El Álamo

Galveston

Parque nacional más grande de Texas

Uno de los ranchos más grandes de los EE. UU.

Parque Estatal de Goose Island

Corpus Christi

LEYENDA
- ◻ Sitio de interés
- ★ Ciudad capital
- ● Ciudad
- N Parque nacional
- E Parque estatal

Laredo

Rancho King

Golfo de México

Isla del Padre

Río Grande

Isla barrera más larga del mundo

0   100 mi

0   100 km

Mapas de altitud

Un mapa de altitud muestra la altura a la que está el territorio. La **altitud** es la altura sobre el nivel del mar. Un lugar que está al nivel del mar está a la misma altura que la superficie del agua de un océano.

En los mapas de altitud se usan colores para mostrar la altitud. Para leer ese tipo de mapa, primero hay que mirar la leyenda. Observa que hay números cerca de cada color. Los números muestran el rango de altitud que representa cada color. En este mapa de Texas, el verde oscuro representa la altitud más baja. El rango del verde oscuro va de 0 a 500 pies sobre el nivel del mar.

11. Usa la leyenda para **interpretar** la información del mapa. **Identifica** el rango de altitud de la meseta Edwards.

....

....

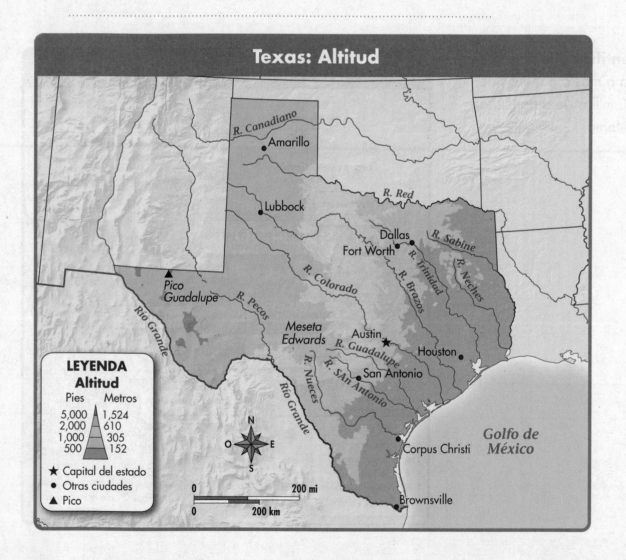

Texas: Altitud

R. Canadiano
Amarillo
R. Red
Lubbock
Dallas
Fort Worth
R. Sabine
R. Trinidad
R. Neches
Pico Guadalupe
R. Colorado
R. Pecos
R. Brazos
Río Grande
Meseta Edwards
Austin
R. Guadalupe
Houston
San Antonio
R. SAn Antonio
R. Nueces
Río Grande
Corpus Christi
Golfo de México
Brownsville

LEYENDA
Altitud

Pies	Metros
5,000	1,524
2,000	610
1,000	305
500	152

★ Capital del estado
● Otras ciudades
▲ Pico

N O E S

0   200 mi
0   200 km

Usar un sistema de cuadrículas

Vocabulario

altitud

cuadrícula

Un mapa de una ciudad traduce datos geográficos como las calles, puntos de interés y características naturales. Para ubicar lugares más fácilmente, este mapa de una ciudad tiene una cuadrícula. Una **cuadrícula** es un sistema de líneas que se cruzan y forman un patrón de cuadrados. Las líneas están rotuladas con letras y números. Estos cuadrados dan una ubicación a cada lugar del mapa.

Para encontrar una ubicación específica, el mapa tiene un índice. Un índice es una lista de lugares ordenados alfabéticamente. El índice indica la letra y el número del cuadrado en el que está ubicado el lugar.

12. Aplica el instrumento geográfico, el sistema de cuadrículas, para **interpretar** la información del mapa. Luego **organiza** la información y escribe en el índice el número y la letra correspondientes a El Álamo.

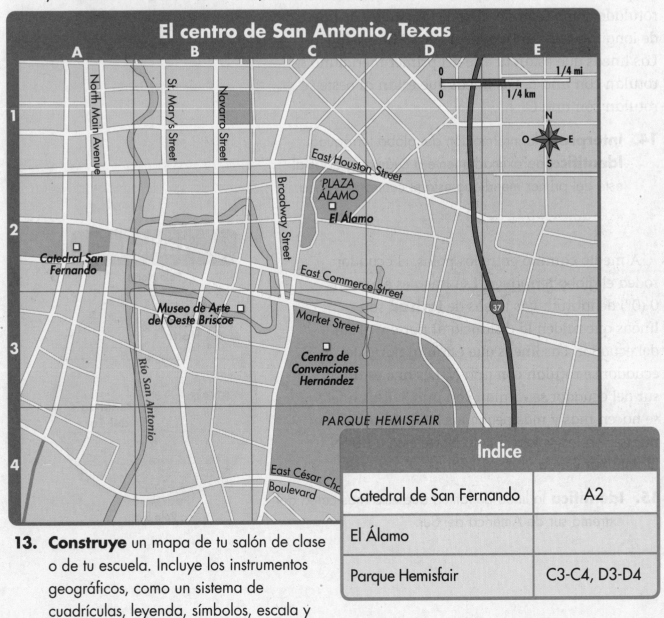

El centro de San Antonio, Texas

Índice	
Catedral de San Fernando	A2
El Álamo	
Parque Hemisfair	C3-C4, D3-D4

13. Construye un mapa de tu salón de clase o de tu escuela. Incluye los instrumentos geográficos, como un sistema de cuadrículas, leyenda, símbolos, escala y rosa de los vientos.

Usar la latitud y la longitud para indicar una ubicación exacta

Hace mucho tiempo, los cartógrafos crearon un sistema para ubicar lugares exactos de la Tierra. En ese sistema se usan dos conjuntos de líneas que forman una cuadrícula alrededor del globo terráqueo. Esas líneas están numeradas en unidades de medida llamadas **grados.**

Un conjunto de líneas va del Polo Norte al Polo Sur. Esas son las líneas de longitud. Las líneas de **longitud** miden la distancia al este y al oeste del primer meridiano. El primer meridiano está rotulado como 0 grados (0°) de longitud. Las líneas de longitud están rotuladas desde 0° hasta 180°. Las líneas que están al este del primer meridiano se rotulan con una *E*. Las líneas que están al oeste se rotulan con una *O*.

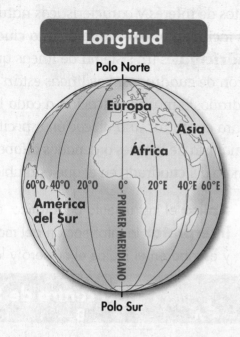

Longitud

14. **Interpreta** la información del globo terráqueo. **Identifica** aproximadamente a cuántos grados al este del primer meridiano está el centro de África.

....

A medio camino entre los polos, el ecuador rodea el globo terráqueo. Esa línea es el grado 0 (0°) de latitud. Las líneas de **latitud** son líneas que miden la distancia al norte y al sur del ecuador. Las líneas que están al norte del ecuador se rotulan con una *N*. Las que están al sur del ecuador se rotulan con una *S*. Esas líneas se hacen más y más pequeñas hasta terminar en puntos, en los polos. El Polo Norte está a 90 °N. El Polo Sur está a 90 °S.

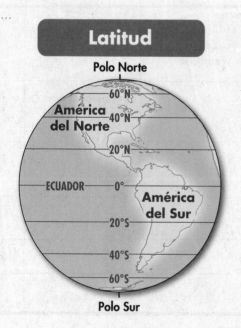

Latitud

15. **Identifica** la línea de latitud que está más cerca del extremo sur de América del Sur.

....

....

....

Los mapas muestran sucesos

Algunos mapas se usan para mostrar sucesos históricos. Puedes usar la leyenda de este mapa para ubicar sucesos que ocurrieron hace mucho tiempo.

Vocabulario

grado

longitud

latitud

16. Identifica y traza la ruta del explorador que, en 1528, atravesó la región que actualmente es Texas.

Rutas de los exploradores españoles

LEYENDA
← Piñeda, 1519
← Cortés, 1519–1520
← Cabeza de Vaca, 1528–1536
← De Soto, 1539–1542
← De Moscoso, 1542–1543
← Coronado, 1540–1542
← Oñate, 1598–1607
— Fronteras actuales

Golfo de México

OCÉANO PACÍFICO

MÉXICO

Cuba

La Española

Jamaica

Mar Caribe

0   400 mi
0   400 km

Los mapas también se usan para mostrar sucesos actuales. Puedes usar la rosa de los vientos y los horarios del mapa para seguir el recorrido del huracán Ike a través de Texas.

17. Identifica la dirección en la que viajó el huracán Ike a través de Texas.

Recorrido del huracán Ike

1:00 P.M. Domingo

1:00 P.M. Sábado

1:00 P.M. Viernes

4:00 P.M. Jueves

0   300 mi
0   300 km

Golfo de México

Vocabulario

fuente secundaria

biografía

enciclopedia

diccionario

almanaque

atlas

tecnología

Internet

fuente primaria

Destrezas de investigación: Nuestro maravilloso estado

Tipos de recursos

Cuando haces una investigación para un informe escrito u oral o para un proyecto, puedes organizar y usar información reunida de varias fuentes válidas. Por ejemplo, puedes localizar fuentes válidas en fuentes impresas, en la tecnología electrónica o en tu comunidad.

Los libros de referencia son recursos impresos válidos. Brindan datos comprobados. Un libro de referencia también es una **fuente secundaria**, o evidencia reunida después de que ocurrió un suceso. El autor de una fuente secundaria no participó del suceso. Los siguientes son algunos ejemplos más de fuentes secundarias válidas:

- Una **biografía** es un relato sobre la vida de una persona escrito por otra persona.
- Una **enciclopedia** es un conjunto de libros que brinda datos sobre personas lugares, cosas y sucesos.
- Un **diccionario** brinda el significado de las palabras. También muestra cómo se pronuncian y cómo se escriben.
- Un **almanaque** brinda datos y fechas de varios temas. La mayor parte de la información se presenta en gráficas y tablas.
- Un **atlas** es una colección o un libro de mapas.

Hoy en día, muchos recursos de referencia también tienen componentes tecnológicos. La **tecnología** es el uso del conocimiento, las destrezas y las herramientas científicas para ayudar a las personas a satisfacer sus necesidades. Por ejemplo, una enciclopedia puede ofrecer videos de audio e imagen en un *software* o en Internet. **Internet** es una red global que conecta miles de millones de computadoras en todo el mundo. El conjunto de sitios de Internet se denomina Red Mundial. Los sitios individuales se denominan sitios web. Algunos sitios contienen información sobre distintos hechos organizada en bases de datos. Es importante comprobar que la información de un sitio web sea válida. Una manera de comprobarlo es hallar al menos dos fuentes más que tengan información similar.

Además de las fuentes de referencia, puedes entrevistar a personas de tu comunidad para reunir información sobre los Estados Unidos o Texas. Por ejemplo, una persona que trabaja en un museo de historia puede darte información de fuente primaria. Una **fuente primaria** es una evidencia creada por alguien en el momento en que ocurre un suceso. Las fuentes primarias pueden ser recursos impresos, como cartas, diarios o registros gubernamentales. Pueden ser recursos visuales, como fotos, artefactos o una pieza de arte. También pueden ser fuentes orales, como canciones o discursos. Puedes usar recursos electrónicos, como grabaciones de televisión y de radio, para oír fuentes orales.

La Constitución de Texas es uno de los documentos más importantes de nuestro estado y es una fuente primaria impresa. La Constitución de Texas contiene un plan de gobierno para el estado. Como el estado estuvo gobernado por distintas naciones, la Constitución se revisó en varias ocasiones. Hoy en día, la Constitución de Texas refleja la historia del estado y señala los derechos básicos de los ciudadanos de Texas. Puedes encontrar una versión electrónica de la Constitución de Texas en el sitio web del gobierno de Texas.

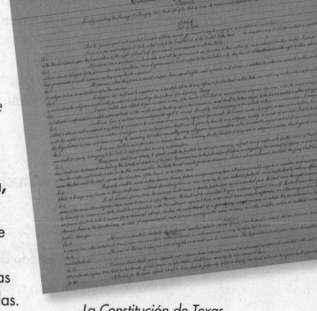

La Constitución de Texas es una fuente primaria.

1. Escoge un tema relacionado con Texas y prepara un informe de investigación escrito u oral. **Localiza, interpreta** y **usa** una fuente de tecnología, una impresa y una de la comunidad. Lleva un registro de los recursos en la segunda columna de la siguiente tabla. Luego, en la tercera columna, **distingue** si las fuentes primarias y secundarias son válidas y rotúlalas.

Fuente	Ejemplo	Primaria o secundaria
Tecnología		
Impresa		
Comunidad		

Escribir un esquema

Los buenos escritores organizan sus ideas. Escribir un esquema es una buena manera de organizarlas. Un **esquema** es un plan escrito para interpretar información. Organiza la información y las ideas de un tema.

El primer paso para hacer un esquema es identificar el tema en el título. Luego, hay que dividir el tema en ideas principales o subtemas. Usa números romanos para hacer una lista de los subtemas. Los **números romanos** solían usarse en la antigua Roma. Son una combinación de letras del alfabeto latino que representan valores. Los números del 1 al 10 en números romanos se escriben de la siguiente manera: I, II, III, IV, V, VI, VII, VIII, IX, X.

Debajo de cada subtema, haz una lista de los detalles, o las ideas de apoyo. Usa letras mayúsculas, números y letras minúsculas para hacer una lista de los detalles.

La Constitución de 1845

I. Datos básicos

A.   La primera constitución del estado de Texas

    1.   Solicitaba su incorporación a los Estados Unidos

B.   Se basaba en principios constitucionales comunes de los Estados Unidos

    1.   Soberanía popular

       a.   El pueblo tiene el poder.

    2.   Derechos individuales

    3.   Forma de gobierno republicana

    4.   Separación de poderes

2. **Interpreta** la información. **Identifica** y subraya el tema del esquema de arriba. Luego, **identifica** el subtema y enciérralo en un círculo. Por último, **identifica** el número romano que usarías si quisieras agregar otro subtema. Ahora, **organiza** e **interpreta** un esquema para un tema relacionado con Texas en una hoja aparte. Incluye por lo menos dos subtemas y detalles de apoyo para cada subtema.

Escribir un informe de investigación

Vocabulario

esquema

número romano

informe de investigación

Un **informe de investigación** es un ensayo exhaustivo basado en información detallada de un tema. Los informes te ayudan a interpretar la información. Lo primero que hay que hacer a la hora de escribir un informe es elegir un tema. Imagina que tu tarea es escribir un informe de investigación de 500 palabras sobre la Constitución de Texas. Debes acotar el tema a algo más específico.

3. Identifica un tema específico sobre la Constitución de Texas.

....

Una vez que elegiste el tema, escribe preguntas. Luego, usa distintas fuentes para responder tus preguntas y toma notas sobre el tema. Es importante organizar y enumerar tus fuentes. Lleva una lista del título del libro, el autor y los números de páginas, así como de las direcciones de Internet de cada fuente. Asegúrate de parafrasear la información con tus propias palabras. Si usas la información tal como aparece en una fuente, escríbela entre comillas.

Escribe un primer borrador de tu informe. Usa tus notas para organizar la información en párrafos. Luego, vuelve a leer tu trabajo. ¿Tiene sentido? ¿Debes agregar más información? Asegúrate de comprobar que en tu informe no haya errores de gramática, de ortografía, de estructuras en las oraciones ni de puntuación. Haz todas las correcciones antes de escribir con prolijidad una versión final de tu informe o de escribirlo en la computadora.

4. En otra hoja, **organiza** y escribe un primer borrador de tu informe de investigación sobre un tema específico relacionado con Texas o los Estados Unidos. Asegúrate de incorporar la idea principal y las ideas de apoyo, y de organizar la información para que pueda ser interpretada. Usa la gramática, la ortografía, las estructuras y la puntuación estándares en tu informe. También incluye materiales visuales para que tu informe genere más interés.

Hacer una bibliografía

En una buena investigación es fundamental reconocer las fuentes. Una bibliografía escrita con sumo cuidado es una parte esencial de la investigación. Una **bibliografía** es una lista escrita de las fuentes que se usaron para preparar un informe de investigación.

La mayoría de las bibliografías ordenan en secuencia todas las fuentes alfabéticamente según el apellido del autor. Si no se nombra a ningún autor, se usa la primera letra del título de la fuente. Lee a continuación la lista de fuentes del ensayo de investigación sobre la Constitución de Texas. ¿Qué fuente debería ir primera en la bibliografía? El apellido del autor del artículo periodístico comienza con *B*; por lo tanto, esa fuente sería la primera.

Algunas bibliografías enumeran las fuentes en grupos de distintos tipos de fuentes. Primero, se enumeran todos los libros en orden alfabético. Luego, se ordenan todos los artículos de revistas en orden alfabético, etc.

5. **Identifica, analiza** y **ordena en una secuencia** las fuentes según cómo deberían aparecer en una bibliografía.

Libro	May, Janice C. *The Texas State Constitution.* pp. 5–45. Oxford University Press, 2011.
Artículo de revista	Sager, Ryan. "10 Reasons Texas is America's Future." *Time Magazine.* http://ideas.time.com/2013/10/17/10-reasons-texasis-our-future/. October 17, 2013.
Artículo periodístico	Blumenthal, Ralph. "Hue and Cry Replaces Yawns in Vote on Texas Constitution." *New York Times.* September 15, 2003.
Sitio web	Texas Politics: The Constitution. http://texaspolitics.laits.utexas.edu/7_1_0.html

Publicar tu informe

Ya dedicaste tiempo a planificar tu informe de investigación, a reunir información, a escribirlo y a revisarlo. ¿Cuál es el siguiente paso? Publicar y presentar tu informe a una audiencia.

Al presentar tu informe, ten en cuenta estos consejos:

- Siempre ten en cuenta a tu audiencia. Piensa en la manera más clara de exponer la información. Por ejemplo, si tu informe es sobre geografía, usa las palabras de estudios sociales adecuadas para expresar tus ideas.
- Habla claro y mantén contacto visual. Trata de no mirar tus notas todo el tiempo.
- Muestra entusiasmo sobre el tema. Si te aburres, ¡tu audiencia también se aburrirá!

Los materiales visuales pueden generar interés en los informes escritos y las presentaciones orales. Los **materiales visuales** pueden ser dibujos, mapas, tablas y organizadores gráficos. Estos te ayudan a organizar e interpretar la información. Hay muchos recursos auditivos y visuales en Internet. Puedes descargar fotos, gráficas o partes de videos o películas. Lleva un registro de las fuentes de todo lo que descargues y uses en tu presentación. Luego, puedes incluir las fuentes en la bibliografía.

6. **Planifica** una presentación oral sobre tu tema relacionado con Texas o los Estados Unidos. Antes de comenzar, **identifica** por lo menos tres materiales visuales que planeas usar en tu presentación. Asegúrate de incorporar la idea principal y las ideas de apoyo de tu informe en tu presentación oral.

....

....

Geografía de Texas

 Historia: ¡Despeguemos!

¿Cómo influye la geografía en nuestra vida?

Analiza lo que hay a tu alrededor. **Identifica** de qué manera lo que hay a tu alrededor influye en las cosas que haces todos los días. **Describe** cómo te afecta a ti y a la manera en que vives.

....

....

....

★ Conocimiento y destrezas esenciales de Texas

6.A Utilizar recursos geográficos, incluyendo sistemas grid, lectura de mapas, símbolos, escalas numéricas y compases rosa (rosa de los vientos) para construir e interpretar mapas.

6.B Traducir datos geográficos, distribución de la población y recursos naturales en una variedad de formatos.

7.B Identificar, ubicar y comparar las regiones geográficas de Texas (Montañas y Cuencas, las Grandes Llanuras, las Llanuras del Norte Central y las Llanuras Costeras), incluyendo sus accidentes geográficos, clima y vegetación.

8.B Describir y explicar la ubicación y distribución de diferentes pueblos y ciudades en Texas, en el pasado y en el presente.

8.C Explicar los factores geográficos tales como los accidentes geográficos y el clima que impactan el tipo de asentamientos y la distribución de la población en Texas, en el pasado y en el presente.

9.A Describir cómo las personas se han adaptado o modificado su medio ambiente en Texas, en el pasado y en el presente, tales como la deforestación, la producción de productos agrícolas, el drenaje de las tierras acuosas, la producción de energía y la construcción de diques.

9.B Identificar porqué las personas se han adaptado o modificado su ambiente en Texas, en el pasado y en el presente, tales como el uso de los recursos naturales para satisfacer las necesidades básicas, facilitar el transporte y mejorar las actividades recreacionales.

9.C Comparar las consecuencias positivas y negativas de las modificaciones humanas del medio ambiente en Texas, en el pasado y en el presente, tanto en el sector gubernamental como en el sector privado, tales como el desarrollo económico y el impacto en los hábitats y la fauna, como también en la calidad del aire y del agua.

12.B Explicar cómo los factores geográficos tales como el clima, el transporte y los recursos naturales han impactado la ubicación de las actividades económicas en Texas.

12.C Analizar los efectos de la exploración, la inmigración, la migración y los recursos limitados en el desarrollo económico y en el crecimiento de Texas.

13.B Identificar los productos tejanos en las áreas del petróleo y el gas, la agricultura y la tecnología que satisfacen las necesidades en los Estados Unidos y alrededor del mundo.

13.C Explicar cómo los tejanos satisfacen algunas de sus necesidades a través de la compra de productos de los Estados Unidos y del resto del mundo.

21.B Analizar información, ordenando en una secuencia, categorizando, identificando las relaciones de causa y efecto, comparando, contrastando, encontrando la idea principal, resumiendo, formulando generalizaciones y predicciones y formulando inferencias y sacando conclusiones.

21.C Organizar e interpretar información en bosquejos, reportes, bases de datos y visuales, incluyendo gráficos, diagramas, líneas cronológicas y mapas.

22.B Incorporar las ideas principales y secundarias en la comunicación verbal y escrita.

Parque Nacional Big Bend

Un tesoro nacional

mi Historia: Vídeo

"Siempre dije que en Texas todo es grande, ¡pero en este parque realmente es así!", exclama Connor al entrar por primera vez en el Parque Nacional Big Bend. Este parque nacional, oculto en la región de Montañas y Cuencas de Texas, tiene una geografía asombrosa.

"Atravesar Texas en carro llevaría el mismo tiempo que atravesar varios estados de la región del Noreste", dice David, el guía de turismo que le tocó a Connor en el Big Bend. "Y Texas no solo es grande, ¡también tiene una gran diversidad!". Desde montañas y cañones hasta llanuras y playas, Texas tiene muchos accidentes geográficos y muchos climas. Gracias a eso, y también a su historia y su cultura, Texas es un lugar muy visitado. "Recibimos alrededor de 350,000 visitantes cada año", dice David con orgullo. "Y muchos de ellos son turistas internacionales". El turismo es un gran negocio en Texas y, al cabo de un par de días recorriendo el Parque Nacional Big Bend, Connor entiende perfectamente por qué.

Muchos turistas disfrutan explorando el Big Bend. El río Grande recorre aproximadamente 110 millas a lo largo del límite sur del parque.

Las montañas Chisos están en el centro del Parque Nacional Big Bend.

Muchas de las más de 1,000 especies de plantas que hay en el Big Bend son cactus cubiertos de espinas o púas.

"Aquí, en el Parque Nacional Big Bend", explica David, "verán una gran variedad de fauna, flores y plantas". Muchas de estas especies están en peligro de extinción. Esto significa que quedan muy pocos ejemplares de su clase. Como están en peligro de extinción, están protegidas tanto por el gobierno de los Estados Unidos como por el gobierno de Texas. "Si miran atentamente, ¡tal vez puedan ver algunas tortugas en la ribera del Río Grande!", dice David. Algunas de las plantas que se encuentran en el Big Bend no se encuentran en ningún otro lugar de Texas. ¡Y es probable que a la yuca gigante solo la vean en Texas y Nuevo México!

Texas es el segundo estado más grande de los Estados Unidos y limita con cuatro vecinos. Probablemente sea el estado más fácil de ubicar en el mapa. "Personas de todas partes se llevan a casa recuerdos con la forma del estado de Texas", dice David. La forma de Texas es reconocida en todo el país.

Las tortugas viven a orillas del río Grande.

El Big Bend abarca más de 800,000 acres de terreno y es famoso por sus recursos naturales y su espectacular geología. La geología es la ciencia que estudia la composición y la historia de la tierra.

"Y las distintas altitudes que se encuentran en nuestro parque crean microclimas que también generan una diversidad, o variedad, de flora y fauna".

En la Oficina de turismo, las exposiciones interactivas ofrecen un panorama de la geología y la historia natural del parque.

El correcaminos es una de las 450 especies de aves que habitan en el Big Bend.

"Me sorprende que no haya más personas viviendo en esta zona", comenta Connor. "¿Es duro vivir aquí?", pregunta. "Bueno", le responde David, "si bien esta tierra es bonita y tiene mucha historia, no es sencillo vivir aquí. Esta región es seca y rocosa, y las montañas separan las ciudades". La ciudad más cercana está a más de 20 millas de la sede del parque y su población es bastante pequeña. Los primeros colonos dependían del río Grande para obtener agua y transporte, y construían sus casas cerca de él. En la actualidad, aún se pueden encontrar vestigios, o restos, de sus casas en todo el parque. Sin embargo, al igual que muchas de las antiguas civilizaciones, es probable que estos colonos se hayan dado cuenta de que tenían que mudarse y asentarse en otras ciudades y otros pueblos donde fuera más fácil vivir. Si bien este terreno escondido es un lugar maravilloso para que los científicos exploren, aprendan y descubran, su geografía no es la mejor para los asentamientos.

"Me alegra que el área permanezca como hace cientos de años", exclama Connor. "¡Hay mucho que aprender sobre todos los tipos de geografía que hay aquí en el Big Bend!".

Gran parte de la belleza del Big Bend fue creada por actividad volcánica, terremotos y erosión a través de millones de años.

Piénsalo ¿Cómo crees que pudo haber sido vivir en un lugar como el Big Bend? A medida que lees el capítulo, piensa en cómo la geografía influye en la vida de las personas. Luego piensa en cómo las personas influyen en el mundo en el que viven.

Ubicación de Texas

¡Imagínalo!

Desde el espacio, el planeta Tierra se ve como una gigantesca esfera azul.

Recorrer a pie los límites de Texas te tomaría al menos mil horas si caminaras sin parar. Pero el viaje sería apasionante, porque Texas no solo es grande, sino que también es un lugar muy variado. Esto significa que no hay solo llanuras o colinas, montañas o desiertos. Texas tiene todos esos accidentes geográficos y muchos más. Hoy comenzarás tu viaje de aprendizaje sobre la geografía de Texas. La geografía es el estudio de la Tierra, que incluye sus características físicas y el uso que hacen de ellas los seres humanos. Una parte importante de la geografía de Texas es su ubicación.

¿Dónde está Texas?

Todos los lugares del planeta Tierra tienen una dirección global que describe su ubicación. La dirección comienza por ubicar los hemisferios de la Tierra. La palabra *hemisferio* describe una mitad de la Tierra, con su porción de océanos y continentes. Si dividimos la Tierra desde el Polo Norte hasta el Polo Sur a lo largo del primer meridiano, encontramos los hemisferios oriental y occidental. Texas está ubicado en el hemisferio occidental. Si dividimos la Tierra por la línea del ecuador, encontramos los hemisferios norte y sur. Texas está ubicado en los hemisferios norte y occidental. El próximo paso es identificar el continente. Un continente es una de las siete grandes extensiones de tierra que hay en nuestro planeta. Texas está situado en el continente denominado América del Norte. Lo siguiente es el país y, como ya sabes, Texas está en los Estados Unidos.

Una **región** es una zona con características, personas y modos de vida comunes que la diferencian de otras zonas.

El río Grande, en el cañón de Santa Elena, dentro del Parque Nacional Big Bend, es uno de los tantos lugares que hay para visitar en Texas.

Busca los Estados Unidos en la vista de la Tierra desde el espacio. Dibuja tu propio mapa de los Estados Unidos.

DESCIFRA LA
PREGUNTA PRINCIPAL

Aprenderé cómo influye la geografía en el modo de vida que llevamos en Texas.

Vocabulario

región	escarpa
agua subterránea	meseta
	cuenca
manantial	
isla barrera	

Para ubicar Texas en los Estados Unidos, los geógrafos dividen el país en regiones. Hay muchos tipos de regiones. Pueden tener en cuenta cualquier característica común, desde los tipos de cultivo y los idiomas que se hablan... ¡hasta la música que se toca! El mapa de abajo muestra a los Estados Unidos divididos en cinco regiones geográficas.

TEKS
6.A, 6.B, 7.B, 8.B, 8.C, 12.B, 13.C

1. **Interpreta** el mapa. ¿En qué región geográfica se ubica Texas? **Encierra** en un círculo el nombre de la región en la leyenda del mapa.

Regiones de los Estados Unidos

LEYENDA
- Región del Noreste
- Región del Medio Oeste
- Región del Sureste
- Región del Suroeste
- Región del Oeste

El puerto de Houston es el puerto más grande de Texas.

Texas en América del Norte

América del Norte es el tercer continente más grande de la Tierra. Se extiende desde el océano Glacial Ártico, al norte, hasta donde comienza América del Sur, al sur. Es un vasto continente con 37,000 millas de línea costera salpicada de ensenadas y bahías. Gracias a estos factores geográficos, el continente cuenta con muchos puertos para los barcos que cruzan el océano Pacífico, rumbo a Asia, o los que atraviesan el océano Atlántico, rumbo a Europa y África. Los barcos también pueden navegar ambos océanos hacia el sur, rumbo a América del Sur. Los barcos que zarpan de las ciudades portuarias de Texas navegan estos océanos para comerciar con los habitantes de todos los continentes del mundo.

Texas en América del Norte

2. Mira el mapa para **identificar** los lugares y completa los espacios en blanco.

   El océano que limita al este con América del Norte es el

   ....

   El océano que limita al oeste con América del Norte es el

   ....

   El país que limita al norte con los Estados Unidos es

   ....

   El país que limita al sur con los Estados Unidos es

   ....

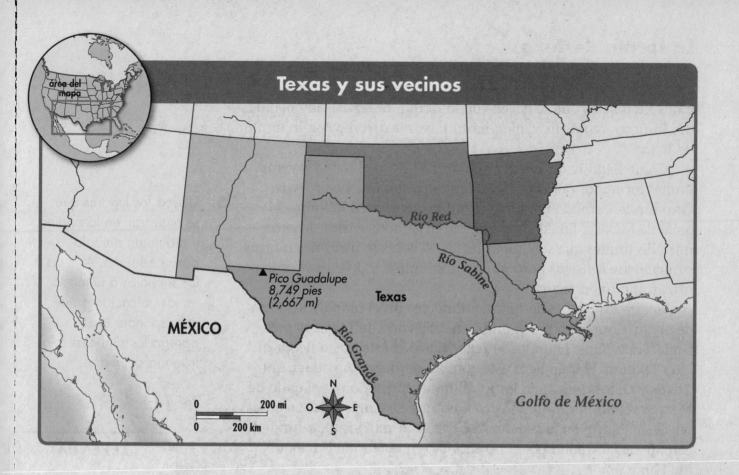

Texas y sus vecinos

área del mapa

Río Red

Río Sabine

▲ Pico Guadalupe
8,749 pies
(2,667 m)

Texas

MÉXICO

Río Grande

N
O   E
S

0   200 mi
0   200 km

Golfo de México

Texas también comercia con sus vecinos de América del Norte. Texas tiene cinco vecinos. Cuatro de ellos son estados de los Estados Unidos, y el quinto vecino es un país. Al oeste, Texas limita con el estado de Nuevo México. El suelo de esta región fronteriza es árido y rocoso, con montañas como el pico Guadalupe. Esta montaña es el pico más alto de Texas.

Al norte de Texas se encuentra el estado de Oklahoma. Parte de este límite está formado por el río Red. En su esquina noreste, Texas limita con el estado de Arkansas. Y al este, Texas limita con el estado de Luisiana. Parte de este límite está formado por el río Sabine. Al sur, cruzando el río Grande, hay un país: México.

4. Explica cómo ha influido la geografía de Texas en la ubicación de las actividades económicas del estado.

....

....

....

3. En el mapa, **ubica** y rotula los cuatro estados que limitan con Texas.

La forma de Texas

Texas no solo es grande y diverso, sino que además tiene una forma muy particular que todo el mundo reconoce. Piensa en todos los objetos que se hacen con la forma de Texas. Hay hebillas de cinturón, bandejas y dijes; hasta hay macarrones con la forma de Texas.

¿Cómo llegó Texas a tener esta forma? Mira el mapa y verás límites formados por ríos. Estos límites tienen muchas curvas. Otro límite formado por agua es la línea costera a lo largo del golfo de México. En ella hay bahías, ensenadas e islas. Ahora, mira los límites que son líneas rectas. A veces se usan ríos u otras características físicas para marcar los límites, y a veces se opta por trazar una línea recta.

Recorre los límites de Texas guiándote con el mapa y las fotos de abajo. Comienza por el punto más elevado de Texas, el pico Guadalupe. Sigue el límite de Texas hacia el este hasta llegar al lago Texoma. El lago lleva este nombre porque está situado entre **Tex**as y **O**klaho**ma**. A lo largo del límite formado por el golfo de México verás el gran puerto de embarque de Galveston. Luego puedes relajarte en la Isla del Padre. Por último, visita la frontera con México formada por el río Grande, en el Parque Nacional Big Bend.

5. **Ubica** los lugares que se muestran en la página y dibuja un símbolo para cada uno. Agrega los símbolos a tu mapa en las ubicaciones que corresponda. Luego, agrega los símbolos a la leyenda del mapa.

LEYENDA

Pico Guadalupe

Parque Nacional Big Bend

Isla del Padre

Recorrido por los límites de Texas

Lago Meredith
Amarillo
Río Red
Lago Texoma
Lubbock
Río Pecos
Dallas
Río Sabine
Fort Worth
Río Trinidad
Tyler
Midland
Río Colorado
El Paso
Pico Guadalupe
Odessa
Embalse Toledo Bend
Texas
Río Brazos
Parque Nacional Big Bend
Río Grande
Austin
Río Nueces
Houston
Embalse Amistad
San Antonio
Galveston
Crystal City
MÉXICO
Laredo
Corpus Christi
Golfo de México
Embalse Falcon
Isla del Padre

Lago Texoma

0   200 mi
0   200 km

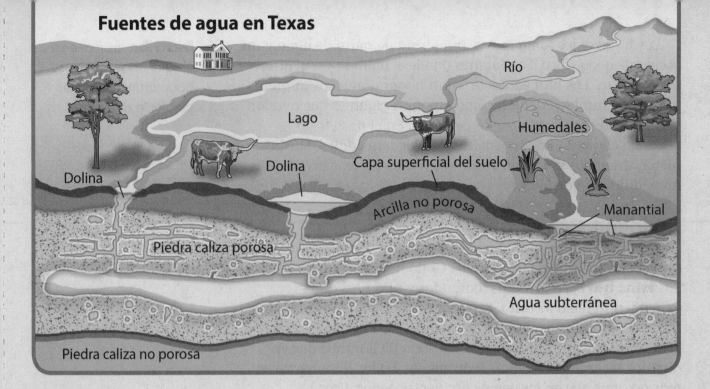

Fuentes de agua en Texas

Río

Lago

Humedales

Dolina

Dolina

Capa superficial del suelo

Arcilla no porosa

Manantial

Piedra caliza porosa

Agua subterránea

Piedra caliza no porosa

Agua

En Texas, el agua proviene de distintas fuentes. Hay agua subterránea y agua superficial. El **agua subterránea** se ubica bajo la superficie, fuera de nuestra vista. El agua que ves, como la de lagos y ríos, es el agua superficial.

Cualquiera sea su origen, el agua es necesaria para la agricultura, la ganadería y la industria. Incluso la usamos para el transporte. Es posible transportar fácilmente personas y bienes en barco. Esa es una de las razones por las que los primeros texanos escogieron vivir junto a las vías de navegación. Buscaban especialmente los valles de los ríos. Los primeros texanos sabían que las crecidas del río fertilizan la tierra de los valles, y eso es bueno para los cultivos. Muchos ríos atraviesan Texas desde las tierras más altas, al oeste, hasta el río Mississippi o el golfo de México.

Los manantiales son otra fuente de agua superficial. Un **manantial** es un lugar donde el agua subterránea sale a la superficie. Muchos texanos utilizan el agua de los manantiales.

En Texas hay lugares áridos, como el oeste del estado. ¿De dónde obtienen los agricultores de esas zonas el agua para sus cultivos? ¡Del subsuelo! En los espacios entre las vetas de las formaciones rocosas se almacenan grandes cantidades de agua: son los acuíferos. Uno de los más grandes, el acuífero Ogallala, comienza bajo la superficie del oeste de Texas y se prolonga hacia el norte, hasta Dakota del Sur. En todo Texas, el agua de los acuíferos se bombea y se usa en la agricultura, la industria y los hogares como el tuyo. Bombear agua subterránea hacia la superficie hace que la tierra sea más útil.

6. Identifica los detalles y subraya las distintas fuentes de agua que se describen en esta página.

Los humedales son a la vez una forma de masa de agua y un accidente geográfico. Son lugares donde el agua se encuentra con la tierra. Los humedales brindan hogar a muchos animales y plantas. También actúan como esponjas gigantes que ayudan a limpiar los ríos y los arroyos de Texas. En el pasado, la gente no comprendía los beneficios de los humedales. Muchos fueron drenados y urbanizados. Hoy, Texas protege los valiosos humedales que quedan.

Accidentes geográficos

Tal como ya has leído, Texas tiene accidentes geográficos muy diversos. A lo largo de la costa del Golfo hay islas barrera. Las **islas barrera** son islas alargadas y angostas que se extienden frente a la costa. Estas formaciones protegen la tierra firme de la fuerza de las olas del océano. Si te desplazas hacia el interior, encontrarás una extensa zona de llanuras que en algunos sectores se ondulan suavemente. En las llanuras viven más texanos que en los demás accidentes geográficos.

Más hacia el interior hay una región formada por colinas y la escarpa Balcones. Una **escarpa** es una cuesta de gran pendiente y extensión. La escarpa Balcones atraviesa Texas de norte a sur. Más tierra adentro, encontramos la meseta Edwards, otro gran accidente geográfico. Una **meseta** es una planicie más elevada que la tierra que está alrededor de ella. Esta meseta se formó cuando esa zona estaba cubierta por el océano, hace millones de años.

7. Describe las maneras en que las personas se adaptaron a su medio ambiente en Texas.

....

....

....

....

....

....

....

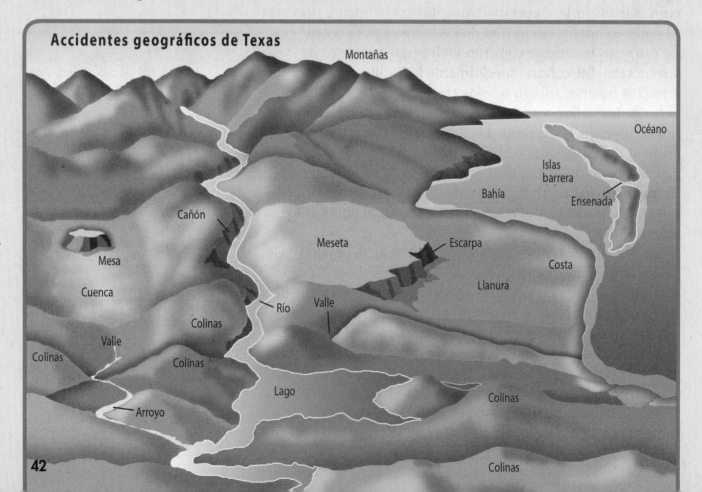

Accidentes geográficos de Texas

Montañas

Océano

Islas barrera

Bahía

Ensenada

Cañón

Meseta

Escarpa

Costa

Mesa

Cuenca

Llanura

Río

Valle

Colinas

Valle

Colinas

Colinas

Colinas

Lago

Colinas

Arroyo

Las Llanuras Centrales del Norte, en Texas, se extienden desde el río Red hasta el río Colorado. Están salpicadas de numerosas colinas y altiplanos, es decir, colinas achatadas. En algunas partes de las Llanuras Centrales del Norte se desarrolla una gran industria ganadera y muchos de los ranchos de este estado se ubican allí.

Las tierras más altas se encuentran en el oeste de Texas, en la zona de montañas. La montaña más alta es el pico Guadalupe. Alcanza los 8,749 pies (2,667 m) sobre el nivel del mar. El pico Guadalupe forma parte del Parque Nacional de las Montañas Guadalupe. Texas también tiene **cuencas**, que son grandes depresiones con forma de tazón.

Accidentes geográficos de Texas

OK
AR
NM
Llanuras Centrales del Norte
Texas
Meseta Edwards
LA
Escarpa Balcones
MÉXICO
Islas barrera
Golfo de México

LEYENDA
- Montañas
- Cuencas
- Mesetas
- Colinas
- Llanuras

N O E S

0   200 mi
0   200 km

8. **Compara** los accidentes geográficos que aparecen en el mapa. En la leyenda, encierra en un círculo el accidente geográfico que cubre la mayor parte de Texas.

¿Entiendes?

TEKS 6.A, 6.B, 7.B, 8.C

9. **Idea principal y detalles** Usa evidencia extraída de la lección para escribir detalles que apoyen la siguiente idea principal: Texas tiene accidentes geográficos muy diversos.

....

....

10. Imagina que eres una de las primeras personas que vinieron a Texas. **Describe** los accidentes geográficos y las masas de agua que te gustaría tener cerca de tu casa.

mi Historia: Ideas

....

11. Piensa en tres lugares que te gustaría visitar. **Utiliza** recursos geográficos, y en una hoja aparte, construye un mapa y **localiza** los tres lugares. Primero, copia el mapa de Texas de la página 40. Asegúrate de construir tu mapa del mismo tamaño, de modo que puedas copiar la escala de distancias. Indica con símbolos los lugares que te gustaría visitar. Agrega una rosa de los vientos, un título y la leyenda del mapa.

Destrezas de mapas

Interpretar mapas físicos

Los gráficos y los mapas son una parte de la variedad de formatos que sirven para traducir datos geográficos, distribución de la población y recursos naturales. Cada uno de ellos muestra información especial. Un mapa físico como el de abajo muestra las características físicas de un lugar. Las regiones montañosas se indican con zonas sombreadas para que veas las laderas de las montañas en las cordilleras. Las grandes masas de agua, como los océanos, los lagos y los ríos, también aparecen en estos mapas.

Al interpretar un mapa físico, primero mira su título para saber cuál es el tema del mapa. También necesitarás usar instrumentos geográficos, como una leyenda, la escala del mapa o una rosa de los vientos. La leyenda del mapa te da información sobre los símbolos o los colores del mapa. El mapa de abajo muestra las características físicas de Texas. Las altitudes más bajas están coloreadas de verde, mientras que las más altas son café. La altitud es la elevación del terreno sobre el nivel del mar.

La escala del mapa te permite medir la distancia que hay entre lugares del mapa en millas o kilómetros. La rosa de los vientos muestra los puntos cardinales norte, sur, este y oeste. Usa la información que te brinda el mapa para interpretarlo.

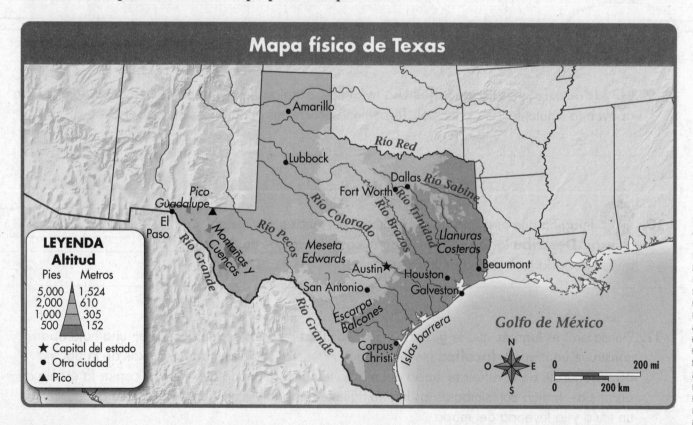

Mapa físico de Texas

LEYENDA
Altitud

Pies	Metros
5,000	1,524
2,000	610
1,000	305
500	152

★ Capital del estado
● Otra ciudad
▲ Pico

Objetivo de aprendizaje

Aprenderé a interpretar un mapa físico.

 TEKS

SLA 13.B Explicar la información basada en hechos que se presenta gráficamente.

ES 6.A Utilizar recursos geográficos, incluyendo sistemas grid, lectura de mapas, símbolos, escalas numéricas y compases rosa (rosa de los vientos) para construir e interpretar mapas.

ES 6.B Traducir datos geográficos, distribución de la población y recursos naturales en una variedad de formatos.

ES 21.C Organizar e interpretar información en visuales, incluyendo mapas.

Imagina que estás haciendo un viaje desde Beaumont hasta El Paso. **Identifica** estas ciudades en el mapa. Luego, responde las siguientes preguntas acerca de tu viaje utilizando instrumentos geográficos como la leyenda, la escala del mapa y la rosa de los vientos.

1. **Identifica** los accidentes geográficos que ves en el camino y haz una lista de ellos.

   ....

   ....

2. **Utiliza** el recurso geográfico escala de mapas, **interpreta** el mapa y escribe la cantidad de millas que recorres. ....

3. **Utiliza** el recurso geográfico rosa de los vientos y escribe en qué dirección vas.

4. **Ubica** los ríos importantes que cruzas y haz una lista de ellos.

   ....

5. **Identifica** los instrumentos geográficos que usaste para interpretar el mapa.

   ....

6. **Aplícalo** Ahora, viaja desde Austin hacia otras ciudades de Texas. **Decide** cuál es el lugar que más te gusta. Además, haz un registro de este viaje. Nombra los accidentes geográficos más importantes que atraviesas. También anota en qué dirección viajas y la distancia que recorres.

   ....

   ....

   ....

Recursos de Texas

 ¡Imagínalo!

LEYENDA

Ganado	Cabras	Ovejas
Maíz	Gas natural	Camarones
Peces	Pacanas	Agua
Frutas	Petróleo	

Los recursos de Texas provienen de tres lugares: el subsuelo, el suelo y el agua.

Los camarones son un recurso natural importante de Texas. Estos pescadores desean proteger el medio ambiente donde viven los camarones.

Mira a tu alrededor. Mucho de lo que ves comenzó como un recurso natural. Mucho de lo que ves a tu alrededor es un recurso natural o algo que está hecho de un recurso natural.

Recursos naturales

Un **recurso natural** es algo que se encuentra en la naturaleza y es útil para las personas. El agua, los minerales y el suelo, así como la mayoría de los animales y las plantas, son recursos naturales. Cualquier material del medio ambiente que ayude a las personas a satisfacer sus necesidades es un recurso natural. En consecuencia, un lugar con muchos recursos naturales es un buen lugar para vivir.

Texas tiene muchos recursos naturales, y eso atrajo a numerosos habitantes. Por ejemplo, muchas personas se mudaron a Texas para usar el suelo y el agua para cultivar. Modificaron el medio ambiente deforestando tierras o drenando humedales para construir granjas. Construyeron diques en los ríos para almacenar agua para sus cultivos. También se modificó el medio ambiente para facilitar el transporte. Se crearon ferrocarriles y carreteras para que los granjeros pudieran transportar sus bienes al mercado. Los recursos de Texas se llevan a otros estados y al resto del mundo. Las personas usaron los recursos naturales y cambiaron el medio ambiente. Ayudaron a desarrollar el estado.

Sin embargo, a veces el desarrollo daña el medio ambiente o agota los recursos valiosos. En la actualidad, los texanos buscan maneras de proteger su medio ambiente y sus recursos. A medida que lees, piensa cómo puedes ayudar.

1. En los párrafos de arriba, **identifica** y encierra en un círculo los recursos que utilizan las personas. Subraya las partes que describen cómo las personas han modificado el medio ambiente.

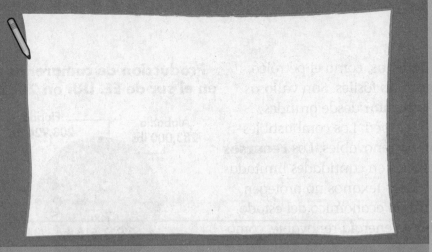

Mira los recursos naturales de Texas. Dibuja símbolos para representar tres recursos que se hallan en el subsuelo y rotúlalos.

DESCIFRA LA PREGUNTA PRINCIPAL

Aprenderé cómo los recursos naturales de Texas influyen en cómo vivimos.

Vocabulario

recurso natural	embalse
recurso renovable	sequía
	conservar
recurso no renovable	contaminación

Recursos renovables

Todos los años, los pescadores recolectan toneladas de camarones en el golfo de México. Si no se pescan demasiados, los camarones se reproducen y se multiplican. Los camarones y los árboles son **recursos renovables**, porque pueden renovarse en forma natural con el paso del tiempo.

Los estadounidenses usamos mucha madera. La usamos para hacer papel, muebles, casas… ¡incluso ropa! En consecuencia, necesitamos talar muchos árboles. Pero cuando talamos demasiados árboles, el suelo del bosque se modifica. Al desaparecer la sombra que lo protege del sol, el suelo se seca. Las plantas que crecían allí mueren. Luego, cuando llega la lluvia, ya no hay raíces de plantas que mantengan el suelo en su lugar, de modo que el agua lo arrastra. Los arroyos y los ríos locales se llenan de lodo. Como puedes ver, talar demasiados árboles no solo agota un recurso, sino que también modifica el medio ambiente.

Pero quienes desarrollan la industria maderera hallaron una solución. ¡Cuando talan, plantan árboles nuevos! Renovando el recurso, protegemos el medio ambiente.

TEKS
6.B, 9.A, 9.B, 9.C, 12.C

2. ◉ **Causa y efecto**
En el texto, **identifica** y subraya algunos efectos de talar árboles.

La industria maderera es importante para la economía de Texas.

Recursos no renovables

Muchos de los recursos naturales de Texas, como el petróleo, el gas natural y el carbón, son combustibles fósiles. Son valiosas fuentes de energía que se usan para alimentar desde grandes centrales eléctricas hasta cortadoras de césped. Los combustibles fósiles son recursos limitados, es decir, no renovables. Los **recursos no renovables** se encuentran disponibles en cantidades limitadas y no se pueden reemplazar o renovar. Si los texanos no protegen estos recursos, se puede dañar el desarrollo económico del estado. Los texanos ya están buscando fuentes de energía renovable, como la energía solar y la eólica.

Sin embargo, por ahora Texas cuenta con una buena provisión de combustibles fósiles. Texas también tiene otros recursos no renovables, como el yeso. Este mineral se utiliza para fabricar muchas cosas, desde materiales de construcción hasta fertilizantes e incluso champú. El mapa muestra dónde se ubican algunos de los recursos naturales de Texas. Estos y otros datos sobre los recursos naturales se pueden traducir en una variedad de formatos, como este mapa y el gráfico de la derecha.

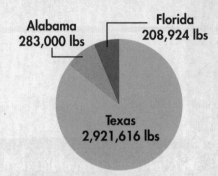

Producción de camarones en el sur de EE. UU. en 2012

Alabama 283,000 lbs

Florida 208,924 lbs

Texas 2,921,616 lbs

3. Utiliza instrumentos geográficos. **Representa** lo que sabes sobre los recursos naturales de Texas con símbolos y colócalos en el mapa.

- Dibuja símbolos de petróleo en el mapa. **Ubica** tres cerca de Odessa. Agrega el cuarto al oeste de Houston.

- Dibuja símbolos de gas natural en el mapa. **Ubica** uno al norte de Amarillo, uno al norte de Nacogdoches y uno al este de Wichita Falls.

- **Piensa** dónde podrías encontrar camarones o peces y dibuja esos símbolos en el mapa.

- Dibuja símbolos de yeso en el mapa. **Ubícalos** en Quanah, Sweetwater y al oeste de Austin.

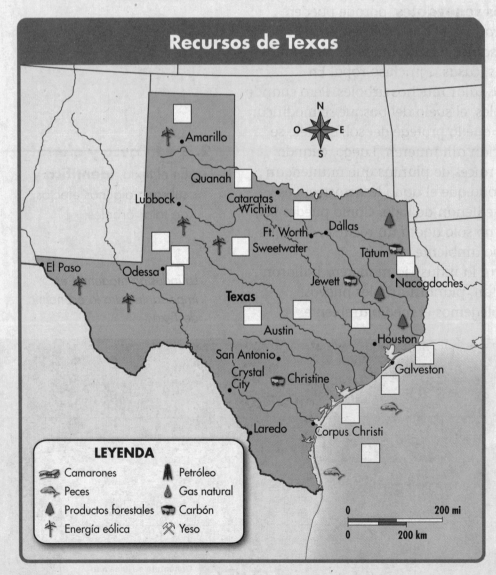

Recursos de Texas

Amarillo · Quanah · Lubbock · Cataratas Wichita · Ft. Worth · Dallas · Sweetwater · Tatum · El Paso · Odessa · Jewett · Nacogdoches · Texas · Austin · Houston · San Antonio · Crystal City · Christine · Galveston · Laredo · Corpus Christi

LEYENDA

- Camarones
- Peces
- Productos forestales
- Energía eólica
- Petróleo
- Gas natural
- Carbón
- Yeso

0   200 mi
0   200 km

Dique sobre el río Grande, en el Área Recreativa Amistad, en Del Río, Texas

El agua

Los seres humanos no podemos vivir sin agua. Necesitamos grandes cantidades de agua para beber, cocinar, lavar, cultivar alimentos, criar animales y muchas otras actividades. También usamos el agua para hacer cosas divertidas, como nadar y pasear en bote. De la misma manera, los texanos necesitan y disfrutan del agua.

El gobierno ha modificado el medio ambiente para que todos los texanos tengan el agua que necesitan. Un ejemplo son los embalses, de los que obtenemos gran parte del agua que usamos. Un **embalse** es un lago natural o artificial que se usa para reservar o almacenar agua. Los texanos han construido unos 200 embalses grandes y miles de embalses pequeños.

Otro ejemplo es la construcción de diques en los ríos. Es una excelente manera de almacenar agua. Los diques también controlan el flujo de agua y, así, evitan las inundaciones. Esto protege los hogares y las empresas. Los diques también forman lagos para nadar, pasear en bote y pescar. Algunos diques, llamados represas hidroeléctricas, generan energía. Sin embargo, los diques traen consecuencias negativas para el medio ambiente. Los diques inundan los hábitats de plantas y animales.

Los texanos necesitan muchos embalses porque usan el agua subterránea con mayor rapidez de lo que tarda la lluvia en reemplazarla. La escasez de agua se incrementa con las sequías. Una **sequía** es un período de tiempo con poca lluvia. Durante las sequías, baja el nivel de agua de los acuíferos y los lagos. A veces, los gobiernos locales piden a los habitantes que **conserven** el agua, es decir, que limiten su uso.

Las empresas también modifican el medio ambiente. Ayudan a crear puestos de trabajo, pero también generan contaminación. En comunidades donde la contaminación ha afectado la calidad del aire y el agua, se trabaja para eliminarla. La **contaminación** consiste en productos químicos y demás sustancias dañinas que afectan el aire, el agua o la tierra. Los embalses pueden contaminarse a lo largo del tiempo. Esto perjudica a las personas y a los animales que usan el agua.

4. **Compara y contrasta** las consecuencias positivas y negativas de la modificación del medio ambiente por parte del gobierno y las empresas de Texas. Subraya los efectos positivos. Encierra en un círculo los efectos negativos.

Uso prudente de los recursos

Hubo un tiempo en el que el actual territorio de Texas tuvo aire puro y agua limpia. Cuando llegaron nuevos habitantes, se produjeron cambios. Algunos de estos cambios fueron buenos. Los diques y los combustibles fósiles generaron energía. La pesca y la agricultura produjeron alimentos. La deforestación creó tierras para habitar y madera con la cual fabricar cosas necesarias para las personas.

Sin embargo, este uso de la tierra también causó algunos daños en el medio ambiente. Por ejemplo, el exceso de tala perjudica tanto al medio ambiente como a los animales y a las plantas que viven allí. La contaminación también es un problema. En la actualidad, los texanos buscan maneras de reparar el daño que han causado al medio ambiente.

Una manera de hacerlo es reciclar y reutilizar. Reciclar significa utilizar algo otra vez en lugar de tirarlo a la basura. Reciclar también ahorra energía. Reciclar una lata de aluminio ahorra energía para alimentar una computadora durante tres horas.

5. ⊚ **Categorizar**
Analiza el siguiente dibujo de una casa en la que se recicla. En el dibujo, encierra en un círculo tres maneras de ahorrar agua. Encierra en un recuadro tres maneras de ahorrar energía.

Reutilizar y reciclar

- Usa focos de bajo consumo y apaga las luces.
- Lava cargas completas de ropa en la lavadora.
- Cierra los grifos.
- Usa ventilador de techo para enfriar el ambiente.
- Reutiliza y recicla.
- Usa tu bicicleta.
- Siembra plantas autóctonas, que necesitan menos agua.

Los texanos también protegemos el medio ambiente mediante la conservación. Esto significa que estamos aprendiendo a usar nuestros recursos naturales en forma responsable. Por ejemplo, si se tala un árbol, se planta uno nuevo. De esta manera, renovamos continuamente nuestros recursos naturales.

Algunos texanos construyen casas ecológicas que usan la energía solar para encender las luces o calentar el agua. En algunos hogares se usa el aire subterráneo, más fresco, para enfriar los ambientes en verano. Juntos, los habitantes estamos haciendo que Texas sea un lugar más limpio, más eficiente al usar la energía y más hermoso.

Jardín Botánico de Fort Worth

¿Entiendes?

TEKS 9.A, 12.C

6. 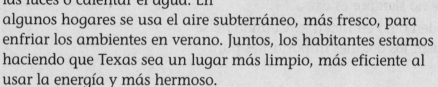 **Idea principal y detalles Describe** cómo las personas han modificado su medio ambiente para satisfacer su necesidad de agua.

....

....

7. **Explica** qué se puede hacer para proteger el medio ambiente y los recursos de nuestro estado.

mi Historia: Ideas

....

....

....

8. Describe qué suelen pedir los gobiernos locales a los habitantes durante las sequías. **Explica** por qué lo hacen.

....

....

....

Idea principal y detalles

La **idea principal** es la idea más importante de un tema. Los **detalles**, o ideas secundarias, apoyan la idea principal. La idea principal y los detalles pueden encontrarse tanto en materiales impresos como en la comunicación verbal. Identificar la idea principal te ayudará a entender mejor lo que lees.

Hallar la idea principal no siempre es fácil. Aquí tienes algunos consejos.

- La idea principal se coloca a menudo al principio de un pasaje o discurso, aunque no siempre es así.
- Las ideas principales pueden o no enunciarse. Cuando no se enuncian, el lector debe usar los detalles importantes para descubrirlas.
- Los detalles brindan información que apoya la idea principal.

Lee y analiza el siguiente pasaje sobre los humedales de Texas. Luego, analiza la tabla de abajo para identificar la idea principal y los detalles de apoyo.

En el pasado, algunos humedales de Texas fueron drenados, cubiertos y rellenados con tierra o basura. Las personas pensaban que esa era una manera de hacer útiles las tierras que no servían. Pero los humedales sí son útiles. Son el hogar de muchos animales y plantas de Texas. Las aves migratorias los usan para detenerse a descansar. Durante las inundaciones, los humedales retienen el suelo y los contaminantes. Esto hace que los arroyos y los ríos se mantengan limpios. Los humedales de Texas son un recurso importante.

Idea principal

Los humedales de Texas son un recurso importante.

| Son el hogar de muchos animales y plantas. | Las aves migratorias los usan para detenerse a descansar. | Durante las inundaciones, los humedales retienen el suelo y los contaminantes. |

Objetivo de aprendizaje

Aprenderé a analizar información hallando la idea principal y los detalles.

TEKS

SLA 11.A Resumir la idea principal y los detalles de apoyo de un texto de manera que se mantenga el significado.
ES 21.B Analizar información encontrando la idea principal.
ES 22.B Incorporar las ideas principales y secundarias en la comunicación verbal y escrita.

¡Inténtalo!

Relee la sección titulada "Uso prudente de los recursos", en la página 50. Luego, responde las siguientes preguntas sobre la idea principal y los detalles.

1. **Analiza** la información e identifica la idea principal.

....

....

....

2. ¿Encontraste la idea principal al comienzo del pasaje o usaste detalles de apoyo para identificarla?

....

3. **Identifica** los detalles que apoyan la idea principal.

....

....

....

4. **Examina** la sección titulada "Accidentes geográficos", en las páginas 42–43. En una hoja aparte, haz una tabla de idea principal y detalles para **organizar** la información de esta sección. Interpreta la tabla con un compañero.

Clima de Texas

¿Hoy llueve o está soleado? La respuesta depende de dónde vivas.

Estado del tiempo y clima

El **estado del tiempo** describe las condiciones del aire en un momento y un lugar. El **clima** describe los patrones del estado del tiempo de un lugar durante un largo período. El clima tarda muchos años en cambiar. El clima influye en la distribución de la población en un área. Esto significa que, en Texas, la mayor parte de las personas eligen vivir en áreas en las que el clima es templado.

El estado del tiempo de Texas incluye días calurosos, días helados, lluvias abundantes y largos períodos sin lluvia. El clima de Texas varía según la ubicación, pero muchas áreas tienen un clima templado. ¿Por qué el clima es templado en estas áreas? Por su ubicación.

¿Qué puede sorprenderte cuando sales por la mañana: el estado del tiempo o el clima?

Vocabulario

estado del tiempo	nortada
clima	ventisca
tornado	precipitación

En el Polo Norte, el clima es frío… todo el año. En general, cuanto más cercano al Polo Norte está un lugar, más frío es su clima. Los estados del norte, como Alaska, tienen inviernos más largos y más fríos. Como Texas se ubica mucho más al sur, sus inviernos son templados.

Los lugares cercanos a la línea del ecuador son calurosos todo el año. Texas no está próximo al ecuador, pero sí queda más cerca de allí que la mayoría de los otros estados. En general, Texas es más cálido que otros estados. Gracias a su ubicación, Texas tiene cuatro estaciones: veranos calurosos, inviernos templados, primavera y otoño.

El clima influyó en los patrones de asentamiento de la población de Texas en el pasado, y continúa influyendo en el presente. La mayoría de las personas se asentó en las áreas donde el clima era moderado. El sur de Texas es más cálido que el resto del estado. En el este de Texas hay más lluvias que en el árido oeste. Esa es una de las razones por las cuales hay más gente en el este de Texas.

TEKS
6.B, 7.B, 8.C, 21.C

1. **Compara** las dos fotos de estas páginas. Basándote en lo que aprendiste sobre el clima, escribe en una el rótulo "este de Texas", y en la otra, el rótulo "oeste de Texas".

SAVVAS
realize™ Conéctate en línea a tu lección digital interactiva.

55

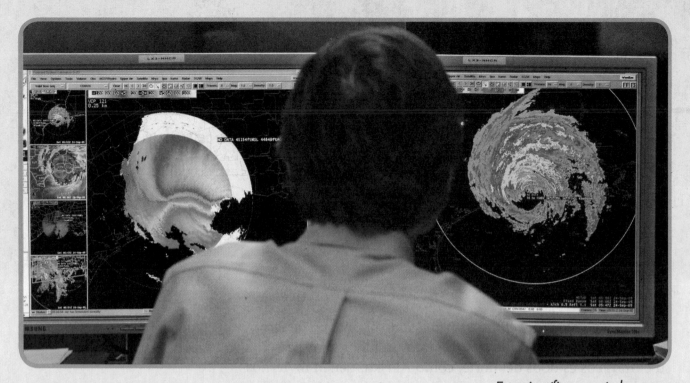

Estado del tiempo extremo

Si bien el clima de Texas es templado, en su territorio también hay estados del tiempo extremos. Piensa en sucesos meteorológicos que rompen récords. En 1960, en el condado Winkler cayeron piedras de granizo que medían más de ocho pulgadas de diámetro. ¡El pueblo de Follet quedó sepultado bajo 25 pulgadas de nieve en 24 horas! Y en el año 1900, la tormenta más mortífera de la historia de los Estados Unidos destruyó la ciudad texana de Galveston.

Un huracán es una tormenta violenta con vientos altos y lluvias muy abundantes. Se dice que en Texas hay dos tipos de lluvias: demasiado abundantes y demasiado escasas. A menudo, los huracanes traen lluvias demasiado abundantes.

Los huracanes que tienen mayor impacto en Texas se desarrollan sobre el océano Atlántico y el golfo de México. Luego pierden fuerza a medida que se internan en tierra firme. Por ello, la costa suele ser el lugar más golpeado. Cuando aquel huracán destruyó Galveston en septiembre de 1900, dejó unos 8,000 muertos. En la actualidad, Galveston cuenta con un malecón que la protege de las mareas altas y las inundaciones. Pero tiene algo más que la protege: información. Los científicos del gobierno usan la tecnología para registrar las tormentas y alertar a los habitantes. Cuando llegó el huracán Rita, en septiembre de 2005, la gente estaba advertida y preparada.

2. ¿Cómo se protegen hoy de los huracanes los habitantes de Galveston?

....

....

Los tornados son otra forma de estado del tiempo extremo.
Un **tornado** es un embudo de vientos fuertes, creado por
tormentas eléctricas, que avanza como un feroz torbellino. El viento
extremadamente fuerte de los tornados puede hacer pedazos una
casa. Los tornados son más frecuentes en el centro-oeste de Texas.
En 2013, varios de ellos avanzaron sobre Granbury, en Texas, con
fuertes vientos y piedras de granizo grandes como toronjas. El
comisario Roger Deeds lo describió como una verdadera "pesadilla".

Por lo general, los huracanes y los tornados son fenómenos
meteorológicos de tiempo cálido. Pero Texas también tiene tormentas
invernales. Al norte, oeste y centro de Texas llegan masas de
aire frío llamadas **nortadas**. Estas tormentas pueden bajar la
temperatura 50 grados rápidamente. A veces traen ventiscas. Una
ventisca es una tormenta con vientos fuertes y abundante nieve.

3. En el párrafo de arriba, **identifica** y subraya los fenómenos
meteorológicos de tiempo cálido. Encierra en un círculo los
fenómenos meteorológicos de tiempo frío.

El 28 de marzo de 2007, un inmenso
tornado "trompa de elefante" cruzó
el Prairie Dog Fork, en el río Red, en
el Panhandle de Texas.

Temperatura y precipitación

¿Por qué hay climas tan diferentes en las distintas partes de Texas? Ya sabes que los lugares ubicados más al sur son más cálidos. Pero la altitud también influye en la temperatura. Las elevaciones altas, como las montañas, son más frías que las zonas bajas. Texas es como una serie de escalones que ascienden a medida que avanzas hacia el norte y hacia el oeste. Mira el mapa de las temperaturas de Texas. Las temperaturas más bajas están en las elevaciones más altas, al oeste.

¿Por qué las temperaturas más altas no están en la costa, donde la tierra es más baja? Las masas de agua también influyen en la temperatura. La temperatura del agua no cambia tan rápido o tanto como la del aire. El agua ayuda a mantener la tierra más fría en verano y más cálida en invierno. El clima más templado de la costa atrae a mucha gente hacia esa zona.

El oeste de Texas recibe menos lluvias que el este. La lluvia, el granizo, el aguanieve y la nieve son formas de **precipitación**. Mira ahora el mapa de las precipitaciones. Este mapa muestra que el oeste es mucho más seco.

4. Examina el mapa para hallar el promedio de precipitaciones anuales en Beaumont, Forth Worth, Lubbock y El Paso. Organiza estas ciudades en el gráfico. Traduce los datos del mapa en un gráfico. Completa el gráfico agregando barras que muestren cuánta lluvia cayó en cada ciudad.

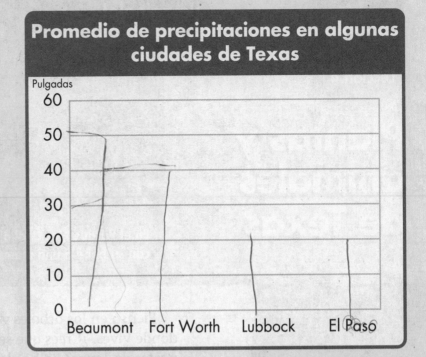

Promedio de precipitaciones en algunas ciudades de Texas

Pulgadas

60 · 50 · 40 · 30 · 20 · 10 · 0

Beaumont   Fort Worth   Lubbock   El Paso

¿Entiendes?

TEKS 8.C

5. ◉ **Comparar y contrastar Compara** en qué se parecen los huracanes y los tornados. **Contrasta** en qué se diferencian.

....

6. ❓ **Describe** en qué difieren tu clima local y el de otros lugares de Texas. Haz una lista de maneras en las que tu comunidad se prepara para un estado del tiempo extremo.

mi Historia: Ideas

....

7. Piensa en todo lo que sabes sobre factores geográficos como el estado del tiempo y el clima de Texas. **Saca conclusiones** acerca de los patrones de población en Texas. **Identifica** dónde viven los habitantes del estado y **explica** por qué viven en ese lugar.

....

....

....

Plantas y animales de Texas

En el Parque Nacional Big Bend puedes ver coyotes, una osa con su bebé o una manada de pecaríes de collar como estos.

Piensa en los árboles y las plantas que hay en la zona donde vives. ¿Crees que se parecen a los que crecen en otras partes de Texas? Ya has leído acerca de cómo varían los accidentes geográficos, el clima y las elevaciones de Texas. A causa de estos factores y del suelo, la vegetación de Texas también varía. La **vegetación** está formada por todos los árboles y las plantas que crecen en una zona, incluidos los cultivos agrícolas. Las plantas que han crecido en una zona durante largo tiempo sin que nadie las plantara ni las regara son la **vegetación natural** de esa zona.

Vegetación natural

En algunos lugares donde los cultivos o las casas cubren todo el suelo, resulta difícil imaginar la vegetación natural. Se deforestó para usar la tierra para otras cosas. En otros sitios se plantaron árboles y flores que provenían de lugares lejanos. Por ejemplo, muchas personas plantaron orejas de elefante, una bonita planta de Asia. En la actualidad, esta planta se ha extendido y crece libremente en los humedales de Texas, desplazando la vegetación natural.

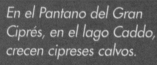

En el Pantano del Gran Ciprés, en el lago Caddo, crecen cipreses calvos.

DESCIFRA LA PREGUNTA PRINCIPAL

Aprenderé cómo la geografía influye en el tipo de plantas y animales que viven en diferentes partes de Texas.

Vocabulario

vegetación

vegetación natural

en peligro de extinción

hábitat

amenazado

La vegetación natural de las Llanuras Costeras del Golfo incluye tupidos bosques de pinos que se talan para utilizar la madera. Los pastos de los pantanos y otras plantas de los humedales también prosperan en esta región más húmeda. En el sur de Texas, donde las temperaturas heladas son raras, las palmeras crecen naturalmente.

El clima más seco y frío de las Llanuras Centrales del Norte solo permite el crecimiento de árboles pequeños y pastos. Más hacia el oeste, donde el clima es aún más seco, los árboles son más bajos y más escasos. En esta árida región montañosa también verás otras plantas, como cactus.

Como ya has leído, el suelo de los valles fluviales es especialmente fértil. A lo largo del río Grande, en una zona que los texanos llaman "El Valle", el suelo es fértil y el clima es cálido. Eso hace que sea un buen lugar para la agricultura. Pero la gente también disfruta del clima local, de modo que hoy en día gran parte de esta tierra fértil está cubierta de casas.

TEKS
7.B, 9.A, 9.B, 9.C, 12.B, 13.B, 13.C

Montañas Guadalupe

Cultivos de Texas

En Texas hay más granjas que en ningún otro estado del país. Todas estas granjas y sus productos de agricultura ayudan a alimentar a las personas del estado, del país y del mundo. También permiten que la gente tenga vestimenta, ya que se siembra mucho algodón. El algodón es el cultivo más valioso de Texas y está valuado en aproximadamente 2,200 millones de dólares. El algodón de Texas se envía en barco a otros estados y a otros países del mundo. Al principio se cultivaba solo en el este de Texas, donde había suficiente agua. En la actualidad, la mayor parte del algodón se siembra en las llanuras más secas del noroeste. El agua necesaria se bombea desde los acuíferos. Luego, los sistemas de irrigación impulsan el agua a través de aspersores que rocían los cultivos o tuberías que riegan el suelo.

El segundo cultivo más abundante es el maíz. El maíz representa aproximadamente el 14 por ciento de las cosechas de Texas. Otros cultivos importantes son el sorgo, el trigo y el heno.

1. **Identifica** el producto de agricultura de Texas. **Explica** por qué este cultivo tan valioso se envía a otros estados y a otros países del mundo.

....

....

....

El algodón representa el 30 por ciento de las cosechas de Texas.

Las naranjas fueron alguna vez un cultivo importante en Texas, pero el clima helado ha reducido su extensión. El clima helado destruye las naranjas. En la actualidad, las naranjas se cultivan en el valle del río Grande. Allí también se siembran toronjas, como la Ruby Red de Texas, que es la fruta oficial del estado. Texas también es famoso por sus duraznos, maníes, pacanas, sandías, melones y zanahorias. Como el arroz necesita grandes cantidades de agua, se cultiva cerca de la costa norte del Golfo.

Un comercio o negocio que crece rápidamente en Texas es el cultivo de flores y plantas en macetas. Estas plantas se venden a las empresas y los hogares, que las colocan en los interiores o las plantan en sus jardines. A veces se alquilan plantas en macetas para eventos especiales. Si vas a un centro comercial o un edificio público y ves plantas en macetas, seguramente fueron cultivadas en Texas.

2. **Explica** cómo el clima influye en la elección de la zona donde se cultivan las naranjas.

....

....

....

Algunos animales de Texas, como esta ratona desértica, construyen su hogar en el árido oeste de Texas.

Animales de Texas

Imagina que haces un recorrido para conocer toda la fauna de Texas. Observarás que los animales salvajes van cambiando a medida que viajas por el estado.

Comienza por las montañas del oeste. Allí verás osos negros. Antes vivían en todo el estado, pero hoy la mayoría vive en esta zona tranquila. También hay antílopes, pumas y liebres americanas. Busca las ratonas desérticas. Son pájaros que hacen sus nidos en cactus que solo crecen en esta zona árida.

Luego, viaja hacia el norte, a las llanuras del Panhandle. Disfrutarás contemplando las grandes manadas de perros de las praderas. ¡Los científicos descubrieron hace poco que estos animales se comunican entre sí con sus ladridos! También hay aves muy particulares, como la grulla canadiense y los urogallos. Y si lo buscas, quizá llegues a ver un lagarto cornudo de Texas.

3. **Explica** por qué la ratona desértica no vive en el este de Texas.

....

....

....

....

La próxima parada son los pastizales y los bosques del noreste de Texas. Los numerosos lagos y ríos de la región sirven de hogar a peces y nutrias de río.

Texas, y en especial la costa del Golfo, es el mejor lugar del país para la observación de pájaros. En todo el estado se han registrado más de 600 tipos de aves. Algunas viven en Texas todo el año. Muchas otras cruzan el estado cuando migran a lugares lejanos. Durante las migraciones de primavera y otoño, incluso puedes ver hermosas aves descansando en un parque cercano.

Las mariposas monarca también migran a través del estado. Todos los otoños, decenas de millones de estos insectos vuelan hacia el sur atravesando el estado rumbo a un bosque de México. Son tantas las que se posan en cada rama y hoja del bosque que tapan por completo los árboles. En la primavera, las mariposas vuelan de regreso a través de Texas a sus hogares situados más al norte. ¡Tantas son las monarcas que atraviesan Texas que en la actualidad se las considera el insecto del estado!

4. ⊙ **Comparar y contrastar** **Describe** la diferencia entre un ave que migra y otras aves de Texas.

....

....

Texas sirve de hogar a 600 tipos de aves. Algunas viven en Texas todo el año. Otras paran a descansar durante su migración o viven en el estado durante el verano o el invierno.

65

Especies en peligro de extinción

En 2013, 63 animales y 25 plantas fueron clasificados en Texas como especies en peligro de extinción. Las especies **en peligro de extinción** corren peligro de desaparecer para siempre. Cuando todos los individuos de una especie, como la paloma migratoria, desaparecen para siempre, la especie se extingue. Hubo un tiempo en el que inmensas bandadas de palomas migratorias surcaban los cielos de Texas. Ahora desaparecieron para siempre.

En la actualidad, el gobierno protege las plantas y los animales en peligro de extinción. Hay leyes que prohíben matar o dañar a esos animales. Las leyes también protegen importantes hábitats. Los **hábitats** son lugares de la naturaleza donde viven animales y plantas. Esas leyes impiden que la gente use la tierra de maneras que dañen el hábitat natural. Esto ayuda a los animales a sobrevivir, pero limita los usos de la tierra.

Los animales que se hallan en peligro de extinción en Texas son de todos los tamaños. Algunos son grandes, como los ocelotes y los jaguares. La grulla trompetera es el ave más alta de América del Norte. Otros son diminutos, como los pececillos de agua dulce e incluso algunas arañas. Algunos viven en cuevas, como los murciélagos. Otros viven en el Golfo, como las tortugas de mar.

¿Recuerdas el urogallo chico que viste en las llanuras? Hoy es cada vez más difícil de encontrar y podría agregarse a la lista de animales amenazados. Las plantas y los animales **amenazados** están próximos a convertirse en animales en peligro de extinción.

5. Describe cómo las leyes gubernamentales protegen las especies en peligro de extinción, pero también limitan el desarrollo.

....

....

....

....

....

....

Durante el invierno, Texas alberga a la grulla trompetera, una de las especies de aves de América del Norte que se encuentra en peligro de extinción.

Las leyes gubernamentales protegen estos animales y plantas. Pero tú también puedes hacer algo por ellos. Primero, averigua qué especies de tu zona necesitan ayuda. Averigua todo lo que puedas acerca de por qué esa especie está amenazada. Una gran amenaza para muchas especies es la pérdida de su hábitat. Tú puedes ayudar a proteger el medio ambiente manteniéndolo libre de basura.

Puedes ayudar a los pájaros colocando un comedero para aves. Si tienes un espacio para plantar, elige plantas autóctonas de tu región. Los animales autóctonos suelen buscar plantas autóctonas para alimentarse o refugiarse. Por último, habla con otras personas acerca de lo que pueden hacer para ayudar a mantener saludables las plantas y los animales de Texas.

Los ocelotes de Texas son una especie en peligro de extinción.

6. ◉ **Idea principal y detalles** En los párrafos de arriba, **identifica** y subraya las maneras en que puedes ayudar a proteger los animales y las plantas en peligro de extinción.

¿Entiendes?

🏴 TEKS 7.B, 9.A, 9.C

7. ◉ **Idea principal y detalles** **Describe** el efecto que tiene el bombeo de agua de los acuíferos en el uso que se hace actualmente de la tierra en el noroeste de Texas.

....

....

8. ❓ **Describe** qué plantas y animales viven en alguna zona de Texas   (mi) **Historia: Ideas** y escribe qué puede hacer la gente para protegerlos.

....

....

....

9. **Explica** cómo podemos proteger los animales y las plantas que se encuentran en Texas.

....

....

Lección 1 ⭐ TEKS 8.C

Ubicación de Texas

1. **Identifica** la ubicación de Texas completando los espacios en blanco.

   Hemisferios:

   ....

   ....

   Continente:

   ....

   ....

   País:

   ....

   ....

   Región:

   ....

   ....

2. En la actualidad hay personas que se establecen en el bajo valle del río Grande por el clima. **Explica** de qué manera factores geográficos como los valles fluviales influían en la elección del asentamiento en el pasado.

   ....

   ....

   ....

   ....

   ....

Lección 2 ⭐ TEKS 9.A, 9.B, 9.C

Recursos de Texas

3. ◎ **Comparar y contrastar** La construcción de diques y embalses es un trabajo demasiado grande para que lo emprendan individuos de manera particular. Es un trabajo para gobiernos y empresas. **Compara** y **contrasta** las consecuencias positivas y negativas sobre el medio ambiente de los diques construidos por gobiernos y empresas.

   ....

   ....

   ....

   ....

   ....

4. **Describe** cómo los texanos usan cuatro recursos, dos no renovables y dos renovables.

   ....

   ....

   ....

   ....

   ....

   ....

5. Haz una lista de maneras en las que las personas han modificado su medio ambiente para satisfacer sus necesidades básicas. Identifica por qué modificaron el medio ambiente y cómo esto ha ayudado o perjudicado a los habitantes y al medio ambiente de Texas.

....

....

....

....

....

....

....

....

....

....

....

....

....

....

Lección 3 🔶 TEKS 6.A, 8.C, 21.C

Clima de Texas

6. ⊙ **Idea principal y detalles**
Identifica los detalles faltantes que apoyan la idea principal y completa la lista con los detalles que faltan en el diagrama de abajo.

Idea principal

> Texas tiene muchos tipos de estados del tiempo severos.

Detalle 1 ....

Detalle 2 tornados

Detalle 3 nortadas

Detalle 4 ....

Detalle 5 ....

7. Explica de qué manera el clima influye en la distribución de la población de Texas.

....

....

8. En una hoja aparte, **utiliza** recursos geográficos y **construye** tu propio mapa de Texas. Sombrea el mapa para mostrar los accidentes geográficos de Texas. Escribe el título de tu mapa en las líneas de abajo. Agrega estos instrumentos geográficos a tu mapa: un título, símbolos, una rosa de los vientos, escala, una leyenda, un sistema grid y un mapa localizador que muestre la ubicación de Texas en el mundo.

....

Práctica de TEKS

Lección 4 ⭐ TEKS 9.B, 12.B

Plantas y animales de Texas

9. Lee la pregunta con atención. Determina cuál es la mejor respuesta entre las cuatro opciones. Encierra en un círculo la mejor respuesta.

¿Cómo cambiaron el medio ambiente los agricultores de algodón en las llanuras del noroeste de Texas?

A Se drenaron los humedales y se deforestó la tierra para la agricultura.

B Se bombeó agua de los acuíferos hacia la superficie para la irrigación.

C Se construyeron diques y embalses para almacenar agua para la irrigación.

D Se talaron bosques y se despejaron tierras para la agricultura.

10. Explica dos factores geográficos que hicieron del bajo valle del río Grande un buen lugar para cultivar naranjas.

11. ❓ **¿Cómo influye la geografía en nuestra vida?** ⭐ TEKS 13.C

Piensa de dónde vienen las cosas que utilizas y la ropa que vistes. Mira la foto y **explica** cómo la geografía influye en los bienes que tu familia necesita y compra.

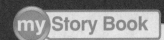

my Story Book

Conéctate en línea para escribir e ilustrar tu **myStory Book** usando **miHistoria: Ideas** de este capítulo.

¿Cómo influye la geografía en nuestra vida?

TEKS
ES 9.B
SLA 15

Texas tiene una gran variedad de accidentes geográficos, masas de agua, recursos naturales y climas. Esta geografía variada influye en los habitantes de diferentes maneras, según dónde viven. La geografía determina el tipo de casa donde vivimos, la ropa que usamos y las cosas que hacemos para divertirnos y trabajar. ¿Cómo influye en ti la geografía?

Piensa en el lugar donde vives y las actividades que haces.
Explica cómo la geografía influye en tu vida.

....

....

....

....

....

Ahora, haz un dibujo para ilustrar tu escrito.

SAVVAS realize™ Conéctate en línea a tu lección digital interactiva.

71

Regiones geográficas de Texas

mi Historia: ¡Despeguemos!

PREGUNTA PRINCIPAL

¿Qué favorece a una comunidad?

Piensa en lo que más te gusta del lugar donde vives. **Escribe** por qué alguien querría vivir en tu comunidad.

....

....

....

....

....

....

Conocimiento y destrezas esenciales de Texas

6.A Utilizar recursos geográficos, incluyendo sistemas grid, lectura de mapas, símbolos, escalas numéricas y compases rosa (rosa de los vientos) para construir e interpretar mapas.

7.A Describir una variedad de regiones en Texas y en los Estados Unidos tales como la población política y las regiones económicas que resultan de cambios en la actividad humana.

7.B Identificar, ubicar y comparar las regiones geográficas de Texas (Montañas y Cuencas, las Grandes Llanuras, las Llanuras del Norte Central y las Llanuras Costeras), incluyendo sus accidentes geográficos, clima y vegetación.

7.C Comparar las regiones geográficas de Texas (Montañas y Cuencas, las Grandes Llanuras, las Llanuras del Norte Central y las Llanuras Costeras), con regiones de los Estados Unidos y de otras partes del mundo.

8.B Describir y explicar la ubicación y distribución de diferentes pueblos y ciudades en Texas, en el pasado y en el presente.

8.C Explicar los factores geográficos tales como los accidentes geográficos y el clima que impactan el tipo de asentamientos y la distribución de la población en Texas, en el pasado y en el presente.

9.A Describir cómo las personas se han adaptado o modificado su medio ambiente en Texas, en el pasado y en el presente, tales como la deforestación, la producción de productos agrícolas, el drenaje de las tierras acuosas, la producción de energía y la construcción de diques.

9.B Identificar por qué las personas se han adaptado o modificado su ambiente en Texas, en el pasado y en el presente, tales como el uso de los recursos naturales para satisfacer las necesidades básicas, facilitar el transporte y mejorar las actividades recreacionales.

21.B Analizar información, ordenando en una secuencia, categorizando, identificando las relaciones de causa y efecto, comparando, contrastando, encontrando la idea principal, resumiendo, formulando generalizaciones y predicciones y formulando inferencias y sacando conclusiones.

21.C Organizar e interpretar información en bosquejos, reportes, bases de datos y visuales, incluyendo gráficos, diagramas, líneas cronológicas y mapas.

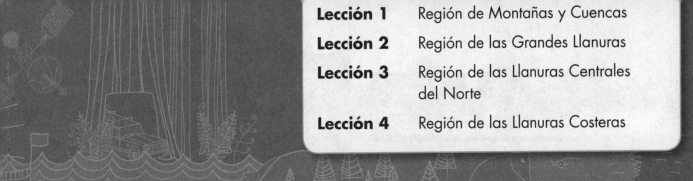

Texas

Un estado diverso

mi Historia: Video

"¿Nieve?", piensa Connor mientras mira fotos del Parque Nacional Big Bend. Connor tiene once años, es de Midland y acaba de regresar de un viaje por ese parque nacional. "Hacía bastante calor a orillas del río", dice.

El Parque Nacional Big Bend se halla en el sureste de la región de Montañas y Cuencas de Texas. Esta región es bastante seca; de hecho, en gran parte de ella predominan las condiciones desérticas. Sin embargo, en algunas zonas cae nieve, especialmente en las mayores elevaciones. Tal como lo indica su nombre, la región de Montañas y Cuencas exhibe áreas montañosas. Allí, los inviernos pueden ser bastante fríos e incluso nieva. Las cuencas se encuentran en la parte occidental de la región, dentro del desierto de Chihuahua. A causa del clima seco y las tierras áridas, esta región no es muy buena para la agricultura ni es muy populosa, es decir, no está muy habitada. La región de Montañas y Cuencas es conocida por su belleza y su vida silvestre.

Estas son algunas de las fotos que tomó Connor durante su viaje al Parque Nacional Big Bend, situado en la región de Montañas y Cuencas.

Midland es una ciudad de la región de las Grandes Llanuras. Se destaca por su gran industria del petróleo y el gas.

El cañón de Palo Duro es una popular destinación turística en la región de las Grandes Llanuras.

Huella de dinosaurio en el Parque estatal Dinosaur Valley

Gabrielle tiene muchas ganas de visitar el Parque Estatal de Dinosaur Valley.

No muy lejos del Big Bend, apenas un poco hacia el este, comienza una región completamente distinta de Texas. "Midland está en la región de las Grandes Llanuras", dice Connor. "Aquí es diferente". Esta región tiene climas diversos, que varían según la altitud. En general, la región recibe entre 15 y 25 pulgadas de lluvia por año. Eso es bueno para las actividades agrícolas, de modo que el ganado y los cultivos son fundamentales para la economía de las Grandes Llanuras. Y puesto que la Universidad Tecnológica de Texas está en Lubbock, la ciudad más importante de las Grandes Llanuras, la educación también desempeña un papel papel clave en la economía de esta región. "Mamá y papá estudiaron en la Universidad Tecnológica", cuenta Connor. "Tal vez yo también lo haga. Aún tengo tiempo para pensarlo".

Gabrielle también piensa a veces en sus estudios superiores. Vive en Abilene, en la región de las Llanuras Centrales del Norte y en su ciudad hay tres universidades. "No estoy segura de qué, voy a elegir, pero creo que optaré por quedarme cerca de casa cuando llegue el momento", dice. El padre de Gabrielle trabaja en una empresa petrolera hace más de una década y le enseña algunas cosas sobre esa industria cuando ambos tienen tiempo. "Aquí hay muchas familias que viven de la industria petrolera", explica Gabrielle. "Pero Abilene se destaca además por las actividades agrícolas. Y también abundan los empleos en las universidades, por supuesto". Algunos de los ranchos más grandes del estado se encuentran en la zona de las llanuras ondulantes de la región de las Llanuras Centrales del Norte. "¿Y saben qué?", agrega Gabrielle con entusiasmo. "En la zona de la Gran Pradera está el Parque Estatal de Dinosaur Valley. ¡Todavía no fui, pero me encantaría ver las huellas de los dinosaurios!".

Fort Worth está en la Región de las Llanuras Centrales del Norte. Alberga muchos museos y varias universidades.

San Antonio está en la región de las Llanuras Costeras. El River Walk es uno de los lugares más bonitos de la ciudad.

"¿Sabes en qué región está Austin, la capital del estado?", le pregunta Lauren a su mamá. Lauren y su mamá acaban de visitar el Capitolio de Texas, en Austin. "Sí, Lauren, pero ¿por qué no me lo dices tú?". "¡En la región de las Llanuras Costeras!", exclama Lauren.

Con su extensa franja costera sobre el golfo de México, las Llanuras Costeras forman la región más grande de Texas. Esta región se subdivide en cinco zonas más pequeñas, cada una con un clima un poco diferente. Pero todas tienen algo en común: el suelo bastante llano y la cercanía al océano. "No vamos a la playa muy seguido", dice Lauren, "pero el mar está a unas pocas horas de viaje".

En esta región se encuentran algunas de las ciudades más grandes y conocidas del estado: San Antonio, Dallas, Houston y Austin. Isla del Padre es una playa muy concurrida de Texas. Su clima cálido y muy soleado atrae a los turistas todo el año.

Texas es uno de los estados más grandes del país, de modo que no es sorprendente la gran variedad que presentan sus cuatro regiones geográficas. Pero a pesar de sus diferentes climas, altitudes, poblaciones y tradiciones, todas estas regiones tienen algo en común: el orgullo texano.

"¡Gracias por su visita!", exclama Lauren. "¡Y vuelvan pronto!".

Piénsalo Según este relato, ¿qué tiene de especial cada región de Texas? A medida que lees el capítulo, piensa en las cosas que favorecen a una comunidad.

Lauren vive cerca de Austin, en la región de las Llanuras Costeras.

SAVVAS realize™   Conéctate en línea a tu lección digital interactiva.

75

Texas

Lección 1

Región de Montañas y Cuencas

¡Imagínalo!

Las montañas Guadalupe de Texas son la cordillera más alta de esta región.

1. Describe los cambios que experimentó la economía de esta región como resultado de la actividad humana.

Texas puede dividirse en cuatro regiones geográficas principales. Estas regiones se determinan por sus accidentes geográficos más importantes. En el extremo oeste de Texas se ubica la región de Montañas y Cuencas, también conocida como la región de Cuencas y Cordilleras. Busca esta región geográfica en el mapa.

El paisaje

Las cuencas que se hallan en el oeste de esta región forman parte del desierto de Chihuahua. Texas comparte este desierto con Nuevo México, Arizona y México, el país vecino. En el centro de esta región hay cordilleras. Las montañas Guadalupe se extienden desde Nuevo México hasta el interior de Texas. Forman la cordillera más alta del estado. El pico Guadalupe es el punto más alto de Texas. Se eleva a 8,749 pies sobre el nivel del mar. Las segundas montañas más altas son las montañas Davis. Al sur de esta cordillera están las montañas Chisos, que forman la tercera cordillera más alta del estado.

El clima de esta región geográfica es muy seco. De hecho, gran parte de la región es un **desierto**, es decir, una zona que recibe menos de 10 pulgadas anuales de lluvia. En la vegetación del desierto predominan los arbustos de creosota, los cactus y las plantas de yuca, agave y sotol. En verano hace mucho calor, pero el invierno puede ser frío a causa de las montañas que atraviesan la región. A veces incluso cae nieve.

Esta región no es buena para la agricultura porque es árida y rocosa. La mayor parte de la población vive a orillas del río Grande, donde los habitantes tienen acceso al agua. En el resto de la región, las comunidades son pueblos muy pequeños separados por montañas.

Vocabulario

desierto   frontera

huso horario   sitio de interés

Identifica los accidentes geográficos de la izquierda. Arriba, dibuja y rotula un accidente geográfico que veas en tu comunidad.

Los habitantes se han adaptado al medio ambiente accidentado de esta región geográfica creando parques. Todos los años, aproximadamente medio millón de personas visitan el Parque Nacional de las Montañas Guadalupe y el Parque Nacional Big Bend. En estos parques viven pumas, halcones peregrinos y otros animales salvajes. En los parques también trabajan muchas personas para proteger a los animales, cuidar el paisaje y ayudar a los visitantes. Este es un ejemplo de actividad humana que crea una región económica. En este caso, la economía se basa en los turistas que visitan los parques.

TEKS
7.A, 7.B, 7.C, 8.B, 8.C, 9.A

2. **Identifica** los accidentes geográficos de esta región. En el mapa, encierra en un círculo el desierto de Chihuahua y el pico más alto de Texas.

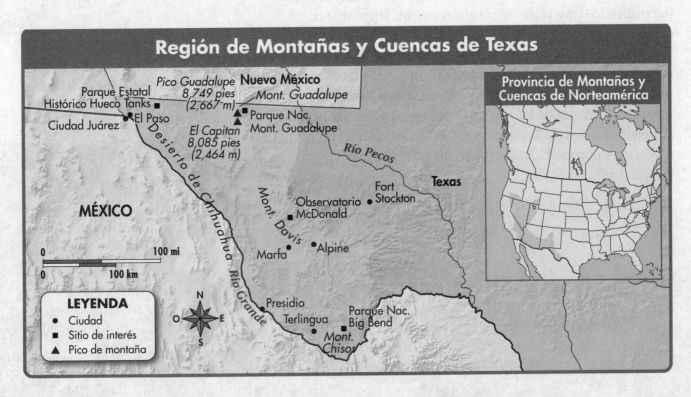

Región de Montañas y Cuencas de Texas

Pico Guadalupe
8,749 pies
(2,667 m)

Nuevo México
Mont. Guadalupe

Parque Estatal
Histórico Hueco Tanks

El Paso

Ciudad Juárez

Parque Nac.
Mont. Guadalupe

El Capitan
8,085 pies
(2,464 m)

Desierto de Chihuahua

Río Pecos

Texas

MÉXICO

Mont. Davis

Observatorio
McDonald

Fort
Stockton

Marfa

Alpine

0   100 mi
0   100 km

Río Grande

Presidio
Terlingua

Parque Nac.
Big Bend

Mont.
Chisos

LEYENDA
● Ciudad
■ Sitio de interés
▲ Pico de montaña

N O E S

Provincia de Montañas y Cuencas de Norteamérica

SAVVAS
realize
Conéctate en línea a tu lección digital interactiva.

77

Comparar regiones geográficas

Texas no es la única zona de América del Norte que tiene montañas y cuencas. La región de Montañas y Cuencas de Texas está dentro de una región más grande, conocida como la provincia de Cuencas y Cordilleras. Esta región más grande se extiende desde México y abarca gran parte de Nuevo México, Arizona y Nevada.

Una gran parte de la región está cubierta por cordilleras largas y angostas, separadas por valles planos o cuencas. Esta es una de las áreas más secas de los Estados Unidos. De hecho, abarca partes de cuatro desiertos diferentes: el de Chihuahua, el de Sonora, el de Mojave y el de la Gran Cuenca.

En la provincia de Cuencas y Cordilleras hay tres parques nacionales. Si bien hay algunas ciudades grandes, la mayoría de los pueblos están aislados y tienen pocos habitantes. Muchas personas trabajan en entretenimiento y turismo, ganadería o minería.

Ciudades principales

La mayoría de los pueblos de la región de Montañas y Cuencas son pequeños. Muchos están separados de otros pueblos por montañas. Sin embargo, en esta región geográfica hay una ciudad importante: El Paso. El nombre está en español. La ciudad se encuentra junto a un paso de montaña, es decir, una zona más baja que las montañas circundantes por donde se puede atravesar más fácilmente la cordillera. Este paso de montaña es un importante accidente geográfico de la región.

El Paso es la quinta ciudad más grande de Texas. Queda tan lejos de las otras ciudades importantes del estado que se ubica en un huso horario diferente. Un **huso horario** es una zona en la que todos los relojes se ponen a la misma hora. Por ejemplo, si en El Paso son las 4:00, en Houston son las 5:00. Eso ocurre porque El Paso está en un huso horario y Houston está en otro.

3. ○ Sacar conclusiones
Explica por qué la ubicación de El Paso fue importante para su crecimiento.

....

....

....

....

....

El Paso es la ciudad más grande de la región de Montañas y Cuencas.

El Paso está a orillas del río Grande, un río que marca la frontera entre Texas y México. Una **frontera** es una línea que marca un límite. Al otro lado del río Grande, en México, está Ciudad Juárez. En estas dos ciudades viven más de dos millones de personas.

Un sitio de interés natural

Un **sitio de interés** es un objeto, como una montaña, que se destaca de la zona que lo rodea. Los primeros habitantes necesitaban estos sitios porque les servían como puntos de referencia para orientarse cuando atravesaban el paso de Guadalupe. ¡La montaña El Capitán era perfecta para cumplir con esta función! Tenía la altura suficiente para ser vista desde lejos. Era fácilmente reconocible por su aspecto particular. Aún hoy sirve para orientar a los viajeros en esta parte de Texas.

Los primeros viajeros se orientaban mejor gracias a la montaña El Capitán.

¿Entiendes?

TEKS 7.B, 8.C, 9.A

4. Hacer generalizaciones **Identifica** y **describe** el clima de la región geográfica conocida como la región de Montañas y Cuencas.

....

....

5. **Explica** cómo factores geográficos tales como los accidentes geográficos de la región impactan el tipo de asentamientos.

mi Historia: Ideas

....

....

....

6. **Describe** cómo se adaptaron las personas a la región para poder disfrutar de su belleza.

....

....

....

SAVVAS realize Conéctate en línea a tu lección digital interactiva.

79

Región de las Grandes Llanuras

¡Imagínalo!

Mucha gente llama *Panhandle* ("mango de sartén") al noroeste de Texas.

Si nos desplazamos hacia el este desde la región de Montañas y Cuencas, llegamos a la región de las Grandes Llanuras de Texas.

El paisaje

1. Compara la vegetación de las regiones geográficas de Texas. ¿En qué se diferencia la vegetación de la región de las Grandes Llanuras de la vegetación de la región de Montañas y Cuencas?

La región de las Grandes Llanuras se divide en cuatro secciones. La sección de las llanuras altas está separada de la región de las Llanuras Centrales del Norte por una larga ladera escarpada llamada escarpa Caprock. La meseta Edwards es ondulada. De hecho, su parte oriental se llama Texas Hill Country, que significa "tierra de las colinas de Texas". La cuenca Toyah es una gran superficie plana situada en el valle del río Pecos. La cuenca Llano está en el borde oriental de la meseta Edwards.

La vegetación de esta región geográfica incluye diferentes tipos de pastos. En la región de las Grandes Llanuras hay bosques con árboles muy altos.

Los recursos naturales de las llanuras altas son las tierras fértiles, el petróleo y el gas natural. Los agricultores usan el agua subterránea para irrigar sus campos. En la región de las Grandes Llanuras, los agricultores cultivan trigo, algodón y sorgo. La meseta Edwards es ideal para criar cabras de angora. El pelo de estas cabras se llama **angora**. Con la angora se produce una lana de alta calidad. Casi toda la angora producida en los Estados Unidos proviene de Texas.

El clima depende en parte de la altitud. A mayor altitud, la temperatura suele ser más fría. Esta región geográfica tiene veranos calurosos e inviernos frescos. A veces llega una ola de aire más frío desde las montañas Rocosas. En la parte oeste de esta región caen cerca de 10 pulgadas anuales de lluvia. En la parte este caen unas 30 pulgadas anuales.

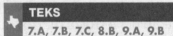

DESCIFRA LA PREGUNTA PRINCIPAL Aprenderé sobre la geografía de la región de las Grandes Llanuras.

Vocabulario

angora   turismo
helio

Mira las imágenes y lee el pie de foto de la izquierda. Explica por qué el noroeste de Texas se llama Panhandle.

Comparar regiones geográficas

Las Grandes Llanuras se extienden desde el río Grande hacia el norte, atraviesan Texas, cruzan todo el centro de los Estados Unidos y continúan en Canadá. Puedes ver esto en el mapa. La región geográfica atrajo a muchos pobladores porque es un buen lugar para la agricultura y la cría de animales. Hay unas pocas ciudades, pero en su mayor parte es una zona rural.

En América del Sur hay una región muy extensa llamada la Pampa, que es similar a las Grandes Llanuras. De hecho, *pampa* significa "llanura". Tal como ocurre con las Grandes Llanuras de los Estados Unidos, la Pampa es excelente para la agricultura y la ganadería.

TEKS
7.A, 7.B, 7.C, 8.B, 9.A, 9.B

2. **Ubica** la región de las Grandes Llanuras. Encierra en un círculo la zona donde se crían las cabras de angora. **Ubica** y subraya el nombre de la ladera que se abre entre las Grandes Llanuras y la región geográfica vecina.

Región de las Grandes Llanuras de Texas

LEYENDA
- Ciudad
- Sitio de interés

0 ——— 100 mi
0 ——— 100 km

Río Canadiano
Oklahoma
Amarillo
Cañón de Palo Duro
Río Blanco
Río Red
Lubbock
Nuevo México
Odessa • Midland
Texas
Río Colorado
Río Brazos
Cuenca Toyah
Río Pecos
Cuenca Llano
Meseta Edwards
MÉXICO
Río Grande
Río Nueces

Región de las Grandes Llanuras de los EE. UU. y sus vecinos

Ciudades principales

Lubbock es el eje o centro económico de la región. Por eso en inglés se la llama también Hub City, que significa "ciudad eje". Fundada en 1890, Lubbock creció rápidamente después de 1909, cuando el ferrocarril Santa Fe construyó una línea que atravesaba el pueblo. Hay numerosas escuelas y universidades, incluida la Universidad Tecnológica de Texas. Mucha gente tiene empleos relacionados con la educación y la atención de la salud. Otros habitantes trabajan en la agricultura y la manufactura.

Amarillo es la ciudad más grande del Panhandle. Fue fundada en 1887 por dueños de negocios que abrieron tiendas allí. Estas personas se dieron cuenta de que esa era una buena ubicación para un pueblo porque pronto pasaría por allí un ferrocarril. Amarillo se convirtió rápidamente en un próspero pueblo ganadero que enviaba ganado a pueblos lejanos por medio del ferrocarril. Hoy sus habitantes siguen criando ganado. Amarillo también es un centro para la agricultura, la atención de la salud y la industria de gas natural. Uno de los productos que se hallan junto con el gas natural es el helio. El **helio** es un gas más liviano que el aire, sin color ni olor.

El turismo también es importante en Amarillo. El **turismo** es la industria que atiende a quienes visitan una zona por placer. Sus visitantes disfrutan mientras aprenden sobre la historia del Lejano Oeste. Los visitantes pueden ver el musical *Texas*, que se hace al aire libre en el cañón de Palo Duro. Este espectáculo se realiza todos los años y trata sobre el pasado de Texas.

Las ciudades vecinas de Midland y Odessa han desarrollado importantes industrias del petróleo y el gas natural. También hay empresas y tiendas que satisfacen las necesidades de granjeros y rancheros.

3. ⊙ **Causa y efecto**
Explica cómo el ferrocarril ayudó a la economía de Amarillo.

....

....

....

....

....

....

....

Los caballos son importantes en la ganadería de Texas. Este museo de Amarillo homenajea al caballo de la raza "cuarto de milla estadounidense" ("American Quarter Horse").

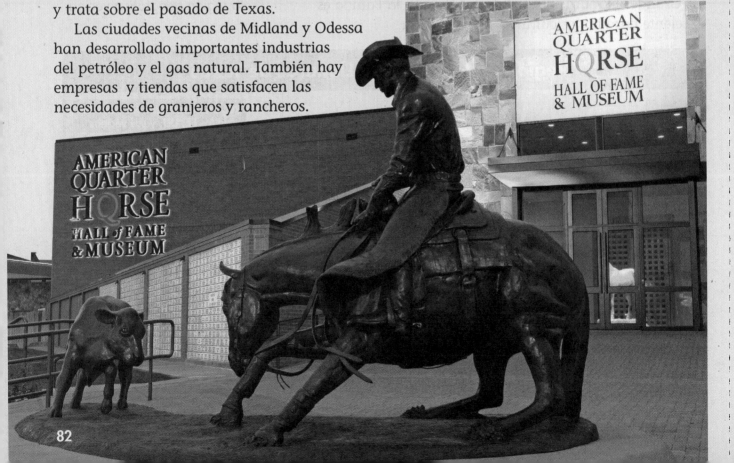

Un sitio de interés natural

El cañón de Palo Duro mide aproximadamente 120 millas de longitud, 20 millas de ancho y nada menos que 800 pies de profundidad. Fue tallado por el Prairie Dog Town Fork, un río que desemboca en el río Red. En la vegetación de esa zona se destacan el mezquite y el enebro, que son arbustos de madera dura. De ahí proviene el nombre Palo Duro, que se conserva así en inglés.

A veces, las personas se adaptan a un medio ambiente. Esto significa que cambian su comportamiento en lugar de modificar el paisaje. En la década de 1930 se decidió proteger el cañón de Palo Duro. Una de las razones por las que los habitantes se adaptaron a este paisaje en lugar de cambiarlo fue el deseo de que las generaciones futuras disfrutaran de su belleza natural. En la actualidad, el Parque Nacional Cañón de Palo Duro recibe cerca de 300,000 visitantes por año.

El cañón de Palo Duro es el segundo cañón más grande de los Estados Unidos. Solo el Gran Cañón lo supera en tamaño.

¿Entiendes?

TEKS 7.B, 9.B

4. Causa y efecto **Identifica** el clima de la región de las Grandes Llanuras. **Explica** cómo influye la mayor altitud en el clima de esta región geográfica.

....

....

5. **Identifica** y registra dos o tres detalles relacionados con estas ciudades.

mi Historia: Ideas

Ciudad	Detalles
Amarillo	cerc de 300,000 visitantes 120 m
Lubbock	

6. **Identifica** razones por las cuales las personas se adaptaron al ambiente en el cañón de Palo Duro.

Región de las Llanuras Centrales del Norte

¡Imagínalo!

Los cosechadores sacuden los árboles para juntar las pacanas que caen al suelo. Este tractor está recogiendo las pacanas caídas.

Las llanuras ondulantes del oeste de Texas (arriba) y Cross Timbers (abajo)

1. Identifica la vegetación que crece en esta región geográfica. En el texto, subraya los árboles que crecen en el Cross Timbers.

Si continuamos hacia el este desde las Grandes Llanuras, llegamos a la región de las Llanuras Centrales del Norte de Texas. Ubica esta región geográfica en el mapa.

El paisaje

La región de las Llanuras Centrales del Norte comienza en la escarpa Caprock y se extiende hacia el este. Una **llanura** es una gran superficie de tierra plana con suaves ondulaciones y pocos árboles. La altitud de esta región llega a los 400 pies en el este y a los 2,000 pies en el oeste. Esta región geográfica se divide en tres zonas más pequeñas: las llanuras ondulantes del oeste de Texas, la Gran Pradera y el Cross Timbers. La Gran Pradera divide el Cross Timbers en dos secciones, el este y el oeste. La zona del Cross Timbers tiene un suelo bueno para el cultivo de árboles altos, como los nogales, los robles y los olmos.

Como en el resto de Texas, el clima de esta región geográfica se caracteriza por sus veranos calurosos. Según la altitud, los inviernos pueden ser frescos o fríos. En comparación con la región de Montañas y Cuencas, la región de las Llanuras Centrales del Norte es mucho más húmeda. La precipitación de lluvias oscila entre 30 pulgadas en el este y 20 pulgadas en el oeste.

Comparar regiones geográficas

Las Llanuras Centrales del Norte de Texas cruzan el límite estatal, se extienden hacia el norte por los Estados Unidos y continúan en Canadá. Es esta región hay grandes extensiones de tierras muy buenas para la agricultura. Sin embargo, el clima cambia a medida que avanzamos hacia el norte. En el norte hay estaciones más definidas con lluvias más abundantes e invernos más fríos.

Menciona otros frutos comestibles que se cosechan en los árboles de Texas.

DESCIFRA LA PREGUNTA PRINCIPAL

Aprenderé cómo son las comunidades en la región de las Llanuras Centrales del Norte.

Vocabulario

llanura

cultivar

ganado

Las Llanuras Centrales situadas al norte de los Estados Unidos están cerca de los Grandes Lagos. Esta región geográfica es más conocida como el Medio Oeste. También se la llama "granero de la nación", por la cantidad de granos (en especial trigo y maíz) que se cultivan allí.

En otras partes del mundo también hay grandes llanuras. Gran parte del continente europeo está cubierto por llanuras. Como sucede en las Llanuras Centrales de los Estados Unidos, la agricultura es importante en la llanura europea.

TEKS

7.A, 7.B, 7.C, 9.A

2. Compara la región de las Llanuras Centrales del Norte de Texas con la llanura europea. ¿En qué se parecen?

....

....

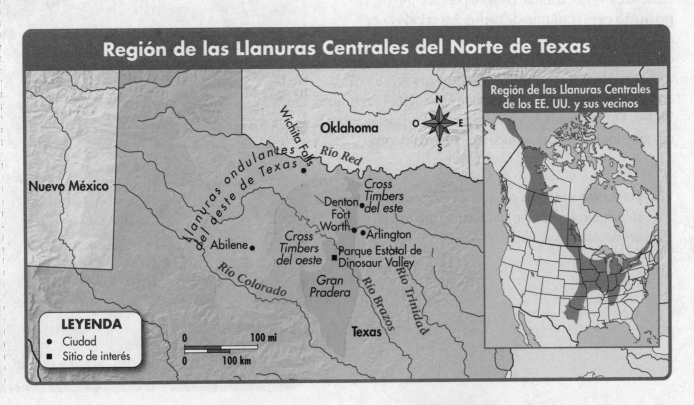

Región de las Llanuras Centrales del Norte de Texas

Nuevo México

Llanuras ondulantes del oeste de Texas

Wichita Falls

Oklahoma

Río Red

Cross Timbers del este

Denton

Fort Worth

Arlington

Abilene

Cross Timbers del oeste

Parque Estatal de Dinosaur Valley

Gran Pradera

Río Colorado

Río Brazos

Río Trinidad

Texas

N O E S

Región de las Llanuras Centrales de los EE. UU. y sus vecinos

LEYENDA

● Ciudad

■ Sitio de interés

0   100 mi

0   100 km

Agricultura e industria

Si bien el este y el oeste del Cross Timbers parecen dos zonas diferentes, ambas se unen a orillas del río Red. El nombre *Cross Timbers* proviene de las franjas boscosas que cruzan las praderas. Las personas han modificado esta región geográfica talando árboles con el fin de despejar tierras que necesitaban para satisfacer sus necesidades. Una de las razones por las que despejaron las tierras fue la necesidad de establecer granjas, ranchos, casas o negocios. Sin embargo, esta sigue siendo la mejor zona de las Llanuras Centrales del Norte para plantar árboles. Las personas se han adaptado al medio ambiente plantando árboles con frutos comestibles, como las pacanas y diversas frutas. En los ranchos de la zona se crían vacas, ovejas y cabras. Entre otros recursos se cuentan el petróleo, el gas, la arcilla, la arena, la piedra y la grava.

En las llanuras ondulantes del oeste de Texas se desarrolla una importante industria ganadera. Allí están algunos de los ranchos más grandes del estado. También hay muchas tierras planas buenas para **cultivar**, es decir, para sembrar cereales y otros cultivos. A diferencia de la región de Montañas y Cuencas, que es árida y rocosa, esta región geográfica tiene suelo fértil. Los agricultores siembran trigo, algodón y sorgo. También hay pozos de petróleo en esta zona.

La Gran Pradera es una tierra con pastos que favorece la cría de ganado, como terneros, vacas lecheras, ovejas, cabras, cerdos, pollos y pavos. El **ganado** es el conjunto de animales criados por granjeros y rancheros. También se siembran cereales como el maíz y se cultiva algodón. En la zona hay recursos como piedra caliza, arena y grava. Además, en la Gran Pradera está el Parque Estatal de Dinosaur Valley. Mucha gente lo visita para ver las huellas que dejaron los dinosaurios hace muchísimo tiempo.

3. **Describe** maneras en que las personas se adaptan al medio ambiente para la producción agrícola.

....

....

....

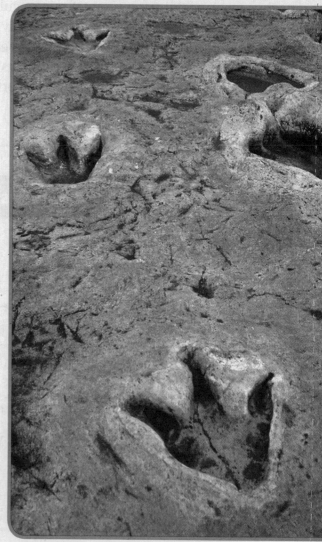

Huellas de dinosaurios en el Parque Estatal de Dinosaur Valley

Ciudades de la región

La tabla muestra algunas ciudades de esta región. La mayoría de estas ciudades nacieron junto a ferrocarriles o comenzaron a crecer cuando llegaron los ferrocarriles.

Abilene fue fundada en 1881 en el camino del ferrocarril Texas Pacífico. Aunque en sus orígenes la economía se limitaba a la agricultura, hoy también se basa en el petróleo y el comercio. Además, en esta ciudad hay tres universidades.

Fort Worth era un fuerte establecido por el Ministerio de Guerra de los Estados Unidos en 1849. Sin embargo, el pueblo no creció mucho hasta la Guerra Civil. Después de esa guerra, Fort Worth se convirtió en un importante centro de la industria ganadera, y pronto fue apodado "Cowtown", es decir, "pueblo vaquero". En la actualidad, en Fort Worth hay muchos museos y universidades. Las empacadoras de carne y las empresas de construcción aeronáutica también son importantes industrias locales.

Ciudad	Población
Abilene	117,063
Arlington	365,438
Denton	113,383
Fort Worth	741,206
Wichita Falls	104,553

Fuente: Bureau of the Census, 2010

4. Identifica y encierra en un círculo la ciudad que nació junto al ferrocarril y ahora tiene tres universidades. ¿Cuál es la población de esta ciudad?

....

¿Entiendes?

TEKS 7.B, 7.C

5. ◎ **Comparar y contrastar** Compara la región geográfica de las Llanuras Centrales del Norte de Texas y la de las Llanuras Centrales de los Estados Unidos. **Explica** una diferencia.

....

....

....

6. ❓ Tanto Abilene como Fort Worth se beneficiaron con los ferrocarriles. **Explica** por qué crees que el transporte es importante para el crecimiento de un pueblo o una ciudad.

mi Historia: Ideas

....

....

....

7. En una hoja aparte, crea un diagrama de Venn para comparar la región de las Llanuras Centrales del Norte con la de Montañas y Cuencas. **Identifica** y **compara** la vegetación, los accidentes geográficos y el clima de estas regiones geográficas de Texas.

Destrezas de mapas

Usar un mapa cultural

Texas recibe millones de visitantes todos los años. Estas personas vienen a explorar lo que Texas tiene para ofrecer. También los habitantes del estado disfrutan de las numerosas atracciones de Texas. Usar un mapa cultural es una buena manera de encontrar esas atracciones. Los **mapas culturales** identifican sitios que se relacionan con la cultura o la historia de un lugar.

Abajo ves un mapa cultural de Texas. Imagina que quieres consultarlo para descubrir qué puedes ver o hacer cerca de Corpus Christi. Primero, mira la leyenda del mapa e interpreta los símbolos. La leyenda muestra el significado de cada símbolo. Después, ubica Corpus Christi en el mapa. Fíjate qué símbolos hay en las cercanías. Lee los rótulos. Verás que cerca de Corpus Christi está el Parque Estatal de Goose Island.

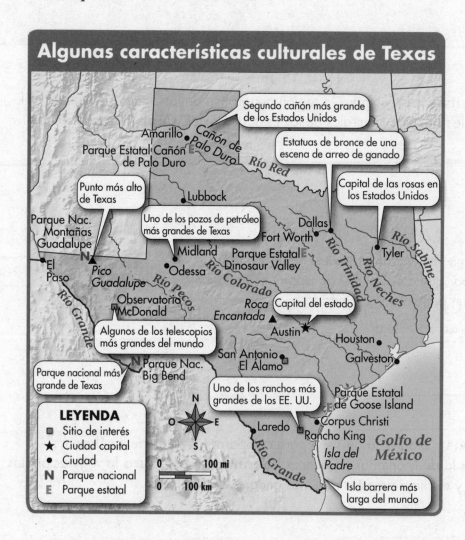

Algunas características culturales de Texas

Objetivo de aprendizaje

Aprenderé a identificar características culturales en un mapa de Texas.

TEKS

SLA 13.8 Explicar la información basada en hechos que se presenta gráficamente.

ES 6.A Utilizar recursos geográficos, incluyendo sistemas grid, lectura de mapas, símbolos, escalas numéricas y compases rosa (rosa de los vientos) para construir e interpretar mapas.

ES 21.C Organizar e interpretar información en visuales, incluyendo mapas.

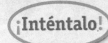

Tus primos de Michigan vienen de visita. ¿Qué quieres mostrarles durante su estadía? Usa el mapa cultural para ubicar algunos lugares interesantes que los ayudarán a aprender más acerca de Texas.

1. **Ubica** Austin en el mapa. Enciérrala en un círculo. Aquí llegarán tus primos.

2. ¿Qué puedes mostrarles a tus primos en Austin?

   ....

3. Desde Austin, podrías visitar Roca Encantada para hacer una caminata. **Examina** el mapa e indica en qué dirección tienes que viajar para llegar allí.

   ....

4. **Identifica** Roca Encantada y márcala con una X.

5. Uno de tus primos siempre ha querido ver El Álamo. **Interpreta** el mapa y determina qué ciudad tienes que visitar para verlo.

   ....

6. Luego de visitar El Álamo, podrías viajar hacia el sureste para visitar un parque estatal. **Aplica** el recurso geográfico lectura de mapas para hallar el símbolo del parque estatal. ¿Cuál es ese parque?

   ....

7. Usa la rosa de los vientos e **identifica** en qué dirección tendrías que viajar para ver la isla barrera más grande del mundo.

   ....

8. Puedes visitar un lugar más. En otra hoja de papel, **organiza** una lista de cuatro lugares culturales e indica a qué distancia estás de ellos. Elige un lugar y **construye** un mapa que muestre esa ubicación y otros lugares importantes de Texas.

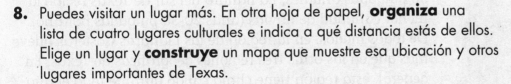

SAVVAS realize Conéctate en línea a tu lección digital interactiva.

89

Región de las Llanuras Costeras

¡Imagínalo!

Los barcos son una presencia habitual en las numerosas bahías de la costa texana, como la de Houston que ves en la foto.

La última región geográfica que encontramos al desplazarnos hacia el este es la región de las Llanuras Costeras. Es la región más grande de Texas.

El paisaje

Tal como ocurre con la región de Montañas y Cuencas y la región de las Grandes Llanuras, el río Grande marca la frontera sur entre esta región y México. El río Grande es un accidente geográfico común a todas estas regiones. Otros accidentes geográficos varían mucho de una región a otra. Por ejemplo, en esta región no hay montañas o desiertos como en la región de Montañas y Cuencas. La región de las Llanuras Costeras tiene una larga línea costera sobre el golfo de México.

La región de las Llanuras Costeras se extiende **tierra adentro**, alejándose de la costa hacia el interior, a lo largo de unas 250 millas. Se divide en Piney Woods (una zona de pinares), las praderas costeras, la llanura del sur de Texas, la franja Post Oak y la pradera Blackland.

El clima no es el mismo en toda la región. En la costa y en el norte llueve más. La zona de Piney Woods recibe la mayor cantidad de lluvias, que alcanzan aproximadamente 50 pulgadas anuales. La llanura del sur de Texas recibe la menor cantidad de lluvias (unas 20-30 pulgadas por año). De todos modos, en la región de las Llanuras Costeras llueve más que en las otras tres regiones geográficas de Texas. En general, esta región tiene clima cálido durante todo el año.

1. Comparar y contrastar **Compara** los accidentes geográficos de las regiones de Texas. **Identifica** y subraya el accidente geográfico que la región de las Llanuras Costeras comparte con otras regiones. **Identifica** y encierra en un círculo el que solo se encuentra en esta región.

DESCIFRA LA
PREGUNTA PRINCIPAL

Aprenderé cómo la geografía de la región de las Llanuras Costeras influye en las comunidades.

Vocabulario

tierra adentro	puesto de comercio
lignito	
bayou	puerto
	tierra firme

Explica qué tipo de actividades se llevan a cabo en los lugares como el que aparece en la foto de la izquierda.

Comparar regiones geográficas

El golfo de México ayuda a definir la región de las Llanuras Costeras de Texas y la región geográfica más extensa conocida como Llanura Costera del Golfo. La Llanura Costera del Golfo se extiende desde la Florida hasta México. Esta región geográfica tiene un clima caluroso, con mucha lluvia. Las plantas, el suelo y los recursos naturales son similares en ambas regiones. Por eso sus industrias son las mismas. La región de las Llanuras Costeras de Norteamérica continúa hacia el norte, a lo largo de la costa este, delimitada al este por el océano Atlántico.

TEKS
7.A, 7.B, 7.C, 8.B, 9.A, 9.B

2. **Ubica** la región de las Llanuras Costeras. Encierra en un círculo la costa del golfo correspondiente a Texas.
Infiere: ¿Cuáles son las dos industrias que requerirían estar cerca de la costa?

Región de las Llanuras Costeras de Texas

Oklahoma
Arkansas
Río Red
Dallas
Tyler
Longview
Texas
Piney Woods
Luisiana
Waco
Reserva Nacional Big Thicket
Austin
Houston
Beaumont
Escarpa Balcones
San Antonio
Centro Espacial Johnson
Galveston
MÉXICO
Llanura del sur de Texas
Praderas costeras
Pradera Blackland
Franja Post Oak
Corpus Christi
Golfo de México
Laredo
Costa Nacional Isla del Padre
Isla del Padre
Río Grande
Brownsville

Región de las Llanuras Costeras de los EE. UU. y sus vecinos

LEYENDA
● Ciudad
■ Sitio de interés

N O E S

0   200 mi
0   200 km

Todas las llanuras costeras del mundo son bastante planas y están junto a un océano. Sin embargo, no todas son calurosas como la región de las Llanuras Costeras de Texas. En Alaska hay llanuras costeras con climas frescos y también muy fríos.

Pradera Blackland, franja Post Oak y Piney Woods

La pradera Blackland tiene una tierra oscura y fértil, excelente para agricultura y la ganadería. En inglés, su nombre quiere decir "tierra negra". Allí se cultivan cereales y algodón.

La franja Post Oak lleva el nombre en inglés de los robles de poste que crecen allí. Al igual que en la pradera Blackland, en la franja Post Oak abundan las granjas. En esa zona hay minas de **lignito**, un tipo de carbón blando. También hay petróleo y gas. Las personas se adaptan al medio ambiente usando estos recursos naturales para producir energía. Necesitan energía para satisfacer sus necesidades básicas. Por ejemplo, el petróleo puede usarse para la calefacción de los hogares y la electricidad sirve para conservar la comida.

Al este de la franja Post Oak están los pinares de Piney Woods. En esta región caen entre 40 y 50 pulgadas de lluvia por año. Como el nombre lo sugiere, abundan los pinos. Pero la vegetación también incluye otros árboles, como el roble rojo del sur, el roble melojo, el arce rojo, el fresno blanco, el liquidámbar y la mora roja. Esta gran variedad de árboles ha impulsado el desarrollo de una importante industria maderera que provee empleos para mucha gente. En los lugares deforestados, los habitantes crían animales o cultivan frutas y verduras. Algunos trabajan en la industria petrolera.

3. **Identifica** las razones por las que las personas se adaptan al medio ambiente. Subraya las necesidades básicas que las personas satisfacen con la producción de energía.

El carbón que se extrae de Post "Oak" se quema para generar electricidad.

92

Praderas costeras y llanura del sur de Texas

Al sur de Piney Woods están las praderas costeras. Aquí es donde la mayoría de los grandes ríos de Texas desembocan en el golfo de México. En esta área pantanosa, hay bahías y corrientes lentas llamadas **bayous**. La pesca y el transporte marítimo de bienes son industrias importantes en esta zona.

Más hacia el interior, tierra adentro, el suelo es plano y fértil. Es bueno para el ganado y los cultivos, como el algodón y el sorgo. El petróleo también es una industria importante. Pero los pozos de petróleo no terminan en la costa. Hay torres de perforación petrolera en plataformas flotantes sobre las aguas del Golfo.

La llanura del sur de Texas, formada por el valle del bajo río Grande y la llanura del río Grande, es más árida que el resto de esta región geográfica. Gran parte de la tierra está cubierta de arbustos espinosos. Hay muchos ranchos grandes, como el famoso rancho King.

Como la llanura del sur de Texas es árida, los agricultores necesitan modificar el medio ambiente para cultivar la tierra. Por medio de la irrigación, extraen agua del río Grande para regar sus cultivos. El suelo es fértil y el clima es templado. Gracias a esta combinación ideal, el estado de Texas es uno de los principales productores de verduras del país.

4. Comparar y contrastar ¿Cómo podrías **comparar** y **contrastar** la vegetación de la llanura del sur de Texas y de Piney Woods?

....

....

....

....

....

....

En la abundante vegetación de los bayous hay mucha vida silvestre.

Houston es la ciudad más grande de Texas.

Ciudades principales

Austin es la capital del estado. Muchos de sus habitantes tienen trabajos relacionados con el gobierno. Como en todas las ciudades, hay diferentes empleos, pero gran cantidad de personas trabajan en educación o en la industria de la computación.

Los turistas que visitan San Antonio van a ver El Álamo y disfrutar del famoso River Walk. En el Instituto de Culturas Texanas se puede aprender sobre Texas y su gente. Muchos habitantes de San Antonio trabajan en el gobierno, la investigación médica y el turismo.

Dallas nació en 1841 como **puesto de comercio**, es decir, un pequeño mercado fronterizo. Allí se intercambiaban productos o cultivos locales por otros bienes necesarios. En la actualidad, Dallas es un destacado centro de negocios.

Houston es una ciudad portuaria ubicada en el golfo de México. Un **puerto** es un lugar donde los barcos pueden atracar para cargar o descargar los bienes que transportan. El puerto de Houston es un importante centro para el comercio con países extranjeros. Houston es famosa por su industria aeroespacial. Es la sede del Centro Espacial Johnson. El Centro Médico de Texas también se encuentra allí.

Otras ciudades grandes de la región de las Llanuras Costeras son Longview, Galveston, Brownsville, Laredo, Bryan/College Station y Waco.

5. Identifica un detalle relacionado con cada ciudad y agrégalo a la tabla.

Austin	
San Antonio	
Dallas	
Houston	

Un sitio de interés natural

La Isla del Padre es una isla barrera y un sitio de interés natural de la región de las Llanuras Costeras. Esta isla barrera protege la tierra firme contra la fuerza de los huracanes y las tormentas tropicales del golfo de México. La **tierra firme** es la masa continental.

La Isla del Padre tiene unas 110 millas de longitud y hasta 3 millas de ancho. Se extiende a lo largo de la costa sur de Texas. Allí está la playa de arena más larga de los Estados Unidos. La mayor parte de la línea costera forma parte de la Costa Nacional Isla del Padre.

En la Isla del Padre está la playa más larga de los Estados Unidos.

¿Entiendes?

TEKS 7.B, 9.A, 9.B

6. **Idea principal y detalles** **Describe** dos maneras de modificar el paisaje para practicar la agricultura.

....

7. **Explica** cómo influye cada lugar en el trabajo de las personas que viven en diferentes partes de la región de las Llanuras Costeras.

mi Historia: Ideas

....

....

....

....

8. **Identifica** el clima de esta región geográfica y **describe** las diferencias entre el norte y el sur.

....

....

Hacer generalizaciones

Una **generalización** es un enunciado o una regla que puede aplicarse a muchos ejemplos. Las generalizaciones suelen incluir alguna de estas palabras clave: *todos, la mayoría, muchos, algunos, a veces, usualmente, rara vez, pocos* o *generalmente*. Un ejemplo de generalización es *Mucha gente de aquí trabaja en la industria de la computación.*

Los lectores pueden hacer generalizaciones basadas en ideas principales, detalles y conocimientos propios. Hacer generalizaciones te ayuda a ver semejanzas entre ideas y datos que a primera vista parecen diferentes. Una buena generalización se apoya con datos y ejemplos. Lee la tabla y compara la información correspondiente a cada región.

Las regiones geográficas de Texas

Región	Accidentes geográficos	Clima	Actividad económica y recursos
Región de Montañas y Cuencas	suelo rocoso montañas cuencas río Grande desierto	muy seco veranos muy calurosos inviernos frescos a fríos	turismo vida silvestre Parque Nacional Montañas Guadalupe Parque Nacional Big Bend
Región de las Grandes Llanuras	pastizales altos y planos río Grande escarpa Caprock meseta	bastante seco veranos muy calurosos inviernos frescos a fríos	ganadería agricultura producción de angora petróleo y gas *Texas*, el musical
Región de las Llanuras Centrales del Norte	plana y ondulante altitud de 400 a 2,000 pies	bastante seco veranos calurosos inviernos frescos a fríos	agricultura ganadería materiales de construcción
Región de las Llanuras Costeras	tierras húmedas y secas golfo de México Río Grande bayous bosques islas barrera	30 a 50 pulgadas de lluvia tiempo generalmente cálido todo el año	agricultura ganadería bosques pesca transporte marítimo petróleo y gas materiales de construcción

TEKS

SLA 11.A Resumir la idea principal y los detalles de apoyo.
ES 7.B Identificar, ubicar y comparar las regiones geográficas de Texas (Montañas y Cuencas, las Grandes Llanuras, las Llanuras del Norte Central y las Llanuras Costeras), incluyendo sus accidentes geográficos, clima y vegetación.
ES 21.B Analizar información formulando generalizaciones.
ES 22.C Expresar ideas oralmente basándose en las experiencias.

Cuando quieres hacer una generalización, comienzas por recopilar información. Luego analizas los datos y los detalles. Por último, escribes un enunciado que reúna esa información. Asegúrate de apoyar tu generalización con datos o ejemplos. Usa palabras clave, como *muchos, rara vez, generalmente*, para dejar en claro que estás haciendo una generalización.

Puedes hacer generalizaciones sobre las cuatro regiones geográficas de Texas. Lee la tabla de la página 96. Piensa en qué se parecen las regiones. Las semejanzas te ayudarán a hacer generalizaciones. Por ejemplo, el río Grande es un accidente geográfico que comparten tres de las cuatro regiones geográficas. Una generalización podría ser esta: *La mayoría de las regiones de Texas limitan con el río Grande.*

Usa la tabla y lo que sabes sobre estas regiones para contestar las preguntas.

¡Inténtalo!

1. **Identifica** un recurso que puedas hallar en dos de las regiones. Escribe el recurso y las regiones.

   ....

   ....

2. **Analiza** la información de arriba y haz una generalización.

   ....

   ....

3. Basándote en tu experiencia, **expresa** a un compañero una generalización sobre los veranos en Texas.

   ....

   ....

4. ¿Qué **generalización** puedes hacer acerca de la agricultura y la ganadería?

   ....

   ....

5. ¿Qué generalización puedes hacer para **explicar** por qué se necesita la irrigación?

   ....

   ....

SAVVAS realize Conéctate en línea a tu lección digital interactiva.

97

Región de Montañas y Cuencas

1. Lee la pregunta con atención. Determina cuál es la mejor respuesta entre las cuatro opciones. Encierra en un círculo la mejor respuesta.

   Identifica la vegetación que más probablemente encontrarías en la región geográfica conocida como la región de Montañas y Cuencas.

   A pinos

   B cactus

   C nogales

   D naranjos

2. **Explica** y **describe** la ubicación y distribución de las ciudades en esta región geográfica.

   ....

   ....

3. **Compara** la región de Montañas y Cuencas de Texas con la provincia de Cuencas y Cordilleras de los Estados Unidos.

   a. ¿En qué se parecen las poblaciones de los pueblos?

   ....

   ....

   ....

   b. **Explica** en qué se parecen las economías.

   ....

   ....

   ....

4. ¿Cómo **ubicarías** esta región geográfica en un mapa?

   ....

   ....

   ....

5. Examina la foto.

   ¿Por qué este sitio de interés era importante para los primeros viajeros de esta región geográfica?

   ....

   ....

Región de las Grandes Llanuras

6. **Explica** cómo se usa el agua subterránea en esta región geográfica.

   ....

   ....

7. Identifica cómo la vegetación de Palo Duro sirve para **explicar** su nombre.

_____

_____

_____

8. Identifica el clima de esta región geográfica. ¿Cómo influye la altitud en el clima?

_____

_____

_____

9. ◉ **Comparar y contrastar Describe** qué tienen en común las regiones de las Grandes Llanuras de Texas y de los Estados Unidos?

_____

_____

_____

Lección 3 🏴 TEKS 7.A, 7.B

Región de las Llanuras Centrales del Norte

10. Identifica y **compara** los climas de la región de las Llanuras Centrales del Norte de Texas y la región de las Grandes Llanuras.

_____

_____

11. Identifica algo que se cultive o críe en cada zona de esta región geográfica.

Cross Timbers _____

Llanuras ondulantes del oeste de Texas

_____

Gran Pradera _____

12. Describe la característica de las Llanuras Centrales del Norte por la que a veces se las llama "granero de la nación".

_____

_____

_____

13. Describe una de las cosas que ayudó a escoger la ubicación de Abilene cuando se fundó la ciudad.

_____

14. En el mapa de abajo, **ubica** las regiones geográficas de Texas. Colorea la región de las Llanuras Centrales del Norte.

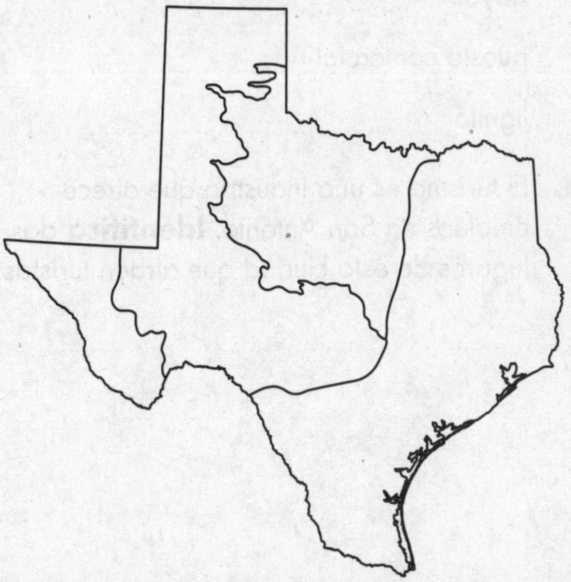

Lección 4 → TEKS 7.B, 8.B

Región de la Llanuras Costeras

15. ◎ **Hacer generalizaciones**
Compara las regiones geográficas de Texas. ¿Cómo se compara el clima de las Llanuras Costeras con los de las otras tres regiones?

....

....

....

16. ◎ **Sacar conclusiones Compara** las regiones de Texas con las regiones de los Estados Unidos. ¿Por qué los habitantes de la Florida y otros lugares del golfo de México cultivan lo mismo que los habitantes de las Llanuras Costeras de Texas?

....

....

17. **Define** las siguientes palabras:

bayou ....

puesto comercial ....

lignito ....

18. El turismo es una industria que ofrece empleos en San Antonio. **Identifica** dos lugares de esta ciudad que atraen turistas.

....

....

19. **Explica** por qué es importante el accidente geográfico de Isla del Padre.

....

....

....

20. ❓ **¿Qué favorece a una comunidad?** → TEKS 7.B, 8.B, 8.C

Usa esta foto de la región de Montañas y Cuencas para pensar más acerca de lo que aprendiste sobre esta región geográfica en el Capítulo 2.

Imagina que vives en esta región. ¿Cómo sería tu comunidad? ¿Cómo influiría la geografía de la región en tu comunidad?

....

....

....

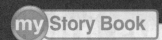

Conéctate en línea para escribir e ilustrar tu **myStory Book** usando **miHistoria: Ideas** de este capítulo.

 PREGUNTA PRINCIPAL

¿Qué favorece a una comunidad?

TEKS
ES 7.B
SLA 15

Las comunidades son de diversos tamaños. Están ubicadas en distintas regiones. Sin embargo, todas tienen cosas en común. Una de las cosas que deben tener todas las comunidades, cualquiera sea su tamaño, es trabajo para sus habitantes.

Piensa en la comunidad donde vives. **Identifica** y escribe el nombre de la región donde se ubica. **Describe** uno o dos empleos disponibles en tu comunidad y **explica** por qué existen esos empleos en tu comunidad. Dibuja a alguien haciendo uno de los trabajos.

....

....

....

....

Historia de Texas en sus inicios

mi Historia: ¡Despeguemos!

PREGUNTA PRINCIPAL

¿Cómo se adaptan las personas al lugar donde viven?

Analiza el medio ambiente alrededor de tu casa. **Identifica** el clima, el terreno y las cosas que las personas han construido allí. **Describe** las maneras en que te has adaptado a tu medio ambiente.

....

....

....

....

....

....

....

....

⬤ Conocimiento y destrezas esenciales de Texas

1.A Explicar los posibles orígenes de los grupos indígenas que habitaban en Texas y Norteamérica.

1.B Identificar los grupos indígenas que habitaban en Texas y Norteamérica, antes de la exploración europea.

1.C Describir las regiones donde habitaban las tribus indígenas originales e identificar los grupos indígenas que permanecen en Texas.

1.D Comparar las formas de vida de los grupos indígenas que habitaban en Texas y Norteamérica antes de la exploración europea.

8.A Identificar y explicar agrupaciones y patrones relacionados con los asentamientos en Texas en diferentes épocas.

9.A Describir cómo las personas se han adaptado o modificado su medio ambiente en Texas, en el pasado y en el presente.

9.B Identificar porqué las personas se han adaptado o modificado su ambiente en Texas, en el pasado y en el presente.

10.A Explicar las actividades económicas que los primeros grupos indígenas que habitaban Texas y Norteamérica usaban para satisfacer sus necesidades básicas y sus deseos.

14.A Comparar cómo los diferentes grupos indígenas se auto gobernaban.

21.A Distinguir, localizar y usar fuentes válidas primarias y secundarias para adquirir información sobre los Estados Unidos y Texas.

21.B Analizar información comparando y contrastando.

22.C Expresar sus ideas oralmente basándose en las investigaciones y las experiencias.

22.D Crear material impreso y visual.

Comunidad pueblo Ysleta del Sur

Un lugar de cultura

mi Historia: Video

Amanda va de visita al Centro Cultural Ysleta del Sur, en El Paso, para aprender sobre la historia y las tradiciones de la tribu indígena tigua. Amanda se emociona al entrar al patio y observar una tradicional danza del águila realizada por bailarines indígenas tiguas.

"¿Viste todas esas plumas?", pregunta Amanda. "¡Ese bailarín sí que se ve como un águila de verdad!", exclama. "Mis ancestros han realizado esta danza durante siglos", explica Samantha, la bailarina principal. "Es un tributo a la gran águila americana que es respetada y admirada por las personas de nuestra comunidad pueblo".

Rafael, quien hoy es el guía de Amanda en el museo, es miembro del consejo de la tribu tigua. "Somos indígenas pueblo", explica, "y hemos estado aquí por más de 330 años. Nos asentamos en Ysleta del Sur en 1682, después de la Gran Rebelión Pueblo de 1680. Mi gente es originaria de los indígenas pueblo de Quarai y de Pueblo Isleta, ambos de Nuevo México".

Con la ayuda de Rafael, Amanda está aprendiendo todo sobre los indígenas que tuvieron que pelear por la tierra para así poder hacer de esta parte de Texas su hogar.

Amanda se prepara para observar una tradicional danza del águila.

103

Los indígenas pueblo usaban ladrillos de adobe para construir sus casas.

Los bailarines de la tribu tigua solían realizar la danza del búfalo antes de salir a cazar búfalos para que les traiga suerte.

Los tiguas se asentaron cerca del río Grande. En esta región seca y ventosa, construyeron pueblos y se dedicaron a cultivar la tierra. Los indígenas pueblo hacían grandes acequias de irrigación para regar sus cultivos. Rafael le explica a Amanda que los primeros granjeros pueblo cultivaban maíz, calabazas, frijoles y melones. En la actualidad, los indígenas pueblo aún cultivan muchos de esos productos. "Aún cultivamos esta tierra", dice, "y a tu alrededor puedes ver todos nuestros cultivos".

Amanda quiere saber más sobre los tipos de comidas que comen los tiguas. "¿También hornean pan?", pregunta. "Sí, aún horneamos pan en los hornos de adobe de los indígenas pueblo, tal como lo hacían nuestros ancestros hace más de 300 años. En este momento, están horneando pan en el patio. Tomemos un descanso y vayamos afuera a ver el proceso".

Después de probar el pan, Amanda vuelve al museo para terminar su paseo con Rafael. Ve las vitrinas donde se muestran unas bonitas piezas de cerámica. Rafael explica que los indígenas pueblo aún tienen artistas tradicionales que usan arcilla colorada que sacan de las montañas cercanas para hacer piezas de cerámica y pintar diseños originales en cada una de ellas. Las canastas están hechas con los pastos de la zona, y las tazas y los tazones están hechos con calabazas.

"¿En qué tipo de casas vivía la gente de tu pueblo?", pregunta Amanda a Rafael. "Los indígenas pueblo construían grandes edificios con los recursos que tuvieran disponibles", dice Rafael. "Hacíamos ladrillos de adobe usando arcilla mezclada con agua y pasto seco o ramitas. También usábamos rocas y troncos para construir paredes, que luego eran recubiertas y selladas con lodo".

La cerámica de los indígenas tiguas es cada vez más difícil de encontrar. Esta tradicional cerámica pintada está creada sin líneas hechas con lápices ni plantillas.

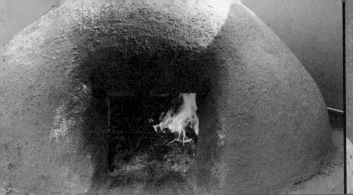

Los indígenas tiguas usan hornos para hornear pan. Estas estructuras con forma de colmena están hechas de ladrillos de adobe.

Amanda aprende que los indígenas tiguas forman parte de una rica cultura.

Amanda piensa en voz alta: "Estas casas deben ser muy viejas". "Algunas lo son", responde Rafael, "pero tuvimos que luchar por esta tierra". Rafael explica que muchas tribus indígenas de la zona lucharon contra europeos, estadounidenses e incluso contra otros grupos indígenas por el uso de la tierra. Muchos grupos indígenas originarios de Texas fueron trasladados a reservas en otros estados, como Oklahoma o Nuevo México.

"La comunidad pueblo Ysleta del Sur es una de las tres únicas reservas ubicadas en Texas hoy en día", le dice Rafael a Amanda. "Y aún seguimos prosperando, aún seguimos usando nuestra tierra para cultivar alimentos y aún hacemos auténticas obras de arte". "¡Y aún realizan asombrosas danzas!", lo interrumpe Amanda. Y, en ese momento, Amanda sale al patio y toma un pan recién horneado, elaborado por los indígenas. Amanda se acomoda para observar otra danza, para así sumergirse en el rico y fascinante mundo de la cultura americana.

La comunidad pueblo Ysleta del Sur está ubicada cerca de El Paso.

Piénsalo ¿Qué adaptaciones hicieron los grupos indígenas norteamericanos para fortalecer sus comunidades? A medida que lees el capítulo, piensa en las decisiones que toman las personas para adaptarse al lugar donde viven y a las personas con quienes conviven.

Primeros texanos

¡Imagínalo!

Los primeros estadounidenses cazaban enormes animales que se extinguieron hace mucho tiempo.

Poco se sabe acerca de los posibles orígenes de los indígenas norteamericanos que habitaron por primera vez Norteamérica. Algunos científicos dicen que llegaron hace decenas de miles de años durante la edad de hielo. La **edad de hielo** es una época en la que grandes capas de hielo y nieve cubren partes de la tierra y el mar. Durante la última edad de hielo, los océanos retrocedieron. Se podía caminar desde Asia hacia Norteamérica por una franja que unía los dos continentes. Este puente de tierra se llama Beringia.

Rutas de los primeros americanos

ASIA

Estrecho de Bering

Puente de Beringia

AMÉRICA DEL NORTE

N
O   E
S

OCÉANO PACÍFICO

0 _____ 2,000 mi
0 _____ 2,000 km

OCÉANO ATLÁNTICO

LEYENDA
- ▢ Tierra seca durante la edad de hielo
- ▢ Casquete glaciar
- → Ruta de los primeros habitantes

AMÉRICA DEL SUR

Los primeros americanos

Estos antiguos pueblos eran cazadores-recolectores. Un **cazador-recolector** es una persona que recolecta plantas y caza animales salvajes para alimentarse. Es posible que hayan seguido a manadas de enormes animales, como el mamut lanudo y el bisonte gigante, por las herbosas llanuras de Beringia.

Los científicos tienen otras teorías, es decir, ideas, sobre los posibles orígenes de las primeras personas que pudieron haber llegado a Norteamérica. Algunos creen que antiguos europeos, cazando focas, cruzaron una parte del océano que estaba congelada. También es posible que hayan navegado por las costas en barcos pequeños.

1. En el mapa, **identifica** y encierra en un círculo la franja de tierra que se usó para cruzar desde Asia hacia Norteamérica.

Haz un dibujo de un animal que aún viva en estado salvaje en las llanuras de Texas. Escribe el nombre del animal sobre la línea.

DESCIFRA LA PREGUNTA PRINCIPAL

Aprenderé sobre los posibles orígenes de los primeros habitantes de Norteamérica y Texas.

Vocabulario

edad de hielo	arqueólogo
cazador-recolector	cantera
descendiente	cultura
artefacto	agricultura

Posibles orígenes de los primeros texanos

TEKS
1.A, 9.A, 9.B, 10.A

Los primeros indígenas norteamericanos de lo que hoy en día es Texas eran descendientes de los primeros habitantes de Norteamérica. Un **descendiente** es un familiar, como los hijos y los nietos de una persona. Probablemente, los antiguos texanos llegaron a las llanuras de Texas hace más de 15,000 años. Ellos también seguían y cazaban animales enormes, como los mastodontes y los mamuts.

Estos antiguos texanos se adaptaron a su medio ambiente. Adaptarse es ajustarse o cambiar. Huesos, cenizas, puntas de lanza y otros artefactos proporcionan pistas sobre cómo vivían estas personas. Un **artefacto** es un objeto que hicieron y que usan los seres humanos. Los científicos llamados **arqueólogos** estudian la cultura y los artefactos de los antiguos pueblos. Según ellos, los cazadores de Texas usaban un átlatl, un palo largo, para arrojar dardos o lanzas, y así matar presas grandes. Cuando volvían de cazar, con la carne de los animales se alimentaban muchas familias. Usaban la piel de los animales para hacer ropa y tiendas. Las herramientas se hacían con los huesos de los animales.

2. **Resume** cuatro maneras en que las personas se adaptaron a su medio ambiente y en que usaban los animales que cazaban.

_____

_____

_____

Punta de lanza

SAVVAS realize Conéctate en línea a tu lección digital interactiva.

107

Recursos de comercio de los antiguos pueblos

Mientras las personas seguían a las grandes manadas a través de Texas, descubrieron recursos que podían modificar. En las rojas mesetas del Panhandle, encontraron pedernal. El pedernal es una piedra dura a la que podían dar forma de punta para fabricar lanzas y flechas. Al principio, recolectaban el pedernal de las laderas. Después, lo extraían de las **canteras**, minas a cielo abierto de donde se pueden extraer piedras. En la actualidad, esa zona se conoce con el nombre de Monumento Nacional de las Canteras de Pedernal de Alibates.

Se han encontrado herramientas hechas con pedernal de Alibates en la región del Suroeste y en las Grandes Llanuras. Según los arqueólogos, esto demuestra que el pedernal de Texas se comerciaba por todas partes. El comercio hizo posible que las personas tuvieran acceso a recursos difíciles de producir o encontrar en donde vivían.

Una nueva forma de vida

A medida que la última edad de hielo llegaba a su fin, la vida en la antigua Texas cambió. Las grandes bestias se extinguieron. Animales más pequeños, como el alce y el oso, ocuparon su lugar. Esto hizo que cambiara la cultura de las personas que alguna vez habían dependido de los mamuts y los bisontes gigantes. La **cultura** es la forma de vida.

Se estableció una nueva cultura. Las personas continuaron cazando animales, pero comenzaron a consumir más plantas. Modificaron su medio ambiente y aprendieron a conservar y plantar las semillas para cultivar alimentos. Este cambio hacia la agricultura comenzó hace unos 2,000 años. La **agricultura** es el cultivo de la tierra. Los cultivos principales eran el maíz, los frijoles y la calabaza.

3. **Identifica** y subraya en esta página dos detalles que **explican** por qué los pueblos antiguos usaban el pedernal para satisfacer sus necesidades básicas.

En el Monumento Nacional de las Canteras de Pedernal de Alibates, los arqueólogos encontraron artefactos que demostraron cómo vivían los primeros texanos.

Las personas se establecieron en pequeños grupos para estar cerca de sus cultivos. Disecaban el alimento para usarlo más adelante y lo guardaban en cestas trenzadas y vasijas de barro. Intercambiaban sus cestas, sus vasijas y su alimento por otros bienes.

El maíz, los frijoles y la calabaza eran los cultivos más importantes para los primeros texanos.

3. **Contrasta** la vida de los antiguos indígenas norteamericanos antes y después de la edad de hielo.

....

....

....

....

¿Entiendes?

TEKS 1.A, 9.A, 9.B, 10.A

5. ⊙ **Comparar y contrastar Explica** los posibles orígenes de los grupos indígenas norteamericanos de América del Norte y Texas. **Compara** de dónde venían y cómo llegaron aquí.

....

....

....

....

6. ❓ **Describe** cómo se adaptaron a su medio ambiente los antiguos texanos.

mi Historia: Ideas

....

....

7. Imagina que puedes enviar un correo electrónico a un niño que vivió en Texas hace 2,000 años. Escribe el correo electrónico para compartir qué tan diferente es tu vida de la de él. Da al menos tres ejemplos.

....

....

Comparar y contrastar

¿En qué se parecen las cosas? ¿En qué se diferencian? Estas dos preguntas te ayudarán a comparar y contrastar. **Comparar** significa comentar maneras en que las cosas se parecen. **Contrastar** significa comentar maneras en que las cosas se diferencian.

Los escritores suelen usar comparaciones y contrastes para que la información sea más clara. Usan palabras clave.

- *Como, ambos, similar a, en común y también* muestran comparaciones.

- *A diferencia de, diferente, aunque, en cambio, en lugar de, sin embargo* y *pero* muestran contrastes.

A veces, los escritores dejan que los lectores hagan sus propias comparaciones.

Puedes usar un diagrama de Venn para analizar y clasificar información para ver en qué se parecen y se diferencian las cosas. Lee el siguiente párrafo sobre los animales de la edad de hielo y luego mira el diagrama.

Es posible que, durante sus viajes, los antiguos grupos indígenas norteamericanos hayan visto mamuts lanudos y felinos dientes de sable. Los mamuts eran como elefantes, pero tenían una gruesa capa de pelos. Sus colmillos eran curvos. Los felinos dientes de sable también tenían gruesas capas de pelos, pero se parecían al tigre. Sus dientes, similares a un sable, también eran curvos. Los mamuts comían pasto, pero los felinos dientes de sable comían antiguos caballos.

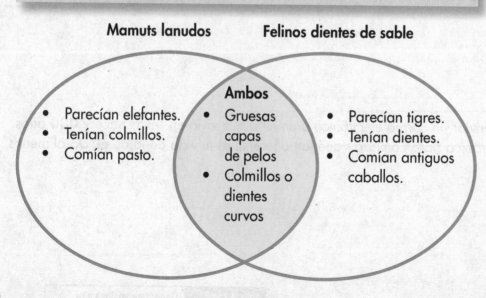

Mamuts lanudos　　**Felinos dientes de sable**

Ambos

- Parecían elefantes.
- Tenían colmillos.
- Comían pasto.

- Gruesas capas de pelos
- Colmillos o dientes curvos

- Parecían tigres.
- Tenían dientes.
- Comían antiguos caballos.

Objetivo de aprendizaje

Aprenderé a analizar información comparando y contrastando.

TEKS

SLA 11.C Describir las relaciones implícitas y explícitas que hay entre las ideas en textos organizados por comparación.
ES 1.D Comparar las formas de vida de los grupos indígenas que habitaban en Texas y Norteamérica antes de la exploración europea.
ES 10.A Explicar las actividades económicas que los primeros grupos indígenas que habitaban Texas y Norteamérica usaban para satisfacer sus necesidades básicas y sus deseos tales como la agricultura.
ES 21.B Analizar información comparando y contrastando.
ES 22.D Crear material impreso y visual, como organizadores gráficos.

¡Inténtalo!

Lee acerca de las vidas de los antiguos indígenas norteamericanos. Luego responde las preguntas.

> Durante la última edad de hielo, aparecieron los cazadores-recolectores en Norteamérica. Algunos dicen que venían de Asia, siguiendo a las manadas de grandes animales por un puente de tierra. Otros dicen que llegaron en barcos o que cruzaron los campos de hielo desde Europa. Se extendieron a través del territorio, cazando mamuts lanudos y bisontes gigantes para alimentarse.
>
> Luego, la edad de hielo llegó a su fin. Los glaciares retrocedieron. Las grandes bestias se extinguieron. Prosperaron animales más pequeños, como el alce, el búfalo, el oso y el ciervo. Los cazadores-recolectores debieron adaptarse a una forma de vida diferente. En lugar de perseguir grandes mamuts, cazaban animales más pequeños y recolectaban más plantas que antes para obtener alimento. Aprendieron a conservar las semillas para sembrar cultivos, y así obtener alimento. La agricultura se volvió importante. En lugar de viajar todo el tiempo, las personas se establecieron en pequeñas aldeas cerca de sus cultivos. Sin embargo, seguían cazando animales para obtener carne y recolectaban plantas silvestres, al igual que los primeros habitantes.

1. **Analiza** la información. Luego, encierra en un círculo las palabras clave que muestran contraste.

2. **Analiza** la información comparando en qué se parecía la vida de los primeros cazadores-recolectores a la vida de las personas que aprendieron a cultivar la tierra.

....

....

3. **Analiza** la información contrastando las maneras en que se diferencian los dos grupos indígenas norteamericanos.

....

....

4. En una hoja de papel aparte, **crea** un diagrama de Venn para **comparar** y **contrastar** lo que desayunaste hoy en la mañana y lo que cenaste ayer en la noche.

Indígenas de las Llanuras Costeras

¡Imagínalo!

Los caddos modificaban su medio ambiente y usaban materiales de la naturaleza para construir sus hogares.

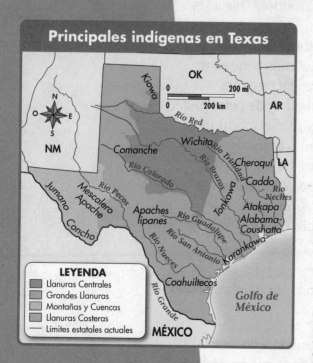

Principales indígenas en Texas

LEYENDA
- Llanuras Centrales
- Grandes Llanuras
- Montañas y Cuencas
- Llanuras Costeras
- Límites estatales actuales

OK
AR
NM
LA
MÉXICO

Kiowa
Río Red
Wichita
Comanche
Río Trinidad
Cheroquí
Río Colorado
Río Brazos
Caddo
Río Neches
Tonkawa
Atakapa
Alabama-Coushatta
Jumano
Mescalero Apache
Río Pecos
Apaches lipanes
Río Guadalupe
Río San Antonio
Karankawa
Concho
Río Nueces
Coahuiltecos
Río Grande
Golfo de México

Hace tres mil años, en los valles de los ríos de las regiones del este y centro de lo que hoy son los Estados Unidos, un antiguo pueblo construyó grandes montículos para honrar a sus dioses y a los muertos. Con el tiempo, este pueblo, conocido como "constructores de montículos", se desplazó hacia el sur. Se estableció en el este de Texas hace más de 1,200 años. En la actualidad, llamamos caddos a los descendientes de los constructores de montículos.

Los caddos

Los caddos vivían en grupos de asentamientos a lo largo del río Red, cerca de lo que hoy es Nacogdoches. Esta comunidad estaba organizada como una **confederación**, es decir, una unión de personas que trabajan juntas por un objetivo en común. La confederación de los caddos protegía los asentamientos de ataques. Los caddos también organizaban el alimento para toda la comunidad.

Los caddos eran agricultores. Cada primavera se reunían para sembrar en los claros de los bosques. Sembraban maíz, frijoles y calabaza hasta que no quedaba tierra sin cultivar. Grupos de hombres viajaban a las llanuras todos los años para cazar búfalos, y así obtener carne y pieles. Los caddos también pescaban en los ríos del este de Texas y recolectaban bellotas, pacanas y nueces en los bosques.

1. En el mapa, **identifica** y encierra en un círculo la región donde vivían los caddos. Luego **explica** por qué crees que los caddos se establecieron en grupos a lo largo del río Red.

Identifica tres materiales de la naturaleza que se usaron para construir tu casa. Escríbelos sobre las líneas de arriba.

DESCIFRA LA PREGUNTA PRINCIPAL

Aprenderé cómo era la vida de los indígenas en el este de Texas hace mucho tiempo.

Vocabulario

confederación

reserva

nómada

piragua

Los caddos modificaron su medio ambiente y usaron recursos naturales para construir viviendas. Las casas de los asentamientos de los caddos tenían forma de cono. Las casas tenían una estructura de madera cubierta de esterillas de pasto seco. Las camas y las sillas del interior hacían que fueran lugares confortables. Es probable que varias familias vivieran juntas en una casa grande.

En la actualidad, la mayor parte de los caddos vive en Oklahoma, cerca del pueblo de Binger. En la década de 1850, los Estados Unidos obligaron a los caddos a irse del este de Texas y desplazarse a una reserva en Oklahoma. Una **reserva** es un territorio que se aparta para que vivan los indígenas. En la actualidad, cerca de 5,000 caddos, descendientes directos de los constructores de montículos, viven en los Estados Unidos. El nombre de nuestro estado, Texas, viene de la palabra *amigo* en lenguaje caddo.

TEKS
1.B, 1.C, 1.D, 8.A, 9.A, 9.B, 10.A, 14.A, 22.C

2. **Describe** la región de Texas donde vivían los grupos indígenas llamados caddos.

....

....

....

....

Cerámica de los caddos

SAVVAS realize Conéctate en línea a tu lección digital interactiva.

113

Los karankawas

A lo largo de la costa del golfo de México, al sur de los caddos, vivían los karankawas. Aunque a veces vivían en aldeas, los karankawas no tenían hogares permanentes. Eran nómadas. Un **nómada** es alguien que viaja de un lugar a otro según las estaciones del año.

En el verano, pequeños grupos familiares deambulaban tierra adentro cazando venados, pequeños animales y pájaros. También recolectaban plantas silvestres. Llevaban consigo sus casas, hechas de pasto trenzado y pieles de animales. Los karankawas se gobernaban a sí mismos. Cada grupo tenía su líder. En invierno, los grupos se reunían en aldeas más grandes a lo largo de la costa y en islas cerca de la costa. Cientos de personas vivían juntas en casas con estructuras de madera. Cada aldea tenía su propio jefe.

Para navegar por la costa, los karankawas usaban la **piragua**, un bote que se hacía vaciando un tronco largo. Familias enteras con sus pertenencias podían viajar en una sola canoa. Pescaban desde sus canoas, lanzando flechas a los peces con un arco. También comían mariscos.

Como vivían en la costa de Texas, los karankawas fueron unos de los primeros indígenas que los europeos encontraron a medida que iban llegando al lugar. Los europeos pelearon con los karankawas por las tierras. A mediados del siglo XIX, los karankawas habían muerto a causa de enfermedades europeas o en batallas con grupos europeos.

3. ◉ **Comparar y contrastar**
Completa la tabla para **comparar** los modos de vida de los grupos indígenas de Texas antes de las exploraciones europeas.

Dos grupos indígenas de las Llanuras Costeras

	Caddo	Karankawa
Región		zonas tierra adentro, costa del golfo
Vivienda	permanente, con forma de cono, hecha de madera y pasto	
Gobierno		grupos familiares liderados por un jefe
Alimento	calabaza, frijoles, carne de búfalo, nueces	

Otros indígenas de las Llanuras Costeras

Muchos otros indígenas vivieron en el este de Texas antes de la llegada de los europeos. Durante varios miles de años, los atakapas deambularon por las costas y los bayous cerca de la actual Houston y hacia el este, en Luisiana. Para satisfacer sus necesidades y deseos, eran cazadores-recolectores que pescaban, cazaban presas y recolectaban plantas. Comían carne de caimán y usaban el aceite de caimán como repelente de insectos. Cuando llegaron los europeos, los atakapas se vieron expuestos a nuevas enfermedades. Sus cuerpos no habían desarrollado defensas naturales y tampoco tenían medicamentos para combatir las enfermedades. Por lo tanto, todos los atakapas murieron.

Otro grupo antiguo, los coahuiltecos, vivió en el sur de Texas. Cientos de pequeños grupos de estos cazadores-recolectores nómadas viajaban por esta zona. En la actualidad, sus descendientes viven en el sur de Texas.

En el Museo de Historia del Sur de Texas, esta exhibición muestra cómo vivían los coahuiltecos en el siglo XIII.

Los wichitas tenían un modo de vida diferente. Comenzaron a llegar a Texas en el siglo XVIII. Se asentaron en las tierras cercanas al río Red. En invierno, cazaban como nómadas. El resto del año, cultivaban la tierra en sus aldeas. En la actualidad, los wichitas viven cerca de Anadarko, Oklahoma, en una reserva.

Otro grupo, los tonkawas, probablemente haya migrado hacia el centro y el este de Texas durante del siglo XVII. Al ser cazadores nómadas, dependían del búfalo para obtener carne y materiales. Vivían en pequeños tipis. Los tonkawas fueron desplazados hacia Oklahoma en el siglo XIX. En la actualidad, muy pocos viven en la reserva.

4. Subraya tres actividades económicas de los indígenas de las Llanuras Costeras. Luego elige un grupo indígena y una de las actividades, y **explica** cómo los ayudó a satisfacer sus necesidades y deseos.

....

....

Los indígenas del este de Texas en la actualidad

A medida que los europeos se desplazaban hacia el interior de Alabama en el siglo XVIII, los grupos indígenas conocidos como alabamas y coushattas comenzaron a desplazarse hacia Texas. Eran agricultores y cazadores. En Texas, se unieron y se establecieron en el sureste. En la actualidad, la Reserva Alabama-Coushatta es la más antigua de Texas y la única en el este de Texas. A pesar de ser pocos, honran su cultura con orgullo.

Los cheroquíes fueron los primeros en llegar al este de Texas a fines del siglo XVIII. Eran agricultores y vivían en pueblos y campos de cultivo. También cazaban animales. Muchos cheroquíes aún viven en Texas en la actualidad. En todo el país viven más de 300,000 cheroquíes.

En la actualidad, varios miles de indígenas viven y trabajan en el este de Texas. Son agricultores, rancheros, maestros, empresarios y funcionarios u oficiales gubernamentales. Sin embargo, intentan que sus culturas tradicionales se preserven y continúen.

En la actualidad, los indígenas alabama-coushattas viven y trabajan en el este de Texas.

5. ◉ **Comparar y contrastar Analiza** la información acerca de la cultura indígena del este de Texas en el pasado y en la actualidad. Luego completa el diagrama de Venn.

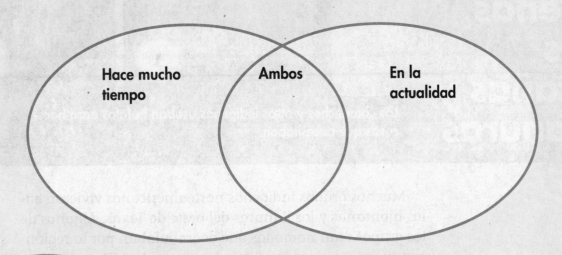

Hace mucho tiempo

Ambos

En la actualidad

¿Entiendes?

TEKS 1.C, 8.A, 10.A, 14.A, 22.C

6. ◉ **Comparar y contrastar** Escribe dos oraciones sobre la vida de los caddos y la vida de los karankawas antes de las exploraciones europeas. En una, **compara** en qué se parecían. En la otra, **contrasta** en qué eran diferentes.

....

....

....

7. ❓ **Identifica** grupos indígenas que habitaban en Texas antes de la exploración europea. Escribe dos preguntas que te gustaría hacerles.

mi Historia: Ideas

....

....

8. Usa fuentes de la biblioteca e Internet para **investigar** uno de los grupos indígenas de esta lección. Escoge como enfoque un área de su cultura; por ejemplo, su forma de gobierno. Usando tu investigación, expresa tus ideas oralmente a la clase.

....

....

SAVVAS realize™ Conéctate en línea a tu lección digital interactiva.

117

Indígenas de las montañas y las llanuras

¡Imagínalo!

1

2

Los comanches y otros indígenas usaban búfalos para hacer cosas que necesitaban.

Muchos grupos indígenas norteamericanos vivieron en las montañas y las llanuras del oeste de Texas. Algunos de los grupos eran nómadas que deambulaban por la región con sus caras pintadas, tatuadas o rayadas. Otros grupos indígenas se establecieron en comunidades.

Los jumanos

Hace más de 500 años, los jumanos eran un grupo indígena muy conocido en la región. Una rama de los jumanos vivía cerca del río Grande. En esta región seca y de mucho viento, formaron pueblos y cultivaron la tierra. **Pueblo** significa aldea. Como llovía poco, los jumanos irrigaban sus cultivos. Cavaban acequias desde los arroyos cercanos para llevar agua a sus campos de cultivo.

Cada pueblo jumano tenía su propio gobierno. Un **gobierno** es un sistema por el cual se rige un grupo de personas. Un jefe gobernaba cada aldea. Las construcciones de los pueblos estaban hechas de **adobe**, un ladrillo hecho de lodo y paja, y también de piedra y madera.

Algunos jumanos no vivían en pueblos. Eran nómadas que cazaban búfalos y comerciaban. Se desplazaban hacia el este cuando era mejor cazar en las llanuras. Vivían en **tipis**, grandes tiendas hechas de piel.

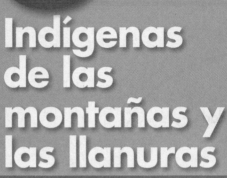

La vida en un campamento de caza jumano

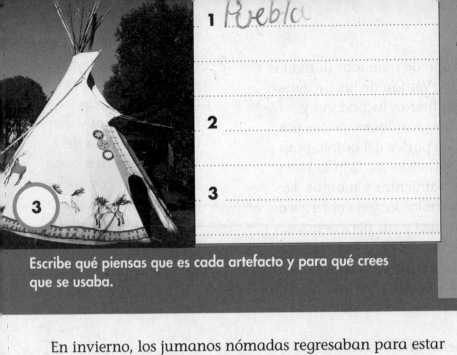

1. Pueblo

2

3

Escribe qué piensas que es cada artefacto y para qué crees que se usaba.

DESCIFRA LA
PREGUNTA PRINCIPAL
?

Aprenderé cómo era la vida de los indígenas en el oeste de Texas hace mucho tiempo.

Vocabulario

pueblo	tipi
gobierno	rastra
adobe	aliado

En invierno, los jumanos nómadas regresaban para estar cerca de las comunidades con las que comerciaban. Este patrón de asentamiento permitía a los jumanos obtener lo que no cultivaban o producían ellos mismos. Para satisfacer sus necesidades y deseos, los jumanos de los pueblos comerciaban frijoles secos, calabaza y maíz. Los jumanos nómadas comerciaban pieles y carne de búfalo. Otros bienes que se comerciaban eran plumas, turquesas, caracoles, sal y bienes de otros grupos indígenas lejanos.

Los jumanos tenían una manera especial de cocinar los alimentos. Ponían agua en una calabaza ahuecada y agregaban piedras calientes hasta que el agua hervía. Un explorador español escribió sobre cómo cocinaban los jumanos:

"En cuanto el agua hierve, colocan lo que quieren cocinar, siempre sacando las piedras a medida que se enfrían y colocando otras calientes para mantener el agua hirviendo".

TEKS
1.B, 1.C, 1.D, 8.A, 9.B, 10.A, 14.A

1. **Identifica** y **explica** los patrones de población de los jumanos.

Los comanches

En el siglo XVIII, un poderoso grupo de nómadas llamados comanches se desplazó hacia Texas. Venían de las Grandes Llanuras del norte. Los comanches, fuertes luchadores y cazadores de búfalos, siguieron a las grandes manadas por los pastizales. Modificaron todas las partes del búfalo para que les sirvieran como alimento o provisiones. Con la piel y los huesos se podía hacer ropa, herramientas y mantas. Los tipis comanches estaban hechos de palos largos cubiertos de pieles de búfalo. Para trasladar los tipis y sus pertenencias, los comanches construían rastras. Una **rastra** era un tipo de trineo de madera arrastrado por perros o caballos. Una de las actividades económicas de los comanches era el comercio de carne y pieles de búfalo con los caddos y los wichitas.

Los caballos llegaron por primera vez a Norteamérica en los barcos españoles. Cuando los comanches obtuvieron caballos, su forma de vida cambió para siempre. Se convirtieron en expertos jinetes y entrenadores. Cazaban y luchaban a caballo, moviéndose más rápidamente que nunca antes.

Los comanches pronto tomaron el control de las Grandes Llanuras y de las Llanuras Centrales del Norte de Texas. Deambulaban por el territorio en grupos. Estos grupos se unían a otros para luchar contra otros indígenas y contra los europeos por el control de las tierras. En aquellos tiempos, los comanches escogían un jefe de guerra.

Para el año 1875, los Estados Unidos obligaron a la mayor parte de los comanches a trasladarse a una reserva en lo que hoy es Oklahoma. En la actualidad, hay unos 15,000 comanches en los Estados Unidos. Aproximadamente la mitad de ellos aún vive en el suroeste de Oklahoma, donde tienen tierras y un gobierno organizado que ofrece muchos servicios a los miembros de la tribu.

2. Piensa en la geografía y los recursos naturales de la región de las Grandes Llanuras y las Llanuras Centrales del Norte. **Identifica** cómo y por qué los comanches modificaron su medio ambiente para ayudar a trasladar sus pertenencias.

Un jinete comanche

En la actualidad, miembros de la tribu de los apaches lipanes aún viven en Texas.

Los apaches lipanes

Los apaches llegaron a la región del suroeste hace más de 600 años. Se originaron en Alaska y en el Oeste de Canadá y siguieron la ruta de migración de las Grandes Llanuras hasta Texas. También eran nómadas cuya cultura dependía del búfalo. Vestidos con pieles y viviendo en altas tiendas, seguían a las manadas en grupos familiares. Hasta que llegaron los caballos, eran los perros los que llevaban sus pertenencias. Los apaches lipanes se volvieron expertos jinetes con rapidez. Los indígenas pueblo y los españoles temían los ataques a caballo de los guerreros apaches lipanes.

Con el tiempo, algunos grupos de apaches lipanes comenzaron a cultivar la tierra. Volvían a sus campos dos veces al año para sembrar o cosechar. Esto los convertía en blanco fácil para sus enemigos, los comanches. Más fuertes y con mejores armas, los comanches empujaron a los apaches lipanes hacia el sur y el oeste, a las llanuras del oeste de Texas. Allí pelearon contra los españoles y, más tarde, contra los mexicanos y los estadounidenses. A principios del siglo XX, la mayor parte de los sobrevivientes de los apaches lipanes vivía en la reserva Mescalero Apache. En la actualidad, los apaches lipanes continúan viviendo en Texas.

3. Ordena los siguientes eventos o acontecimientos.

_____ Los apaches lipanes comenzaron a cultivar la tierra.

_____ Los comanches tomaron el control de las llanuras y echaron a sus enemigos.

__3__ Llegaron los caballos a Norteamérica.

Otros indígenas de las montañas y las llanuras

La forma de vida nómada de los mescaleros apaches era similar a la forma de vida de los lipanes. Los mescaleros vivían a lo largo del río Grande. Cazaban y recolectaban materiales de las plantas. En la actualidad, su reserva se encuentra en Nuevo México.

Los conchos vivieron en el actual suroeste de Texas y en México. Sus grupos deambulaban por las tierras áridas alrededor del río Conchos y del río Grande. Cerca de los ríos, podían pescar y cultivar la tierra. Lejos de los ríos, cazaban animales pequeños y recolectaban raíces, nueces y semillas. Los españoles obligaban a los conchos a trabajar en las minas. Muchos de ellos murieron. Los conchos sobrevivientes se unieron a los jumanos en el siglo XVIII.

Los kiowas vivían en el Panhandle. Provenían del norte y se adaptaron a la vida en las llanuras. Eran jinetes nómadas que seguían a las manadas. También atacaban y peleaban con otros indígenas. Se hicieron aliados de los comanches. Un **aliado** es alguien que te ayuda. En la actualidad, hay cerca de 12,000 kiowas.

Indígenas del oeste de Texas en la actualidad

En la actualidad, indígenas de diferentes grupos viven en el oeste de Texas. Por ejemplo, los tiguas viven en Ysleta del Sur, cerca de El Paso. Son parte de la cultura pueblo y hace unos 350 años que viven en Texas. Los tiguas mantienen sus ceremonias y prácticas de gobierno tradicionales.

Un grupo de indígenas kickapoos, con fuertes raíces en Texas, recibió una reserva de tierras en la década de 1980. Estas tierras están cerca de Eagle Pass, en la región más occidental de las llanuras costeras, un paisaje muy similar al del oeste de Texas. Los kickapoos se han aferrado a su cultura. Todos los años viajan en grupos familiares para trabajar tierras en México y en los Estados Unidos. En el otoño, regresan a sus hogares de invierno para cultivar la tierra, cazar y participar en ceremonias.

Mocasines de los kiowas decorados con cuentas

Reservas indígenas en Texas

N O E S

0 — 100 mi
0 — 100 km

El Paso 🏠

Reserva Alabama-Coushatta
Livingston 🏠

Austin ★

Eagle Pass 🏠

Golfo de México

LEYENDA
● Ciudad
★ Capital
🏠 Reserva indígena

4. ⦿ **Comparar y contrastar** En el mapa, **identifica** los lugares de Texas donde viven los tiguas y los kickapoos. Luego, **compara** una manera en que estos grupos indígenas mantienen viva su cultura.

¿Entiendes?

🔺 **TEKS 1.B, 1.C, 1.D, 10.A, 14.A**

5. ⦿ **Comparar y contrastar** Haz una lista para **comparar y contrastar** la forma de gobierno de los comanches y los jumanos.

....

....

6. ❓ Piensa en la vida de los indígenas del oeste de Texas que vivían cerca del río Conchos y del río Grande. **Describe** cómo se adaptaron a la vida en las tierras áridas.

....

....

mi Historia: Ideas

7. **Identifica** tres grupos indígenas que hayan vivido en el oeste de Texas y una actividad económica que satisfacía sus necesidades o deseos.

....

....

Hacer una investigación

Acabas de aprender acerca de los indígenas que vivieron en Texas. ¿Cómo puedes encontrar más información? Puedes idear un plan y hacer una investigación. Cuando haces una investigación, investigas y estudias fuentes primarias y secundarias. Sigues el plan, recopilas información y, a veces, llegas a nuevas conclusiones.

Fuentes de referencia

Una manera de aprender más es a través de fuentes de referencia. Estas son fuentes secundarias que contienen hechos sobre diferentes temas. Los diccionarios y las enciclopedias son fuentes de referencia. También lo son los almanaques y los atlas. Están disponibles como libros, libros electrónicos y CD-ROM.

Fuentes de Internet

Otra manera de investigar sobre un tema es buscar en Internet. Internet es una gran red de computadoras. El conjunto de sitios de Internet se llama *World Wide Web* (red informática mundial, o "la Web", en español). Los sitios individuales se llaman sitios web. Estos sitios pueden proporcionar información sobre el tema que estás investigando.

Un motor de búsqueda, también llamado buscador, puede ayudarte a adquirir información rápidamente. El motor de búsqueda suele dar el título del sitio web y un poco de información acerca del sitio.

Paso 1 Escribe las palabras clave para tu búsqueda.

Paso 2 Haz clic en la palabra "Buscar".

Paso 3 Haz clic en el título del sitio web que crees que será el mejor. Los sitios web que terminan en .edu o .gov suelen ser sitios web confiables.

indígenas apaches lipanes de Texas	Buscar

Aproximadamente 6,540,000 resultados (0.21 segundos)   Búsqueda avanzada

Apache Indians—Texas State Historical Society
Lipan Apache people of Texas
www.tshs.edu/handbook/online/articles/

Lipan Apache Tribe of Texas
Site dedicated to the preservation of the Lipan Apache Tribe of Texas
www.lipanapache.org

Ms. Brown's Lipan Apache Home Page—Travels
Last summer, I traveled across the traditional homelands of the Lipan Apache ...
www.blogspot.com/MsBrown/travel.html

TEKS

SLA 23.B Generar un plan de investigación para recopilar información relevante acerca del tema principal de la investigación.

SLA 24.A Seguir el plan de investigación para recopilar información de varias fuentes informativas, tanto orales como escritas.

SLA 25 Mejorar el enfoque de la investigación como resultado de consultar a fuentes especializadas.

ES 21.A Distinguir, localizar y usar fuentes válidas primarias y secundarias, tales como programas computacionales; entrevistas; biografías; material oral visual e impreso; documentos y artefactos para adquirir información sobre los Estados Unidos y Texas.

ES 22.C Expresar sus ideas oralmente basándose en las investigaciones y las experiencias.

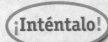

Imagina que un estudiante quería averiguar más información sobre los indígenas de Texas o de los Estados Unidos. Primero, el estudiante fue a la biblioteca. Luego, el estudiante hizo una búsqueda en Internet. La primera parte se ve en la pantalla de la página anterior. Úsala para responder algunas de las siguientes preguntas.

1. ¿Qué fuente de referencia secundaria válida podría **localizar** y **usar** el estudiante para averiguar más sobre su tema?

....

2. Subraya las palabras clave que usó el estudiante. ¿Qué otra palabra o frase podría haber usado para su búsqueda?

....

3. ¿Por qué es importante usar palabras clave en una búsqueda de Internet?

....

....

4. **Localiza** los sitios web que te parezcan más útiles. Encierra en un círculo un sitio web que sea útil. **Explica tu respuesta.**

....

....

5. Imagina que quieres aprender más sobre los caddos. Primero, idea un plan de investigación. A continuación, escribe las palabras clave que usarías para la búsqueda. Luego, **localiza** y usa fuentes válidas primarias y secundarias. Por último, en una hoja aparte, escribe tu informe y presenta la información a la clase en un breve reporte oral.

....

....

Texas

Lección 4

Otras civilizaciones de las Américas

¡Imagínalo!

El alimento que comen las personas viene de su medio ambiente.

Áreas culturales de Norteamérica

LEYENDA
- Área ártica
- California
- Gran Cuenca
- Noreste
- Costa noroeste
- Llanuras
- Meseta
- Sureste
- Suroeste
- Área subártica
- — Frontera actual

0   800 mi

0   800 km

1. Dibuja en el mapa el contorno de Texas en la actualidad. **Identifica** las áreas culturales que se encuentran allí.

Los antiguos indígenas norteamericanos que habitaron Norteamérica hace miles de años se dispersaron por el continente. Si bien cada grupo indígena era diferente, los pueblos que habitaban una misma área compartían la manera de hacer las cosas. Los expertos las llaman áreas culturales.

Posibles orígenes de otros indígenas norteamericanos

Los inuits, que continúan viviendo en Alaska y el Canadá, pueden haber sido los primeros en llegar a Norteamérica hace unos 4,000 años. Algunos científicos creen que llegaron navegando por el océano Pacífico. Otros creen que viajaron a través de las tierras congeladas que alguna vez unieron Norteamérica y Europa.

Los inuits se establecieron en el helado extremo norte y se adaptaron al frío. En el agua, se mantenían abrigados y secos usando **kayaks**, es decir, canoas con cubiertas impermeables. En tierra, andaban en trineos. Usaban arpones, que eran lanzas unidas a largas cuerdas, para cazar focas y ballenas. También pescaban y cazaban caribúes y morsas.

El centro de la cultura de los inuits era la familia. Compartían el alimento que cazaban. Construían sus casas para el invierno, los iglúes, con bloques de nieve. En el verano, vivían en tiendas hechas de pieles de animales.

126

Escribe los nombres de los alimentos que se muestran. Luego escribe dónde pueden haber encontrado esos alimentos los indígenas norteamericanos.

DESCIFRA LA PREGUNTA PRINCIPAL ? Aprenderé cómo era la vida de los grupos indígenas en Norteamérica.

Vocabulario

kayak

importación

civilización

imperio

Los constructores de montículos

Lejos de los inuits, bien al sur, en una región alrededor del río Mississippi, un grupo indígena norteamericano tenía una forma de vida bastante diferente antes de la exploración europea. Comenzaron a construir montículos. Antes eran simples cazadores y pescadores, y cultivaban algunas plantas. Los constructores de montículos, como se los conoce en la actualidad, eran conocidos por sus inmensas estructuras de tierra.

Para construir enormes estructuras de tierra se necesitaba destreza y organización. Es probable que haya habido líderes dirigiendo a varios trabajadores a la vez. Algunos de los montículos que construían servían de tumbas. Otros servían de templos. La comunidad más grande, la ciudad de Cahokia, puede haber tenido 20,000 habitantes. Los agricultores sembraban maíz para mantener a las personas. Cahokia servía de mercado para el comercio. Se podían obtener caracoles de lugares lejanos o piedras especiales para hacer herramientas. Los constructores de montículos comerciaban bienes y recursos a través de gran parte de Norteamérica.

2. **Evalúa** los problemas de los constructores de montículos. Agrega sus soluciones al organizador gráfico.

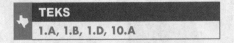

TEKS
1.A, 1.B, 1.D, 10.A

Los constructores de montículos

Problema

Construir enormes estructuras de tierra era una tarea difícil y compleja.

Se necesitaban recursos de diferentes lugares.

Solución

 SAVVAS realize™ Conéctate en línea a tu lección digital interactiva.

127

Los indígenas pueblo

Hace unos 2,000 años, unos grupos de cazadores-recolectores del sureste comenzaron a cultivar maíz. Vivían en el territorio seco del cañón en lo que hoy es Arizona, Colorado, Nuevo México y Utah. Los primeros indígenas pueblo hacían cestas y vivían en cuevas o cavernas. Con el tiempo, comenzaron a cultivar frijoles y criar pavos para obtener alimento. Construyeron pequeñas represas para proveer agua a sus cultivos. Continuaban cazando animales y recolectando plantas silvestres para comer, pero la agricultura fue ganando importancia. También perfeccionaron el arte de la cerámica.

Vivienda de los indígenas pueblo sobre un acantilado en Mesa Verde

Algunas de las comunidades pueblo se hicieron muy grandes. Usando piedras o arcilla como ladrillos, construían viviendas de varios pisos entre los acantilados del cañón. En Mesa Verde, Colorado, posiblemente había aldeas con más de 150 habitaciones. Los indígenas cultivaban la parte superior de las mesetas. En el cañón del Chaco, en Nuevo México, los indígenas pueblo construían aldeas en el exterior. Algunas construcciones tenían hasta cinco pisos de alto.

La agricultura era difícil en el hostil desierto del cañón del Chaco. Los indígenas comerciaban para obtener lo que necesitaban y deseaban. Chaco se convirtió en un importante centro de comercio de larga distancia. Las rutas del comercio llegaban de Chaco a México y al golfo de California. El sílex y la obsidiana, que se usaban para hacer herramientas como puntas, cuchillos y espátulas, eran importaciones comunes. Una **importación** es un producto que se trae de otro lugar para comerciar o vender. Los comerciantes también traían turquesas, piedras que se usaban para hacer cuentas y para decorar objetos. Los caracoles venían de las costas. Se criaban guacamayos de junglas lejanas por sus plumas. Se cree que los indígenas pueblo son los descendientes modernos de estos primeros habitantes.

3. ◉ **Comparar y contrastar** Los inuits, los constructores de montículos y los indígenas pueblo no fueron los únicos indígenas que habitaron Norteamérica antes de la exploración europea. La tabla muestra otros grupos indígenas que vivieron en Norteamérica. **Completa** la tabla con información de los antiguos indígenas pueblo. Luego, escribe una oración para comparar y contrastar dos áreas culturales de Texas.

Áreas culturales de los indígenas de Norteamérica

Área	Ubicación	Estilo de vida
Área ártica	Canadá, Alaska	Cazadores y recolectores que seguían las estaciones; comerciaban pieles con los rusos y más tarde con los europeos.
Área subártica	Canadá, Alaska	Cazadores y recolectores que seguían las estaciones; comerciaban pieles con los europeos.
Noreste	sur del Canadá hasta el noreste de los Estados Unidos	Principalmente agricultores, también cazaban animales en los bosques y pescaban en arroyos y en el mar; comerciaban pieles con los europeos.
Sureste	Carolina del Norte hasta el este de Texas	Principalmente cultivaban maíz, frijoles y calabaza; cazaban, pescaban y comían mariscos; obligados a trabajar por los españoles en el siglo XVI.
Llanuras	centro del Canadá hasta el sur de Texas	Seguían y cazaban bisontes; cultivaban maíz, frijoles y calabaza a lo largo de los ríos; comerciaban a través de largas distancias.
Gran Cuenca	Utah, Nevada, Oregón, Wyoming, Colorado, Arizona, California	Cazadores y recolectores, comían mayormente plantas silvestres y animales pequeños; más tarde, el caballo les permitió cazar bisontes.
California	California hasta México	Cazaban, pescaban, recolectaban plantas silvestres; colonizados por los españoles en el siglo XVIII.
Costa noroeste	línea de la costa desde Oregón hasta Alaska	La abundancia de peces y animales de presa dio lugar a sociedades complejas; comerciaban con los rusos y más tarde con los europeos.
Meseta	partes de Montana, Idaho, Oregón, Washington, el Canadá	Principalmente pescaban, comían plantas silvestres; comerciaron con los europeos en el siglo XIX.
Suroeste		

Mundo maya y mundo azteca

Grandes civilizaciones surgieron a lo largo de las Américas. Una **civilización** es una sociedad humana altamente desarrollada. En América Central, los mayas limpiaron la jungla y plantaron calabaza, frijoles y maíz. Con abundancia de alimento, comenzaron a construir centros para celebrar ceremonias religiosas. Esos centros se convirtieron en ciudades. Con el tiempo, los mayas desarrollaron un imperio. Un **imperio** es un grupo de países bajo el dominio de un gobernante.

Las ciudades mayas consistían en templos de piedra, pirámides, palacios, plazas y canchas para jugar a la pelota. Artistas habilidosos transformaban la arcilla en cerámica, hacían joyas y telas para ropa. La mayoría de las personas vivían en casas de madera y paja. Los mayas desarrollaron un sistema de escritura. Mirando el cielo con atención, crearon calendarios precisos. También tenían un sistema de matemáticas avanzado.

Calendario azteca

A pesar de que las grandes ciudades quedaron en ruinas hace más de mil años, los mayas aún existen. En la actualidad, hay más de un millón de personas en América Central que hablan lenguajes mayas.

En la época en que la civilización maya entró en decadencia, surgió el imperio azteca en el actual territorio de México. Los aztecas migraron al sur hasta llegar al lago de Texcoco. Eran hábiles agricultores y usaban el sistema de irrigación para llevar agua a los campos secos. En los pantanos, construían islas artificiales sobre las que sembraban cultivos. Al igual que los mayas, también crearon complejos calendarios.

Para el año 1325, habían comenzado a construir su gran ciudad, Tenochtitlán, en una isla del lago. Los templos de piedra se alzaban sobre grandes plazas, canales y mercados. Se estima que allí vivían unas 400,000 personas a principios del siglo XVI.

Los aztecas gobernaron un gran territorio en el centro de México. Se aliaban con sus socios de comercio. Combatían y conquistaban enemigos. Se hicieron ricos y poderosos, gobernando a muchos otros grupos indígenas, a quienes exigían ofrendas.

Cerca de seis millones de personas se encontraban bajo el dominio de los aztecas cuando llegaron los exploradores españoles en 1519. En 1521, el imperio azteca llegó a su fin. En la actualidad, Ciudad de México se encuentra sobre las ruinas de Tenochtitlán. Descendientes de los aztecas aún viven en México.

4. Explica un gran logro de los mayas o los aztecas.

....

....

....

Pirámide de Teotenango, México

5. ⊙ **Comparar y contrastar Compara** y **describe** una forma de vida de los inuits, los constructores de montículos y los antiguos indígenas pueblo antes de la exploración europea.

....

....

....

6. ❓ **Resume** cómo dos de los grupos indígenas de esta lección se adaptaron a su medio ambiente.

mi Historia: Ideas

....

....

....

7. Imagina que conoces a un descendiente de uno de los grupos sobre los que leíste en esta lección. Piensa en una conversación en la que él o ella te comente sobre la vida de sus ancestros. Escribe la conversación en una hoja aparte.

....

....

Lección 1 — TEKS 1.A, 8.A, 9.B

Primeros texanos

1. Escribe V si es verdadero o F si es falso para los siguientes enunciados sobre los posibles orígenes de los indígenas en Norteamérica.

_____ a. cruzaron por un puente de tierra

_____ b. a través de campos de hielo

_____ c. en barcos

_____ d. desde América del Sur

2. **Identifica** una razón por la que los antiguos texanos dejaron de viajar tanto y se establecieron en pequeños grupos.

3. **Identifica** las razones por las que los indígenas antiguos de Texas modificaron su entorno con el uso del recurso natural de pedernal. Escribe una X junto a cada respuesta correcta.

_____ a. para protegerse

_____ b. para cazar y obtener alimento

_____ c. para obtener ropa

_____ d. para transportarse

Lección 2 — TEKS 1.B, 1.C, 1.D, 9.A, 10.A

Indígenas de las Llanuras Costeras

4. **Comparar y contrastar**
Identifica una similitud y una diferencia entre los modos de vida de los caddos y los karankawas.

5. Lee la pregunta con atención. Determina cuál es la mejor respuesta entre las cuatro opciones. Encierra en un círculo la mejor respuesta.

¿Cuáles de los siguientes grupos indígenas aún viven en Texas?

A los alabama-coushattas

B los caddos

C los karankawas

D los wichitas

6. **Identifica** a los caddos y la región donde se establecieron en Texas. **Describe** brevemente la región.

7. Escribe V si es verdadero o F si es falso para los siguientes enunciados sobre las actividades económicas de los karankawas.

_____ a. Deambulaban en pequeños grupos de caza en verano.

_____ b. Construían piraguas para pescar.

_____ c. Sembraban campos de maíz.

_____ d. Viajaban a la costa del océano Atlántico para comerciar.

8. Explica por qué los caddos modificaron su medio ambiente para cultivar la tierra.

....

....

....

....

Lección 3 🔹 TEKS 1.C, 1.D, 10.A

Indígenas de las montañas y las llanuras

9. Describe la región de Texas donde vivían los comanches.

....

....

....

....

....

10. Compara y contrasta la manera en que se gobernaban los caddos y los comanches.

....

....

....

....

....

11. Compara los modos de vida de los jumanos y los apaches lipanes antes de las exploraciones europeas.

....

....

....

....

....

Lección 4 🔹 TEKS 1.A, 1.B, 1.D, 9.A, 10.A

Otras civilizaciones de las Américas

12. Según los científicos, ¿cuáles son los posibles orígenes de los inuits?

....

....

....

....

....

....

13. Identifica los constructores de montículos, dónde vivían y por qué característica son más conocidos.

....

....

....

....

14. Escribe una X al lado de cada enunciado que describe una actividad económica de los antiguos indígenas pueblo.

_____ a. criar pavos

_____ b. criar caballos

_____ c. construir diques para irrigar cultivos

_____ d. comerciar sílex y caracoles

15. Compara los modos de vida de las civilizaciones maya y azteca antes de las exploraciones europeas haciendo una lista de dos cosas que tenían en común.

....

....

....

16. Identifica una manera en la que los aztecas modificaron su medio ambiente. **Infiere** cómo los ayudó esto.

....

....

....

....

17. ❓ **¿Cómo se adaptan las personas al lugar donde viven?** 🚩 TEKS 9.A

Analiza la ilustración de la aldea de los caddos y responde la pregunta.

¿Cómo se adaptaron los caddos al medio ambiente cuando llegaron a Texas y cómo lo modificaron?

....

....

....

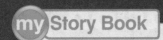
Conéctate en línea para escribir e ilustrar tu **myStory Book** usando **miHistoria: Ideas** de este capítulo.

 PREGUNTA PRINCIPAL

¿Cómo se adaptan las personas al lugar donde viven?

 TEKS
ES 9.A, 9.B
SLA 15

Durante miles de años, los primeros texanos buscaron ingeniosas maneras de adaptarse a su medio ambiente. Nómadas o aldeanos, cazadores o agricultores, crearon ricas culturas basadas en los recursos que pudieron encontrar, usar o comerciar.

Piensa en las maneras en que las personas se adaptan a su medio ambiente o lo modifican en la actualidad.
Identifica y **describe** al menos tres ejemplos.

....

....

....

Haz un dibujo que muestre uno de tus ejemplos.

 SAVVAS realize Conéctate en línea a tu lección digital interactiva.

135

Exploración y colonización de Texas

 mi Historia: ¡Despeguemos!

¿Por qué las personas se van de su tierra natal?

Describe una circunstancia en la que alguien se haya mudado de un país a otro o de una comunidad a otra. **Explica** por qué lo hizo.

....

....

....

✦ Conocimiento y destrezas esenciales de Texas

2.A Resumir las motivaciones para la exploración europea y la colonización de Texas.

2.B Identificar los logros y explicar el impacto de importantes exploradores en la colonización de Texas.

2.C Explicar cuándo, dónde y por qué los españoles se establecieron y establecieron misiones católicas en Texas.

2.D Identificar la función de Texas en la guerra de la independencia de México y el impacto de la guerra en el desarrollo de Texas.

2.E Identificar los logros y explicar las motivaciones económicas y el impacto de importantes empresarios.

6.B Traducir datos geográficos, distribución de población y recursos naturales en una variedad de formatos.

8.A Identificar y explicar agrupaciones y patrones relacionados con los asentamientos en Texas en diferentes épocas.

8.B Describir la ubicación de diferentes pueblos y ciudades en Texas, en el pasado y en el presente.

8.C Explicar los factores geográficos tales como los accidentes geográficos y el clima que impactan el tipo de asentamientos y la distribución de la población en Texas, en el pasado y en el presente.

12.A Explicar cómo las personas en las diferentes regiones de Texas se ganaban la vida en el pasado y cómo se ganan la vida en el presente.

12.B Explicar cómo los factores geográficos tales como el clima, el transporte y los recursos naturales han impactado la ubicación de las actividades económicas en Texas.

12.C Analizar los efectos de la exploración, la inmigración, la migración y los recursos limitados en el desarrollo económico y en el crecimiento de Texas.

14.B Identificar y comparar las características del gobierno español de la época de la colonia y los primeros gobiernos mexicanos y sus influencias en los habitantes de Texas.

16.A Explicar el significado de los diferentes símbolos y puntos patrióticos de Texas.

17.D Identificar la importancia de algunos individuos y personajes históricos quienes han participado activamente en el proceso democrático.

19.C Resumir las contribuciones de los diferentes grupos raciales, étnicos y religiosos en el desarrollo de Texas.

20.A Identificar inventores y científicos famosos y sus contribuciones.

21.A Distinguir, localizar y usar fuentes válidas primarias y secundarias para adquirir información sobre los Estados Unidos y Texas.

21.B Analizar información identificando las relaciones de causa y efecto.

22.D Crear material impreso y visual.

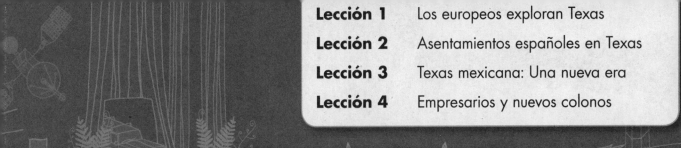
Henry y Nancy Jones

Los primeros pioneros de Texas

mi Historia: Video

"¡Guau! ¡Esta cabaña de troncos es inmensa!", exclama Leigha al acercarse a una antigua edificación. "Cierto, es inmensa. Es la réplica de una cabaña que se construyó a principios del siglo XIX", dice el voluntario J.R., y explica: "el estilo de vivienda es una cabaña con un pasillo techado, y está situada en una de las granjas más antiguas del estado".

Leigha está haciendo una visita al Parque Histórico George Ranch. La acompaña su guía J.R., quien trabaja en el parque hace muchos años. A J.R. le encanta compartir sus conocimientos sobre la historia del lugar y explicar por qué esta zona era muy popular entre los primeros colonos. "El parque no es solo un inmenso espacio al aire libre: es un rancho auténtico, que se encuentra en actividad y tiene mucha historia detrás", dice J.R.

El Parque Histórico George Ranch está situado a apenas 30 millas del centro de Houston y ocupa más de 20,000 acres de tierra. "La granja se estableció en 1824, cuando Texas todavía formaba parte de México, y por ella han pasado varias generaciones". "¿Quiénes fueron sus primeros habitantes?", pregunta Leigha. "Sus primeros dueños fueron los pioneros Henry y Nancy Jones. Llegaron en 1822", responde J.R. "Formaban parte del grupo de colonos *Old three Hundred*, traído aquí por Stephen F. Austin".

Leigha está de visita en el Parque Histórico George Ranch para aprender más sobre la vida de los pioneros.

La colonia de Austin se estableció cerca del río Brazos.

El interior de la cabaña de troncos te lleva en un viaje imaginario al pasado para que te des una idea de cómo era la vida en Texas durante la década de 1830.

Stephen Austin era un empresario, es decir, un administrador de tierras. Se dedicaba a buscar zonas de Texas adonde fuera posible atraer colonos. Esos colonos recibían concesiones de tierras del gobierno mexicano. "Austin eligió esta zona porque queda muy cerca del río Brazos", explica J.R.

Como la familia Jones, muchas otras personas aprovecharon la oportunidad de acceder a grandes parcelas de tierra. "Henry y Nancy llegaron aquí desde el territorio de Arkansas en 1822 y pidieron 4,428 acres en 1824", agrega J.R. "¿Y qué hicieron con toda esa tierra?", pregunta Leigha. "Bueno, algunos pioneros sembraban granos, otros criaban ganado y otros se dedicaban a ambas actividades".

Para entender mejor cómo era la vida de los colonos, Leigha hace un intento de utilizar una antigua herramienta para labrar la tierra, es decir, prepararla para la siembra. Enseguida advierte cuán difícil era llevar adelante una granja en la década de 1830 sin las herramientas agrícolas modernas. "¿A qué edad comenzaban a trabajar los niños?", pregunta Leigha. "Bueno, en aquella época, si sabías caminar ya estabas en condiciones de trabajar. A los tres años ya podías ayudar a mamá y papá en las tareas del campo", explica J.R. "Los Jones contaban con muchos ayudantes: tenían 12 hijos que colaboraban con las tareas diarias".

Los hijos de los pioneros texanos solían ayudar a sus padres en el campo. Leigha intenta utilizar una antigua herramienta agrícola.

En la granja hay actores y actrices que recrean las conversaciones y las tareas diarias de los primeros colonos texanos.

En George Ranch, los girasoles crecen altos bajo el cálido sol de Texas.

A continuación, J.R. conduce a Leigha a las instalaciones exteriores que rodean la granja: el ahumadero, el granero, el corral de los cerdos y el gallinero. "Esas instalaciones eran extensiones muy importantes de la vivienda", dice J.R. "Facilitaban las tareas diarias de la familia". "Me gusta el trabajo de alimentar a los animales, en especial a las gallinas y los pollos", dice Leigha. "¡Son mis favoritos!", agrega mientras acaricia la gallina gris y blanca.

Cuando termina su visita, Leigha está contenta de haber podido observar y experimentar la vida que llevaba la familia Jones en la década de 1830.

"Es asombroso que la familia Jones haya podido establecerse aquí y construir todo esto", dice Leigha, "porque la vida no era nada fácil por entonces". "Nosotros siempre decimos que es necesario entender el pasado para triunfar en el futuro", responde J.R. con una sonrisa.

Piénsalo ¿Qué te dice la historia de la familia Jones acerca de por qué las personas querrían abandonar sus hogares y venir a una colonia en Texas? ¿Qué esperaban encontrar allí?

A Leigha le habría gustado encargarse de alimentar a los animales, en especial a las gallinas y los pollos.

SAVVAS realize. Conéctate en línea a tu lección digital interactiva.

Los europeos exploran Texas

¡Imagínalo!

Exploradores de España llegaron a las Américas. A su llegada, se encontraron con muchos grupos indígenas americanos.

Los conquistadores se llevaron joyas de oro similares a esta a España.

En el siglo XV, poderosos reyes y reinas de Europa competían unos con otros. Todos tenían un gran deseo de expandirse y querían más tierras para gobernar y riquezas para gastar que los demás. Existían grandes oportunidades económicas. Había especias muy valiosas en Asia. Pero la ruta de comercio terrestre era larga y estaba controlada por otros. Por eso, el rey y la reina de España respaldaron el plan de un capitán de navío y comerciante llamado Cristóbal Colón. Su plan era llegar a Asia navegando hacia el oeste.

España llega a las Américas

En 1492, Colón llegó a una isla cerca de la Florida. Estaba seguro de estar cerca de Asia cuando tomó posesión de las tierras en nombre de España. No encontró las ricas ciudades asiáticas sobre las que había oído ni las especias que buscaba. Lo que sí vio fueron tierras fértiles, muchas personas y oro.

Al poco tiempo, España envió exploradores para buscar el oro, y conquistar las tierras y a sus habitantes. Fueron los exploradores quienes descubrieron que las tierras no eran parte de Asia. Eran tierras desconocidas para ellos, porque no estaban en sus mapas. Eran tierras nuevas.

España envió una expedición de 500 soldados al mando de Hernán Cortés. Una **expedición** es un viaje que se hace con un propósito especial. Cortés fue un **conquistador**. En 1519, Cortés llegó a México decidido a conquistar a los aztecas, el pueblo más rico y poderoso de allí. Necesitó dos años y la ayuda de otros grupos indígenas, pero, finalmente, el imperio azteca cayó y pasó a ser parte de Nueva España. El oro, la plata y las perlas aztecas se enviaron a España.

Escribe qué crees que ocurrió cuando los indígenas americanos y los europeos se encontraron por primera vez.

DESCIFRA LA PREGUNTA PRINCIPAL

Aprenderé por qué los exploradores europeos dejaron su tierra natal para venir a las Américas.

Vocabulario

expedición

conquistador

esclavitud

colonia

En 1519, Alonso Álvarez de Piñeda se convirtió en el primer explorador en llegar al actual estado de Texas. Navegó por la costa del Golfo e hizo el primer mapa de la zona.

TEKS
2.A, 2.B

Rutas de los exploradores españoles

LEYENDA
← Piñeda, 1519
← Cortés, 1519–1520
← Cabeza de Vaca, 1528–1536
← De Soto, 1539–1542
⦙← De Moscoso, 1542–1543
← Coronado, 1540–1542
← Oñate, 1598–1607
— Fronteras actuales

OCÉANO PACÍFICO

MÉXICO

Golfo de México

Cuba

La Española

Jamaica

Mar Caribe

0   400 mi
0   400 km

1. En la leyenda del mapa, **identifica** y encierra en un círculo los nombres de los exploradores que pasaron por Texas o por la costa de Texas. Luego **resume** las motivaciones de España para enviar exploradores a América.

El viaje de Cabeza de Vaca

En 1528, una expedición española llegó a la actual Florida. Entre los 600 hombres estaba Álvar Núñez Cabeza de Vaca. Él fue uno de los pocos que sobrevivió y volvió a su tierra. Cabeza de Vaca escribió sobre sus experiencias en un diario. Así es como los historiadores saben acerca de sus logros.

Al llegar, 300 hombres marcharon tierra adentro para explorar. Se perdieron. Meses después, volvieron a encontrar la costa, pero los barcos ya no estaban y tenían muy pocas provisiones. Desesperados, los hombres construyeron balsas. Las velas estaban hechas con camisas y pantalones. Se dirigieron en dirección oeste hacia México. Navegaron a salvo cerca de la costa hasta que una tormenta llevó las balsas mar adentro. Durante dos semanas, los hombres temieron nunca volver a ver tierra. Luego, una mañana temprano, Cabeza de Vaca oyó el sonido de las olas rompiendo en la costa.

El diario de Cabeza de Vaca

Algunos historiadores creen que los hombres desembarcaron cerca de la actual isla de Galveston. Luego se separaron, y muchos de ellos murieron durante el invierno. Años más tarde, Cabeza de Vaca encontró a dos de los españoles y a un esclavo africano llamado Esteban. La esclavitud era una práctica aceptada entre los españoles y también entre algunos grupos indígenas norteamericanos. La **esclavitud** es la práctica de adueñarse de las personas y obligarlas a trabajar sin un salario. Los cuatro hombres se convirtieron en prisioneros de los indígenas.

TEXAS

Área del detalle

Isla de Galveston

Golfo de México

1527
Una flota española sale de España.

Una flota española llega a la Florida. Pero el grupo principal se pierde y queda varado. Construyen balsas para navegar hacia México, pero una tormenta los desvía fuera de su curso.

| 1527 | 1528 | 1529 | 1530 | 1531 |

Otoño de 1528
Cabeza de Vaca sobrevive a la tormenta y desembarca cerca de la costa de la isla de Galveston, luego de estar semanas en altamar con 80 hombres.

Finalmente, los cuatro hombres escaparon y caminaron a través de la actual Texas y gran parte del Suroeste. Caminaron más de 2,000 millas descalzos en busca de otros españoles. Finalmente, en 1536 se reunieron con los soldados españoles y llegaron a Ciudad de México. Habían pasado ocho años desde el inicio de su viaje.

Una vez de regreso en España, Cabeza de Vaca comentó a los funcionarios españoles acerca de siete ciudades de oro llamadas Cíbola. Él no había visto esas ciudades por sí mismo, pero había oído sobre ellas por los indígenas.

Como España quería estas ciudades de oro, enviaron un grupo explorador para encontrarlas. Fray Marcos de Niza lideraba el grupo. Los exploradores obligaron a Esteban a guiarlos hacia el norte. Cuando se acercaron a una aldea de los zuñis que se decía que era una de las ciudades doradas, Esteban se adelantó a los demás y lo mataron. Al oír sobre su muerte, Niza se retiró rápidamente sin haber visto nunca las ciudades doradas. Sin embargo, en México habló de ellas como si las hubiera visto.

2. Usa el texto para **identificar** las fechas que faltan en la línea cronológica. Luego **identifica** los logros de Cabeza de Vaca y **explica** por qué fue un explorador importante.

....

....

1534
Cabeza de Vaca escapa de la isla con otros dos españoles y un esclavo africano llamado Esteban. Viajan por la costa de Texas con la esperanza de llegar a México.

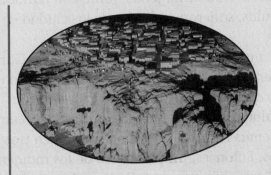

1537
Cabeza de Vaca vuelve a España y cuenta historias acerca de las siete ciudades de oro sobre las que había oído hablar a los indígenas.

| 1532 | 1533 | 1534 | 1535 | 1536 | 1537 |

1533
Durante cuatro años, Cabeza de Vaca y los otros sobrevivientes luchan por sobrevivir con los indígenas en el este de Texas.

1535
Los cuatro hombres conocen diferentes grupos indígenas norteamericanos durante su viaje.

Los cuatro hombres se reúnen con los soldados españoles en México.

Esta réplica de un galeón español del siglo XVI es similar al que capitaneaba Coronado.

Francisco Coronado explora Texas

Si existían siete ciudades de oro, España quería encontrarlas y conquistarlas. Por eso, se planificó otra gran expedición. En 1540, Francisco Vásquez de Coronado reunió más de 300 españoles y alrededor de 1,000 indígenas. Junto con ganado, ovejas, caballos y mulas, salieron en busca de las ciudades doradas.

Cuando llegaron a una aldea zuñi, Coronado atacó. Ganó esa batalla pero no encontró oro. Coronado estaba decidido a encontrar oro, por lo que continuó su búsqueda.

Coronado envió algunos hombres a explorar en dirección oeste. Dirigió a los demás hacia el este. Buscaron aldea tras aldea, decepcionados. Entonces, un prisionero de los indígenas pawnee llamado el Turco dijo que él podía llevarlos a una tierra de grandes riquezas llamada Quivira. Siguieron a este hombre a través de la actual región del Panhandle, en Texas, y luego hacia el norte, a Quivira. Recorrieron una gran distancia y lo único que encontraron fue una aldea con casas hechas de pasto. Cuando Coronado se dio cuenta de que lo habían engañado, mandó matar al Turco. Dos años más tarde, la gran expedición volvió al México español. No tenían oro, pero habían contribuido al futuro asentamiento en Texas. Habían conocido tierras extensas y a sus habitantes.

3. ⊙ **Causa y efecto Identifica** y subraya un logro de la expedición de Coronado.

Más exploradores españoles en Texas

Dos años antes de que Coronado saliera en busca de las ciudades doradas de Cíbola, una expedición salió de España con diez barcos y alrededor de 600 hombres. Iba dirigida por Hernando de Soto. Al igual que Coronado, había oído las historias contadas por Cabeza de Vaca y quería conquistar ciudades llenas de oro. Tanto De Soto como Coronado viajaban con misioneros franciscanos. Los misioneros brindaban ayuda espiritual a las expediciones. También intentaron enseñar la religión cristiana a los indígenas.

De Soto nunca llegó a lo que hoy es Texas. Guio a su expedición por la actual Florida hasta el río Mississippi, donde murió. El que guio al grupo a través del actual este de Texas fue Luis de Moscoso. No encontraron las riquezas que buscaban, pero Moscoso vio petróleo brillando en el agua cerca de la costa.

Juan de Oñate lideró una expedición al actual Nuevo México en 1598. Su misión era conquistar a los habitantes, tomar posesión de las tierras en nombre de España, fundar una colonia y buscar oro. Para llegar allí, cruzó el río Grande por un lugar que él llamó *El Paso del Norte*. En la actualidad, ese lugar se llama El Paso.

4. **Identifica** y escribe el nombre correcto de cada explorador.

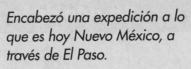

Encabezó una expedición a lo que es hoy Nuevo México, a través de El Paso.

_____

_____

Lideró una expedición en busca de oro; vio petróleo.

_____

_____

Lideró una expedición en busca de oro; encontró el río Mississippi.

_____

La Salle llega a Texas

Mientras España exploraba el sur, Francia envió exploradores al norte, al actual Canadá. En un principio, los franceses buscaban pieles para comprar y vender. Al poco tiempo, tenían deseos de expandirse. También buscaban tierras para tomar posesión y establecerse.

En 1682, un comerciante de pieles, René-Robert Cavelier, Sieur de La Salle, exploró el río Mississippi hasta llegar a la costa del Golfo. Tomó posesión del enorme valle del río en nombre de Francia y lo llamó Luisiana. El nombre hacía honor al rey de Francia, Luis XIV.

Para proteger la toma de posesión, La Salle quería comenzar una colonia francesa en la boca del río Mississippi. Una **colonia** es un asentamiento de personas que se han mudado a otro país pero siguen bajo el gobierno de su país de origen. La Salle volvió a Francia a buscar hombres y provisiones. Luego, en 1684, él y su tripulación zarparon hacia Mississippi. Los barcos de La Salle erraron el lugar por 500 millas. Desembarcaron en la costa de la bahía de Matagorda, en la costa de Texas; España ya había tomado posesión de estas tierras.

Los hombres de La Salle construyeron un fuerte en un pantano. A los colonos de allí no les fue bien. Muchos de ellos murieron; algunos por causa de enfermedades y otros por ataques de los indígenas. Mientras tanto, La Salle continuó explorando el área. Finalmente, fue asesinado por uno de sus propios hombres.

Para cuando llegaron los soldados españoles, el fuerte estaba vacío y en ruinas. Sin embargo, el mensaje para las autoridades españolas causó un gran impacto. Los franceses estaban interesados en establecer una colonia cerca del territorio español para competir con España. Los españoles debían defender las tierras de las que habían tomado posesión; de otra manera, las perderían.

5. **Localiza** y encierra en un círculo el lugar en donde desembarcó La Salle en 1684. Luego **explica** por qué desembarcó allí.

La ruta de La Salle hacia Texas

OK AR TN NC
Río Mississippi
SC
TX La Salle asesinado MS AL GA
LA
Fuerte St. Louis 1685 FL
Bahía de Matagorda
Golfo de México

N O E S

LEYENDA
⚑ Fuerte establecido
■ La Salle asesinado
← Ruta desde Francia (1864)
— Fronteras actuales

0   300 mi
0   300 km

6. ◉ **Causa y efecto** **Analiza** el impacto de la colonización francesa de la Texas española. Luego completa el organizador gráfico.

Colonización francesa de la Texas española

Causa

Entrada de los franceses en territorio español

Efecto

¿Entiendes?

▶ **TEKS 2.A, 2.B**

7. ◉ **Causa y efecto** **Explica** el impacto de las historias de Cabeza de Vaca sobre las siete ciudades de oro durante la colonización de Texas.

....

....

8. ❓ **Piensa** en personas que conozcas que se hayan mudado a Texas, como tal vez tu familia o la familia de un compañero. Identifica y escribe por qué crees que dejaron su tierra natal y se mudaron a Texas.

mi Historia: Ideas

....

....

9. Resume las motivaciones, o razones, para la exploración europea y la colonización de Texas. Luego, en una hoja aparte, crea una tabla que **identifique** los logros de Cabeza de Vaca, Francisco Coronado y René-Robert Cavelier, Sieur de La Salle, incluyendo la oportunidad económica, las tierras que exploraron y su contribución al asentamiento en Texas.

....

....

....

Causa y efecto

Analizar una causa y sus efectos nos ayuda a entender lo que leemos. Una **causa** dice por qué ocurrió algo. Un **efecto** es lo que ocurrió. A veces los escritores usan las palabras *causa* y *efecto* para mostrar a los lectores cómo se relacionan los eventos o acontecimientos. Otras veces, tienes que buscar palabras clave, como *porque, si, entonces* y *cambió*, para poder identificar las causas y los efectos. Sigue los siguientes consejos mientras lees.

- Primero, lee el título para saber cuál es el tema.

- Identifica un cambio o efecto para ese tema y enciérralo en un círculo. Una causa puede tener más de un efecto.

- Para encontrar las causas, subraya el orden de los eventos o una descripción de cómo eran las cosas antes del cambio.

Lee el siguiente pasaje. Luego lee el diagrama para identificar la causa y el efecto.

Los españoles se establecen en el este de Texas

En 1685, La Salle trajo colonos, soldados y trabajadores franceses a lo que hoy consideramos el sureste de Texas. Construyeron un fuerte sobre tierras de las que España, enemigo de Francia, ya había tomado posesión. La Salle exploró el oeste hacia el río Grande. No vio ningún español. Luego fue hacia el este. Seguía sin ver españoles. Debe haberse preguntado dónde estaban los españoles. En realidad, no había asentamientos españoles en esa área. Pero La Salle cambió eso. En cuanto las autoridades españolas oyeron hablar de su colonia, enviaron soldados, sacerdotes y colonos a la región, porque así podrían defender las tierras de las que habían tomado posesión. Así comenzó la colonización española del este de Texas.

Causa	Efecto
Francia construyó un fuerte sobre tierras de las que España ya había tomado posesión. Francia y España eran enemigos.	Las autoridades españolas enviaron soldados, misioneros y colonos para colonizar el este de Texas.

Objetivo de aprendizaje

Aprenderé a analizar causas y efectos.

TEKS

SLA 11.C Describir las relaciones implícitas y explícitas que hay entre las ideas en textos organizados por causa y efecto.

ES 2.A Resumir las motivaciones para la exploración europea y la colonización de Texas, incluyendo la oportunidad económica, la competencia y el deseo de expansión.

ES 2.B Identificar los logros y explicar el impacto de importantes exploradores, incluyendo a Cabeza de Vaca; Francisco Coronado y René Robert Cavelier, Sieur de la Salle, en la colonización de Texas.

ES 21.B Analizar información identificando las relaciones de causa y efecto.

¡Inténtalo!

Vuelve a leer el primer párrafo de la página 140 y responde las siguientes preguntas sobre cómo analizar causas y efectos.

1. ¿Qué cambio se explica?

....

....

2. ¿Cuál era la situación en Europa antes del cambio explicado en la pregunta 1?

....

....

....

3. **Analiza** la información del párrafo para identificar una relación de causa y efecto.

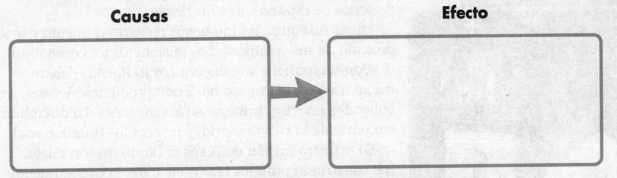

Causas   Efecto

4. Vuelve a leer la sección titulada **España llega a las Américas** de la página 140 para completar el siguiente diagrama de causa y efecto.

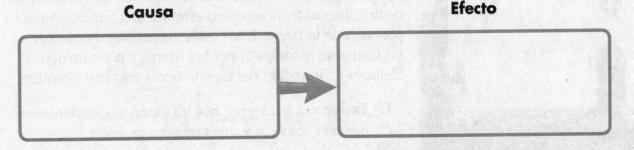

Causa   Efecto

SAVVAS realize. Conéctate en línea a tu lección digital interactiva.

149

Texas

Lección 2

Asentamientos españoles en Texas

¡Imagínalo!

Las ciudades cambian con el tiempo. Esta ilustración muestra cómo era El Paso hace cientos de años.

Los españoles ocuparon las tierras estableciendo misiones y pueblos. Una **misión** es un asentamiento donde se enseña religión. En las misiones españolas vivían misioneros e indígenas norteamericanos. El gobierno español quería construir misiones para expandir su territorio y tomar posesión de las tierras. También quería enseñar la fe católica y destrezas de trabajo a los nativos de la región.

Creación de las misiones

Los españoles comenzaron a construir misiones católicas en Texas a fines del siglo XVII. Las misiones y los misioneros que las administraban ayudaron a proteger y afianzar los derechos de España sobre las tierras.

En las misiones, los indígenas recibían alimento y se los protegía de sus enemigos. Los misioneros les enseñaban el idioma español y su religión. Los indígenas debían trabajar en agricultura o haciendo productos. A veces, eran obligados a vivir y trabajar en las misiones. La disciplina era parte de la rutina diaria, y a veces los trataban mal.

La primera misión de Texas se llamó misión Ysleta. Fue construida para los tiguas en 1682. El asentamiento que creció en las cercanías es hoy la ciudad de El Paso. La iglesia de la misión sigue abierta en la actualidad.

En el este de Texas, las misiones fueron construidas cerca de la Luisiana francesa para establecer colonias y tomar posesión de la tierra. Estas colonias podían desalentar a los franceses a competir por las tierras y a mantenerlos alejados de la región del este de Texas y la costa central.

1. **Explica** cuándo y por qué los españoles establecieron misiones católicas y asentamientos en Texas.

Las personas aún acuden a rezar a la misión Ysleta, la primera misión de Texas, en El Paso.

_____
_____
_____
_____
_____
_____

Es el año 1682 y tú acabas de mudarte a El Paso. Escribe lo que ves a tu alrededor.

DESCIFRA LA PREGUNTA PRINCIPAL ❓

Aprenderé por qué las misiones españolas y otras comunidades se establecieron en Texas y cómo era la vida entonces.

Vocabulario

misión   vaquero

presidio   quinceañera

villa

Otras misiones se fundaron sobre el río San Antonio. La más grande es la misión San José, construida alrededor del año 1720 cerca de la actual San Antonio. Los indígenas de la misión, al aprender destrezas de agricultura y ganadería, explotaron una gran porción de tierra. En el año 1749, ya arreaban 2,000 vacas y 1,000 ovejas. Irrigaban la tierra de cultivo y sembraban maíz, frijoles, lentejas, papas, caña de azúcar, algodón, melones y frutas. Construyeron molinos harineros que funcionaban con energía hidráulica, un granero (para guardar trigo y maíz) y talleres. También construyeron casas dentro de la misión, y así crearon una comunidad. Todo esto contribuyó al crecimiento y desarrollo económico de esta comunidad. En la actualidad, la misión se llama "Reina de las misiones". Forma parte del Parque Histórico Nacional Misiones de San Antonio.

TEKS
2.A, 2.C, 8.A, 12.C, 16.A, 19.C

2. Analiza la ilustración de la misión. **Identifica** y encierra en un círculo dos lugares en donde había oportunidades económicas.

La misión San José, en Texas

Campanario

Huerto

Molino harinero

Jardín

Iglesia

Habitaciones de los trabajadores y talleres

Entrada

Ganado

Presidios y villas

Algunos indígenas no querían que se construyeran misiones en sus tierras. Por ejemplo, en 1680, no muy lejos de Texas, en la actual Santa Fe, Nuevo México, los indígenas pueblo lucharon e hicieron que los españoles se retiraran de sus tierras.

Los españoles enviaron soldados para proteger las misiones de ataques. Establecieron fuertes llamados **presidios** cerca de las misiones. La llegada de los soldados contribuyó al desarrollo del área, porque traían noticias y correspondencia. Protegían los carros de provisiones y a quienes viajaban a la región. Algunos soldados y sus familias construían sus casas cerca del presidio. Al poco tiempo vinieron mercaderes a venderles productos de España. Las **villas**, es decir, los pueblos, solían crecer cerca de los presidios.

Misiones, presidios y villas de Texas

OK

AR

NM

LA

Nacogdoches

San Antonio

Goliad

MÉXICO

Golfo de México

LEYENDA
- 🏠 Misión
- ● Villa
- 🏠 Presidio
- — Frontera actual

0   100 mi
0   100 km

3. **Localiza** y encierra en un círculo los presidios con villas cercanas. **Explica** en qué lugares establecieron los españoles las villas en Texas y por qué lo hicieron allí.

Ya van nosta se alli esta as villas ñate los panlns.

También crecieron villas alrededor de misiones muy desarrolladas. Sin embargo, el gobierno español temía que esas villas no fueran suficientes. Necesitaban más españoles para expandir su territorio y tomar posesión de las tierras. Entonces, las autoridades españolas ofrecieron tierras, ganado, herramientas y armas a las personas que se mudaran a la Texas española. Los colonos venían de México y de otras partes del mundo. Por ejemplo, en la década de 1730, 55 personas llegaron desde las islas Canarias, un grupo de islas pertenecientes a España cerca de la costa oeste de África. Se establecieron en el área de San Antonio y fundaron el pueblo en 1731. En las villas, tanto hombres como mujeres sembraban y cosechaban los cultivos. Todos ayudaban con los animales. Algunos habitantes de las villas ofrecían servicios, como el comercio o la herrería. Para divertirse, las personas organizaban bailes, conciertos y fiestas.

En 1747, José de Escandón ideó un plan para establecer un asentamiento. Según él, el bajo río Grande era un buen lugar para que los colonos establecieran pueblos y comenzaran negocios de agricultura y ganadería. Las autoridades españolas aprobaron este plan y lo nombraron gobernador. Un par de años más tarde, la colonia tenía 23 villas. Algunas de ellas, como Laredo, estaban en la actual Texas. Las otras estaban al sur del río, en México. En la actualidad, Escandón es considerado el "padre" del valle del bajo río Grande por su importante trabajo en el desarrollo del área. De hecho, hay una estatua de don José de Escandón en Alice, Texas, que se convirtió en uno de los centros de transporte de ganado más grandes de los Estados Unidos a fines del siglo XIX.

Don José de Escandón

4. En el párrafo de arriba, subraya cuándo y dónde estableció una colonia José de Escandón. Luego **explica** por qué Escandón es un personaje importante de la historia de Texas.

....

....

....

Una mezcla de culturas

Todos los que vinieron a Texas trajeron con ellos su cultura. Los indígenas que llegaron primero trajeron su conocimiento sobre las plantas y los animales de América. Cuando llegaron los españoles, también aprendieron a cultivar y usar esas plantas que eran nuevas para ellos, como el maíz, la calabaza, los frijoles, los tomates y las papas. Los españoles también aprendieron sobre animales como el pavo y el búfalo.

Los españoles también trajeron plantas y animales nuevos a esta región. Trajeron los primeros caballos a Texas. El conocimiento de cómo criar y cabalgar caballos se extendió y cambió las vidas de los indígenas de las llanuras. Los españoles también trajeron el primer ganado vacuno, así como ovejas, cabras, cerdos y pollos. Trajeron nuevas frutas y verduras, como la lechuga, las uvas, las manzanas y las naranjas. La mezcla de personas y culturas cambió la manera de cocinar y de comer de las personas.

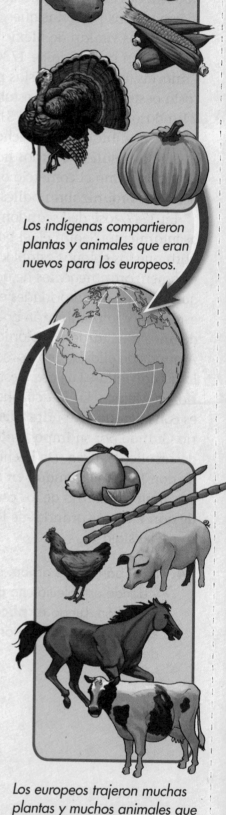

Los indígenas compartieron plantas y animales que eran nuevos para los europeos.

Los europeos trajeron muchas plantas y muchos animales que eran nuevos en las Américas.

5. ⊚ **Categorizar** **Identifica** y escribe algunas de las cosas que intercambiaron los europeos y los indígenas.

Intercambio indígena y europeo

De las Américas a Europa	De Europa a las Américas

154

Instrumentos musicales
de los indígenas

La mezcla de culturas también cambió la música. Los indígenas tocaban su música con flautas y tambores. En las misiones, conocieron instrumentos de cuerda como la guitarra, el violín y el arpa. Al poco tiempo aprendieron a tocar esos instrumentos y su música cambió. Esto escribió un sacerdote español en 1761:

> "La mayoría [de los indígenas] toca algún instrumento musical, como la guitarra, el violín o el arpa. Todos tienen buenas voces, y en las fiestas … un coro de cuatro … con acompañamiento musical, canta tan maravillosamente que es un deleite escucharlo".

—Sacerdote español, 1761

Algunos de los indígenas de las misiones se convertían, es decir, cambiaban, a la religión católica. Muchos de ellos se convertían sin dejar sus creencias tradicionales. Por ejemplo, pedían ayuda a los espíritus antes de una cacería. Otros, sin embargo, se negaban a cambiar su religión.

6. Causa y efecto **Analiza** los efectos de la exploración española en el desarrollo económico y cultural de Texas.

....

....

Herencia española en Texas

España gobernó el actual estado de Texas por más de cien años. Aún puedes encontrar herencia española dondequiera que mires. Puedes oírla, verla, comerla, vivir en ella y vestirte con ella.

Muchos texanos hablan español en sus casas y otros lo aprenden en la escuela. Todos usan palabras en español para ubicar lugares. Mira un mapa de Texas y verás muchos nombres en español, desde las montañas Guadalupe hasta la isla del Padre.

España fue una gran influencia en el arte y la arquitectura de Texas. Si visitas un museo de arte, verás la influencia española en muchas de las pinturas y esculturas. También hay bailes que tienen un estilo español. En la actualidad, muchas casas y edificios públicos están construidos con el estilo de las viejas misiones españolas. Las misiones mismas son símbolos importantes de la riqueza de herencia e historia que tiene Texas. Por ejemplo, El Álamo, la iglesia de una misión, fue restaurada para recibir visitantes. En la actualidad, este punto histórico es un símbolo de patriotismo para los texanos y para la nación.

La cultura española influyó en la ganadería y el rodeo. Fueron los **vaqueros** españoles quienes desarrollaron destrezas tales como amarrar y marcar el ganado. Las espuelas y las chaparreras que usaron los vaqueros texanos más adelante son herencia de los vaqueros españoles. Además, la palabra española *rodeo* se usa en el idioma inglés.

Un equipo de vaqueros amarra cabestros en un rodeo de Llano, Texas.

Algunas tradiciones que comenzaron en México son ahora también una tradición en Texas. El Día de los muertos es una tradición mexicana en la cual las familias celebran a los seres queridos que murieron. La **quinceañera** es otra tradición mexicana. Es una celebración que se hace a las niñas cuando cumplen 15 años.

7. **Identifica** y subraya una tradición mexicana en Texas. Luego **resume** las contribuciones de los españoles al desarrollo de Texas.

La quinceañera es una importante tradición familiar para muchos texanos de herencia mexicoamericana.

¿Entiendes?

TEKS 2.A, 2.C, 12.C

8. **Causa y efecto** **Analiza** y **explica** los efectos de la exploración española en el desarrollo económico de Texas.

9. Imagina que eres un sacerdote católico español que ha sido enviado a construir una misión en Texas en el siglo XVII. **Resume** los motivos por los que te pudo haber enviado el gobierno español.

mi Historia: Ideas

10. **Explica** cuándo, dónde y por qué los españoles establecieron asentamientos a través de la construcción de las siguientes misiones católicas en la Texas actual.

Misión Ysleta

Misión San José

Fuentes primarias y secundarias

Una **fuente primaria** está hecha o escrita por una persona que estuvo presente en un evento. Puede ser un artefacto, como una punta de lanza indígena. Las fuentes primarias también están compuestas por material oral, como un discurso o una grabación de un discurso o una entrevista, o por material visual o impreso, como un documento, una fotografía, una carta o un diario. Un diario son las anotaciones día a día de las noticias y los eventos en la vida de una persona. El extracto que sigue es una fuente primaria de un diario escrito por el marqués de Rubí en 1767. Rubí fue enviado a Texas por el rey de España para inspeccionar las defensas de la zona.

> *[La misión] Rosario… está ubicada en el lado sur del río…*
> *Sus posesiones y propiedades son… [no muy grandiosas] y el*
> *número de indígenas que tiene es incierto, pues es frecuente*
> *que deserten y huyan a la costa.*
>
> — *Marqués de Rubí (1767)*

Una **fuente secundaria** es información de segunda mano. Viene de alguien que no estuvo presente en un evento. Una biografía o un libro de texto, que pueden leerse en papel o en una computadora, son fuentes secundarias. El escritor reúne información sobre un momento, un lugar o una persona, y la describe con sus propias palabras. Por ejemplo:

> *La misión Rosario comenzó en el año 1754 para hacer las*
> *paces con los indígenas de la zona. Los españoles temían*
> *que los franceses ocuparan sus tierras. Por lo general, los*
> *indígenas pasaban el invierno en la misión y se iban en la*
> *primavera, cuando podían producir su propio alimento.*

Para saber cómo distinguir y usar fuentes primarias y secundarias válidas, hazte preguntas como estas:

- ¿Es una fuente del evento mismo? ¿El escritor usa verbos en presente para describir lo que ve?

- ¿El escritor saca conclusiones sobre un evento del pasado? ¿El escritor usa verbos en pasado?

Objetivo de aprendizaje

Aprenderé a distinguir y usar fuentes primarias y secundarias.

TEKS

SLA 24.A Seguir el plan de investigación para recopilar información de varias fuentes informativas, tanto orales como escritas.

ES 2.C Explicar cuándo, dónde y por qué los españoles se establecieron y establecieron misiones católicas en Texas.

ES 21.A Distinguir, localizar y usar fuentes válidas primarias y secundarias, tales como programas computacionales; entrevistas; biografías; material oral visual e impreso; documentos y artefactos para adquirir información sobre los Estados Unidos y Texas.

ES 22.D Crear material impreso y visual, como periódicos.

¡Inténtalo!

Usa las citas de la página anterior para **distinguir** entre fuentes primarias y secundarias válidas y **adquirir** información sobre los Estados Unidos y Texas.

1. **Localiza** y subraya un ejemplo de verbo en presente en la primera cita. **Explica** cómo esta información valida esta fuente como primaria.

2. **Identifica** un ejemplo de una conclusión que sacó el escritor en el segundo texto. **Explica** cómo esta información valida esta fuente como secundaria.

3. Ahora, usa ambas citas para **sacar tus propias conclusiones** y **adquirir** información sobre los Estados Unidos y Texas. **Usa** ejemplos de las citas para apoyar tu respuesta.

4. **Aplícalo** **Crea** tu propia fuente primaria en la que registres algún evento de tu vida que muestre que eres de Texas o de los Estados Unidos, como la entrada de un diario, una entrevista o un video. **Localiza y usa** material visual, artefactos y dibujos para agregar interés e información a tu trabajo. Para **expresar** tus ideas oralmente, **presenta** tu producto terminado a la clase.

Texas mexicana: Una nueva era

¡Imagínalo!

Los vaqueros de Texas usan estos elementos.

Un desfile celebra la independencia de México en Freeport, Texas.

En las primeras horas del 16 de septiembre de 1810, el padre Miguel Hidalgo hizo sonar las campanas de la iglesia en Dolores, México. Las personas se reunieron. "¡Muerte al mal gobierno!", gritaba el padre.

México se independiza de España

El grito de Hidalgo por la libertad comenzó una revolución en contra del gobierno colonial español en México. Una **revolución** es el derrocamiento de un gobierno y su reemplazo por otro. El 16 de septiembre se celebra en México y en los Estados Unidos el nacimiento de la independencia. Ese día de 1810, Hidalgo dirigió un ejército de rebeldes. Muchos de ellos eran campesinos y granjeros pobres. Los rebeldes estaban cansados de que el virrey colonial español los maltratara. Un **virrey** gobierna un país en representación de su rey y tiene el poder para actuar en nombre del rey. El virrey recaudaba impuestos de los mexicanos. España temía la expansión extranjera y necesitaba dinero para pagar las guerras que luchaba contra otras potencias europeas. El virrey también se llevaba gran parte de los alimentos que los rebeldes producían. Esto se transformó en una penuria particular ya que la región había estado pasando por un período de cosechas escasas.

1. **Identifica** las características del gobierno colonial español y su influencia en los habitantes de Texas.

....

....

160

Encierra en un círculo dos elementos. Luego explica para qué se usan.

DESCIFRA LA PREGUNTA PRINCIPAL

Aprenderé cómo los grandes cambios en el gobierno afectaron a los texanos.

Vocabulario

revolución   empresario

virrey

región fronteriza

Los rebeldes de Hidalgo, que no estaban entrenados y tenían muy pocas armas, lucharon contra los soldados españoles, que estaban entrenados con las mejores armas de la época. Luego de una terrible pérdida de vidas en batalla, Hidalgo se retiró al norte, hacia el interior de la Texas española. Allí consiguió seguidores y se lucharon más batallas. Pero los rebeldes pronto fueron derrotados. A Hidalgo lo capturaron, lo juzgaron y lo mataron.

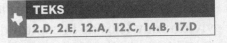

TEKS
2.D, 2.E, 12.A, 12.C, 14.B, 17.D

De todos modos, la guerra continuó. En enero de 1811, un hombre llamado Juan Bautista de las Casas dirigió una revolución de mexicanos que vivían en San Antonio contra el gobernador español de Texas. Casas tomó el poder y lo retuvo, aunque por poco tiempo. Personas leales a España capturaron a Casas. También lo juzgaron y lo mataron.

Los rebeldes mexicanos continuaron luchando contra los partidarios de los españoles en Texas. Finalmente, en 1821, la guerra terminó y México ganó su independencia. Ya no gobernaba un rey español en México.

2. Usa el texto para **identificar** en el mapa y encerrar en un círculo la ubicación de la revuelta de Juan Bautista de las Casas. Luego **identifica** la función de Texas en la guerra por la independencia de México contra el dominio español.

....

....

....

Texas bajo el dominio español y el mexicano

LEYENDA
Texas española (1810–1821)
Texas mexicana (1821–1836)

San Antonio (Capital española)

Saltillo (Capital mexicana)

Golfo de México

0   200 mi
0   200 km

SAVVAS realize.   Conéctate en línea a tu lección digital interactiva.

161

Tejanos y tejanas

La guerra de independencia de México tuvo un fuerte impacto en el desarrollo de Texas. Durante la guerra, se perdieron muchas vidas y se destruyeron hogares. Se redujeron el ganado y los cultivos. Después de la guerra, los mexicanos de Texas comenzaron a reconstruir sus comunidades. Los hombres, llamados tejanos, y las mujeres, llamadas tejanas, se pusieron a trabajar. Muchos tejanos eran ganaderos. Vivían en el sur de Texas, donde los pastos naturales crecían en abundancia en los valles del río y las llanuras. Otros vivían en ranchos y en los pueblos de San Antonio, Nacogdoches y Goliad. Los tejanos que vivían cerca de la colonia de Nacogdoches también se ganaban la vida comerciando con los franceses de Luisiana.

Los tejanos vivían en la región fronteriza de México. La **región fronteriza** es el lugar donde terminaban los asentamientos y comenzaban las tierras indígenas. También vivían muy lejos de la capital de México, Ciudad de México. Cuando se declaró la independencia, la noticia debió viajar muchas millas a través de accidentados caminos para llegar a San Antonio. En aquel tiempo, las noticias viajaban a la velocidad de un caballo con jinete.

Los tejanos y las tejanas tenían un fuerte sentido de la familia y la comunidad. Cada comunidad tenía su propio comisario o líder. Se designaron grupos de ciudadanos locales para cuidar la comunidad. Un grupo hacía leyes sobre el uso del agua, un recurso muy valioso. Otro grupo recaudaba dinero y hacía los arreglos necesarios para los festivales. Había un grupo que contrataba a los maestros y construía escuelas. Cuando los colonos comenzaron a llegar de los Estados Unidos, un grupo de tejanos ayudó al gobierno mexicano a escribir las leyes que les permitían entrar.

3. **Explica** cómo se ganaban la vida la mayoría de los tejanos. **Identifica** los recursos que necesitaban y las áreas en las que encontraban esos recursos.

....

....

....

....

....

Empresarios

Comparado con el gobierno colonial español, gobernado por un rey a través de un virrey, los primeros gobiernos mexicanos estaban a cargo de un presidente elegido y un congreso. El dinero de los impuestos no era enviado a España sino que se quedaba en México. Los primeros gobiernos mexicanos temían la expansión de los Estados Unidos. Entonces, para desarrollar la Texas mexicana, el gobierno mexicano hizo acuerdos con empresarios. Un **empresario** era un agente de tierras que traía colonos, dividía las tierras y mantenía el orden. A cambio, podía obtener dinero de los colonos y una gran donación de tierras del gobierno.

Martín de León fue un empresario que contribuyó en gran medida al asentamiento de Texas. Se mudó de Nuevo Santander, en México, a Texas y fundó una colonia en 1824. En la actualidad, el pueblo se llama Victoria. Martín de León y su esposa, Patricia de León, lograron muchas mejoras para la comunidad. Por ejemplo, como no había ninguna escuela allí, Patricia abrió una. Luego ayudó a fundar una iglesia. Martín de León ayudó a la colonia a crecer como un centro tejano para la cría y el transporte de ganado.

Lorenzo de Zavala también se transformó en un empresario. De joven, en México, había sido encarcelado por hablar públicamente contra el gobierno español. Era un líder político y era partidario de un gobierno democrático. Luego de la revolución mexicana, Zavala se dirigió a Texas. El nuevo gobierno dio a Zavala el derecho a ubicar a 500 colonos en una gran porción de tierras al noreste de Austin. Se convirtió en un importante defensor de la independencia texana.

4. **Explica** la motivación económica para alguien como Martín de León o Lorenzo de Zavala para convertirse en empresario. Luego **explica** cómo contribuyeron los empresarios al asentamiento de Texas.

Martín y Patricia de León

Lorenzo de Zavala

Este cuadro muestra ganaderos tejanos en el siglo XIX.

Ranchos y vaqueros

Los primeros exploradores españoles trajeron ganado, caballos, ovejas y cabras por primera vez a Texas. También trajeron la tradición española de la ganadería. La ganadería fue parte de la economía en los primeros tiempos de las misiones. Hacia fines del siglo XVIII, los rebaños de ovejas y ganado de las misiones eran miles. Los que aprendieron a cuidar el ganado fueron los indígenas de las misiones. En las misiones, el ganado se criaba por la carne, las pieles y el sebo, es decir, la grasa. Las pieles se convertían en objetos de cuero y el sebo se usaba para hacer velas.

Los tejanos continuaron con la tradición en los ranchos. Se establecieron en el sur de Texas, en donde crecía naturalmente suficiente pasto para alimentar grandes hatos de animales. Los vaqueros arreaban el ganado desde los ranchos hasta los mercados del norte, como Nacogdoches, así como hasta los que estaban a cientos de millas en Luisiana y hacia el sur en Coahuila, México.

Durante la década de 1830, nuevos colonos comenzaron a llegar a la Texas mexicana desde los Estados Unidos. La mayoría eran agricultores. Aprendieron sobre ganadería de los tejanos. Por ejemplo, en inglés se usan las palabras *rodeo*, *lasso*, *bronco*, *corral* y *stampede*, que vienen del español.

5. **Causa y efecto Examina** el cuadro para **analizar** los efectos y las contribuciones de los exploradores españoles al desarrollo de Texas.

....

....

....

....

....

....

....

Como la mayoría de los tejanos, Erasmo Seguín era ganadero. También era estadista, hombre de negocios y administrador de correos. Sirvió al gobierno de México y ayudó a escribir su constitución en 1824. En Ciudad de México, promovió los intereses del pueblo de San Antonio. Cuando los nuevos colonos comenzaron a ingresar a la Texas mexicana desde los Estados Unidos, Seguín hizo que el gobierno les diera la bienvenida. Se convirtió en un importante amigo para los nuevos colonos.

6. **Resume** los logros de Erasmo Seguín.

....

....

....

....

¿Entiendes?

7. **Causa y efecto** **Identifica** por qué el gobierno español encarceló a Zavala. Luego **explica** cómo Zavala demostró su participación activa en el proceso democrático.

....

....

8. Tu familia se mudó al antiguo asentamiento de Victoria. **Identifica** de qué manera los logros de los importantes empresarios Martín y Patricia de León los alentaron a mudarse allí.

mi Historia: Ideas

....

....

9. **Identifica** las características de los primeros gobiernos mexicanos y su influencia en los habitantes de Texas.

....

....

Empresarios y nuevos colonos

¡Imagínalo!

A principios del siglo XIX, la mayoría de los niños en Texas debían hacer muchas tareas domésticas.

En la actualidad, se conoce a Stephen F. Austin como el padre de Texas.

En los últimos días del dominio español, un hombre de negocios de los Estados Unidos, Moses Austin, ideó un plan audaz. Comenzando una colonia en la Texas española, ganaría dinero y obtendría tierras fértiles. Aunque ningún estadounidense había hecho esto antes, se encaminó hacia San Antonio.

La colonia de Austin

Cuando llegó allí, Moses Austin se encontró con un viejo amigo. Fue una suerte para él, porque su amigo español conocía a las autoridades. Con la ayuda de su amigo, el plan de Austin fue aceptado. El gobierno le cedería tierras si Austin traía 300 familias, más tarde conocidas como los "Old Three Hundred" (los primeros trescientos).

Moses Austin murió poco tiempo después de volver a su hogar. Quien llevó a cabo su plan fue su hijo, Stephen F. Austin. Cuando Stephen F. Austin llegó a la Texas mexicana, había un nuevo gobierno. Entonces, el joven Austin tuvo que viajar hasta Ciudad de México. Le llevó un año, pero pudo convencer a las nuevas autoridades de que los colonos de los Estados Unidos le harían bien a México. Ayudarían a que Texas volviera a ser un lugar seguro y productivo.

Austin escogió cuidadosamente las tierras para su colonia. Quería tierras cercanas a ríos y que tuvieran buen suelo para desarrollar actividades económicas, como cultivar y criar ganado. Encontró lo que buscaba entre el río Colorado y el río Brazos. Había mucha tierra fértil, agua dulce y árboles para construir casas.

1. ◉ **Causa y efecto** En el párrafo anterior, **identifica** y subraya un logro de Stephen F. Austin que haya sido importante para el desarrollo de Texas.

Haz una lista de las tareas domésticas que haces.

DESCIFRA LA PREGUNTA PRINCIPAL

Aprenderé por qué las personas se mudaron a Texas y cómo era su vida cuando llegaron aquí.

Vocabulario

milicia

inmigrante

cultivo comercial

Luego, Austin comenzó a reclutar colonos. Necesitaba gente trabajadora que desarrollara los terrenos. Era un buen momento para encontrar colonos de los Estados Unidos, porque muchos de ellos querían mudarse al oeste, donde las tierras eran más baratas. En la colonia de Austin podían obtener un gran terreno por un precio bajo. A medida que comenzaron a llegar los primeros colonos, Austin tenía mucho que hacer. Dividía las tierras. Gobernaba como juez. Protegía las colonias como jefe de la **milicia**, es decir, los soldados voluntarios. ¿Y qué ganaba Stephen F. Austin? Recibía dinero por sus servicios y también recibió 197,000 acres de tierra. Esa fue su bonificación por traer colonos a Texas desde los Estados Unidos.

TEKS
2.E, 8.A, 8.B, 8.C, 12.B, 12.C, 20.A

2. En el mapa, **localiza** el río Colorado y el río Brazos. Encierra en un círculo las áreas sobre esos ríos dentro de la colonia de Austin. Luego **explica** cuáles fueron los motivos económicos de Austin para ubicar su asentamiento en esa región geográfica.

La colonia de Austin

0 — 100 mi
0 — 100 km

Río Colorado

Río Trinidad

Río Brazos

Río Sabine

Río Red

Nacogdoches

Texas mexicana

LA

Río Guadalupe

San Felipe

San Antonio

Bahía (Goliad)

Río Nueces

Golfo de México

San Patricio

MÉXICO

Río Grande

LEYENDA
- La colonia de Austin
- Camino principal de inmigrantes

Los primeros colonos

Los colonos que se mudaron a la colonia de Austin eran inmigrantes que hablaban inglés. Un **inmigrante** es una persona que se muda a un país nuevo. Los colonos angloamericanos que se mudaron a Texas eran llamados *texians*. La mayoría de ellos eran plantadores de los estados del sur, como Luisiana, Alabama, Arkansas, Tennessee y Missouri. Los plantadores de estos estados sembraban cultivos comerciales como el algodón y el tabaco. Los **cultivos comerciales** se cultivan para vender en el mercado. Cuando algunos plantadores vinieron a la Texas mexicana, trajeron con ellos esclavos afroamericanos. Los esclavos afroamericanos trabajaban los campos de algodón.

Como los primeros colonos necesitaban un pueblo, Austin fundó San Felipe de Austin cerca del centro de la colonia. En 1824, el lugar era solo bosques y pastizales. Solo cuatro años más tarde, había un hotel, una herrería, tres tiendas y entre 40 y 50 cabañas de troncos. Esta colonia de Texas crecía rápidamente.

Una mujer llamada Jane Long se mudó a la colonia en 1837. Se había mudado a la Texas mexicana con su familia y una joven sirviente llamada Kian en 1819. En el invierno de 1821, el esposo de Jane, un soldado, se fue, prometiendo que en un mes volvería. Jane lo esperó en el fuerte Las Casas. A medida que el invierno se hizo más crudo, todos se fueron del fuerte, incluso los guardias. Pero Jane seguía esperando con su familia y Kian. Lo que no sabía es que su esposo había muerto.

Sin comida, Jane pescaba o cazaba pájaros para alimentarse. Temerosa de los indígenas que estaban cerca, Jane a veces disparaba un cañón. No fue sino hasta la llegada de la primavera que Jane decidió irse del fuerte vacío. Por su coraje, a menudo se la llama la Madre de Texas. En la colonia de Austin, Jane administró un hotel con la ayuda de Kian.

Jane Long disparaba un cañón para hacer creer a los indígenas cercanos que los soldados aún defendían el fuerte.

3. Completa la tabla para **comparar y contrastar** la vida de Jane Long en el fuerte y su vida en la colonia de Austin.

La vida en el fuerte	La vida en la colonia
	Estaba rodeada de personas.
	Podía comprar comida.
	Estaba protegida por la colonia.
	Tenía su propio negocio.

Muchos colonos viajaron a Texas en carretas.

Llegan colonos a Texas

En todos los Estados Unidos, se empezó a oír hablar de las tierras fértiles y baratas de la Texas mexicana. Como miles de personas comenzaron a irse a Texas, les pusieron apodos. Los llamaban los *Go-Aheads* ("adelante") o los GTT, por las iniciales de *Gone to Texas*, que en español significa "rumbo a Texas".

Los inmigrantes venían como podían. Algunos simplemente caminaban o venían a caballo con sus pertenencias atadas a la montura. La mayoría llenaba un carromato con todo lo que podían poner. Luego, lentamente, avanzaban con dificultad hacia el oeste por caminos de tierra. Las personas de Missouri apilaban sus pertenencias y el ganado en barcazas e iban río abajo por el Mississippi. Cuando llegaban a Nueva Orleans, un barco los llevaba hasta la Texas mexicana.

Los recién llegados se asentaron en agrupaciones en las antiguas tierras de los karankawas. Los karankawas estaban enojados porque estaban ocupando sus tierras. Enviaban grupos para atacar a los recién llegados.

En 1830, un hombre llamado Gail Borden llegó a la colonia de Austin. Fundó un periódico en inglés para que los colonos tuvieran la información que necesitaban. Años más tarde, Borden se convirtió en un exitoso inventor. Uno de sus inventos, que aún usamos en la actualidad, es la leche condensada. Borden hizo tanto dinero con su invento que donó dinero a escuelas y otras buenas causas.

Gail Borden

4. En el párrafo anterior, **identifica** y subraya una manera en que Gail Borden ayudó a mejorar la vida de los primeros colonos.

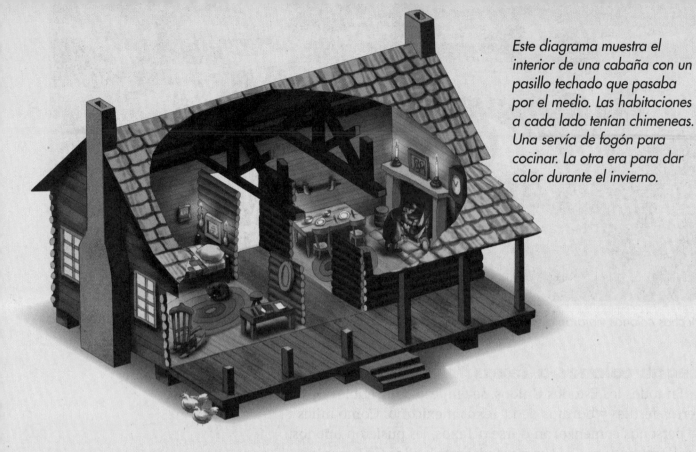

Este diagrama muestra el interior de una cabaña con un pasillo techado que pasaba por el medio. Las habitaciones a cada lado tenían chimeneas. Una servía de fogón para cocinar. La otra era para dar calor durante el invierno.

La vida diaria en la colonia de Austin

Cuando los colonos recibían sus terrenos, debían hacer dos cosas rápidamente. Debían construir un refugio en donde vivir y plantar un jardín. Construían sus refugios y la mayoría de sus muebles con los materiales que tenían disponibles: piedras, lodo y madera. El refugio era a menudo una cabaña de troncos. Tenía dos habitaciones y un pasillo techado en el medio. A los perros les gustaba la sombra del pasillo, y la brisa que lo atravesaba refrescaba las habitaciones. Una integrante de los antiguos colonos de Texas, Frances Van Zandt, escribió:

"Cuando la necesidad era urgente, solíamos encontrar la manera de hacer las cosas…"

—*las cartas de Van Zandt, 1905*

Había mucho trabajo que hacer. Como se cocinaba sobre fuego, había que cortar mucha leña. Los niños reunían la leña pequeña. Todos ayudaban a proveer alimento. Los niños varones y los hombres cazaban pavos, ciervos y gansos. Pescaban en los arroyos. Las mujeres y los niños pequeños trabajaban en el jardín y recolectaban bayas y nueces. Toda la familia trabajaba en los campos de maíz y de algodón. Había que plantar los cultivos, quitar las malas hierbas y recolectar los cultivos. También había tareas domésticas. Los niños podían ordeñar las vacas, alimentar el ganado y los pollos y recolectar huevos. Siempre había que coser, cocinar, lavar y hacer velas.

En un principio, San Felipe era el único pueblo de la colonia, y muchos colonos vivían lejos de allí. Había familias que debían esperar a los vendedores ambulantes para comprar productos, como telas para hacer ropa. Tampoco había muchos médicos. Las enfermedades eran una amenaza común para los colonos.

¿Necesitaban ir a la escuela los niños? Al estar lejos del pueblo, los padres enseñaban a los niños en sus casas. En San Felipe, la primera escuela se construyó en 1829. Había 40 estudiantes, en su mayoría varones. Pero al año siguiente, había cuatro escuelas en la comunidad, y la cantidad de estudiantes casi se duplicó.

Se cocinaba sobre una fogata.

5. **Resume** cómo sería un día típico para una persona de tu edad viviendo en una comunidad lejos de San Felipe.

....

....

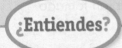

TEKS 2.E, 8.C, 12.C

6. ⦿ **Causa y efecto** **Explica** el impacto de Stephen F. Austin en la colonización de Texas.

....

....

7. ❓ Imagina que es el año 1829. Tu familia acaba de mudarse desde una ciudad de Missouri a San Felipe de Austin. Escribe una carta a un amigo de Missouri. **Describe** cómo los inmigrantes como tú influyeron en la economía.

mi Historia: Ideas

....

....

8. En una hoja aparte, construye un mapa de la Texas mexicana que muestre el río Brazos y el río Colorado. Luego **ubica** y colorea las áreas de la colonia de Austin colonizadas en 1834. **Identifica** y **explica** los factores geográficos que influyen en los patrones de población de Texas, tanto en el pasado como en el presente.

Lección 1 — TEKS 2.A, 2.B

Los europeos exploran Texas

1. **Identifica** los exploradores según sus logros en el asentamiento de Texas.

   .... fue el primer explorador que llegó a Texas en 1519 e hizo un mapa de la costa.

   .... lideró una expedición española a través de Texas en busca de oro y regresó al México español con conocimientos del área.

   .... fue un explorador francés que construyó un fuerte y provocó que las autoridades españolas reforzaran las tomas de posesión.

2. **Causa y efecto** En el diagrama, **describe** dos efectos.

Causa

> Cabeza de Vaca informó que había oído hablar sobre ciudades de oro llamadas Cíbola.

Efecto

a.

b.

3. **Resume** los motivos por los cuales Francia y España enviaron exploradores para colonizar las Américas y Texas.

   ....

   ....

Lección 2 — TEKS 2.A, 2.C, 8.A, 12.C, 16.A, 19.C

Asentamientos españoles en Texas

4. **Explica** dónde y por qué los españoles establecieron las siguientes misiones católicas en la Texas actual. La primera descripción ya está completa.

   Este de Texas, siglo XVII, cerca de Luisiana, para proteger de los franceses las tierras de las que los españoles habían tomado posesión

   Sur de Texas, misión San José, 1720

   ....

   ....

   Oeste de Texas, misión Ysleta, 1682

   ....

5. **Analiza** los efectos de la exploración española en el desarrollo de los asentamientos en Texas.

   ....

   ....

   ....

   ....

   ....

6. Resume las contribuciones de los practicantes de la religión católica al desarrollo de Texas.

....

....

....

....

....

....

....

Lección 3   TEKS 2.D, 12.C, 14.B, 17.D

Texas mexicana: Una nueva era

7. Identifica el impacto de la guerra de independencia de México en el desarrollo de Texas.

....

....

....

....

....

....

8. Analiza los efectos que los inmigrantes mexicanos tuvieron en el desarrollo económico de Texas durante la década de 1830.

....

....

9. Completa la tabla para **identificar** y **comparar** las características del gobierno colonial español y los primeros gobiernos mexicanos, e **identifica** la influencia que estos tuvieron en los habitantes de Texas.

Dominio español	Dominio mexicano
Gobernados por el rey de España a través de un	Gobernados por un presidente elegido y un ....
El dinero de los impuestos se enviaba a España.	El dinero de los impuestos quedaba en México.
Temían la expansión	Temían la .... de los Estados Unidos.

10. Lee la pregunta con atención. Determina cuál es la mejor respuesta entre las cuatro opciones. Encierra en un círculo la mejor respuesta.

¿Por qué se considera a Lorenzo de Zavala una figura histórica importante?

A Representó la participación activa en el proceso democrático durante la época española.

B Ayudó a hacer que la época española fuera más democrática.

C Habló públicamente a favor de los derechos de los indígenas de las misiones.

D Fundó una colonia y un pueblo llamado Victoria en 1824.

Lección 4 TEKS 2.E, 6.B, 12.A, 12.B, 21.A

Empresarios y nuevos colonos

11. **Explica** cómo se ganaban la vida los colonos de Stephen F. Austin. **Explica** los factores geográficos que influyeron en su decisión al momento de escoger dónde asentarse.

....

....

....

....

....

....

12. Para completar el mapa, colorea o sombrea para **mostrar** lo que sabes acerca de la distribución en Texas de la población tejana y de la población inmigrante de los EE. UU. durante el siglo XIX.

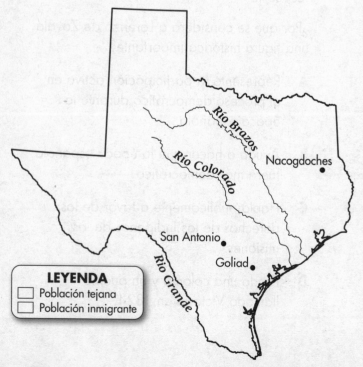

LEYENDA
☐ Población tejana
☐ Población inmigrante

13. **Analiza** la siguiente fuente primaria, escrita por un visitante de la colonia de Austin. Luego responde la pregunta.

"[Thomas Bell vivía] en una pequeña cabaña en el [medio] de un pequeño claro … Su esposa, toda una dama, me dio la bienvenida como si fuera la dueña de una mansión. Toda la familia estaba vestida con cuero de alce, y cuando se anunció la cena, nos sentamos sobre unos taburetes … alrededor de una mesa hecha con tablas".

—*Noah Smithwick, 1900*

Stephen Austin buscaba buenos colonos para su colonia. ¿Logró su propósito? **Explica** tu respuesta.

....

....

....

14. **¿Por qué las personas se van de su tierra natal?**

TEKS 2.A, 2.C, 2.E

Las personas se fueron de su tierra natal y vinieron a Texas por diferentes motivos. **Identifica** el motivo más común para los siguientes grupos.

a. Exploradores ....

b. Misioneros ....

c. Tejanos ....

d. Empresarios ....

e. Inmigrantes de los Estados Unidos

Conéctate en línea para escribir e ilustrar tu **myStory Book** usando **miHistoria: Ideas** de este capítulo.

 ¿Por qué las personas se van de su tierra natal?

TEKS

ES 2.A, 2.C, 2.E, 22.D
SLA 15

Las personas que se fueron de su tierra natal a poblar la Texas española o mexicana vinieron por diferentes motivos. Los viajes eran siempre lentos y peligrosos. En la actualidad, se puede viajar rápido y seguro en avión, carros y trenes. Es más fácil movilizarse para ir a un nuevo trabajo, para estar cerca de la familia o para ir a la universidad.

Piensa en un lugar al que algún día te gustaría mudarte. Crea una entrada de diario y **describe** cómo es el lugar y por qué lo escogiste.

....

....

....

....

Ahora haz un dibujo de lo que más te gusta de ese lugar.

SAVVAS realize™ Conéctate en línea a tu lección digital interactiva.

175

La Revolución y la República de Texas

 mi Historia: ¡Despeguemos!

¿Cómo modela el pasado nuestro presente y nuestro futuro?

Describe algunos de los días festivos que las personas celebran en tu comunidad. Luego **explica** cómo estos días festivos nos relacionan con el pasado.

....

....

....

....

Conocimiento y destrezas esenciales de Texas

3.A Analizar las causas, acontecimientos importantes y efectos de la Revolución de Texas, incluyendo la Batalla del Álamo, la Declaración de Independencia de Texas, la huida de los tejanos por temor a las represalias del ejército mexicano (Runaway Scrape) y la Batalla de San Jacinto.

3.B Resumir las importantes contribuciones de individuos de Texas tales como William B. Travis, James Bowie, David Crockett, George Childress y Sidney Sherman; tejanos Juan Antonio Padilla, Carlos Espalier, Juan N. Seguín, Plácido Benavides y José Francisco Ruiz; mexicanos Antonio López de Santa Anna y Vicente Filisola y los no combatientes Susanna Dickinson y Enrique Esparza.

3.C Identificar importantes líderes que ayudaron a fundar Texas como república y estado, incluyendo a José Antonio Navarro, a Sam Houston, a Mirabeau Lamar y a Anson Jones.

3.D Describir los éxitos, los problemas y las organizaciones de la República de Texas tales como el establecimiento de una constitución, las luchas económicas, las relaciones con los grupos indígenas norteamericanos y con los Rangers de Texas.

6.A Utilizar recursos geográficos, incluyendo sistemas grid, lectura de mapas, símbolos, escalas numéricas y compases rosa (rosa de los vientos) para construir e interpretar mapas.

7.A Describir una variedad de regiones en Texas y en los Estados Unidos tales como la población política y las regiones económicas que resultan de cambios en la actividad humana.

15.A Identificar los propósitos y explicar la importancia de la Declaración de Independencia de Texas, la Constitución de Texas y otros documentos tales como el Tratado Meusebach-Comanche.

16.A Explicar el significado de los diferentes símbolos y puntos patrióticos de Texas, incluyendo las seis banderas sobre Texas, el Monumento de San Jacinto, el Álamo y otras misiones.

16.D Describir los orígenes y la significancia de las celebraciones del estado, tales como el Día de la Independencia de Texas y el Día de la Emancipación (Juneteenth).

17.A Identificar importantes individuos que han participado en forma voluntaria en asuntos cívicos, en el estado y a nivel local, tales como Adina de Zabala y Clara Driscoll.

17.B Explicar cómo las personas pueden participar voluntariamente en asuntos cívicos, en el estado y a nivel local, a través de actividades tales como respetando las disposiciones de los oficiales públicos, escribiendo cartas y participando en la conservación de la historia y en los proyectos de servicio.

17.D Identificar la importancia de algunos individuos y personajes históricos quienes han participado activamente en el proceso democrático, tales como Sam Houston, Barbara Jordan, Lorenzo de Zavala, Ann Richards, Sam Rayburn, Henry B. González, James A. Baker III, Wallace Jefferson y otros individuos locales.

18.B Identificar las cualidades de liderazgo que han presentado líderes estatales y locales, en el pasado y en el presente.

21.B Analizar información, ordenando en una secuencia, categorizando, identificando las relaciones de causa y efecto, comparando, contrastando, encontrando la idea principal, resumiendo, formulando generalizaciones y predicciones y formulando inferencias y sacando conclusiones.

21.C Organizar e interpretar información en bosquejos, reportes, bases de datos y visuales, incluyendo gráficos, diagramas, líneas cronológicas y mapas.

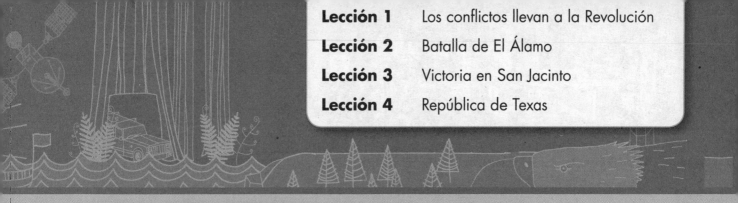

El Álamo

Un símbolo de la libertad de Texas

mi Historia: Video

Amir está visitando uno de los puntos históricos más famosos de Texas: El Álamo. "¡No puedo creer que esté justo en medio de la ciudad de San Antonio!", exclama. "Es extraño que un lugar histórico esté rodeado de tantos edificios modernos". Amir sabe que El Álamo desempeñó un papel importante en la historia de Texas. "¡Me encanta estar aquí!", dice.

Amir es recibido en la entrada principal por Sherri, una educadora del museo. "¿Esa es la misión?", pregunta. "Sí, es el edificio más conocido aquí en El Álamo", sonríe Sherri, "pero El Álamo es más que solo una iglesia. El lugar ocupa 4.2 acres e incluye una mezcla de edificios históricos y modernos". Sherri lleva muchos años trabajando en El Álamo. Hoy, es la guía de Amir en una visita al lugar, y le explica por qué este punto histórico tiene un significado tan especial para los texanos.

Amir y Sherri frente a la misión en El Álamo

La ciudad de San Antonio se desarrolló alrededor de El Álamo.

Los visitantes de El Álamo pueden atravesar estas arcadas mientras aprenden sobre la historia de Texas y la lucha por la independencia de Texas.

Campana en El Álamo

"La misión fue construida en 1744, y se transformó en un lugar importante para cristianizar y educar a los indígenas norteamericanos", explica. "No solo fue una de las primeras misiones españolas en la zona, sino que también desempeñó un rol fundamental en las batallas que se pelearon aquí".
Durante la Revolución de Texas, la misión funcionó como un lugar de refugio para los combatientes texanos. "Una vez que los rebeldes *Texians* tomaron el control de San Antonio y de El Álamo, decidieron defender El Álamo ante un posible regreso del ejército mexicano", dice. "Así que se refugiaron en esta vieja misión fortificada. A pesar de estar protegidos por los muros de la misión, los combatientes texanos no estaban a la altura del ejército mexicano".
El 6 de marzo de 1836, las tropas mexicanas atacaron los muros de la misión e invadieron el lugar. La batalla solo duró 90 minutos mientras *Texians* y tejanos peleaban su última batalla.
Otro edificio importante del complejo es una larga estructura de piedra caliza llamada *Long Barrack*. "Originalmente fue construida como un convento de dos pisos", dice Sherri. "Funcionaba como cuarteles y a la vez como oficinas para los misioneros españoles". Si bien el edifico cambió mucho a través de los años, aún conserva la importancia que adquirió en la Batalla de El Álamo. "Este edificio es otro de los lugares donde los defensores de El Álamo pelearon contra las tropas mexicanas", dice Sherri. "Entiendo por qué decidieron luchar desde aquí", responde Amir. "Estos muros de piedra les brindaban mucha protección".

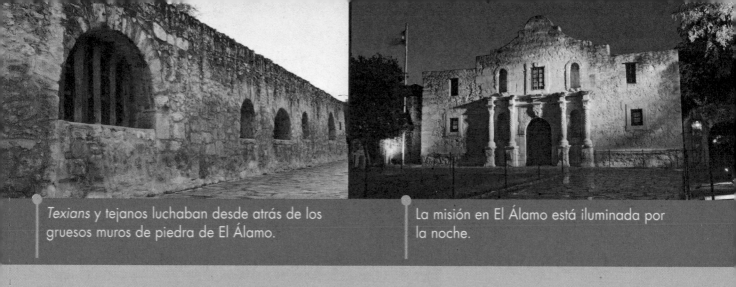

Texians y tejanos luchaban desde atrás de los gruesos muros de piedra de El Álamo.

La misión en El Álamo está iluminada por la noche.

El período de la República de Texas fue muy complicado para San Antonio y El Álamo, pero los acontecimientos que tuvieron lugar aquí nunca fueron olvidados. *"Recuerden El Álamo* sirvió como el grito de batalla cuando los *Texians* finalmente derrotaron a las tropas del general Antonio López de Santa Anna en la Batalla de San Jacinto", dice Sherri. "Ah, sí, eso es cuando Texas derrotó a Santa Anna y ganó su independencia", agregó Amir.

Después de que Texas se unió a los Estados Unidos, el ejército estadounidense decidió reconstruir la misión abandonada y convertirla en un depósito para abastecer a los fuertes de todo Texas. "El Álamo había sido dañado en la batalla", dice Sherri. Así que el ejército ayudó a la misión cuando decidió reconstruir algunas de las estructuras en 1847. También ayudó a la ciudad de San Antonio. "A medida que más y más personas se mudaban al área, las necesidades de la ciudad aumentaban", explica Sherri. "Y ese es el motivo por el cual El Álamo está justo en en el corazón de San Antonio. ¡La ciudad se construyó a su alrededor!".

A medida que la visita de Amir llega a su fin, Amir siente ahora un mayor reconocimiento por el rol que desempeñó El Álamo en la historia de Texas. "El Álamo no solo representa la lucha de nuestro estado por la independencia", dice Amir. "También simboliza nuestro orgullo y sacrificio".

Este monumento se conoce como El espíritu del sacrificio. Muestra y nombra a muchas de las personas que lucharon y murieron en El Álamo.

Piénsalo Según esta historia, ¿cómo influyeron los acontecimientos del pasado en El Álamo y en la ciudad de San Antonio? A medida que lees el capítulo, piensa en los acontecimientos que sucedieron y cómo influyeron en las personas que vivían en Texas en ese entonces, y cómo influyen en nosotros en la actualidad.

Los conflictos llevan a la Revolución

Todos los ciudadanos tendrán derecho a expresar, escribir o publicar sus opiniones sobre cualquier tema.

Este enunciado se encuentra en la primera constitución, o plan de gobierno, de Texas.

Al principio, la vida en las colonias de Texas no cambió mucho bajo el gobierno mexicano. De acuerdo con la Constitución de 1824, los líderes aceptaron organizar Texas como parte del estado de Coahuila y Texas. Para contribuir al crecimiento de Texas, el gobierno aprobó leyes que permitían que más inmigrantes se mudaran a Texas.

Problemas en las colonias de Texas

Durante las décadas de 1820 y 1830, los inmigrantes que se mudaron a Texas desde los Estados Unidos se convirtieron en ciudadanos mexicanos. Sin embargo, había algunos problemas. Uno de ellos era el hecho de que los ciudadanos nuevos debían convertirse en católicos romanos. Muchos de los inmigrantes eran protestantes que tenían creencias y prácticas diferentes de las de los católicos. Dado que no deseaban cambiar de religión, estos recién llegados a menudo ignoraban la ley.

Surgieron otros problemas. Los colonos de los Estados Unidos no aprendieron a hablar español. Tampoco cambiaron su cultura ni su modo de vida.

Otro problema era la esclavitud. La esclavitud seguía siendo legal en algunos lugares de los Estados Unidos. Pero era ilegal en México. De todos modos, el gobierno de Coahuila y Texas permitía que los dueños de esclavos que llegaban a Texas desde los Estados Unidos llevaran esclavos. Los amos llamaban a los esclavos "siervos por contrato" para sortear la ley. Los colonos temían que el gobierno mexicano cambiara de opinión.

Los inmigrantes se mudaron a Texas desde los Estados Unidos, y abrieron negocios, como esta tienda.

DESCIFRA LA
PREGUNTA PRINCIPAL
?

Aprenderé por qué y cómo las colonias de Texas se rebelaron contra México y lograron su independencia.

Vocabulario

impuesto	delegado
convención	república
dictador	petición
derecho	

Describe alguna situación actual de tu vida que se relacione con tu derecho a la libertad de expresión.

En 1830, México aprobó una ley para disminuir la inmigración desde los Estados Unidos. Ya no podían ir esclavos. La ley también creaba un nuevo impuesto sobre los bienes. Un **impuesto** es dinero que cobra un gobierno a cambio de servicios. A los habitantes de Texas les preocupaba que se perjudicaran sus negocios.

En 1832 y 1833, los colonos organizaron convenciones en San Felipe de Austin para hablar sobre esos asuntos. Una **convención** es una reunión formal. Los colonos querían que Texas se convirtiera en un estado independiente dentro de México para que pudieran tomar sus propias decisiones.

En 1833, en México nombraron presidente a Antonio López de Santa Anna, un famoso héroe militar. Pronto, se convirtió en un dictador. Un **dictador** es un gobernante que no responde ante el pueblo. Los actos de Santa Anna como presidente de México contribuyeron a la independencia de Texas. La convención de Texas designó a Stephen F. Austin para que viajara a Ciudad de México a hablar con funcionarios mexicanos. Austin fue a Ciudad de México, pero esperó durante meses para encontrarse con los funcionarios mexicanos. Finalmente, escribió a los funcionarios de Texas para decirles que establecieran un gobierno del estado. Cuando Santa Anna se enteró de eso, pensó que los habitantes de Texas estaban a punto de rebelarse. Hizo arrestar a Austin y lo envió a prisión.

TEKS
3.A, 3.B, 3.C, 3.D, 15.A, 16.D, 17.D

1. **Resume** una contribución importante de Antonio López de Santa Anna a la historia de Texas.

decisiones. En 1833 en méxico nombrarom presidente a antonio López de Santo Anna

General Antonio López de Santa Anna

Comienza la Revolución de Texas

Los habitantes de Texas se molestaron por el arresto de Austin. Esta fue una de las primeras causas de la Revolución de Texas, porque Santa Anna atropellaba los **derechos**, o las libertades, de los ciudadanos mexicanos. Los colonos pensaban que la Constitución Mexicana de 1824 protegía su libertad.

En julio de 1835, Austin salió de prisión. Más tarde ese año, Santa Anna envió tropas a Texas. Esta fue otra de las causas de la Revolución de Texas. El combate comenzó el 2 de octubre de 1835, en el pueblo de Gonzales. Los soldados mexicanos tenían órdenes de sacar un cañón del pueblo. Los pobladores tenían otros planes. Alguien dibujó un cañón sobre una enorme bandera blanca con las palabras: *VENGAN A BUSCARLO*. Hubo una corta batalla. En ella, colonos y un grupo de soldados de Texas vencieron a los soldados mexicanos. La semana siguiente, un pequeño grupo de soldados de Texas tomó Goliad. Creían que el fuerte mexicano que había ahí era una amenaza para los colonos.

Si bien las batallas de Gonzales y Goliad fueron pequeñas victorias, levantaron la moral de los colonos. Ellos tenían el valor y la experiencia para vencer al ejército de Santa Anna. Estaban listos para la revolución. En el mapa se muestran algunas de las primeras batallas de la guerra por la independencia de Texas. Como dijo uno de los pobladores:

"Debemos luchar por nuestros hogares, o abandonarlos y huir".

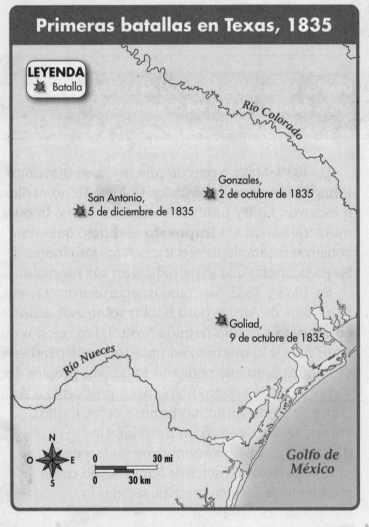

Primeras batallas en Texas, 1835

LEYENDA
✸ Batalla

Río Colorado

Gonzales,
2 de octubre de 1835

San Antonio,
5 de diciembre de 1835

Goliad,
9 de octubre de 1835

Río Nueces

Golfo de México

N O E S

0   30 mi
0   30 km

2. ◉ **Sacar conclusiones** Identifica las batallas de Goliad y Gonzales en el mapa y enciérralas en un círculo. **Explica** por qué esas dos victorias fueron importantes en el combate por la independencia.

....

....

Marcha hacia San Antonio

Los habitantes de Texas acudieron en masa a Gonzales. Eligieron a Stephen F. Austin como su general. "¡Vamos a San Antonio!", gritaban. El general mexicano Martín Perfecto de Cos y más de 1,000 soldados mexicanos controlaban San Antonio.

Alrededor de 300 hombres iniciaron la marcha hacia San Antonio. Formaron el "Ejército del Pueblo" de Texas. Muchos más hombres armados se unieron a los combatientes a medida que avanzaban hacia el oeste. Juan N. Seguín fue uno de los hombres que se unieron a la iniciativa e hicieron contribuciones importantes a la independencia de Texas. Seguín, un ranchero y líder tejano, joven y adinerado, llegó con 37 tejanos. Años más tarde, dijo:

> *"Me uní a la causa de Texas cuando sonó el primer cañón".* –Juan Seguín

Residentes de San Antonio en la Plaza Principal antes del ataque

Hubo otro enfrentamiento entre mexicanos y *Texians* cuando Austin envió a James Bowie y a James Fannin con 90 soldados a explorar el terreno. El general Cos envió 275 soldados a atacarlos. El *Texian* James Bowie hizo importantes contribuciones al liderar a los exploradores y al comandar a los soldados que vencieron en batalla a las superiores fuerzas mexicanas.

El invierno se acercaba. La mayoría de las tropas de Texas quería buscar refugio. Sin embargo, Ben Milam pensaba que era momento de atacar. "¿Quién irá con el viejo Ben Milam a San Antonio?", gritó. Trescientos hombres se ofrecieron como voluntarios. El 5 de diciembre de 1835, Milam y Francis Johnson lideraron un ataque que duró cinco días. Milam murió en combate. El 9 de diciembre de 1835, el general Cos se rindió.

Ahora, los habitantes de Texas controlaban San Antonio y todo Texas. Muchos hombres del ejército volvieron a sus casas. No sabían que su victoria había enfurecido a Santa Anna. Rápidamente, Santa Anna reunió un gran ejército en México y se dirigió hacia Texas.

3. **Resumir** **Resume** las contribuciones del *Texian* James Bowie y del tejano Juan N. Seguín al combate contra el general Cos.

James Bowie: ....

....

Juan N. Seguín: ....

Un nuevo gobierno

Mientras el ejército estaba ocupado en San Antonio, los líderes de Texas se reunieron en San Felipe para analizar qué harían a continuación. Esa reunión se llamó la Consulta.

Aquellos que apoyaban a Stephen F. Austin querían mantenerse leales a México y la Constitución de 1824. Otros querían declarar la independencia. Al final, los hombres aceptaron crear un gobierno de corto plazo para Texas.

Los delegados nombraron gobernador a Henry Smith. Un **delegado** es alguien que representa a otras personas. Los delegados de Texas eligieron a Sam Houston para comandar el ejército. Acordaron volver a reunirse en marzo de 1836 para planear el combate contra Santa Anna.

El gobierno de Texas tuvo problemas desde el inicio. Muchas personas todavía querían formar parte de México. Además, Texas no tenía dinero para pagar a los soldados. Stephen F. Austin y otras personas pidieron dinero y ayuda a los Estados Unidos.

El general Santa Anna y el ejército mexicano llegaron a San Antonio a fines de febrero de 1836. La intención de Santa Anna era tomar El Álamo. Leerás más sobre la importante Batalla de El Álamo en la Lección 2.

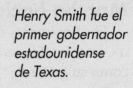

Henry Smith fue el primer gobernador estadounidense de Texas.

Stephen F. Austin es conocido como el "padre de Texas".

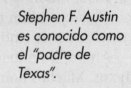

Sam Houston comandó el ejército de Texas.

Declaración de Independencia de Texas

Los líderes de Texas se reunieron el 1 de marzo en el pueblo de Washington-on-the-Brazos. Esa reunión se conoce como la Convención de 1836 y fue un acontecimiento muy importante en la Revolución de Texas.

Los delegados querían formar un nuevo país, la República de Texas. En una **república**, los ciudadanos eligen a líderes que los representan. Algunos de esos líderes eran hombres que habían formado parte del Congreso de los EE. UU. Otros eran tejanos, como José Antonio Navarro. Todos los delegados eran líderes que fueron importantes para la fundación de Texas como república.

George C. Childress lideró el comité que redactó la Declaración de Independencia de Texas. La importancia de la Declaración de Independencia de Texas es que expresaba claramente lo que el pueblo de Texas quería de México y por qué. El propósito del documento era expresar los reclamos al gobierno mexicano. Estos reclamos fueron algunas de las causas de la Revolución de Texas. Los habitantes de Texas no tenían libertad de religión ni derecho a un juicio por jurado. Tampoco podían presentar una **petición**, es decir, hacer solicitudes a los líderes o al gobierno. Esa declaración fue una de las contribuciones importantes del *Texian* George Childress.

Esta es una sala de tribunal moderna. En la actualidad, los texanos tienen derecho a un juicio por jurado.

El 2 de marzo de 1836, los delegados votaron a favor de la declaración. Tres tejanos firmaron la declaración con los demás delegados: José Antonio Navarro, José Francisco Ruiz y Lorenzo de Zavala. En la actualidad, los texanos celebran el 2 de marzo como el Día de la Independencia de Texas. El origen de esta celebración del estado es que comenzó como una manera de recordar el día en que se firmó la Declaración de Independencia de Texas.

4. **Analiza** las causas más importantes de la Revolución de Texas. **Identifica** y subraya tres derechos que los habitantes de Texas no tenían bajo el dominio del gobierno mexicano. ¿De qué manera no tener estos derechos condujo a la Revolución de Texas?

....

....

Una nueva constitución

A continuación, los delegados necesitaban crear una constitución. El propósito de la Constitución de Texas era explicar cómo funcionaría el gobierno.

Los delegados tardaron dos semanas en terminar el documento. La escritura de la constitución fue uno de los éxitos de la República de Texas. La constitución era importante porque las leyes quedaban escritas para que todos pudieran leerlas. Mediante la Constitución de Texas se crearon tres poderes del gobierno: las cortes, el Congreso y el presidente.

La Constitución de Texas incluía una Carta de Derechos, al igual que la Constitución de los EE. UU. Declaraba que todas las personas tenían derechos específicos. Estos incluían la libertad de religión y de expresión. Una vez más se alentaba a los inmigrantes a que se mudaran a Texas.

Sin embargo, en la nueva constitución no se consideraba a todos por igual. A los indígenas norteamericanos no se les otorgó la ciudadanía. A los esclavos no se les otorgó la libertad. Y los afroamericanos libres necesitaban permiso para quedarse. Greenbury Logan se opuso. Logan era un herrero y soldado afroamericano libre que había sido herido durante el combate frente a México.

La constitución arrebató "todos los privilegios preciados para un hombre libre (…) no tiene voto ni decisión en asunto alguno". –Greenbury Logan

Logan participó en el proceso democrático al escribir una petición. Obtuvo 23 firmas para la petición, pero la constitución no se modificó.

5. Resume cómo contribuyó Greenbury Logan al desarrollo de Texas durante y después de la guerra por la independencia de Texas.

....

....

....

....

....

....

Greenbury Logan escribió una petición que firmaron 23 personas.

Texas todavía debía luchar por su independencia. El 4 de marzo, la convención volvió a nombrar a Sam Houston comandante en jefe de todos los soldados armados de Texas. Houston se dirigió al sur de inmediato. Comandar el ejército fue una manera en que Sam Houston fue importante en la fundación de Texas como república. Luego la convención estableció un gobierno a corto plazo. Los delegados nombraron presidente de Texas a David G. Burnet. Burnet era abogado y terrateniente. Los delegados nombraron vicepresidente a Lorenzo de Zavala. Zavala, un importante y erudito estadista mexicano, había ayudado a redactar el borrador de la nueva constitución. Los dos hombres prestaron juramento el 17 de marzo de 1836. Ahora Texas tenía un nuevo gobierno. ¿Podría Sam Houston defenderlo?

Lorenzo de Zavala ayudó a redactar el borrador de la Constitución de Texas.

¿Entiendes?

TEKS 3.A, 15.A, 17.D

6. **Sacar conclusiones Explica** la importancia de la Constitución de Texas de 1836.

....

....

....

7. **Identifica** la figura histórica importante que participó activamente en el proceso democrático. Encierra en un círculo el nombre de la persona que ayudó a redactar la Constitución de Texas. Luego escribe sobre cómo influyó esto en el futuro de Texas.

mi Historia: Ideas

Sam Houston   Lorenzo de Zavala   David G. Burnet

Esto influyó en el futuro ....

....

8. **Analiza** los acontecimientos más importantes de la Revolución de Texas. Imagina que eres un delegado de la Convención de 1836. En una hoja aparte, escribe una carta a un amigo en la que expliques la importancia de la Declaración de Independencia.

Secuencia

La **secuencia** es el orden de los eventos o acontecimientos. Indica cómo pasaron las cosas en el tiempo. Entender una secuencia de sucesos te ayuda a entender cómo ocurrieron las cosas en la historia. Las fechas, con los días, meses y años, pueden indicar una secuencia de sucesos. Las palabras clave que muestran una secuencia incluyen: *primero, segundo, tercero, entonces, después, luego, finalmente, en el pasado, en el futuro, ahora* y *más tarde*.

Lee y **analiza** la siguiente información sobre José Antonio Navarro.

José Antonio Navarro

José Antonio Navarro fue un líder de la Revolución de Texas. Nació en San Antonio en 1795 y se convirtió en un adinerado ranchero, comerciante y abogado tejano. Se casó con Margarita de la Garza en 1825, y la pareja tuvo siete hijos.

En la década de 1820, Navarro se hizo amigo de Stephen F. Austin y apoyó la colonización de Texas. Como hombre de estado, Navarro sirvió en la legislatura del estado mexicano de Coahuila y Texas y, más tarde, en el Congreso mexicano, ubicado en Ciudad de México. En 1835, apoyó la estadidad de Texas. Al año siguiente, apoyó la independencia de Texas. En 1836, Navarro firmó la Declaración de Independencia de Texas. Navarro fue uno de los tres tejanos en hacerlo. Más tarde fue elegido para ocupar un lugar en el Congreso de Texas. Navarro pasó su vida tomando decisiones difíciles. Trabajó para llevar justicia a todos los texanos.

José Antonio Navarro

José Antonio Navarro nació en San Antonio en 1795.

↓

Se desempeñó como hombre de estado en México.

↓

En 1836, firmó la Declaración de Independencia de Texas.

Objetivo de aprendizaje

Aprenderé a analizar información haciendo generalizaciones.

TEKS

SLA 11.C Describir las relaciones implícitas y explícitas que hay entre las ideas en textos organizados por secuencia.

ES 3.B Resumir las importantes contribuciones de individuos como el tejano Juan N. Seguín.

ES 3.C Identificar importantes líderes que ayudaron a fundar Texas como república y estado, incluyendo a José Antonio Navarro.

ES 21.B Analizar información, ordenándola en una secuencia.

¡Inténtalo!

Lee y **analiza** el pasaje sobre Juan N. Seguín. Encierra en un círculo las palabras o fechas del pasaje que te ayudan a reconocer la secuencia. Luego completa la secuencia de sucesos en el diagrama de abajo.

Juan Seguín nació en San Antonio en 1806. Su larga vida de servicio empezó a temprana edad. En 1828, cuando tenía 22 años, fue elegido para el concejo municipal de San Antonio. Durante varios años, Seguín continuó trabajando para el pueblo de Texas bajo el gobierno mexicano. Esto finalizó en 1835, cuando Seguín se convirtió en capitán y lideró a otros tejanos en la lucha por la independencia. La unidad de Seguín combatió en la Batalla de San Jacinto en 1836.

Cuando terminó la guerra, Seguín siguió trabajando para Texas como líder de gobierno. Solo que ahora trabajaba para la República de Texas y era un senador. Juan N. Seguín fue el único tejano elegido para el Senado de la República de Texas.

Juan Seguín

Juan Seguín

....
....

↓

....
....

↓

....
....

Batalla de El Álamo

¡Imagínalo!

Los luchadores de Texas perdieron la Batalla de El Álamo. En lugar de rendirse, lucharon con más fuerza por su independencia.

1. ⊙ **Causa y efecto Identifica detalles** sobre una causa de la Batalla de El Álamo.

....

....

....

....

El general Santa Anna se molestó mucho cuando el general mexicano Cos fue vencido en diciembre de 1835. Santa Anna reunió sus tropas y se dirigió hacia el norte. El 23 de febrero de 1836, Santa Anna y unos 1,800 soldados mexicanos marcharon hacia San Antonio.

Los soldados se reúnen

Cuando llegó el ejército de Santa Anna, solo había unos 150 combatientes *Texians* y tejanos en El Álamo. Los defensores de El Álamo tenían más de una docena de cañones pero no tenían suficiente pólvora para dispararlos durante mucho tiempo. Santa Anna decidió establecer un sitio en El Álamo. Establecer un **sitio** es cuando fuerzas enemigas rodean un lugar para tratar de capturarlo.

Santa Anna colgó una bandera de color rojo sangre en el campanario de una iglesia cercana. Los combatientes que estaban en El Álamo podían verla. El mensaje era claro: ríndanse o mueran. Santa Anna también envió un mensaje a El Álamo para exigir que los hombres se rindieran. ¡Los *Texians* y los tejanos respondieron con el estruendo de un cañón!

Héroes de la batalla

Los combatientes que estaban en El Álamo podrían haber escapado. El sitio establecido por los mexicanos todavía no los había aislado por completo. Pero los *Texians* William B. Travis y James Bowie acordaron que defenderían El Álamo. Ellos tuvieron una participación importante en la guerra por la independencia de Texas. Los dos hombres actuaron como comandantes hasta que Bowie estuvo demasiado enfermo para continuar.

James Bowie lideró a los voluntarios texanos, pero se enfermó antes de la batalla.

DESCIFRA LA PREGUNTA PRINCIPAL

Aprenderé las causas y los principales sucesos de la Batalla de El Álamo.

Vocabulario

sitio

no combatiente

preservar

Piensa en alguna ocasión en la que las cosas no salieron como tú querías. ¿Te rendiste o te esforzaste más? **Explica** qué hiciste y por qué.

Durante el amanecer del 24 de febrero, los mexicanos atacaron. Balas de cañón impactaron contra las paredes y las agujerearon. Travis envió un pedido desesperado de ayuda a los pobladores de Texas y a todos los estadounidenses del mundo:

> "(…) Les pido en nombre de la libertad, del patriotismo y de todo lo que es preciado para el carácter estadounidense que vengan en nuestro auxilio (…)".
> —William B. Travis, 1836

Otras personas contribuyeron al esfuerzo realizado en El Álamo. El *Texian* David (Davy) Crockett, de Tennessee, había servido en el Congreso de los EE. UU. Crockett era un líder importante que combatía con energía y alentaba a los soldados. Carlos Espalier era un tejano de 17 años a quien Bowie estaba entrenando. Él también decidió quedarse a combatir. Espalier contribuyó a la independencia de Texas al combatir en El Álamo. Todos los hombres que combatieron y murieron en El Álamo ayudaron a que Texas ganara su independencia.

TEKS
3.A, 3.B, 16.A, 17.A, 17.B

2. **Resume** las contribuciones de los *Texians* William B. Travis y David Crockett subrayando la contribución de cada uno en los rótulos.

David (Davy) Crockett, un hombre de la región fronteriza y ex congresista de los EE. UU., condujo a un grupo de combatientes conocido como Voluntarios a caballo de Tennessee para ayudar a luchar por la libertad.

El teniente coronel William Travis, un abogado de 26 años, comandó a los Texians en El Álamo junto con James Bowie.

SAVVAS realize™ Conéctate en línea a tu lección digital interactiva.

191

La batalla continúa

   Unas decenas de hombres respondieron al llamado de Travis y llegaron combatiendo a El Álamo. La fuerza de Texas sumó unos 185 soldados. El último hombre en cruzar las puertas fue James Bonham, un oficial. Lo habían enviado a buscar ayuda para El Álamo. Bonham llevaba consigo una carta que decía que la ayuda estaba en camino. Lamentablemente, la ayuda no llegó a tiempo.

   Una vieja leyenda texana dice que el coronel Travis trazó una línea en la arena con su espada. Les dijo a los hombres que podían cruzar la línea y combatir, o podían escapar. Según cuenta la leyenda, todos los hombres "cruzaron la línea", excepto dos. Uno de ellos, Bowie, estaba demasiado enfermo para moverse, por lo que pidió que lo llevaran. El otro era Moses Rose, a quien le pagaban para combatir.

Caída de El Álamo

   La batalla encarnizada se prolongó durante días. Santa Anna escogió a 1,400 soldados mexicanos entrenados para el combate final. El 6 de marzo, antes del amanecer, una corneta hizo sonar las primeras notas de "El Degüello". La música de guerra era la señal para que el ejército de Santa Anna no tuviera piedad con el enemigo.

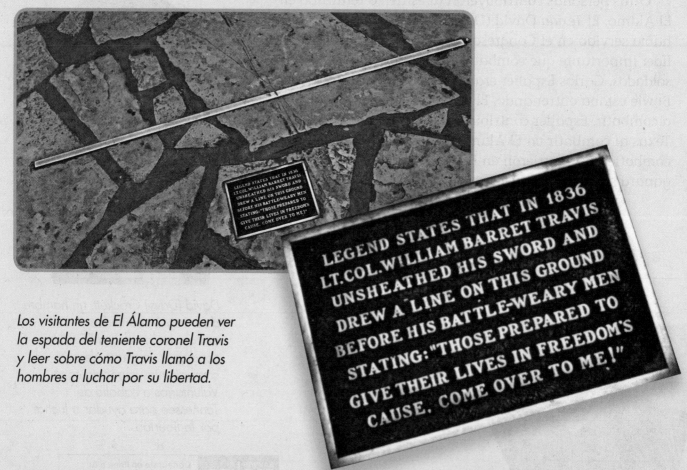

LEGEND STATES THAT IN 1836 LT.COL.WILLIAM BARRET TRAVIS UNSHEATHED HIS SWORD AND DREW A LINE ON THIS GROUND BEFORE HIS BATTLE-WEARY MEN STATING: "THOSE PREPARED TO GIVE THEIR LIVES IN FREEDOM'S CAUSE, COME OVER TO ME!"

Los visitantes de El Álamo pueden ver la espada del teniente coronel Travis y leer sobre cómo Travis llamó a los hombres a luchar por su libertad.

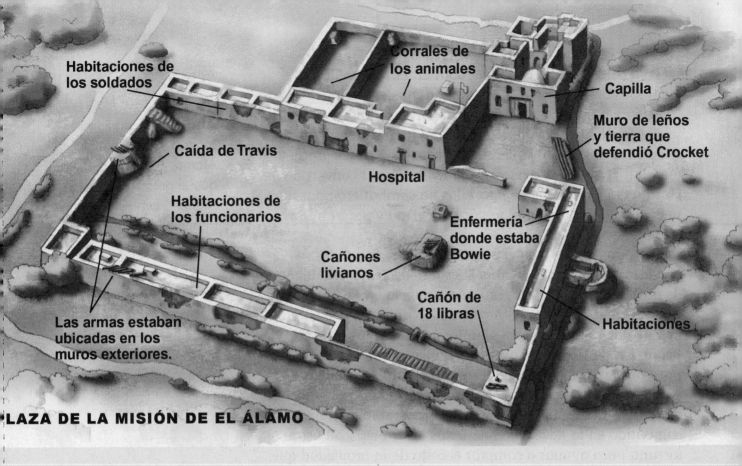

Habitaciones de los soldados

Corrales de los animales

Capilla

Muro de leños y tierra que defendió Crocket

Caída de Travis

Hospital

Habitaciones de los funcionarios

Enfermería donde estaba Bowie

Cañones livianos

Cañón de 18 libras

Las armas estaban ubicadas en los muros exteriores.

Habitaciones

LAZA DE LA MISIÓN DE EL ÁLAMO

El ruido despertó a los *Texians* y tejanos, que corrieron a sus puestos. Los soldados mexicanos treparon las paredes y entraron en la plaza. Los soldados de Texas respondieron a los disparos y dieron lo mejor de sí. Según se dice, las últimas palabras de Travis fueron: "¡A no rendirse, muchachos!".

En menos de dos horas, todos los soldados *Texians* y tejanos estaban muertos. México había ganado, pero a un precio muy alto. Alrededor de 600 soldados mexicanos murieron o fueron heridos en El Álamo. En el diagrama se muestra información visual de las diferentes secciones de la misión, tales como los sitios donde se encontraban las armas para defender la misión.

Un pequeño grupo de mujeres, niños y esclavos sobrevivieron al combate en El Álamo. Santa Anna los dejó ir y le dio a cada mujer dos dólares en plata y una manta. Enrique Esparza, que tenía ocho años, perdió a su padre en el ataque. Años después, contó a la prensa lo que había visto en el combate. Otra sobreviviente fue Susanna Dickinson. El esposo de Dickinson murió. Ella y su pequeña hija, Angelina, viajaron a Gonzales, donde estaba Sam Houston. Dickinson le contó sobre la trágica caída de El Álamo. Dickinson y Esparza fueron **no combatientes**, es decir, personas que estuvieron en el lugar pero no combatieron en la guerra. Como no combatientes, Dickinson y Esparza contribuyeron a la lucha de Texas por su independencia contando a los demás lo que habían visto.

3. **Resume** las contribuciones de Susanna Dickinson y Enrique Esparza. Escribe lo que hicieron. Luego comenta por qué crees que eso fue importante para la Revolución de Texas.

....

....

....

....

....

....

....

....

4. **Interpreta** el diagrama. Encierra en un círculo las armas que se usaron para defender El Álamo.

193

¡Recuerden El Álamo!

La terrible batalla que tuvo lugar en El Álamo llevó a las tropas de Houston a combatir con más energía todavía. "¡Recuerden El Álamo!" se convirtió en su grito de guerra.

El sacrificio de El Álamo todavía es fuente de esperanza en la actualidad. Los valientes soldados *Texians* y tejanos que murieron allí no vivieron para ver a Texas convertida en una nación independiente. Ellos no combatieron por una nueva nación. Combatieron por la libertad y pagaron un alto precio: sus vidas.

De todos modos, con el paso del tiempo, casi todos se olvidaron del lugar El Álamo. El estado de Texas era dueño de parte de la propiedad pero una empresa era dueña del resto. A fines del siglo XIX, Adina de Zavala, nieta de Lorenzo de Zavala, y otras mujeres se unieron a las Hijas de la República de Texas. Ese grupo de mujeres patriotas trabajó para preservar El Álamo. **Preservar** significa mantener algo en su estado original. Las mujeres atrajeron la atención de Clara Driscoll. Los abuelos de Driscoll también habían combatido en la Revolución de Texas. Clara Driscoll usó su fortuna para ayudar a comprar el resto de la propiedad que alguna vez había sido la misión de El Álamo. Por medio de estos asuntos, o actividades, cívicos, esas mujeres ayudaron a proteger El Álamo, una parte importante de la historia, para los ciudadanos de Texas.

5. **Analiza** los principales sucesos de la Batalla de El Álamo. ¿Por qué piensas que el grito "¡Recuerden El Álamo!" tiene importancia en la actualidad?

....

....

....

....

....

....

El Álamo es un sitio de interés histórico.

En la actualidad, se puede visitar El Álamo en el centro de San Antonio. La zona fue restaurada y ahora es un sitio de interés histórico. Este sitio es muy importante porque es un lugar en el que recordamos a las personas que combatieron y murieron por la libertad de Texas. En El Álamo se organizan exhibiciones que cuentan la historia de la Revolución de Texas. Más de dos millones y medio de personas lo visitan por año. Además, este sitio de interés es importante para los texanos porque es el lugar de una batalla clave en la lucha por la independencia.

Clara Driscoll y Adina de Zavala

6. **Explica** la importancia de El Álamo. ¿Por qué es importante honrar a los que combatieron en El Álamo?

....

....

....

¿Entiendes?

TEKS 17.A, 17.B

7. **Secuencia** Numera estos sucesos en el orden en que ocurrieron.

.... William B. Travis escribió una carta para pedir ayuda.

.... Santa Anna colgó una bandera color rojo sangre.

.... James Bonham entró a El Álamo.

8. **Explica** de qué manera los individuos pueden participar voluntariamente en asuntos cívicos en el estado o a nivel local.

mi Historia: Ideas

....

....

9. **Identifica** individuos importantes que participaron voluntariamente en los asuntos cívicos a nivel local y del estado. ¿Quiénes fueron las dos mujeres que ayudaron a crear el sitio de interés histórico en El Álamo?

....

Interpretar líneas cronológicas

La historia está llena de secuencias de sucesos. ¿Cómo puedes seguir los sucesos más importantes? Una manera es usar una línea cronológica. Una **línea cronológica** es una especie de tabla que muestra los sucesos y las fechas importantes en el orden en que ocurrieron. Una línea cronológica puede servirte para entender cómo un suceso lleva a otro.

Por lo general, las líneas cronológicas se dividen en períodos de tiempo iguales, así como una regla se divide en unidades de medición iguales. Las líneas cronológicas pueden mostrar los sucesos que ocurrieron en una semana o en el transcurso de muchas semanas, meses, un año, diez años, etc.

Las unidades de medida te ayudarán a ver cuánto tiempo ha pasado. Por ejemplo, la línea cronológica de abajo está dividida en días. El espacio que hay entre los días es igual. Esto te ayuda a comprender mejor la secuencia de sucesos. Los tres primeros sucesos de la línea cronológica ocurrieron cerca el uno del otro. Luego, varios días pasaron hasta el siguiente suceso importante.

Las líneas cronológicas pueden ser verticales u horizontales. Las líneas cronológicas verticales se leen de arriba hacia abajo. El primer suceso está arriba. Observa la siguiente línea cronológica. Es una línea cronológica horizontal. En una línea cronológica horizontal, el primer suceso está a la izquierda. El suceso más reciente está a la derecha. A medida que leas los sucesos de izquierda a derecha, entenderás cómo progresaron durante ese período de tiempo.

Batalla de El Álamo, 1836

23 de feb. El ejército mexicano conducido por Santa Anna avanza hacia El Álamo.

25 de feb. Travis ordena a Juan Seguín que salga a escondidas por la noche y busque ayuda.

| 23 | 24 | 25 | 26 | 27 | 28 | Febrero 29 |

24 de feb. Los cañones mexicanos bombardean las paredes de El Álamo. William B. Travis escribe su famoso pedido de ayuda. James Bowie se enferma y no puede comandar.

Objetivo de aprendizaje

Aprenderé a interpretar información en líneas cronológicas.

 TEKS

SLA 13.B Explicar la información basada en hechos que se presenta gráficamente.

ES 3.A Analizar los acontecimientos importantes de la Revolución de Texas, incluyendo la Batalla del Álamo.

ES 21.C Organizar e interpretar información en visuales, incluyendo líneas cronológicas.

¡Inténtalo!

La línea cronológica muestra sucesos importantes de la Batalla de El Álamo. Los sucesos están ubicados en el orden en que ocurrieron.

1. ¿Cuánto tiempo abarca la línea cronológica?

....

2. **Identifica** el primer suceso.

....

....

3. **Identifica** el último suceso.

....

....

4. **Interpreta** la información de la línea cronológica. ¿Cuánto tiempo esperaron los hombres que llegara ayuda después de que Seguín partiera?

5. En una hoja aparte, crea una línea cronológica para **organizar** y mostrar seis sucesos importantes de tu vida en el orden en que ocurrieron.

1 de mar. Treinta y dos hombres de Gonzales llegan para ayudar.

6 de mar. Las fuerzas mexicanas toman El Álamo y matan a todos los soldados que lo defendían.

Marzo

1   2   3   4   5   6   7

3 de mar. James Bonham regresa a El Álamo con noticias: James Fannin no puede traer a sus tropas.

Victoria en San Jacinto

¡Imagínalo!

Los soldados mexicanos usaban uniformes como estos. La mayoría de los soldados de Texas no tenían uniforme.

La Desbandada

La noticia llegó a Sam Houston el 11 de marzo de 1836: El Álamo había caído. Houston acababa de llegar a Gonzales, donde halló a casi 400 hombres que habían llegado por sus propios medios con la esperanza de ayudar a Travis en El Álamo. Houston envió exploradores en busca de noticias.

Un **explorador** es una persona que reúne claves sobre el enemigo o una ubicación. Entre los exploradores estaba el valiente Erastus "El Sordo" Smith, que ya había sido herido en combate. Smith volvió con los no combatientes que sobrevivieron a El Álamo, incluidas Susanna Dickinson y su hija.

La Desbandada

Las tropas de Santa Anna estaban arrasando con Texas, incendiando pueblos a su paso. Ya casi estaban en Gonzales. El ejército de Houston no estaba listo para combatir. ¿Debía Houston ordenar a sus hombres que combatieran de todos modos? Houston era un líder que sabía que su decisión afectaría a muchas personas. Ordenó a sus hombres que **se retiraran**, es decir, que abandonaran el campo de batalla y no combatieran.

1. **Identifica** una cualidad de liderazgo que mostró Sam Houston cuando decidió no combatir en Gonzales.

Vocabulario

explorador	tratado
retirarse	monumento
atolladero	

Piensa en la ropa que podría haber usado un soldado de Texas que luchaba por la independencia. Dibuja la ropa aquí.

Todas las personas, no solo los soldados, tuvieron que irse. Houston envió jinetes para advertirles a todos que las tropas mexicanas se acercaban. El miedo se apoderó de Texas. La gente huyó hacia el este, con la esperanza de ponerse a salvo en los Estados Unidos. Lamentablemente, muchos murieron en el camino. Las personas salieron a toda prisa y no empacaron para el largo viaje. No tenían mantas suficientes, ni ropa abrigada ni alimentos.

Esa gran huida del peligro que protagonizaron las personas se conoce como la Desbandada. Debían escapar de ese atolladero. Un **atolladero** es una situación difícil o un problema. Ese fue un suceso importante de la Revolución de Texas. Esto es lo que dijo un adolescente sobre el viaje.

"Ah, la cruel desbandada… ¡cuánta angustia, sufrimiento y pérdidas causó!"

TEKS
3.A, 3.B, 6.A, 16.A, 18.B

2. ◉ **Causa y efecto**
Agrega dos causas que faltan.

Análisis de la Desbandada

Causa	Causa	Causa
El ejército mexicano incendia pueblos para aplastar la revolución.		

Efecto

La gente huye hacia el este sin estar preparada para el viaje.

El combate continúa

Aunque los colonos huían hacia el este en marzo de 1836, el combate continuaba. Sam Houston le ordenó al coronel James Fannin que incendiara el fuerte de Goliad y se fuera. En lugar de obedecer, Fannin envió parte de sus tropas a ayudar a los colonos que huían. Fannin y sus hombres combatieron y perdieron ante los soldados comandados por el general mexicano don José Urrea.

Fannin se rindió ante Urrea. No sabía que Santa Anna había ordenado a su ejército fusilar a todos los prisioneros texanos. El 26 de marzo, algunos prisioneros escaparon. Les ayudó Francita Alavez, a quien se conoce como el "Ángel de Goliad". Lamentablemente, la mayoría de los prisioneros no sobrevivieron.

El 27 de marzo, Fannin y cientos de sus hombres fueron obligados a marchar hacia la pradera cerca del fuerte. Urrea no quería obedecer la orden de Santa Anna de matar a los prisioneros. Pero Urrea no estaba en Goliad ese día. Los soldados mexicanos fusilaron a Fannin y a sus hombres.

La matanza de cientos de hombres desarmados escandalizó a los habitantes de Texas y al mundo. La terrible crueldad de Santa Anna los alentó a luchar. La gente de los Estados Unidos apoyó a los habitantes de Texas. Y estos acuñaron otro estremecedor grito de guerra: "¡Recuerden Goliad!".

Monumento en Goliad

3. **Causa y efecto Analiza** las causas de la Revolución de Texas. ¿Cómo ayudaron los sucesos de Goliad a obtener apoyo de los Estados Unidos?

....

....

....

....

....

....

Preparación para la batalla

Texas ya había perdido muchos hombres en la lucha por la independencia. No podía ganar si seguía perdiendo hombres. Los soldados de Sam Houston eran, en su mayoría, colonos cuyos hogares habían sido incendiados. Houston sabía que no podía enfrentar a las tropas bien entrenadas de Santa Anna en una batalla a campo abierto.

Durante dos semanas, en abril de 1836, Houston entrenó a su ejército. Debían aprender a trabajar juntos. "El Sordo" Smith les enseñó a algunos a ser exploradores. Un afroamericano liberado, Hendrick Arnold, era el espía de Smith. Arnold fingía ser un esclavo fugitivo y se escabullía en los campamentos del ejército mexicano. La información que aportaba ayudó a Houston a prepararse.

La ayuda también llegó de maneras inesperadas. Los ciudadanos de Cincinnati, Ohio, enviaron dos cañones. Los habitantes de Texas, agradecidos, los llamaron "las hermanas gemelas".

Houston esperaba el momento indicado para atacar. Los exploradores informaron que el ejército de Santa Anna había acampado cerca de Harrisburg, sobre el río San Jacinto. El ejército de Texas estaba listo. Era el momento de luchar. En el mapa se muestran los lugares en los que combatió en 1836.

4. Analiza las principales batallas de la Revolución de Texas que se muestran en el mapa. ¿Por qué no hay una línea verde que muestre las batallas de San Patricio, Refugio y Goliad?

....

....

....

Sitios de batallas de la Revolución de Texas, 1836

LEYENDA
← Ejército de Texas
← Ejército de México
✹ Sitios de batallas

Batalla de San Jacinto

El 20 de abril, el ejército de Houston ocupó sus posiciones. De espaldas al río San Jacinto y el bayou de Buffalo, los soldados levantaron campamento entre los robles.

Santa Anna pronto los halló. Pensaba que los tenía atrapados. Hubo un corto combate entre un pequeño grupo de soldados de México y de Texas. Cuando dispararon los cañones bautizados como las hermanas gemelas, los dos bandos se detuvieron.

Para entonces, el ejército de Santa Anna tenía unos 1,200 hombres. Los soldados de Texas tenían apenas poco más de 900 soldados. Santa Anna tenía ventaja numérica. Santa Anna hizo descansar a sus hombres y se preparó para la batalla. Estaba seguro de que podía volver a vencerlos. Pero los soldados de Texas no esperaron el ataque de Santa Anna.

Mientras los mexicanos dormitaban, las fuerzas de Texas cruzaron la pradera abierta que las separaba de ellos a plena luz del día. Era la tarde del 21 de abril. Tomaron al ejército mexicano completamente por sorpresa.

"¡Recuerden El Álamo!", gritaban las fuerzas de Texas. "¡Recuerden Goliad!". En el mapa se muestra cómo les ayudó el paisaje a hacer el ataque sorpresa a plena luz del día.

Uno de los hombres que comandaba parte del ejército de Texas era el *Texian* Sidney Sherman. Sherman era soldado y comerciante. Su contribución fue comandar a los soldados y llevar 52 voluntarios de Kentucky para combatir en la Revolución de Texas. La batalla duró apenas 18 minutos. Más de 600 soldados mexicanos murieron. Nueve soldados de Texas perdieron su vida. A Sam Houston le dispararon en el tobillo. Santa Anna y Cos huyeron. La Batalla de San Jacinto fue un suceso muy importante en la Revolución de Texas.

5. Interpreta el mapa usando el instrumento geográfico de la leyenda. Explica cómo el mapa y la leyenda te ayudan a **analizar** acontecimientos importantes de la Revolución de Texas, como la manera en que los texanos sorprendieron a los mexicanos en la Batalla de San Jacinto.

....

....

....

....

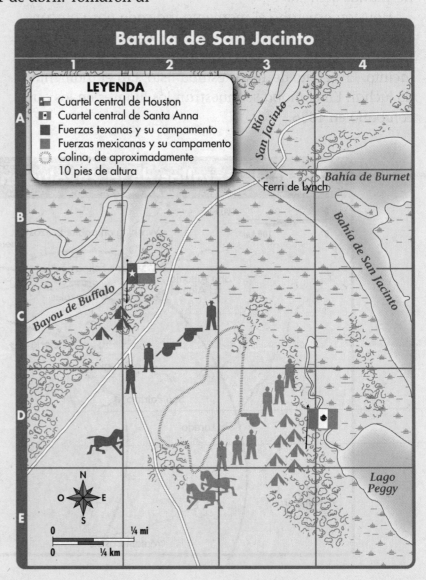

Batalla de San Jacinto

LEYENDA
- Cuartel central de Houston
- Cuartel central de Santa Anna
- Fuerzas texanas y su campamento
- Fuerzas mexicanas y su campamento
- Colina, de aproximadamente 10 pies de altura

Río San Jacinto
Bahía de Burnet
Ferri de Lynch
Bahía de San Jacinto
Bayou de Buffalo
Lago Peggy

N O E S

0 ¼ mi
0 ¼ km

La captura de Santa Anna

Tratado de Velasco

El día después de la batalla, Houston envió soldados en busca de Santa Anna. Atraparon a un soldado mexicano vestido con ropa común. Mientras lo llevaban al campamento, otros prisioneros mexicanos gritaron: "¡El presidente!". Houston supo que tenía que ser Santa Anna.

Houston impidió que sus hombres hirieran a Santa Anna. Pero insistió en que el presidente mexicano pusiera fin al combate. Santa Anna aceptó ordenar a todas las tropas mexicanas que abandonaran Texas. Envió un mensaje a su segundo al mando, el general Vicente Filisola, en el que le ordenó trasladar todas las tropas mexicanas fuera de San Antonio. Filisola contribuyó a la independencia de Texas conduciendo al ejército mexicano como segundo al mando. Su otra contribución importante fue trasladar las tropas mexicanas fuera de San Antonio. Los habitantes de Texas habían ganado su independencia.

A pesar de que a Filisola y a las fuerzas mexicanas les permitieron irse, a Santa Anna no se lo permitieron. A Santa Anna lo obligaron a quedarse en Texas para hablar con el nuevo presidente de la república, David G. Burnet. Sam Houston partió hacia Nueva Orleans para que le curaran el tobillo.

6. Identifica a Santa Anna en esta pintura. Escribe cómo sabes cuál es él.

....

....

....

....

....

....

....

....

El general Vicente Filisola

El presidente Burnet se reunió con Santa Anna en Velasco. El 14 de mayo de 1836, los dos hombres firmaron el Tratado de Velasco. Un **tratado** es un acuerdo formal entre dos países. Ese tratado puso fin a la guerra entre México y la República de Texas. Todas las fuerzas mexicanas se irían al sur del río Grande. Los prisioneros estadounidenses serían liberados.

También se firmó un segundo tratado secreto. Santa Anna prometió trabajar para que su gobierno aceptara la independencia de Texas. De todos modos, pasaron varios meses antes de que a Santa Anna le permitieran regresar a México.

Otros líderes de la Revolución

Muchas otras personas hicieron contribuciones importantes a la Revolución de Texas. Los tejanos Plácido Benavides y Juan Antonio Padilla eran dos funcionarios que ayudaron a Texas a ganar su independencia. Plácido Benavides, que además era ranchero, combatió valientemente en muchas de las primeras batallas contra las fuerzas de Santa Anna. Sin embargo, debido a su lealtad hacia México, Benavides no apoyó la independencia de Texas. Recuerda que, en las primeras batallas, los habitantes de Texas querían ser un estado independiente de México.

Juan Antonio Padilla era amigo de Stephen F. Austin. Padilla apoyó la Revolución de Texas y luchó en ella.

José Francisco Ruiz era un tejano que contribuyó a la Revolución de Texas siendo delegado de la Convención de 1836. Fue uno de los dos tejanos nativos que firmaron la Declaración de Independencia de Texas. El otro tejano nativo que firmó este importante documento era su sobrino, José Antonio Navarro.

Juan N. Seguín era ranchero antes de la guerra. Las contribuciones de Seguín fueron servir como capitán en la Revolución de Texas y comandar una unidad tejana en la Batalla de San Jacinto. Más tarde, Seguín fue elegido para el Senado de Texas.

7. Escribe una leyenda para **resumir** la contribución del general Vicente Filisola a la Revolución de Texas.

....

....

....

....

....

....

....

Monumento de San Jacinto

En la actualidad, el Campo de la Batalla de San Jacinto está a una corta distancia del centro de Houston. Los texanos conservaron los 1,200 acres como sitio de interés histórico del estado. Todos los años, se reúne gente para ver una representación de la Batalla de San Jacinto. En el campo de la batalla también hay un monumento, que se construyó en 1939. Un **monumento** es una estructura construida para mostrar respeto por un suceso del pasado. Con sus 570 pies de altura, el monumento a San Jacinto es el monumento de guerra más alto del mundo. Este sitio de interés es importante porque es un recordatorio de la victoria en San Jacinto, la última batalla de la Revolución de Texas.

Monumento de San Jacinto

¿Entiendes?

TEKS 3.A, 16.A

8. **Secuencia Identifica** un suceso importante que haya ocurrido antes de que Sam Houston ordenara a James Fannin abandonar Goliad. **Identifica** otro suceso importante que haya ocurrido después de Goliad.

....

....

9. **Explica la importancia** del sitio de interés del monumento de San Jacinto.

mi Historia: Ideas

....

....

....

10. **Analiza** la Desbandada. ¿Qué sucedió durante ese importante suceso de la Revolución de Texas?

....

....

....

República de Texas

La nueva República de Texas imprimía su propio dinero.

Texas Rangers

La Revolución de Texas había terminado. ¿Cuáles fueron sus efectos? ¡Texas era libre! Ahora era independiente de México. Los ciudadanos de Texas habían luchado por una nueva república y la habían creado. Ahora debían tomar medidas para establecer un gobierno.

La nueva república

La Constitución de 1836 delineaba cómo funcionaría el gobierno. El gobierno era una de las organizaciones de la República de Texas. Los votantes eligieron a Sam Houston como el primer presidente. Como vicepresidente, eligieron a Mirabeau B. Lamar. Lamar tenía experiencia política y había combatido en la Batalla de San Jacinto.

Los habitantes de Texas también votaron por personas que irían al Congreso de la República de Texas. La constitución también establecía la creación de cortes. Los jueces decidirían si las leyes eran justas y cómo aplicarlas. Para pagar por el trabajo del gobierno, Texas creó impuestos para los ciudadanos.

Línea cronológica: Revolución y República de Texas

2 de oct.
Las tropas mexicanas no pueden capturar los cañones de Gonzales.

2 de mar.
Se adopta la Declaración de Independencia de Texas.

11 de mar.
Comienza la Desbandada.

1835 **1836**

Oct. Nov. Dic. Ene. Feb. Mar.

Nov.
Tiene lugar la Consulta de 1835.

6 de mar.
Cae El Álamo.

27 de mar.
Ejecutan prisioneros en Goliad.

Diseña y dibuja tu propio billete de un dólar. Incluye imágenes que muestren una escena de la vida cotidiana en Texas.

Vocabulario

mandato

económico

deuda

El nuevo gobierno creó una fuerza especial llamada Texas Rangers. Esta organización de la República de Texas fue creada para proteger la región fronteriza. Los hombres aportaban sus propios caballos y equipo para defender a los colonos de ataques.

También llegaron muchísimos inmigrantes a la República de Texas. En la década de 1840, la población aumentaba en aproximadamente 7,000 habitantes por año. En poco tiempo, en Texas surgieron escuelas privadas y religiosas, academias e institutos.

La Bandera de la Estrella Solitaria

La nueva nación necesitaba una nueva bandera. Algunos dicen que Joanna Troutman, de Georgia, creó la primera Bandera de la Estrella Solitaria. La estrella azul de su bandera les recordaba a los habitantes de Texas su lucha por la independencia. Pero en 1836, la República de Texas escogió otra bandera. Tres años más tarde, en 1839, la República cambió de bandera. La bandera actual del estado es la misma que la bandera de 1839.

TEKS
3.A, 3.C, 3.D, 7.A, 17.D

1. Describe la organización conocida como Texas Rangers.

....

....

....

....

....

....

21 de abr.
Texas gana la Batalla de San Jacinto.

Sept.
Los votantes eligen a Sam Houston como primer presidente de Texas.

| Abr. | May. | Jun. | Jul. | Ago. | Sep. |

14 de may.
Se firman los dos tratados de Velasco.

Presidentes de la República de Texas

David G. Burnet *fue presidente transitorio de la nueva república desde el 17 de marzo hasta el 22 de octubre de 1836.*

Sam Houston *sirvió en el Congreso de los EE. UU. Más tarde se convirtió en gobernador de Tennessee. Fue nombrado presidente de la República de Texas en 1836 y 1841.*

Mirabeau B. Lamar *es conocido como el padre de la educación de Texas. Apoyó a las escuelas durante su presidencia, que duró de 1838 a 1841.*

Anson Jones *fue presidente de la República de Texas de 1844 a 1846. Fue el último presidente de la República de Texas.*

Un gobierno exitoso

Después de las elecciones, los nuevos líderes ayudaron a que el nuevo gobierno fuera un éxito. Nombraron a Columbia como la capital de Texas. En diciembre, la capital se trasladó a Houston, que era un pequeño pueblo llamado así en honor a Sam Houston. El pueblo creció rápidamente tras convertirse en la capital. En cuatro meses, Houston llegó a los 1,500 habitantes.

Después de su mandato, Sam Houston dejó su cargo de presidente. La constitución establecía que el presidente no podía ocupar el mismo cargo durante dos mandatos consecutivos. Un **mandato** es el período de tiempo en que una persona ocupa su cargo tras ser elegida. Obedeciendo el proceso democrático, Houston se desempeñó en su lugar como congresista de Texas.

En 1838, Mirabeau B. Lamar se convirtió en presidente de la república. Él creía que Texas debía expandirse hacia el oeste. Los líderes del gobierno decidieron trasladar la capital a la región fronteriza del oeste, a lo largo del río Colorado. En la zona había muchos recursos naturales y un buen clima. La nueva ciudad capital se llamó Austin, en honor a Stephen F. Austin.

En 1841, Houston se postuló a la presidencia por segunda vez y fue elegido. Tras el segundo mandato de Houston, Anson Jones fue elegido presidente de la república. Jones fue presidente hasta que Texas se convirtió en un estado. David Burnet, Sam Houston, Mirabeau Lamar y Anson Jones fueron importantes en la fundación de Texas como una república.

2. **Identifica** y encierra en un círculo, en las imágenes de arriba, el nombre del presidente que cumplió dos mandatos no consecutivos. ¿Cómo demostró ese líder la participación activa en el proceso democrático?

Desafíos para la república

Con la independencia, surgieron nuevas responsabilidades para los habitantes de Texas. La nueva república enfrentaba muchos problemas. Algunos de los problemas que enfrentaba la República de Texas eran económicos. Cuando algo es **económico**, se relaciona con el dinero y con pagar cuentas. Texas había pedido dinero prestado para pagar la guerra. Ahora, esa deuda representaba un problema económico. Una **deuda** es dinero que se debe a otras personas. El presidente Houston planeó maneras de pagar las deudas.

El nuevo gobierno también se ocupó de proteger a los ciudadanos. México podía atacar de nuevo. Los colonos que se mudaban al oeste a menudo peleaban con indígenas norteamericanos por el reclamo de las tierras.

Junto con estos problemas surgía un interrogante importante. ¿Debía Texas seguir siendo una nación aparte? ¿O debía Texas convertirse en un estado de los Estados Unidos?

3. ◉ **Idea principal y detalles** Completa la tabla para **describir** los problemas de la República de Texas.

Texas enfrenta problemas

Económicos
....
....
Relaciones con los indígenas norteamericanos
....
....

¿Entiendes?

🔸 TEKS 3.C

4. ◉ **Secuencia Numera** los siguientes sucesos en el orden en que ocurrieron.

.... Mirabeau B. Lamar es elegido presidente.

.... La capital se traslada a Houston.

.... La capital se traslada a Austin.

5. ❓ **Identifica** los líderes importantes para la fundación de Texas como república. Escribe el nombre del hombre que es conocido como el padre de la educación de Texas. ¿Cómo influye su trabajo en los texanos de hoy en día?

 mi Historia: Ideas

....

....

6. Trabajas en un periódico de Texas en la década de 1830. En una hoja aparte, escribe un artículo breve para **explicar** cómo la actividad humana creó la ciudad capital en Austin.

Lección 1   TEKS 3.B, 3.C, 3.D, 15.A, 16.D

Los conflictos llevan a la Revolución

1. Lee la pregunta con atención. Determina cuál es la mejor respuesta entre las cuatro opciones.

¿Qué enunciado describe uno de los éxitos de la República de Texas?

A Creó una constitución escrita.

B Otorgó las mismas libertades a todas las personas.

C Los inmigrantes dejaron de ir a Texas.

D Hizo que la esclavitud fuera ilegal para los inmigrantes.

2. Describe los orígenes de la celebración del estado conocida como el Día de la Independencia de Texas.

....

....

....

....

3. Resume la importante contribución del *Texian* George Childress.

....

....

....

4. Identifica los líderes importantes en la fundación de Texas como república. Une la persona con su descripción.

José Antonio Navarro   comandó el ejército de Texas

Sam Houston   lideró a tejanos en la lucha por Texas

Juan N. Seguín   tejano que firmó la Declaración de Independencia de Texas

5. Identifica los propósitos de estos documentos.

Declaración de Independencia de Texas

....

....

Constitución de Texas de 1836

....

....

Lección 2    TEKS 3.A, 3.B

Batalla de El Álamo

6.   **Secuencia** Numera los siguientes sucesos en el orden en que sucedieron.

_____ James Bonham regresó a El Álamo.

_____ Santa Anna estableció un sitio en El Álamo.

_____ William Travis escribió un pedido de ayuda.

7. Resume la contribución del tejano Carlos Espalier a la independencia de Texas.

....

....

8. Explica un efecto importante que tuvo la Batalla de El Álamo en los habitantes de Texas.

....

....

....

....

Victoria en San Jacinto

9. Analiza los sucesos más importantes de la Revolución de Texas, entre ellos, la Desbandada. Completa los espacios en blanco de las oraciones.

a. Durante la Desbandada, la gente huyó de sus hogares para escapar de ....

b. .... ordenó a soldados y ciudadanos que se fueran.

10. Resume la contribución del tejano Plácido Benavides a la independencia de Texas.

....

....

11. Encierra en un círculo la letra de la entrada que mejor completa la línea cronológica.

10 de marzo
Comienza la Desbandada.

27 de marzo ......
....

| Marzo | Abril | Mayo |

21 de abril
Victoria en San Jacinto

A Susanna Dickinson se encuentra con el general Houston.

B El general Filisola traslada sus tropas a San Antonio.

C El coronel Fannin y sus hombres son fusilados en Goliad.

12. Analiza los acontecimientos más importantes y el significado de la Batalla de San Jacinto.

....

....

....

....

....

....

....

....

13. Escribe el nombre de cada persona en la oración que **resuma** sus contribuciones a la independencia de Texas.

> Juan Antonio Padilla   José Francisco Ruiz
>
> Sidney Sherman

a. El amigo de Stephen Austin, ... , era un tejano que apoyó y combatió en la Revolución de Texas.

b. .... era un comandante que llevó voluntarios de Kentucky a combatir en la Revolución de Texas.

c. Uno de los dos tejanos nativos que firmó la Declaración de Independencia de Texas fue ....

Lección 4 TEKS 3.A, 3.C

República de Texas

14. Analiza y escribe sobre los efectos de la Revolución de Texas.

....

....

....

15. Los siguientes líderes fueron importantes para la fundación de Texas. **Describe** qué tuvieron en común Anson Jones y Mirabeau Lamar.

....

....

16. Secuencia Numera los siguientes pueblos en el orden en que fueron la capital de la República de Texas.

_____ Austin

_____ Columbia

_____ Houston

17. ¿Cómo modela el pasado nuestro presente y nuestro futuro? TEKS 3.A, 16.A

Observa el siguiente sitio de interés y responde la pregunta.

Explica el significado de El Álamo para los texanos en la actualidad.

....

....

....

....

....

Conéctate en línea para escribir e ilustrar tu **myStory Book** usando **miHistoria: Ideas** de este capítulo.

¿Cómo modela el pasado nuestro presente y nuestro futuro?

TEKS
SLA 15

Fueron tantas las personas valientes, inteligentes y ejemplares que participaron en la Revolución de Texas que todavía se escriben libros y películas sobre ellas. Sus vidas, los objetivos que se trazaron y las decisiones que tomaron para alcanzarlos, cambiaron a Texas para siempre.

Piensa acerca de la manera en que las personas modelan nuestro presente y nuestro futuro en la actualidad. ¿Cómo pueden los actos de una persona cambiar la vida de los demás? Identifica al menos tres ejemplos de actos que la gente puede hacer en la actualidad para contribuir a mejorar el futuro de Texas.

....

....

....

....

Ahora dibuja cómo sería tu comunidad en el futuro si la gente realizara esos actos hoy.

Camino a la estadidad

PREGUNTA PRINCIPAL

¿Cuándo se vuelve necesario el cambio?

Identifica un momento en el que hayas sentido que era necesario inroducir un cambio en un grupo al que pertenecías. **Analiza** las razones por las que el cambio era necesario. **Describe** cómo se produjo el cambio o cómo te gustaría que se produzca.

....

....

....

....

Conocimiento y destrezas esenciales de Texas

1.C Describir las regiones donde habitaban las tribus indígenas originales e identificar los grupos indígenas que permanecen en Texas tales como los Ysleta Del Sur Pueblo, los Alabama-Coushatta y los Kickapoo.

3.C Identificar importantes líderes que ayudaron a fundar Texas como república y estado, incluyendo a José Antonio Navarro, a Sam Houston, a Mirabeau Lamar y a Anson Jones.

3.D Describir los éxitos, los problemas y las organizaciones de la República de Texas tales como el establecimiento de una constitución, las luchas económicas, las relaciones con los grupos indígenas norteamericanos y con los Rangers de Texas.

3.E Explicar los acontecimientos que condujeron a la anexión de Texas a los Estados Unidos, incluyendo el impacto de la guerra entre Estados Unidos y México.

7.A Describir una variedad de regiones en Texas y en los Estados Unidos tales como la población política y las regiones económicas que resultan de cambios en la actividad humana.

8.A Identificar y explicar agrupaciones y patrones relacionados con los asentamientos en Texas en diferentes épocas, tales como antes de la Revolución de Texas, después de la construcción del ferrocarril y después de la Segunda Guerra Mundial.

8.B Describir y explicar la ubicación y distribución de diferentes pueblos y ciudades en Texas, en el pasado y en el presente.

8.C Explicar los factores geográficos tales como los accidentes geográficos y el clima que impactan el tipo de asentamiento y la distribución de la población en Texas, en el pasado y en el presente.

10.B Explicar las actividades económicas que desarrollaron los primeros inmigrantes que se establecieron en Texas para satisfacer sus necesidades básicas y deseos.

12.A Explicar cómo las personas en las diferentes regiones de Texas se ganaban la vida en el pasado y cómo se ganan la vida en el presente, a través del sustento económico y el suministro de bienes y servicios.

12.B Explicar cómo los factores geográficos tales como el clima, el transporte y los recursos naturales han impactado la ubicación de las actividades económicas en Texas.

12.C Analizar los efectos de la exploración, la inmigración, la migración y los recursos limitados en el desarrollo económico y en el crecimiento de Texas.

15.A Identificar los propósitos y explicar la importancia de la Declaración de Independencia de Texas, la Constitución de Texas y otros documentos tales como el Tratado Meusebach-Comanche.

17.D Identificar la importancia de algunos individuos y personajes históricos quienes han participado activamente en el proceso democrático, tales como Sam Houston, Barbara Jordan, Lorenzo de Zavala, Ann Richards, Sam Rayburn, Henry B. González, James A. Baker III, Wallace Jefferson y otros individuos locales.

19.A Identificar las similitudes y diferencias entre los diferentes grupos raciales, étnicos y religiosos de Texas.

19.B Identificar costumbres, celebraciones y tradiciones de los diferentes grupos culturales, regionales y locales en Texas, tales como Cinco de Mayo, Oktoberfest, el Festival de la Fresa y la Fiesta San Antonio.

21.B Analizar información, ordenando en una secuencia, categorizando, identificando las relaciones de causa y efecto, comparando, contrastando, encontrando la idea principal, resumiendo, formulando generalizaciones y predicciones y formulando inferencias y sacando conclusiones.

23.B Usar un proceso de solución de problemas para identificar una situación que requiere una decisión, reunir información, generar opciones, predecir las consecuencias y tomar acción para implementar una decisión.

New Braunfels
Una comunidad construida por inmigrantes

mi Historia: Video

"¡Qué lugar increíble!", exclama Zen. "¡Es como visitar un antiguo pueblito de Alemania!". Bienvenido al Museo Sophienburg, en New Braunfels, Texas. Este sitio está dedicado a preservar la herencia de los antiguos colonos alemanes, que llegaron al estado hace mucho tiempo. "Cuando pienso en Texas, me vienen a la mente nuestras raíces mexicanas, no las influencias europeas", dice Zen. "Me pregunto por qué también hay una influencia europea tan fuerte".

En busca de una respuesta a su pregunta, Zen se encuentra con Keva, una historiadora local que trabaja en el museo. "*Willkommen*", dice Keva. "Así se dice *bienvenido* en alemán". Keva trabaja en el museo hace muchos años y está muy orgullosa de compartir su herencia alemana con los visitantes.

"Sé que Texas antes formaba parte de México. "Por qué también hay huellas tan marcadas de la influencia alemana?", pregunta Zen. "Texas atravesó cambios muy grandes a lo largo el tiempo", responde Keva. Cuando Texas era una república, los líderes querían atraer más gente al lugar. Entonces decidieron vender terrenos públicos a estadounidenses y europeos.

Zen visita el Museo Sophienburg, en New Braunfels, Texas.

Zen aprende sobre algunos de los artefactos que trajeron consigo los inmigrantes alemanes.

Los primeros molinos de Texas fueron construidos por inmigrantes holandeses y alemanes.

"Fue entonces cuando vino a Texas el príncipe alemán Carl de Solms Braunfels", explica Keva. "En 1845, compró más de mil acres de tierra y estableció el pueblo de New Braunfels".

"¿Por qué vinieron a Texas? ¿No les quedaba demasiado lejos?", pregunta Zen. "Era un viaje bastante largo, pero por entonces las cosas estaban difíciles en Alemania", responde Keva. El príncipe Carl buscaba un lugar que ofreciera muchas oportunidades. Y Texas no solo era grande, sino que también contaba con abundantes vías de navegación y mucha vegetación.

Keva le muestra a Zen un mapa de la zona en que se asentaron los alemanes.

"¿Y qué hicieron los inmigrantes alemanes al llegar?", pregunta Zen. "Usaron el río como fuente de energía para colocar molinos", responde Keva. "Usaron los molinos para procesar granos. Después, a medida que el pueblo crecía, también aumentaba la necesidad de establecer más servicios y negocios. Los habitantes abrieron tiendas y talleres que fabricaban objetos como herramientas de cultivo, productos de cuero, muebles y ropa".

Los inmigrantes alemanes trajeron consigo sus costumbres y tradiciones. En esta parte del museo se exhiben panes tradicionales alemanes.

Zen aprende que los inmigrantes alemanes trabajaban mucho, pero también se hacían un tiempo para jugar.

Los inmigrantes también enfrentaron desafíos. Tenían que aprender una nueva lengua y nuevos oficios. Algunos también debieron aprender a sembrar y cultivar en un entorno natural diferente del que conocían.

Los inmigrantes también trajeron sus costumbres y tradiciones a Texas. "Aunque empezaron una nueva vida, los inmigrantes se mantuvieron fieles a sus raíces", dice Keva. "Trajeron al pueblo de New Braunfels la lengua, las tradiciones, la literatura, la comida e incluso la música de su país". "Ahora lo entiendo", comenta Zen. "Aunque se habían mudado lejos, los alemanes estaban orgullosos de sus raíces". "Exacto", responde Keva. "Así como en otras partes de Texas se ven influencias mexicanas, los inmigrantes alemanes tuvieron un efecto notable en la ciudad de New Braunfels".

A medida que Zen recorre el Museo Sophienburg, comprende mejor los cambios que se produjeron en el estado, el pueblo y sus habitantes. Para aprovechar nuevas oportunidades, los alemanes tuvieron que trasladarse a otro país y comenzar una nueva vida. "Hoy he aprendido que el cambio puede ser algo bueno", dice Zen. "Y también puede brindar nuevas oportunidades".

Piénsalo ¿Cómo crees que los alemanes y otros inmigrantes ayudaron a transformar Texas? A medida que lees el capítulo, piensa por qué el cambio puede volverse necesario para una población, un estado o un país. Luego piensa en las consecuencias positivas y negativas del cambio.

Surge el Estado de la Estrella Solitaria

Esta era la bandera de la República de Texas. Si Texas se convertía en un estado, necesitaría una bandera.

Sam Houston fue el presidente de la República de Texas de 1836 a 1838, y de 1841 a 1844.

"Es necesario defender a Texas y mantener la libertad". Sam Houston pronunció estas palabras en 1836. Los texanos habían peleado por la libertad y habían ganado. ¿Era hora de hacer otro cambio? ¿Texas debía seguir siendo una república o tenía que sumarse a la poderosa nación al norte y al este, los Estados Unidos?

Los últimos días de la república

Sam Houston había liderado a los texanos en la lucha por la independencia. También había sido elegido dos veces presidente de la república. Su lealtad y su amor por Texas eran incuestionables. Pero Sam Houston no creía que Texas debía seguir siendo una república. Estaba a favor de la **anexión**. En otras palabras, quería que Texas fuera agregada a los Estados Unidos.

Houston trató de convencer a los habitantes de Texas de que aceptaran su idea. Les explicó que la República de Texas tenía problemas que no podía resolver siendo un país independiente. Primero, necesitaba la protección de los poderosos Estados Unidos. Otro problema eran las grandes deudas que tenía Texas. Necesitaba el apoyo financiero de los Estados Unidos. Además, necesitaba los servicios que solo una nación grande estaba en condiciones de suministrar.

1. **Identifica** cómo Sam Houston sirvió a la República de Texas. **Identifica** y subraya en el texto los problemas que Houston pensaba que Texas no podría resolver siendo un país independiente.

SAM HOUSTON

Diseña una bandera para el estado de Texas. Dibújala en el recuadro.

DESCIFRA LA PREGUNTA PRINCIPAL

Aprenderé que, tanto en Texas como en los Estados Unidos, la gente tenía diferentes opiniones acerca de lo que debía hacer Texas: permanecer independiente o formar parte de los Estados Unidos.

Vocabulario

anexión   cuerpo

resolución   legislativo

Sam Houston era un presidente popular, pero no todos pensaban como él. Las personas habían estado bajo el control de México durante largo tiempo. Muchas de ellas no querían perder su nueva independencia incorporándose a los Estados Unidos.

En los Estados Unidos también había desacuerdo. Algunos líderes estadounidenses deseaban que Texas pasara a ser un estado. Otros no lo deseaban. La deuda de Texas era uno de los problemas. Pero el gran problema era la esclavitud. Las leyes de Texas permitían la esclavitud. Otros estados del sur también permitían la esclavitud. Pero muchos estadounidenses se oponían a esta práctica. No querían admitir otro estado esclavista en los Estados Unidos.

TEKS

1.C, 3.C, 3.D, 3.E, 7.A, 8.A, 8.B, 8.C, 10.B, 12.A, 12.B, 12.C, 15.A, 17.D, 19.A, 19.B

República de Texas, 1836–1845

Territorio sin estados

NH
VT
ME
MA
NY
RI
CT
NJ
DE
MD
MI
PA
OH
IL IN
OCÉANO ATLÁNTICO
MO
KY
VA
TN
NC
AR
SC
MS AL GA
LA
FL

OCÉANO PACÍFICO

Golfo de México

0   400 mi
0   400 km

N O E S

LEYENDA
- Estados Unidos, 1845
- Territorio británico, 1845
- Territorio reclamado por los EE. UU. y Gran Bretaña
- República de Texas
- Territorio reclamado por Texas y México
- México, 1845
- - - Límites actuales de Texas

2. **Identifica** en el mapa el territorio reclamado por Texas y por México.
   Explica los problemas que podrían causar estos reclamos.

_____

_____

Texas se une a los Estados Unidos

Varios acontecimientos condujeron a la anexión de Texas a los Estados Unidos. En 1844, los Estados Unidos eligieron a James K. Polk como presidente. Él quería que Texas se convirtiera en un estado. Solicitó al Congreso que aprobara una **resolución**, es decir, una decisión, para que Texas pasara a ser un estado. El Congreso aprobó la resolución el 28 de febrero de 1845. De acuerdo con ella, Texas podía conservar las tierras que poseía, pero debía traspasar sus fuertes al gobierno de los Estados Unidos.

El próximo paso era que Texas expresara su acuerdo con los términos de la resolución. En aquel tiempo, Anson Jones era el presidente de la República de Texas. El 16 de junio de 1845, el Congreso de Texas votó de manera unánime por la anexión. El 4 de julio de 1845, la convención constitucional del estado la aprobó; todos menos uno votaron afirmativamente.

El 13 de octubre, el pueblo de Texas también votó. Más de 4,000 texanos votaron para aprobar la anexión y la constitución del estado. Alrededor de 250 votaron en contra de la anexión. Alrededor de 300 votaron en contra de la constitución. El Congreso de los Estados Unidos aprobó la Constitución de Texas. El 29 de diciembre de 1845, el presidente James K. Polk firmó los documentos oficiales. Texas se convirtió en el 28.º estado.

3. **Ordena** los eventos o acontecimientos que condujeron a Texas a ser un estado.

....

....

....

....

....

El presidente Anson Jones arrió la bandera de la república. "La República de Texas ya no existe", declaró.

La Constitución de 1845

La constitución tendría muchos propósitos. Redactar la constitución del estado era una tarea importante. Algunos líderes de Texas trabajaron para redactar las leyes que regirían en el nuevo estado. Uno de los redactores fue José Antonio Navarro. Era el único tejano que formó parte del proceso.

José Antonio Navarro

Estos hombres tomaron ideas de las constituciones de la República de Texas, del estado de Luisiana y de los Estados Unidos. Dos meses después, habían completado un nuevo plan para gobernar Texas.

La constitución contenía reglas que indicaban quién podía ocupar cargos en el gobierno estatal. Establecía impuestos y garantizaba escuelas públicas. Más importante aún, determinaba cómo debía formarse el gobierno. Cada dos años se reuniría un cuerpo legislativo. El **cuerpo legislativo** es un grupo de personas elegidas que hace nuevas leyes. Texas también tendría un gobernador. Los votantes elegirían un nuevo gobernador cada dos años. El primer gobernador de Texas fue James Pinckney Henderson.

La constitución también determinaba quién podía votar. Los afroamericanos, las mujeres y los indígenas norteamericanos no tenían derecho al voto. Tampoco se les permitía ocupar cargos públicos. Solo podían votar y ocupar cargos los hombres mayores de 21 años que fueran angloamericanos (americanos de origen europeo) o tejanos (texanos de origen mexicano).

4. ⊚ **Comparar y contrastar Identifica** quiénes podían y quiénes no podían votar y ocupar cargos de acuerdo con la constitución del nuevo estado de Texas. Haz una marca para cada grupo en la columna correcta.

Grupo	Podían votar y ocupar cargos	No podían votar ni ocupar cargos
Hombres angloamericanos		
Afroamericanos		
Mujeres		
Hombres tejanos		
Indígenas norteamericanos		

Texas crece

Texas tenía tierras para poblar. Cuando se convirtió en un estado, conservó el control de las tierras públicas. El estado obtuvo el derecho a vender o entregar tierras para el asentamiento de pobladores. Por este motivo, los nuevos texanos eran bienvenidos. Estos nuevos pobladores llegaron desde México y el sur de los Estados Unidos. También llegaron desde Alemania, Polonia y otros países de Europa.

Sin embargo, no era sencillo determinar quién tenía derecho a las tierras. Algunas de esas tierras "públicas" habían sido habitadas durante siglos por indígenas norteamericanos. En un caso, por ejemplo, Texas concedió una gran superficie de territorio a un grupo de alemanes. El objetivo era atraer a 1,000 familias de Alemania y otros países europeos. Sin embargo, esas tierras eran el lugar donde cazaba el pueblo comanche. El líder comanche Joroba de Bisonte expresó la aflicción de su pueblo: "Me opongo a que se establezcan más asentamientos", declaró. "Quiero estas tierras para cazar".

En 1845, el barón John O. Meusebach era el líder del asentamiento alemán. Meusebach se esforzó por encontrar una solución que posibilitara el asentamiento. El 9 de mayo de 1847 se firmó el Tratado Meusebach-Comanche. Su propósito era resolver el conflicto entre los nuevos inmigrantes y los comanches. Este importante tratado otorgaba más de 3 millones de acres para el asentamiento de pobladores.

Texas fue creciendo a medida que los inmigrantes establecían nuevos pueblos.

Foto actual de Fredericksburg, fundada por John O. Meusebach

5. **Identifica** el propósito del Tratado Meusebach-Comanche y subráyalo en el texto.

El llamado de la tierra

Los inmigrantes vinieron a Texas por muchas razones. Algunos querían escapar de los problemas que tenían en su país de origen. Pero todos venían en busca de nuevas oportunidades. Texas creció y se desarrolló a medida que los inmigrantes establecieron nuevos pueblos y granjas en los millones de acres de tierras que Texas tenía para ofrecer. Estos nuevos pueblos se establecieron a lo largo de todo Texas. La mayoría de las personas viajaron hacia el oeste desde el sur de los Estados Unidos. Muchos otros también viajaron hacia el norte desde México.

La riqueza de los recursos naturales de Texas era excelente para la agricultura. Esto también atrajo a muchos inmigrantes. En Alemania, las personas habían aprendido acerca de Texas leyendo libros, como los que había leído el príncipe Carl de Solms-Braunfels, en los que se describían tierras y vías de navegación con abundantes recursos. Especialmente después del Tratado Meusebach-Comanche, numerosas familias alemanas llegaron a Texas. En 1860, unos 20,000 alemanes se habían asentado en Texas. Por lo general, los inmigrantes se establecían juntos en diferentes lugares de Texas. Ubicados en la parte central del estado, los alemanes construyeron Fredericksburg, New Braunfels y otros pueblos.

Muchos inmigrantes vinieron también de Polonia y Checoslovaquia. Hoy, Checoslovaquia se ha dividido en la República Checa y Eslovaquia. Estos inmigrantes se asentaron en la región central y sureste de Texas. El pueblo de Panna Maria, fundado en 1854, es el asentamiento polaco más antiguo de la nación.

6. **Evalúa** los motivos por los que los inmigrantes decidieron establecerse en Texas. Subraya las oraciones en el texto.

7. **Identifica** las áreas en las que se asentaron grandes poblaciones de inmigrantes.

....

....

El interior de una tienda de Panna Maria a principios del siglo XX

Los nuevos texanos

En los primeros años de Texas como estado, la población creció rápidamente. En 1847, unas 140,000 personas vivían en el estado. Y apenas 13 años más tarde, ¡la población ya superaba los 600,000 habitantes!

Los nuevos texanos se dedicaron a varias actividades económicas para satisfacer sus necesidades y deseos y para ganarse la vida. Muchos vivían una economía de subsistencia. Dependían de los alimentos que cultivaban y de los animales que criaban para satisfacer las necesidades básicas de sus familias. Muchos eran agricultores. Algunos eran rancheros. Aunque en sus países de origen hacían trabajos muy diversos, los inmigrantes tenían ahora una sola tarea. Debían satisfacer las necesidades básicas de su familia. Para lograrlo, la mayoría tenía que cultivar alimentos o criar animales. Era un trabajo arduo, pero la rica tierra de Texas lo hizo posible.

A medida que la cantidad de texanos crecía, nuevos pueblos se formaban a lo largo de todo Texas. Los inmigrantes también hicieron crecer pueblos existentes, como San Antonio. En los pueblos, los inmigrantes abrían tiendas, como ferreterías, que proveían las herramientas necesarias para las granjas. También abrían hoteles. Algunos prestaban servicios, como molinos para procesar los cereales de los agricultores.

Varios grupos étnicos y raciales vivían en Texas. Estos inmigrantes vinieron para comenzar una nueva vida, pero también trajeron muchos elementos de su vida anterior. En los nuevos pueblos alemanes del Hill Country, por ejemplo, los colonos hablaban alemán y celebraban el *Oktoberfest*. Leían libros alemanes. Preparaban comida alemana. En el suroeste de Texas, los inmigrantes de México se asentaron en pueblos como Eagle Pass y El Paso. En esos lugares, la gente seguía hablando y escribiendo en español. También se celebraban días feriados, como el Cinco de Mayo. Cada grupo tenía sus propias celebraciones y sus costumbres especiales.

8. Explica la distribución de los pueblos de Texas.

_____

_____

_____

Aún hoy, los texanos mantienen muchas celebraciones de su pasado. El Cinco de Mayo honra la herencia mexicana.

9. Identifica y subraya en el texto los tipos de actividades económicas que realizaban los primeros texanos para satisfacer sus necesidades y ganarse la vida. **Explica** qué tipos de bienes y servicios suministraban.

Juntos, todos los inmigrantes ayudaron a crear el nuevo estado de Texas. Trajeron ideas novedosas que ayudaron al estado a crecer y prosperar, diferentes ideas sobre la agricultura o sobre cómo administrar negocios.

También trajeron su cultura. Hoy en día, vemos huellas de esas culturas en todo el estado. Por ejemplo, un edificio del Hill Country puede ser muy diferente de otro situado en el suroeste de Texas. Todavía se conservan comidas, ritmos musicales y costumbres del pasado. Todo esto forma parte de lo que Texas es hoy en día.

El Oktoberfest, una costumbre alemana, aún se celebra hoy en día.

TEKS 10.B, 12.C, 15.A

10. ◉ **Predecir Explica** la importancia del Tratado Meusebach-Comanche y su efecto en la cantidad de tierras disponibles para los asentamientos. Imagina que eres un texano en 1847. **Predice** qué ocurrirá con la inmigración.

....

....

11. ❓ Los inmigrantes que llegaron a Texas en la década de 1850 se enfrentaron a grandes cambios. **Analiza** los cambios que podrías enfrentar si tuvieras que ser un inmigrante en otro país.

mi Historia: Ideas

....

....

....

12. Si quisieras atraer alemanes a Texas después de 1845, ¿qué les dirías? En una hoja aparte, escribe un anuncio para publicar en un diario alemán.

Tomar decisiones

Algunas decisiones son fáciles de tomar. ¿Qué camiseta me pongo hoy? ¿Pido pizza con o sin jamón? Otras decisiones son mucho más complicadas. Pueden cambiar totalmente nuestra vida.

Imagina que vives en Luisiana en 1849. Texas ya forma parte de los Estados Unidos; la Guerra con México ha terminado; los Estados Unidos son más grandes que nunca. Tus padres están pensando en mudarse al oeste. ¡Es una gran decisión! Cambiaría la vida de todos. ¿Qué tienen en cuenta tus padres para tomar esa decisión?

Mira el diagrama de abajo:

Preguntas para hacerse antes de tomar una decisión

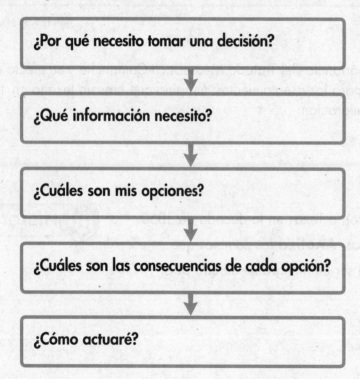

¿Por qué necesito tomar una decisión?

¿Qué información necesito?

¿Cuáles son mis opciones?

¿Cuáles son las consecuencias de cada opción?

¿Cómo actuaré?

Imagina que les preguntas a tus padres por qué quieren mudarse a otro sitio. Ellos responden que buscan nuevas oportunidades. Pero tienen que decidir adónde ir.

¿Qué información necesitan? Tendrían que encontrar una manera de trasladar a la familia. También necesitan pensar cuánto costaría la mudanza. ¿Y qué momento del año sería el ideal para llevarla a cabo? Es imposible llevarse todo. Tus padres también deben decidir qué cosas tienen que dejar y cuáles pueden trasladar.

Objetivo de aprendizaje

Aprenderé a tomar decisiones.

 TEKS

ES 23.B Usar un proceso de solución de problemas para identificar una situación que requiere una decisión, reunir información, generar opciones, predecir las consecuencias y tomar acción para implementar una decisión.

Tú les preguntas cuáles son las opciones. Ellos te dicen que podrían ir a Texas, donde hay muchas tierras. O podrían mudarse a California, donde se habla de la fiebre del oro. O podrían decidir quedarse en Luisiana. Hay muchas opciones.

A continuación, tus padres piensan en las consecuencias, es decir, los resultados, de cada opción. Hablan contigo y con tus hermanos y hermanas. Por último, les dicen que han tomado una decisión: ¡IR A TEXAS! El próximo paso sería implementar la decisión.

¡Inténtalo!

Vuelve a leer la sección titulada **Los últimos días de la república**, en las páginas 218–219. Luego responde las preguntas usando los pasos que aprendiste para tomar decisiones.

1. **Identifica** la decisión que debía tomar Sam Houston. ¿Cuáles eran sus opciones?

   ....

   ....

2. Lee la sección titulada **Texas se une a los Estados Unidos**, en la página 220. ¿Qué decisión tomó el presidente Polk? **Explica** la acción que realizó.

   ....

   ....

3. **Aplícalo** Identifica una situación y una decisión que hayas tomado. En una hoja aparte, haz un diagrama, como el de la página 226, para indicar cómo tomaste tu decisión. **Explica** la acción final que realizaste.

¡Imagínalo!

Guerra con México

El conflicto entre México y Texas no terminó cuando Texas se convirtió en un estado.

Desacuerdo por los límites

La relación de Texas con México no se había aclarado. Llevaría dos años resolver el conflicto.

A mediados del siglo XIX, los ciudadanos estadounidenses querían que su país **se expandiera**, es decir, que se extendiera. Creían que era su derecho. Mucha gente se abría camino hacia el oeste. Los Estados Unidos se habían expandido hacia el oeste cuando Texas se convirtió en un estado. Pero, ¿cuáles eran los límites de ese estado? Los Estados Unidos y México tuvieron una disputa, o un desacuerdo, por esta cuestión.

Para México, el territorio situado en su región fronteriza del norte era mexicano. Los Estados Unidos querían ese territorio para ellos. Gran parte de ese territorio formaba parte de lo que ahora es el estado de Texas. En aquel momento, el presidente de los Estados Unidos, James K. Polk, ofreció comprarlo. México se negó.

1. Analiza el mapa. **Identifica** el territorio que reclamaban tanto México como los Estados Unidos. Márcalo con una X.

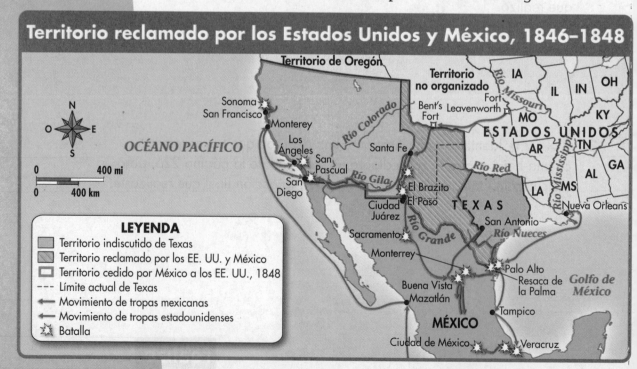

Territorio reclamado por los Estados Unidos y México, 1846–1848

LEYENDA

- Territorio indiscutido de Texas
- Territorio reclamado por los EE. UU. y México
- Territorio cedido por México a los EE. UU., 1848
- - - - Límite actual de Texas
- ← Movimiento de tropas mexicanas
- ← Movimiento de tropas estadounidenses
- ✶ Batalla

El combate es uno de los resultados del conflicto. ¿De qué otras maneras es posible resolver un conflicto?

Aprenderé que los Estados Unidos y México fueron a la guerra para resolver desacuerdos por los límites.

Vocabulario

expandirse

límite

escaramuza

Los Estados Unidos y México tenían, además, otro desacuerdo importante. México insistía en que el río Nueces era el **límite**, o línea, entre ambos países. Los Estados Unidos decían que el límite era el río Grande.

Cuando México se negó a conversar sobre este desacuerdo, el presidente Polk pasó a la acción. En enero de 1846, ordenó al general Zachary Taylor que marchara con un ejército hacia el río Grande. El 25 de abril, los soldados mexicanos cruzaron el río, entraron en el territorio reclamado por ambos países y atacaron una pequeña unidad del ejército de los Estados Unidos. Se produjo una **escaramuza**, es decir, una pequeña batalla. Ganaron los soldados mexicanos.

De inmediato, el presidente Polk solicitó al Congreso una declaración de guerra a México. Dijo que México había derramado "sangre estadounidense en suelo estadounidense". El 8 de mayo de 1846, los soldados mexicanos se enfrentaron a los soldados de los Estados Unidos en un importante combate: la Batalla de Palo Alto. Esta vez, ganaron los Estados Unidos. Fue la primera batalla real de la nueva guerra.

TEKS
3.D, 3.E

2. ◉ **Causa y efecto** Completa este diagrama de causa y efecto sobre el conflicto entre los Estados Unidos y México.

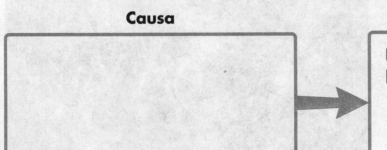

Causa

Efecto

Los Estados Unidos declararon la guerra a México.

En guerra con México

Los Estados Unidos le declararon la guerra a México el 13 de mayo de 1846. Hoy, ese conflicto se conoce como Guerra con México. El presidente James K. Polk tenía un objetivo principal. Quería tomar el control de todo el territorio que México reclamaba al norte del río Grande y hacia el oeste, hasta el Pacífico.

Algunos estadounidenses no estaban de acuerdo con la decisión de ir a la guerra. Pero muchos texanos querían poner fin a los reclamos de México. Deseaban que el territorio en disputa formara parte de los Estados Unidos.

Los Rangers de Texas también combatieron en la guerra. Este grupo de voluntarios había ayudado a defender a Texas desde 1835, en los días de la República de Texas. Eran excelentes exploradores que conseguían información para el ejército. De hecho, se decía que eran los "ojos y oídos" del general Taylor.

El combate continuó, con victorias de ambas partes. Finalmente, en agosto de 1847, el general estadounidense Winfield Scott marchó con un ejército hacia Ciudad de México. A mediados de septiembre, el ejército había logrado capturar la ciudad. La guerra había terminado.

Los Rangers de Texas desempeñaron un papel importante en las victorias que los Estados Unidos obtuvieron en México.

3. 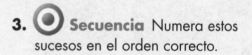 **Secuencia** Numera estos sucesos en el orden correcto.

_____ Tratado de Guadalupe Hidalgo

_____ Declaración de guerra de los EE. UU.

_____ Batalla de Palo Alto

_____ Victoria de los EE. UU. en Ciudad de México

En septiembre de 1847, los soldados estadounidenses combatieron durante dos días contra las fuerzas mexicanas en la capital de México.

Tratado de Guadalupe Hidalgo

El 2 de febrero de 1848, los líderes de México y los Estados Unidos firmaron un tratado para finalizar la guerra. Este tratado recibió el nombre de Tratado de Guadalupe Hidalgo, por el lugar en el que se firmó.

El tratado resolvió problemas de límites y otras cuestiones. El río Grande pasó a ser límite al sur de Texas. Y México entregó más de 500,000 acres de territorio a los Estados Unidos. A cambio, los Estados Unidos le pagaron $15 millones a México.

Además, los tejanos obtuvieron importantes derechos. Se les otorgó la ciudadanía estadounidense. El tratado prometía proteger los derechos de propiedad de los tejanos. Había comenzado una nueva era en las relaciones entre México y los Estados Unidos.

El Tratado de Guadalupe Hidalgo

4. **Identifica** y subraya en el texto lo que ganaron los Estados Unidos mediante el Tratado de Guadalupe Hidalgo.

¿Entiendes?

TEKS 3.E

5. **Predecir** Escribe un titular de periódico que podría haber aparecido tras la victoria en Ciudad de México. **Predice** qué crees que ocurrirá después.

....

....

6. Imagina que eres un tejano en 1848. Vives en una zona que ahora pasó a formar parte de Texas. **Analiza** qué habrías opinado sobre el Tratado de Guadalupe Hidalgo. Escribe una carta a un primo que vive en Ciudad de México.

mi Historia: Ideas

....

....

....

7. **Explica** los acontecimientos que condujeron a la anexión de Texas a los Estados Unidos, incluyendo el impacto de la guerra entre los Estados Unidos y México.

....

....

Predecir

Cuando lees el título de un libro, sueles darte una idea del tema sobre el que trata. ¡Eso es porque eres un lector inteligente! Puedes **predecir** que *El viaje de un niño* no trata sobre un perro, sino sobre un niño. ¿Qué piensas del título *Una arruga en el tiempo*? Dado que el tiempo no tiene realmente arrugas, ¿piensas que es un libro de género fantástico?

Cuando haces una **predicción**, haces una suposición bien fundamentada sobre lo que ocurrirá o acerca del tema sobre el que trata algo. Es como si fueras un detective. Usas pistas para descubrir algo analizando la información.

Imagina que estás a punto de leer el Capítulo 6. ¿Qué pistas te indican cuál es el tema del capítulo? ¿Qué significa *camino a la estadidad*? Un camino es algo que te lleva a algún lugar. Puedes inferir que el capítulo trata sobre los sucesos que condujeron a Texas a ser un estado.

Después, lee los títulos de las lecciones. ¿Qué palabras te dicen que la Lección 1 trata sobre algo positivo? Pista: es la historia de algo que surge, no que cae. ¿Y qué ocurre con la Lección 2? Por el título, sabes que hubo una guerra. Mira los encabezados de la lección. ¿Qué puedes deducir de ellos? ¿Qué te dice el primer encabezado sobre los motivos del conflicto?

Puedes usar un organizador gráfico para anotar las pistas y las predicciones a medida que lees. Mira el mapa de la página 228. Ahora, vuelve a leer el texto de la página 231. Haz una predicción sobre cómo usarán los Estados Unidos el territorio que adquirieron de México.

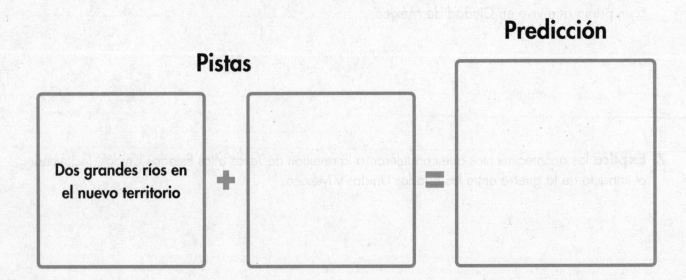

Pistas

Dos grandes ríos en el nuevo territorio

Predicción

TEKS

ES 21.B Analizar información formulando predicciones.

¡Inténtalo!

1. Hojea las lecciones del Capítulo 7. **Analiza** la información para predecir sobre qué trata el capítulo.

   ....

   ....

2. En el Capítulo 7, **identifica** lo que indican los encabezados de la Lección 1.

   ....

   ....

3. En el Capítulo 7, **identifica** los encabezados, las imágenes y los rótulos de las imágenes de la Lección 2. Presta atención a la línea cronológica de la página 255. ¿Qué indican?

   ....

   ....

4. **Aplícalo** Piensa en un cambio que haya ocurrido en tu vida. Después, imagina que vas a contar la historia de ese cambio. **Identifica** el título de tu historia y cuatro encabezados que ayuden al lector a predecir lo que sucede.

   ....

   ....

   ....

SAVVAS realize. Conéctate en línea a tu lección digital interactiva.

233

Lección 1 🔸 TEKS 3.E, 8.A, 8.B, 10.B, 12.A, 15.A, 19.A, 19.B, 21.B

Surge el Estado de la Estrella Solitaria

1. 🎯 **Predecir** Escribe un nuevo título para la Lección 1. Los lectores deben poder **predecir** el tema de la lección.

....

....

....

2. Lee la pregunta con atención. Determina cuál es la mejor respuesta entre las cuatro opciones. Encierra en un círculo la mejor respuesta.

¿Qué enunciado sobre la estadidad de Texas es correcto?

A Todos los texanos estaban a favor de la estadidad.

B Sam Houston apoyaba la estadidad.

C Todos los texanos estaban en contra de la estadidad.

D Todos los estadounidenses querían que Texas fuera un estado.

3. **Identifica** los propósitos de la Constitución de Texas.

....

....

....

....

....

4. 🎯 **Comparar y contrastar** ¿Cuáles eran las similitudes y las diferencias entre los nuevos habitantes de Texas? Completa la tabla para identificar similitudes y diferencias.

Similitudes	Diferencias

5. **Explica** las actividades económicas que desarrollaban los primeros inmigrantes que se establecieron en Texas para satisfacer sus necesidades básicas y deseos.

....

....

....

....

6. Responde estas preguntas para **explicar** la importancia del Tratado Meusebach-Comanche.

a. ¿Qué quería hacer Texas con sus tierras públicas?

....

....

b. ¿Por qué se oponían los comanches?

....

....

....

c. ¿Cuál fue el resultado del tratado?

....

....

....

7. ¿Dónde se asentaron los diferentes grupos étnicos? Junto al nombre de cada pueblo, escribe el origen de sus pobladores.

a. Fredericksburg ....

b. Panna Maria ....

c. El Paso ....

8. Identifica una costumbre que celebra cada grupo étnico.

a. Mexicanos ....

b. Alemanes ....

9. Lee esta carta, que podría haber escrito un inmigrante en Texas. **Explica** cómo este inmigrante vivía una economía de subsistencia.

"Querido hermano: Tuvimos una buena cosecha este año. Cultivé suficientes verduras y crié suficiente ganado como para alimentar a mi familia este invierno".

....

....

....

10. Identifica los asentamientos de inmigrantes ubicados en Texas en las décadas de 1850 y 1860. **Identifica** y **explica** cada ubicación. En una hoja aparte, **explica** los patrones de asentamiento de estos grupos de inmigrantes.

Inmigrantes alemanes
Inmigrantes polacos y checoslovacos

Lección 2 🔷 TEKS 3.D, 3.E

Guerra con México

11. Identifica la importancia del río Nueces y el río Grande.

12. Explica por qué los Estados Unidos querían la región fronteriza del norte de México.

13. Describe a los Rangers de Texas y su importancia en la Guerra con México.

14. ¿Qué efecto tuvo el Tratado de Guadalupe Hidalgo para los tejanos?

15. ❓ **¿Cuándo se vuelve necesario el cambio?** 🔷 TEKS 3.E

Lee la siguiente cita.

México ha derramado "sangre estadounidense en suelo estadounidense".

a. ¿Quién lo dijo y cuándo?

b. ¿Cómo usó el hablante esta idea para provocar un cambio?

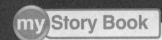

Conéctate en línea para escribir e ilustrar tu **myStory Book** usando **miHistoria: Ideas** de este capítulo.

¿Cuándo se vuelve necesario el cambio?

TEKS
ES 3.E, 21.E
SLA 15

Piensa cómo era la vida de los texanos una vez que Texas se convirtió en estado. Haz una lista de los cambios que habrías experimentado si hubieras vivido allí en ese momento.

....

....

....

....

....

....

Haz un dibujo para mostrar a Texas antes de la estadidad y después de la Guerra con México.

Nuevos retos para Texas

mi Historia: ¡Despeguemos!

¿Por qué cosas vale la pena luchar?

Piensa en un momento en el que hayas defendido algo que considerabas importante. **Escribe** por qué se trataba de una causa significativa para ti y otras personas.

....

....

....

....

....

....

....

Conocimiento y destrezas esenciales de Texas

4.A Describir el impacto de la Guerra Civil y la Reconstrucción de Texas.

4.D Examinar los efectos en la vida de los grupos indígenas norteamericanos, como resultado de los cambios en Texas, incluyendo la Guerra del Río Rojo, la construcción de fuertes y vías de ferrocarril y la pérdida de búfalos.

6.B Traducir datos geográficos, distribución de la población y recursos naturales en una variedad de formatos.

10.A Explicar las actividades económicas que los primeros grupos indígenas que habitaban Texas y Norteamérica usaban para satisfacer sus necesidades básicas y sus deseos tales como la agricultura, el comercio y la caza.

12.C Analizar los efectos de la exploración, la inmigración, la migración y los recursos limitados en el desarrollo económico y en el crecimiento de Texas

16.A Explicar el significado de los diferentes símbolos y puntos patrióticos de Texas, incluyendo las seis banderas sobre Texas, el Monumento de San Jacinto, el Álamo y otras misiones.

16.D Describir los orígenes y la significancia de las celebraciones del estado, tales como el Día de la Independencia de Texas y el Día de la Emancipación (Juneteenth).

19.C Resumir las contribuciones de los diferentes grupos raciales, étnicos y religiosos en el desarrollo de Texas, tales como Lydia Mendoza, Chelo Silva y Julius Lorenzo Cobb Bledsoe.

23.A Usar un proceso de solución de problemas para identificar un problema, reunir información, hacer una lista y considerar opciones, considerar las ventajas y desventajas, elegir e implementar una solución y evaluar la efectividad de la solución.

Lección 1	Texas y la Guerra Civil
Lección 2	La Reconstrucción
Lección 3	Guerras con los indígenas

Fiesta del 19 de junio

Una celebración de la libertad

mi Historia: Video

"¡Recuerdo a ese baterista! ¡Era muy bueno!", exclama Giovanni al mirar algunas fotos que la familia tomó el año pasado en la Fiesta del 19 de junio. Todos los años, al llegar el 19 de junio, la familia extendida de Giovanni celebra la abolición de la esclavitud. "Creo que el mejor momento de esa fiesta fue la barbacoa. ¡Comí tanto que después me dolía la panza!", ríe Giovanni. Si bien la celebración que se realiza en Houston es un gran evento con desfiles, bandas y barbacoas, Giovanni sabe que esa fecha significa mucho más que una simple fiesta. Es una celebración de la libertad.

Como el resto de los estados sureños, Texas se había construido en gran parte sobre la base del trabajo esclavo. Hacia 1860, tres de cada diez habitantes de Texas eran afroamericanos esclavizados. Muchos trabajaban en los campos de algodón y las granjas de los fértiles valles fluviales texanos. Las personas esclavizadas no tenían derechos. Los terratenientes las compraban y las vendían, y las obligaban a trabajar.

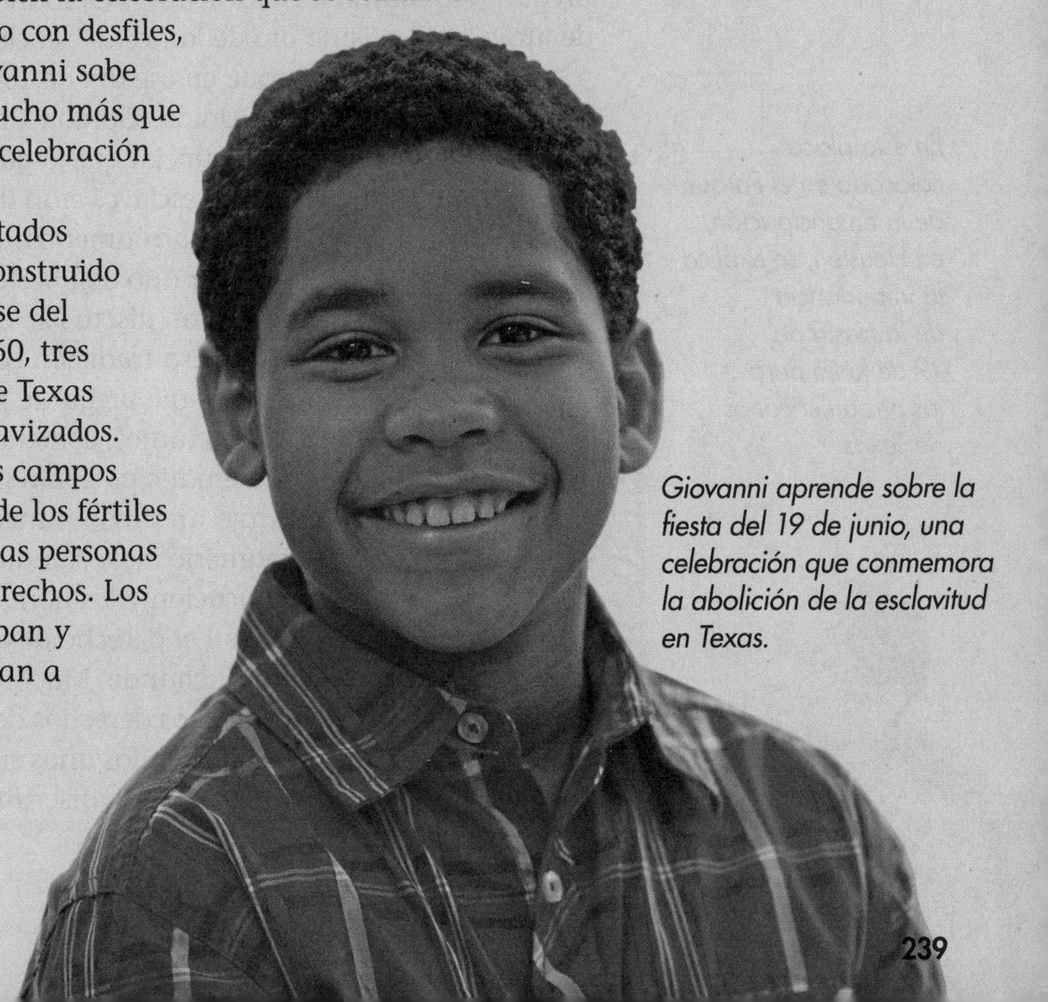

Giovanni aprende sobre la fiesta del 19 de junio, una celebración que conmemora la abolición de la esclavitud en Texas.

El monumento a Lincoln, situado en Washington, D.C., rinde homenaje a quien fuera presidente de la nación durante la Guerra Civil.

En la actualidad, la segregación es ilegal. Aquí, Giovanni juega en un parque con niños de diferentes orígenes.

Giovanni aprendió en la escuela acerca de la Guerra Civil, y sabe que la esclavitud fue una de las principales cuestiones que dividió a la nación. "¿Texas participó en la Guerra Civil?", pregunta Giovanni. "Sí", responde su mamá. La mamá le explica que, durante la Guerra Civil, Texas estaba en el bando de la Confederación, que agrupaba a los estados partidarios de la esclavitud. Con el fin de proteger el derecho de los estados sureños a mantener la esclavitud, Texas se separó de los Estados Unidos.

Finalmente la Confederación fue derrotada, y en mayo de 1865 terminó la guerra. Pero la noticia demoró en llegar a Texas. "¿Sabes qué día supieron los texanos que había terminado la Guerra Civil?", pregunta la mamá de Giovanni. "No, mamá", responde él. "El 19 de junio". "¡El mismo día de la fiesta!", exclama Giovanni. "Claro, porque en ese día de 1865, el general del Ejército de la Unión, Gordon Granger, llegó a Galveston para anunciar que la guerra había terminado y que los esclavos eran libres". El 19 de junio de 1866, los afroamericanos de Texas celebraron su primer año de libertad. Dieron las gracias, escucharon discursos, cantaron e hicieron picnics. Esa tradición continúa hasta hoy. "Siempre me pregunté por qué la gran fiesta se hacía en junio", comenta Giovanni.

En esta placa colocada en el Parque de la Emancipación, en Houston, se explica la importancia de la Fiesta del 19 de junio para los afroamericanos de Texas.

La emancipación o liberación de los esclavos no trajo un alivio inmediato a muchos afroamericanos. Aunque obtuvieron el derecho a la educación y los hombres afroamericanos ganaron el derecho al voto, aún necesitaron seguir luchando. Muchísmos texanos se oponían a los nuevos derechos de los afroamericanos, de modo que en los años siguientes se impuso la segregación y la discriminación.

Giovanni y su mamá pasean por el Parque de la Emancipación, donde todos los años se celebra la Fiesta del 19 de Junio.

El Parque de la Emancipación fue fundado en 1872 por antiguos esclavos. La ciudad de Houston lo adquirió en 1918.

Más tarde, Giovanni y su mamá visitan el Parque de la Emancipación, en Houston. "Aquí es donde vinimos a festejar el año pasado", comenta Giovanni. Su mamá le cuenta que, después de la Guerra Civil, unos esclavos liberados habían comprado ese terreno para celebrar el Día de la Emancipación. "Muchos afroamericanos vivían en las cercanías, en una zona llamada Freeman's Town", le explica su mamá. "En la época de la segregación, venían a este parque porque era uno de los pocos donde se admitían afroamericanos".

"El abuelo me contó que asistía a una escuela donde solo había niños afroamericanos. ¿Eso era por la segregación?", pregunta Giovanni. "Sí", responde su mamá. La mamá le explica que el abuelo tenía que usar baños y fuentes exclusivas para afroamericanos y no podía comer en algunos restaurantes. "En aquella época, la vida era difícil para el abuelo y muchos otros afroamericanos", agrega.

"Bueno, me alegro de que las cosas hayan cambiado. Yo tengo muchos amigos de diversas culturas y todos nos llevamos bien. Supongo que por eso hacemos una fiesta tan grande el 19 de junio. ¡No solo para recordar el pasado, sino también para celebrar las libertades del presente!".

Piénsalo De acuerdo con este relato, ¿en qué se diferencia la situación actual de Giovanni con la que vivió su abuelo cuando tenía la misma edad? Mientras lees el capítulo, piensa en los acontecimientos que se narran aquí y evalúa cómo influyeron en la libertad de las personas involucradas, así como en la libertad de quienes llegaron después.

Texas y la Guerra Civil

¡Imagínalo!

El soldado confederado, a la derecha, y el soldado de la Unión, a la izquierda, combatieron en bandos opuestos en la Guerra Civil.

Texas se convirtió en el 28.° estado de los Estados Unidos en 1845. Sin embargo, 16 años después, los texanos decidieron separarse. ¿Qué ocurrió? Al igual que otros habitantes de los estados del sur, muchos texanos blancos tenían creencias diferentes de las que tenían los habitantes del norte de los Estados Unidos. La diferencia más importante tenía que ver con la esclavitud.

La esclavitud en Texas

Los afroamericanos habían llegado a Texas con los primeros colonos, pero no llegaron como personas libres. Los dueños de las plantaciones del sur los llevaron como esclavos. Como esclavos, los afroamericanos trabajaban para las personas que los compraban y los vendían como si fueran pertenencias.

Un pequeño número de afroamericanos libres se había instalado en Texas antes de que Texas se convirtiera en un estado. Pero la mayoría de los afroamericanos de Texas eran esclavos. Su trabajo ayudó a construir el estado.

La mayoría de los esclavos afroamericanos trabajaba en plantaciones. Una **plantación** es una granja grande en la que se siembran cultivos para después venderlos. Hombres, mujeres y niños esclavos trabajaban durante muchas horas en los campos. Otros trabajaban en las casas o se dedicaban a oficios como la carpintería o la herrería. Sin importar el trabajo que realizaran, no se les pagaba y no podían decidir sobre sus vidas.

De sol a sol (del amanecer al atardecer), los esclavos sembraban y cosechaban los cultivos.

Compara las dos imágenes y explica qué te indican sobre las personas que combatieron en la Guerra Civil.

Vocabulario

plantación   separarse
abolicionista   caballería
arancel   bloqueo
invalidar

Para 1860, tres de cada diez texanos eran afroamericanos esclavizados. Había más de 182,000 esclavos afroamericanos en el estado. El cuadro muestra el cambio en la distribución de la población entre 1836 y 1860. La distribución de la población se refiere a los distintos grupos de personas que viven en un área. En este caso, el porcentaje de personas esclavizadas aumentó mucho. Una de las razones de ese cambio fue el crecimiento de la industria del algodón.

En la década de 1850, la demanda de algodón aumentó. Gran parte del algodón se exportaba a países de Europa y a fábricas textiles del norte. Para los terratenientes texanos, esa era una buena noticia. Como el algodón pasaba por los puertos de Texas, los dueños de las plantaciones texanas ganaban cada vez más dinero. Por ello, necesitaban más trabajadores para cultivar y cosechar el algodón. Esos trabajadores eran esclavos afroamericanos.

Solo una de cada cuatro familias texanas "poseía" esclavos. Pero muchos habitantes del estado creían que la esclavitud era importante para la economía.

1. **Representa** la distribución de la población con una gráfica lineal. Usa la información del cuadro de gráficos para crear una gráfica lineal en la que se muestre el aumento de la esclavitud.

TEKS
4.A, 6.B

Texanos libres y esclavizados

13%   27%   30%
87%   73%   70%
1836   1850   1860

■ Población libre   ■ Esclavizados

Fuente: U.S. Census Bureau

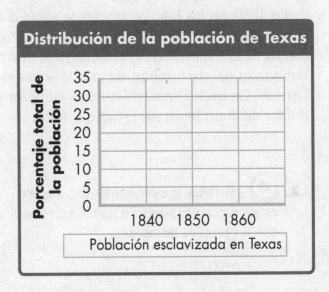

Distribución de la población de Texas

Porcentaje total de la población

35
30
25
20
15
10
5
0
     1840 1850 1860

Población esclavizada en Texas

El norte y el sur no están de acuerdo

El tema de la esclavitud dividió a los Estados Unidos desde sus comienzos. Para mediados del siglo XIX, muchos angloamericanos del sur creían en la esclavitud. Decían que la agricultura dependía del trabajo esclavo. Pero cada vez más norteños se oponían a la esclavitud. Creían que todas las personas debían ser libres. A las personas que querían terminar con la esclavitud se las conocía como **abolicionistas**. Algunos texanos también eran abolicionistas.

Los aranceles eran otro problema. Un **arancel** es un impuesto que se paga sobre los bienes que llegan de otro país. En el norte había muchas fábricas y los aranceles ayudaban a vender los bienes. Sus bienes eran más baratos que los bienes importados, por los que se pagaban impuestos. Como en el sur había pocas fábricas, los aranceles no beneficiaban su economía. En cambio, eso significaba que las personas debían pagar más o comprar bienes del norte. Eso les parecía injusto.

Los norteños y los sureños también tenían ideas diferentes sobre los derechos de los estados. Muchos norteños creían que las leyes nacionales se aplicaban a todas las personas en todos los estados. Por su parte, muchos sureños consideraban que los estados podían **invalidar**, o cancelar, aquellas leyes con las que no estuvieran de acuerdo. Por ejemplo, ¿qué pasaría si los Estados Unidos decidieran prohibir la esclavitud? Los estados del sur querían tener la posibilidad de invalidar una ley de ese tipo.

En 1860, en los Estados Unidos se eligió a un nuevo presidente, Abraham Lincoln, que estaba en contra de la expansión de la esclavitud. Muchos habitantes del sur estaban en total desacuerdo con Lincoln. De hecho, muchos sureños empezaron a hablar de abandonar los Estados Unidos.

Abraham Lincoln estaba en contra de la expansión de la esclavitud.

"Del mismo modo que no sería un esclavo, tampoco sería un amo".

2. ⊚ **Hechos y opiniones** Escribe una oración para expresar la opinión de Lincoln con tus propias palabras.

Estados de la Unión y estados confederados, 1861

Territorio de Washington
OR
Territorio de Nevada
CA
Territorio de Utah
Territorio de Nuevo México
Territorio de Dakota
MN
WI
Territorio de Nebraska
IA
Territorio de Colorado
KS
Territorio indígena
Territorio de Nuevo México
MI
IL
IN
OH
MO
KY
TN
AR
MS AL GA
LA
TX
MN
WI
MI
NY
PA
NH
VT
ME
MA
RI
CT
NJ
DE
WV (1863)
VA
MD
NC
SC
FL

0 ____ 500 mi
0 ____ 500 km

LEYENDA
Estados de la Unión
Estados confederados
Territorios controlados por la Unión

3. **Analiza** el mapa y traza el contorno de la Confederación. ¿Quiénes tienen más tierras: los estados de la Unión o los estados confederados?

....

....

Texas se separa

En diciembre de 1860, solo unos meses antes de que Lincoln asumiera como presidente, Carolina del Sur se separó de los Estados Unidos. **Separarse** significa abandonar oficialmente un grupo. Uno a uno, los estados sureños siguieron el ejemplo de Carolina del Sur.

En enero de 1861, Texas organizó una convención para decidir si ellos también se separarían. De los 174 delegados, la mayoría eran dueños de esclavos. En la convención, los delegados se quejaron de "los insultos, las amenazas y las agresiones" del norte. Al final, más de 46,000 texanos votaron a favor de la secesión, es decir, de la separación. Sin embargo, casi 15,000 texanos votaron en contra. Sam Houston fue uno de los que votó en contra. El 5 de marzo de 1861, Texas se separó oficialmente de los Estados Unidos de América.

Once estados del sur, incluso Texas, formaron un nuevo gobierno. Lo llamaron Estados Confederados de América, o la Confederación. La Confederación nombró presidente a Jefferson Davis, de Mississippi.

El presidente Lincoln no aceptó la separación de los estados. Dijo que todavía formaban parte de los Estados Unidos. Lincoln prometió hacer todo lo posible por mantener unido al país. Ese bando se llamó la Unión. El mapa muestra cómo se dividió el país. La tabla muestra la diferencia entre las poblaciones de los estados de la Unión y la de los estados confederados.

Poblaciones de la Unión y de la Confederación en 1861

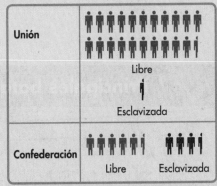

Cada imagen de una persona = 1 millón de personas

4. **Analiza e interpreta** la tabla de población. ¿Qué muestra el gráfico acerca de la distribución de la población de la Confederación?

....

....

....

....

....

Texas va a la guerra

El 12 de abril de 1861, sonaron los primeros disparos de la guerra en el fuerte Sumter, un fuerte de la Unión en Carolina del Sur. Ese fue el comienzo de la Guerra Civil, también conocida como la guerra entre los estados. Aunque ambos bandos pensaban que la guerra terminaría pronto, esta duró cuatro amargos años. El costo en vidas humanas fue terrible.

Casi todo el combate tuvo lugar al este del Mississippi. Alrededor de 90,000 texanos combatieron por la Confederación. Muchos soldados texanos se unieron a unidades o grupos de su pueblo natal. Como los texanos tenían mucha experiencia montando a caballo, muchos soldados texanos se unieron a la **caballería**, es decir, un grupo de soldados que combatía a caballo. Los soldados texanos combatieron en casi todas las batallas.

5. **Analiza** la ubicación de las batallas que se muestran en el mapa. ¿Qué tienen en común?

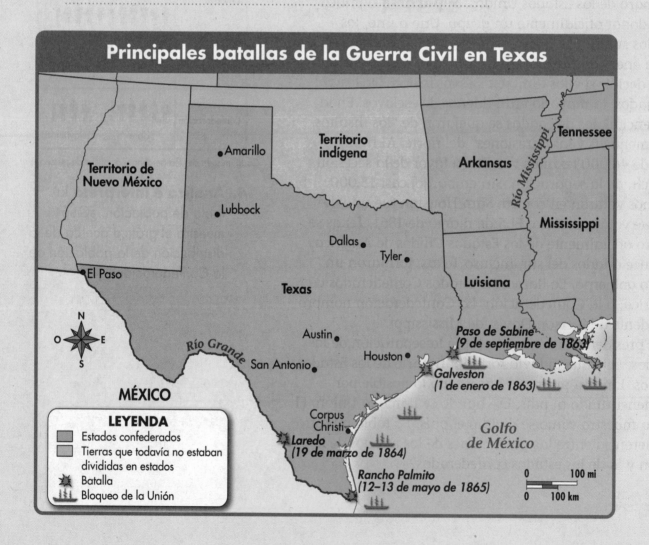

Principales batallas de la Guerra Civil en Texas

Tennessee

Arkansas

Río Mississippi

Mississippi

Territorio indígena

• Amarillo

Territorio de Nuevo México

• Lubbock

Dallas •

Tyler •

Luisiana

• El Paso

Texas

Austin •

Paso de Sabine
(9 de septiembre de 1863)

Río Grande

San Antonio •

Houston •

Galveston
(1 de enero de 1863)

MÉXICO

Corpus Christi •

Golfo de México

LEYENDA

Estados confederados

Tierras que todavía no estaban divididas en estados

Batalla

Bloqueo de la Unión

Laredo
(19 de marzo de 1864)

Rancho Palmito
(12–13 de mayo de 1865)

0   100 mi

0   100 km

La guerra tuvo un impacto directo en las ciudades portuarias de Texas. Durante la guerra, los estados sureños querían enviar algodón desde los puertos de Texas. Y querían importar suministros y armas a través de los puertos. Pero los barcos de la Unión establecieron bloqueos a lo largo de la costa de Texas, como lo habían hecho en otros puertos sureños. Un **bloqueo** es un esfuerzo por obstruir la entrada y la salida de los barcos en un puerto. Muchos productores de algodón de Texas lo resolvieron enviando el algodón al valle del río Grande y luego a través de México.

Mientras la guerra continuaba, los soldados texanos enfrentaron a las tropas de la Unión en varias batallas a lo largo de la costa. En octubre de 1862, las tropas de la Unión capturaron Galveston, el puerto más grande del estado. Sin embargo, para enero, los soldados confederados lo habían recuperado. En septiembre de 1863, los soldados texanos enfrentaron a las fuerzas de la Unión en el paso de Sabine. Las fuerzas de la Unión se retiraron después del ataque. Más tarde, las fuerzas de la Unión perdieron la Batalla de Laredo. El coronel Santos Benavides comandó a los soldados confederados en Laredo. Fue el mexicoamericano de mayor rango que sirvió en la Confederación.

6. Describe el impacto de la Guerra Civil en las ciudades portuarias de Texas.

Representación de una batalla de la Guerra Civil en Bellmead, Texas

La promesa de libertad

La guerra siguió. En 1863, el presidente Abraham Lincoln promulgó la Proclamación de Emancipación. Este documento declaraba que "todas las personas que vivían esclavizadas" en la Confederación eran libres. Una emancipación es el acto de liberar a alguien. Cuando un presidente realiza una proclamación, es una orden. Claro que la Confederación no actuaba como parte de la Unión; por lo tanto, la esclavitud siguió siendo legal en el sur. La esclavitud recién fue declarada ilegal por completo en los Estados Unidos después del final de la guerra. Pero se allanó el camino para que la esclavitud en los Estados Unidos llegara definitivamente a su fin.

El frente local

La Guerra Civil afectó a Texas de muchas maneras, tanto en el campo de batalla como en el propio estado. Para fines de 1863, la mayoría de los hombres libres de Texas habían abandonado sus casas para ir a la guerra. Por lo tanto, muchas mujeres se encargaban solas de la casa. Se encargaron de las granjas, los ranchos y el comercio o negocio hasta que sus esposos volvieron. Los niños también ayudaron.

Las mujeres también participaron activamente en la guerra. Algunas cosían uniformes para los soldados. Otras dirigían hospitales para los heridos o trabajaban en ellos.

Todos debían enfrentar la escasez de bienes a causa del bloqueo. Ya fueran alimentos, ropa o medicinas, las familias de Texas no conseguían muchos de los bienes que necesitaban. La guerra afectó la vida cotidiana en los hogares y en la comunidad. Las personas hacían lo que podían para seguir adelante a pesar de la escasez. Por ejemplo, las personas hacían las telas y hacían sus propias ropas. Y cuando necesitaban papel para escribir, usaban el papel de las paredes.

Y para todos los que se habían quedado en casa, una de las situaciones más difíciles era la preocupación por los hombres que habían ido a la guerra. Una mujer de Texas escribió:

"Dolor y más dolor. La guerra crea miles de viudas".

7. Describe el impacto que tuvo la Guerra Civil en los texanos. ¿Cómo afectó la guerra a las mujeres?

....

....

El fin de la guerra

Para 1865, el ejército confederado estaba agotado y la economía confederada estaba quebrada. La pérdida de vidas era terrible. Casi 500,000 soldados confederados habían muerto o estaban heridos.

Después de muchas batallas duras, la Unión finalmente triunfó. En abril de 1865, el general confederado Robert E. Lee se rindió ante el general de la Unión Ulysses S. Grant en el pueblo de Appomattox Court House, cerca de Richmond, Virginia. Pero otras fuerzas confederadas siguieron combatiendo. El 13 de mayo de 1865, las tropas de Texas vencieron a los soldados de la Unión en la Batalla de Rancho Palmito, cerca de Brownsville. Esa fue la última batalla de la Guerra Civil.

La victoria de la Unión en la guerra impidió que el país se dividiera para siempre. La Guerra Civil también puso fin a la esclavitud en los Estados Unidos. En 1865, se agregó la Decimotercera Enmienda a la Constitución. Declaraba ilegal la esclavitud en todos los estados. La Guerra Civil había terminado, pero el país tardaría muchos años en sanar sus heridas.

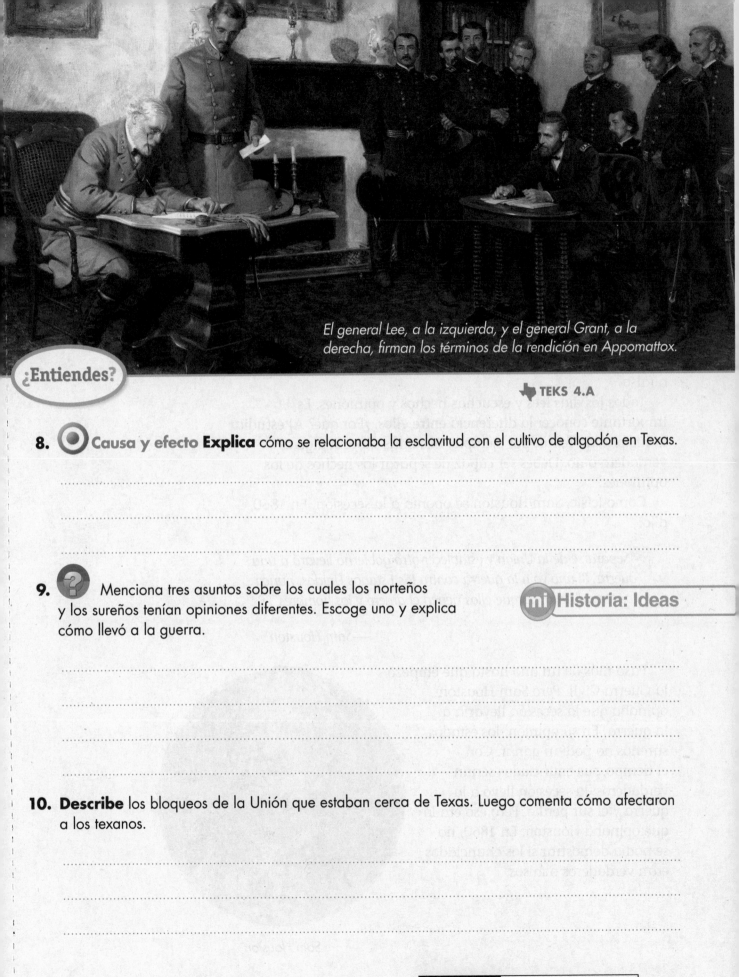

El general Lee, a la izquierda, y el general Grant, a la derecha, firman los términos de la rendición en Appomattox.

¿Entiendes?

TEKS 4.A

8. **Causa y efecto** **Explica** cómo se relacionaba la esclavitud con el cultivo de algodón en Texas.

....

....

....

9. Menciona tres asuntos sobre los cuales los norteños y los sureños tenían opiniones diferentes. Escoge uno y explica cómo llevó a la guerra.

mi Historia: Ideas

....

....

....

....

10. **Describe** los bloqueos de la Unión que estaban cerca de Texas. Luego comenta cómo afectaron a los texanos.

....

....

....

Hechos y opiniones

> **1.** Texas se separó de los Estados Unidos en 1861.
>
> **2.** "Pienso que Texas debería unirse a la Confederación. Quiero apoyar los derechos de nuestro estado".

¿Cuál es la diferencia entre estos dos enunciados? El primero es un hecho. Un **hecho** es un enunciado que se puede verificar. Se puede demostrar que es verdadero. El segundo enunciado es una opinión. Una **opinión** expresa los sentimientos personales de alguien. No se puede demostrar si una opinión es verdadera o falsa.

Todos los días lees y escuchas hechos y opiniones. Es importante conocer la diferencia entre ellos. ¿Por qué? Al estudiar la historia de Texas, por ejemplo, necesitas saber si algo es verdadero o no. Debes ser capaz de separar los hechos de las opiniones.

Como leíste, Sam Houston se oponía a la secesión. En 1860, dijo:

> *"Separarse de la Unión y establecer otro gobierno llevará a una guerra. Si uno va a la guerra contra los Estados Unidos, nunca los conquistará, porque ellos tienen el dinero y los hombres".*
>
> —*Sam Houston*

Pasó más de un año hasta que empezó la Guerra Civil. Pero Sam Houston opinaba que la secesión llevaría a la guerra. En su opinión, los estados sureños no podían ganar. Con el tiempo, sus enunciados serían verdaderos: la secesión llevó a la guerra y el sur perdió. Pero eso era lo que opinaba Houston. En 1860, no se podía demostrar si los enunciados eran verdaderos o falsos.

Sam Houston

TEKS

SLA 11.B Distinguir un hecho de una opinión en un texto y explicar cómo verificar lo que es un hecho.
ES 4.A Describir el impacto de la Guerra Civil de Texas.

¡Inténtalo!

1. Los estadounidenses no se ponían de acuerdo con respecto a la esclavitud. Vuelve a leer la sección "El norte y el sur no están de acuerdo", en la página 244. **Identifica** dos opiniones diferentes sobre la esclavitud.

   ....

   ....

2. ¿Qué opinión dio Abraham Lincoln sobre la esclavitud?

   ....

   ....

3. Vuelve a leer la sección "Texas se separa", en la página 245. **Identifica** dos hechos relacionados con la secesión.

   ....

   ....

   ....

4. **Explica** cómo verificar qué es un hecho. Mira los hechos que identificaste en la pregunta 3. Di cómo sabes que son hechos.

   ....

   ....

   ....

   ....

SAVVAS realize Conéctate en línea a tu lección digital interactiva.

251

La Reconstrucción

La imagen muestra una escuela para niños afroamericanos liberados después de la Guerra Civil.

Después de la Guerra Civil, había mucho trabajo por hacer en el sur. Muchos soldados habían muerto. Ciudades, fuertes, granjas y hogares habían sido destruidos. El sur también necesitaba construir una sociedad nueva y una economía que no tuviera trabajadores esclavizados. Esa época de reparación y cambio se llamó la **Reconstrucción**.

Libertad y cambio

Dos años antes del fin de la guerra, el presidente Abraham Lincoln había promulgado la Proclamación de Emancipación, que liberó a todas las personas esclavizadas de la Confederación. Después de la guerra, la Decimotercera Enmienda prohibió la esclavitud en todo el territorio de los Estados Unidos.

El 19 de junio de 1865, el general Gordon Granger llegó a Galveston con un mensaje importante: todos los texanos esclavizados eran libres de acuerdo con la ley de los Estados Unidos. Granger recorrió Texas a caballo para llevar a todos la noticia. Un año después, el 19 de junio de 1866, los afroamericanos celebraron el aniversario de esa gran noticia. Este día festivo se conoce como **Fiesta del 19 de junio**, y es una celebración en todo el estado del día en que los esclavos de Texas se enteraron de que eran libres. También se la llama Día de la Emancipación.

Los texanos aún celebran el Día de la Emancipación.

1. Describe el origen del Día de la Emancipación.

....

....

....

....

DESCIFRA LA
PREGUNTA PRINCIPAL
?

Aprenderé qué desafíos enfrentaron los texanos durante la Reconstrucción y cómo respondieron a esos desafíos.

Vocabulario

Reconstrucción   aparcero

Fiesta del   segregación
19 de junio

¿Qué otras oportunidades piensas que tenían los afroamericanos después de la Guerra Civil?

La reconstrucción de Texas

La Reconstrucción fue una época difícil. En todo el sur, las personas debían aprender a resolver los problemas de maneras nuevas. Pocas batallas de la Guerra Civil tuvieron lugar en Texas; por lo tanto, las propiedades del estado sufrieron pocos daños. De todos modos, la economía del estado había sufrido. Los texanos debían restaurar sus tiendas de comercio. Y tanto los terratenientes como los afroamericanos recién liberados debían aprender nuevos modos de vida.

El fin de la esclavitud trajo cambios políticos, sociales y económicos al sur. Para ayudar a superar esos cambios, el gobierno federal creó la Oficina de Libertos. La Oficina de Libertos ayudó a los afroamericanos de muchas maneras. Les dio alimentos y ropas. Los ayudó a encontrar trabajo y lugares para vivir. Ayudó a los afroamericanos y a los terratenientes blancos a adaptarse a la nueva economía.

TEKS
4.A, 16.A, 16.D, 19.C

La Oficina de Libertos ayudó a crear escuelas para los afroamericanos.

2. **Explica** por qué el gobierno creó la Oficina de Libertos.

La Oficina de Libertos también ayudó con la educación de los afroamericanos. Con la esclavitud, a la mayoría de los afroamericanos no se les permitía ir a la escuela. La oficina creó más de 1,000 escuelas y universidades en el sur. En Texas, la oficina abrió alrededor de 150 escuelas para adultos y niños afroamericanos. La Reconstrucción afectó a Texas de muchas maneras. Por ejemplo, fue durante esta época que los afroamericanos empezaron a ir a la escuela.

Para los afroamericanos que habían sido esclavos, era una época de entusiasmo pero también de confusión. Los antiguos dueños de esclavos les dijeron que ahora eran libres. Los afroamericanos podían ir y venir a su antojo. De acuerdo con la ley, tenían el control de sus vidas. Pero ahora enfrentaban nuevos desafíos. ¿Dónde hallarían trabajo? ¿Qué tierras cultivarían?

Muchos afroamericanos se convirtieron en aparceros. Un **aparcero** es un granjero que paga a un terrateniente con parte de su cosecha. Funcionaba de esta manera: un terrateniente alquilaba la tierra a un granjero. El terrateniente también le prestaba herramientas y semillas. El granjero pagaba con una parte de la cosecha que obtenía. Si la cosecha era mala, los aparceros podían endeudarse.

3. El hombre de la izquierda es un terrateniente. El de la derecha es un aparcero. **Infiere** y escribe qué podría decir cada uno sobre su experiencia.

Aparcero

Terrateniente

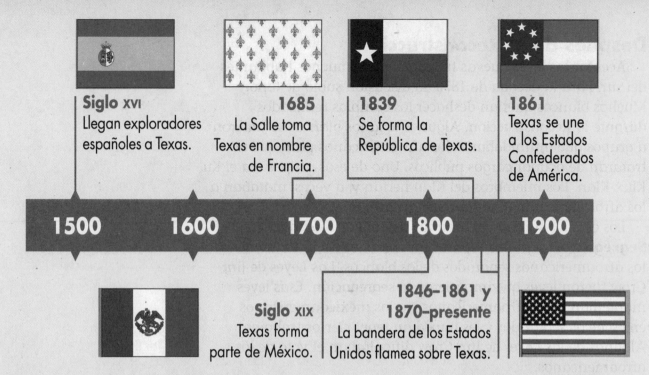

Siglo XVI
Llegan exploradores españoles a Texas.

1685
La Salle toma Texas en nombre de Francia.

1839
Se forma la República de Texas.

1861
Texas se une a los Estados Confederados de América.

1500　　**1600**　　**1700**　　**1800**　　**1900**

Siglo XIX
Texas forma parte de México.

1846–1861 y 1870–presente
La bandera de los Estados Unidos flamea sobre Texas.

Texas se reincorpora a los Estados Unidos

La Reconstrucción también implicó una restauración política de los estados. Cuando terminó la Guerra Civil, los 11 estados confederados debían reincorporarse a los Estados Unidos. Primero, cada estado debía redactar una nueva constitución y crear un nuevo gobierno estatal.

En 1868 se realizó una Convención Constitucional en Austin. Diez de sus 90 delegados eran afroamericanos. Ellos fueron los primeros afroamericanos elegidos para ocupar cargos públicos en Texas. Para 1869, los delegados habían redactado una nueva constitución para el estado. El primer gobernador fue Edmund Davis.

La nueva constitución otorgaba el derecho a votar a los hombres adultos, incluso los afroamericanos. Los hombres afroamericanos también ganaron el derecho a ocupar cargos. Los líderes afroamericanos contribuyeron a establecer el nuevo gobierno. Un líder afroamericano, Matthew Gaines, fue elegido para ocupar un puesto en el Senado de Texas en 1869.

La nueva legislatura debía votar sobre nuevas enmiendas a la Constitución de los Estados Unidos. Las enmiendas Decimotercera, Decimocuarta y Decimoquinta pusieron fin a la esclavitud y protegían los derechos de los antiguos esclavos y de todos los afroamericanos. Finalmente, el 30 de marzo de 1870, Texas se reincorporó a los Estados Unidos. La bandera de los Estados Unidos volvió a ondear sobre Texas. La línea cronológica muestra todas las banderas que tuvo Texas. Observa que cada bandera representa a la nación que reclamaba la tierra en ese momento. Esas seis banderas muestran cómo esas seis naciones formaron parte de la historia de Texas.

4. Explica por qué de la línea cronológica salen dos rectas hacia la bandera de los Estados Unidos.

....

....

....

....

....

....

Después de la Reconstrucción

Aceptar las leyes nuevas fue difícil para muchos habitantes del sur. Para la década de 1870, la discusión subió de tono. Muchos blancos querían deshacer los cambios realizados durante la Reconstrucción. Algunos texanos blancos se unieron a grupos que intimidaban a los afroamericanos para que no trataran de ocupar cargos públicos. Uno de esos grupos era el Ku Klux Klan. Los miembros del Klan herían y, a veces, mataban a los afroamericanos. Querían que dejaran de votar.

Los estados sureños crearon un sistema de segregación. **Segregación** significa separación racial, es decir, mantener a los afroamericanos separados de los blancos. Las Leyes de Jim Crow fueron leyes que impusieron la segregación. Esas leyes mantenían a los afroamericanos y a los mexicoamericanos en escuelas separadas y les impedían tener ciertos trabajos. Algunas de las Leyes de Jim Crow dificultaban el voto de los afroamericanos.

Cuando Texas se reincorporó a los Estados Unidos, más de 250,000 afroamericanos vivían en el estado. Habían adquirido derechos, como el derecho a votar, durante la Reconstrucción. En los años que siguieron a la Reconstrucción, perdieron muchos de esos derechos. Fueron tratados injustamente hasta gran parte del siglo XX. La lucha por la igualdad sería larga y dura. Pero después de la Guerra Civil, los afroamericanos tenían el derecho más importante de todos: su libertad.

Después de la Guerra Civil, los afroamericanos eran libres.

5. ◎ Causa y efecto **Completa** el diagrama de causa y efecto. **Identifica** y escribe un efecto en el recuadro.

Causa	Efecto
Algunas personas no querían que los afroamericanos tuvieran derechos.	....

¿Entiendes?

🔖 TEKS 16.A, 16.D

6. ◉ Hechos y opiniones **Rotula** cada enunciado con una H si es un hecho o con una O si es una opinión.

Me alegra tener tierras para cultivar pero la aparcería es dura. ....

El Día de la Emancipación es un día alegre. ....

El Día de la Emancipación todavía se celebra en la actualidad. ....

La aparcería es un sistema de agricultura. ....

7. ❓ **Describe** la importancia de la celebración del estado conocida como el Día de la Emancipación. ¿Por qué es importante celebrar este evento o acontecimiento?

mi Historia: Ideas

....

....

8. Escribe para **explicar** el significado de las seis banderas sobre Texas.

....

....

....

Guerras con los indígenas

Los comanches son uno de los grupos de indígenas norteamericanos que vivían en Texas.

Con el crecimiento de Texas, también creció el conflicto en la región fronteriza. Durante miles de años, los indígenas norteamericanos habían vivido y cazado en la tierra que ahora formaba parte de Texas. Desde mediados del siglo XIX, los colonos angloamericanos también reclamaron esas tierras como propias. Después de la Guerra Civil, la situación empeoró.

Conflicto en la región fronteriza

La nación estaba expandiéndose. A medida que se construyeron vías de ferrocarril en el territorio de los Estados Unidos, más personas migraron al oeste. Así llegaron más angloamericanos a Texas. Uno de los efectos de esta migración fue el desarrollo económico y el crecimiento de Texas. Los ferrocarriles y la migración también afectaron la vida de los indígenas de Texas. Ahora había más angloamericanos que peleaban por la tierra. Durante la Guerra Civil, el conflicto y la violencia se intensificaron.

Para los comanches, era un honor combatir en batallas para defender a su pueblo. Por eso, los guerreros comanches, junto con guerreros de otros pueblos, asaltaban los asentamientos de la región fronteriza. Destruían granjas y hogares. Muchas personas de ambos bandos perdieron la vida.

Los españoles trajeron caballos a América en el siglo XVI. Los caballos cambiaron la vida de los indígenas, como los comanches.

Escribe cómo es posible que cambie la vida de los indígenas norteamericanos durante una guerra.

DESCIFRA LA PREGUNTA PRINCIPAL

Aprenderé que los colonos de Texas y los indígenas norteamericanos lucharon por controlar la tierra y que los indígenas fueron enviados a las reservas.

Vocabulario

fuerte
soldado búfalo
territorio indígena

Cuando terminó la Guerra Civil, los soldados estadounidenses que estaban apostados en la región fronteriza volvieron a casa. Durante la Guerra Civil, los texanos se concentraron en las batallas del este. Muchos fuertes de la región fronteriza cerraron. Un **fuerte** es un edificio resistente que se usa como vivienda para los soldados y para almacenar armas. A medida que el conflicto entre los colonos y los indígenas en la región fronteriza aumentaba, los colonos pedían ayuda al gobierno de los Estados Unidos. Finalmente, el gobierno envió soldados a los viejos fuertes y construyó fuertes nuevos. Esos fuertes y soldados afectaron la vida de los indígenas. Había más batallas. Y, con el tiempo, los soldados obligaron a los indígenas a abandonar la tierra y vivir en reservas, lo cual cambió para siempre el modo de vida de los indígenas.

Entre las tropas había varias unidades de **soldados búfalo**, o soldados afroamericanos, que combatían a los indígenas de las llanuras. Fueron enviados a Texas y al suroeste para combatir en las guerras con los indígenas. Los soldados conocidos como soldados búfalo eran famosos por su valor y destrezas.

TEKS
4.D, 10.A, 12.C, 19.C

Soldados búfalo

1. **Examina** los efectos de los fuertes construidos en Texas por el gobierno de los Estados Unidos sobre la vida de los indígenas. Subraya los efectos que se describen en el texto.

SAVVAS realize
Conéctate en línea a tu lección digital interactiva.

259

El fin de los búfalos

En octubre de 1867, el gobierno de los Estados Unidos trató de resolver el conflicto mediante el Tratado de Medicine Lodge Creek. De acuerdo con el tratado, los comanches y los kiowas debían mudarse a una reserva en el **territorio indígena**. Esa tierra había sido apartada para los indígenas en 1830. (En la actualidad, ese es el estado de Oklahoma). A cambio, el gobierno de los Estados Unidos les prometió alimentos y ropa, además de elementos para empezar a cultivar.

Las compañías de ferrocarril ofrecían a los viajeros la posibilidad de cazar búfalos por deporte.

La mayoría de los jefes indígenas firmaron el tratado, aunque no todos. Uno de los jefes que no lo firmó fue el líder kiowa Satanta. "Me encanta vagar por las praderas", dijo. "Allí me siento libre y soy feliz". Los kiowas y otros indígenas siguieron asaltando a los colonos.

La obligación de mudarse a las reservas no fue el único cambio que enfrentaron los indígenas de las llanuras. Otro cambio importante fue que las manadas de búfalos estaban desapareciendo. Los indígenas de las llanuras aprovechaban todas las partes del búfalo para alimentarse, vestirse, hacer herramientas y construir viviendas. Los búfalos eran importantes para su modo de vida. Los indígenas respetaban a los búfalos incluso cuando los cazaban.

Durante cientos de años, los indígenas de las llanuras también habían comerciado búfalos para satisfacer sus necesidades y deseos. Los indígenas intercambiaban pieles de búfalo por provisiones con los comerciantes de la región fronteriza. Con el tiempo, algunos cazadores angloamericanos también llegaban a las llanuras para matar búfalos. En la década de 1870, el comercio del búfalo aumentó mucho. Entonces, muchos más cazadores de búfalos angloamericanos aparecieron en las llanuras. Esos cazadores querían ganar dinero, entonces mataban miles de búfalos. Vendían las pieles pero dejaban los cuerpos pudriéndose.

El Ejército de los Estados Unidos mataba búfalos para defenderse de los indígenas de las llanuras. Sin los búfalos, los indígenas no podrían sobrevivir. Para fines del siglo XIX, las enormes manadas de búfalos habían desaparecido. La pérdida de búfalos fue un cambio muy importante en Texas. Afectó muchísimo a los indígenas porque destruyó su modo de vida.

2. ⊙ **Comparar y contrastar** Junto a cada grupo, **explica** las razones que tenían para matar búfalos.

Razones para matar búfalos
Indígenas de las llanuras:
Cazadores angloamericanos:
Ejército de los Estados Unidos:

Segunda Batalla de Adobe Walls

Los indígenas de las llanuras enfrentaron más problemas en la década de 1870. En el Tratado de Medicine Lodge Creek, el gobierno de los Estados Unidos les había prometido provisiones que nunca llegaron. Esto significa que no tenían alimento. El tratado también se comprometía a mantener a los colonos blancos y a los cazadores fuera de las tierras indígenas. Pero los cazadores de búfalos iban de todas formas. De hecho, los cazadores de búfalos angloamericanos establecieron un puesto de comercio en un viejo fuerte llamado Adobe Walls.

El 27 de junio de 1874, el conflicto entre los indígenas de las llanuras y los cazadores de búfalos empeoró. Temprano por la mañana, un numeroso grupo de indígenas atacó a un pequeño grupo de cazadores de búfalos en Adobe Walls.

Quanah, un jefe comanche, lideró a los cheyenes, los comanches y los kiowas en el ataque. Molestos por la matanza de búfalos, los indígenas atacaron a caballo. Dado que los cazadores de búfalos angloamericanos estaban armados con potentes rifles, pudieron mantener a raya a los guerreros indígenas. Solo murieron unos pocos cazadores, pero muchos indígenas quedaron heridos o murieron en el ataque. La batalla se conoce como la Segunda Batalla de Adobe Walls porque los indígenas y los soldados estadounidenses habían combatido allí unos años antes. En el mapa

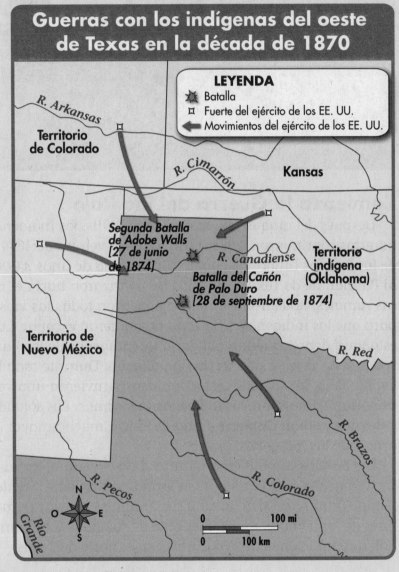

Guerras con los indígenas del oeste de Texas en la década de 1870

LEYENDA
- Batalla
- Fuerte del ejército de los EE. UU.
- Movimientos del ejército de los EE. UU.

R. Arkansas
Territorio de Colorado
R. Cimarrón
Kansas
Segunda Batalla de Adobe Walls [27 de junio de 1874]
R. Canadiense
Batalla del Cañón de Palo Duro [28 de septiembre de 1874]
Territorio indígena (Oklahoma)
Territorio de Nuevo México
R. Red
R. Brazos
R. Pecos
R. Colorado
Río Grande
N O E S
0 — 100 mi
0 — 100 km

se muestra el lugar en el que ocurrió la Segunda Batalla de Adobe Walls. La Segunda Batalla de Adobe Walls no puso fin al conflicto. De hecho, llevaría a la Guerra del Río Rojo, también conocida como Campaña del Río Red, entre 1874 y 1875.

3. ⊙ **Predecir** Encierra en un círculo las dos batallas que se muestran en el mapa. Subraya las fechas. ¿Qué puedes **predecir** acerca del conflicto entre los indígenas de las llanuras y los angloamericanos?

Este cuadro muestra a soldados estadounidenses que luchan contra indígenas norteamericanos en las Grandes Llanuras.

Comienza la Guerra del Río Rojo

Después del ataque fallido de Adobe Walls, los indígenas de las llanuras continuaron con sus asaltos en el verano de 1874. El gobierno de los Estados Unidos respondió con el envío de unos 3,000 soldados al Panhandle de Texas. Los soldados avanzaron hacia el río Red y sus ramales. Rodearon el área y bloquearon todas las vías de escape para que los indígenas de la zona no pudieran escapar. Las tropas estadounidenses querían obligar a los indígenas de las llanuras a volver a las reservas del territorio indígena. Durante toda la Guerra del Río Rojo, los soldados estadounidenses tuvieron una ventaja importantísima sobre los indígenas: sus armas. Los soldados tenían rifles que podían disparar a una distancia mucho mayor que la de las armas de los indígenas.

Los bandos combatieron durante todo el verano, hasta septiembre. Los indígenas se trasladaban en forma permanente y tenían poco tiempo para hacer descansar a sus animales o cazar para comer. Para fines de septiembre, un gran ejército de soldados estadounidenses se había reunido en el arroyo Catfish, en el norte de Texas.

4. **Examina** los efectos de la Guerra del Río Rojo en la vida de los indígenas. Describe de qué manera la guerra afectó a los indígenas.

....

....

....

....

Batalla del Cañón de Palo Duro

Los soldados de los Estados Unidos estaban bajo el mando del coronel Ranald S. Mackenzie. Temprano por la mañana del 28 de septiembre de 1874, Mackenzie y sus soldados capturaron a un gran grupo de indígenas de las llanuras en el cañón de Palo Duro. En el cañón habían acampado familias comanches, cheyenes y kiowas. Con ellas había más de 1,400 caballos y mulas, además de sus tipis y sus pertenencias.

La mayoría de los indígenas escaparon a pie. Pero debieron dejar todo atrás. Los soldados incendiaron las pertenencias de los indígenas. Y sacrificaron a la mayoría de los animales. Sin sus animales ni sus pertenencias —incluidos los alimentos—, los indígenas volvieron derrotados a su territorio. Atrás quedaron las llanuras abiertas que habían sido tan importantes en sus vidas.

El invierno que siguió fue lluvioso. De hecho, los indígenas de las llanuras llamaron a la batalla la Persecución de las Manos Arrugadas. El tiempo era tan malo que tenían las manos arrugadas por el frío y la humedad. Finalmente, en junio, la guerra terminó.

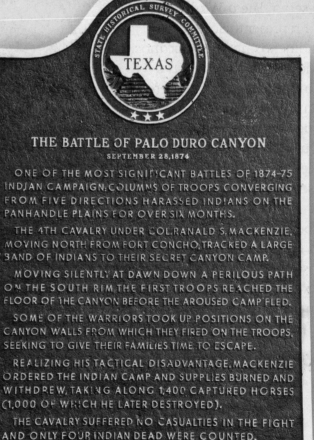

En la actualidad, hay placas históricas que recuerdan a las personas la importancia de la Batalla del Cañón de Palo Duro.

5. **Crea** una placa histórica para la Batalla del Cañón de Palo Duro.

Los indígenas de las llanuras abandonan Texas

El fin llegó en junio de 1875. En las llanuras solo quedaba un grupo de guerreros. Esos guerreros eran un grupo de comanches liderados por el jefe Quanah. El 2 de junio, el jefe Quanah se rindió ante el coronel Mackenzie. La guerra había terminado.

La Guerra del Río Rojo implicó grandes cambios para los indígenas de las llanuras. Los búfalos de los que dependían habían desaparecido. Y los pueblos tuvieron que abandonar las llanuras para mudarse a las reservas del territorio indígena. El viejo modo de vida ya no existía.

La madre del jefe Quanah era Cynthia Ann Parker, una mujer blanca que había sido capturada por los comanches cuando era una niña. Más tarde, el jefe Quanah fue conocido como Quanah Parker, ya que adoptó el apellido de su madre como señal de respeto hacia ella. Quanah Parker también lideró a su pueblo mientras vivían en la reserva. Fue a Washington, D.C., en representación de los indígenas norteamericanos. Alquiló tierras tribales a ganaderos y usó el dinero para las familias indígenas que vivían en la reserva. Quanah Parker también alentó a los indígenas a crear escuelas para sus hijos.

A medida que los indígenas abandonaron su tierra natal, la región quedó abierta para los asentamientos de los blancos. Pronto, sería el hogar de ranchos de vacas y ovejas, y de otros colonos.

6. Describe lo que piensas que hubiera dicho el jefe Quanah sobre la Guerra del Río Rojo.

El jefe Quanah tuvo un rol importante en la Guerra del Río Rojo.

....

....

7. ⊙ **Causa y efecto Examina** la manera en que los cambios en Texas afectaron el modo de vida de los indígenas. Escribe un efecto de cada uno de los cambios mencionados.

Cambio en Texas	Efecto en los indígenas
Llegada de más colonos con la construcción de los ferrocarriles estadounidenses	
Pérdida de búfalos	

TEKS 4.D, 10.A

¿Entiendes?

8. ⊙ **Hechos y opiniones Identifica** un hecho sobre los soldados búfalo. Luego **identifica** una opinión. Indica a quién pertenece la opinión.

Hecho: ....

....

Opinión: ....

....

9. ❓ Tú y tu familia forman parte de los seguidores comanches del jefe Quanah. Escribe para **describir** cómo te sientes ante la pérdida de los búfalos.

mi Historia: Ideas

....

....

10. Explica las actividades económicas que usaban los indígenas para satisfacer sus necesidades y deseos. Escribe sobre la manera en que los búfalos contribuyeron a la economía de los indígenas.

....

....

Colaboración y creatividad

Resolver conflictos

¿En qué piensas cuando ves la palabra *conflicto*? Un **conflicto** puede ser una discusión con tu mejor amigo cuando cada uno desea hacer cosas diferentes. O puede ser una discusión tan grande y transformadora como quién tenía derecho a habitar las llanuras de Texas en el siglo XIX.

Para la resolución de los conflictos se necesita tiempo y paciencia… y no siempre se da de manera pacífica. Pero seguir estos pasos puede ser útil.

1. Identifica el conflicto. ¿Quiénes están involucrados? ¿Cuál es la discusión?
2. Reúne información sobre cómo resolver el conflicto. ¿Qué siente cada parte sobre el conflicto?
3. Enumera y considera las opciones. Identifica soluciones posibles para resolver el conflicto. ¿Qué puede ceder cada parte?
4. Considera las ventajas y las desventajas de cada solución.
5. Elige e implementa la mejor solución.
6. Evalúa la efectividad de la solución. ¿Cómo se siente cada parte con respecto a ella?

	La postura B obtiene lo que necesita	La postura B no obtiene lo que necesita
La postura A obtiene lo que necesita	Todos ganan.	Unos pierden, otros ganan.
La postura A no obtiene lo que necesita	Unos ganan, otros pierden.	Todos pierden.

Para resolver un conflicto, ambas partes deben estar preparadas para ceder algunas de las cosas que quieren. En la mayoría de los conflictos, ninguna de las partes obtiene todo lo que quiere. A veces, una parte obtiene todo lo que quiere pero la otra parte no obtiene nada. En esa solución, unos ganan y otros pierden.

A veces, ambas partes pueden hallar una manera de resolver el conflicto que es buena para todos. Se suele decir que, en esta situación, todos ganan. Esto no quiere decir que ambas partes obtuvieron todo lo que querían. Quiere decir que ambas partes se beneficiaron de la solución.

A veces, el resultado final es tan perjudicial para ambas partes que verdaderamente se trata de una situación en la que todos pierden. En este caso, el conflicto no tuvo buenos resultados para ninguna de las partes.

En la Guerra del Río Rojo, ¿se dio la situación en la que todos ganan? No. El gobierno de los Estados Unidos ganó y los indígenas de las llanuras perdieron.

Objetivo de aprendizaje

Aprenderé a resolver conflictos.

 TEKS

ES 4.D Examinar los efectos en la vida de los grupos indígenas norteamericanos, como resultado de los cambios en Texas, incluyendo la Guerra del Río Rojo.

ES 23.A Usar un proceso de solución de problemas para identificar un problema, reunir información, hacer una lista y considerar opciones, considerar las ventajas y desventajas, elegir e implementar una solución y evaluar la efectividad de la solución.

¡Inténtalo!

1. Vuelve a leer la sección "El norte y el sur no están de acuerdo", en la página 244. **Identifica** el conflicto. ¿Quiénes estaban involucrados en el conflicto?

   ....

   ....

2. **Explica** qué piensas que sentían ambas partes acerca de la Guerra del Río Rojo.

   ....

   ....

   ....

   ....

   ....

3. **Aplícalo** Piensa en un conflicto entre dos grupos de tu escuela o comunidad. Usa los pasos de la página 266 para pensar en maneras de resolverlo. **Identifica** el conflicto. Luego **identifica** y escribe dos soluciones posibles para resolver el conflicto.

   Conflicto: ....

   ....

   ....

   Soluciones posibles: ....

   ....

   ....

   ....

   ....

SAVVAS realize Conéctate en línea a tu lección digital interactiva.

267

Lección 1   TEKS 4.A

Texas y la Guerra Civil

1.  **Hechos y opiniones Explica** la opinión de Sam Houston sobre la secesión de Texas.

....

....

2. Usa el cuadro de gráficos para responder la pregunta.

Texanos libres y esclavizados

13%

87%

1836

27%

73%

1850

30%

70%

1860

■ Población libre   ■ Esclavizados

Fuente: U.S. Census Bureau

¿Cómo te ayuda el cuadro a **explicar** por qué muchos texanos querían separarse?

....

....

....

....

....

....

3. **Identifica** cuál es el mejor final para la oración entre las cuatro opciones de respuesta. Encierra en un círculo la mejor respuesta.

Un abolicionista es alguien que quería

A prohibir la esclavitud solamente en los estados confederados.

B poner fin a la esclavitud en todos los estados.

C permitir que los estados decidieran sobre la esclavitud.

D permitir que los inmigrantes llevaran a sus esclavos.

4. ¿En qué difería la opinión de los norteños y los sureños sobre la esclavitud? **Explica** cómo afectó eso a Texas.

....

....

....

....

....

5. **Describe** el impacto de la Guerra Civil en Texas. Da tres ejemplos de maneras en que la guerra afectó la vida de los texanos.

....

....

....

....

....

....

➜ TEKS 4.A, 16.A, 16.D, 19.C

La Reconstrucción

6. Lee la pregunta con atención. Determina cuál es la mejor respuesta entre las cuatro opciones. Encierra en un círculo la mejor respuesta.

¿Qué enunciado describe el origen de la celebración del estado conocida como el Día de la Emancipación?

F la primera vez que los afroamericanos votaron en Texas

G el primer aniversario de la última batalla de la Guerra Civil en Texas

H el día que se aprobó la ley que otorgaba la libertad a los afroamericanos

J el primer aniversario del día en que los afroamericanos de Texas se enteraron de que eran libres

7. Identifica una ventaja y una desventaja de la aparcería.

Ventaja: ....

....

....

Desventaja: ....

....

....

8. Describe el impacto de la Reconstrucción en Texas.

....

....

....

9. Une el nombre o el grupo de la Columna A con la descripción de la Columna B.

Columna A	Columna B
Edmund Davis	grupo que se oponía a los derechos de los afroamericanos
Ku Klux Klan	grupo creado para ayudar a los afroamericanos durante la Reconstrucción
Matthew Gaines	primer gobernador de Texas durante la Reconstrucción
Oficina de Libertos	senador afroamericano por Texas

10. ◉ **Secuencia Explica** la importancia de las seis banderas sobre Texas enumerándolas del 1 al 7. En una bandera habrá dos números.

Lección 3 TEKS 4.D, 12.C, 19.C

Guerras con los indígenas

11. ¿Qué oración **resume** la contribución de los soldados búfalo?

A Fueron soldados que lucharon por Texas.

B Se aseguraron de que no quedaran búfalos en Texas.

C Cazaban búfalos para alimentar a los indígenas de Texas.

D Construyeron los primeros fuertes de Texas.

12. **Examina** los efectos de la Guerra del Río Rojo. Escribe dos efectos de la Guerra del Río Rojo en la vida de los indígenas.

....

....

....

....

....

13. **Analiza** los efectos de la migración en el desarrollo económico y en el crecimiento de Texas. ¿Cómo influyeron en el desarrollo económico de Texas las personas que migraron al oeste?

....

....

....

14. ¿Por qué cosas vale la pena luchar?

TEKS 4.D

Examina los efectos de los cambios en Texas en la vida de los indígenas norteamericanos.

¿Cuáles fueron algunos de los cambios que condujeron a las guerras con los indígenas?

....

....

....

....

....

....

....

....

PREGUNTA PRINCIPAL

¿Por qué cosas vale la pena luchar?

TEKS

ES 4.A

ES 4.D

SLA 15

Tanto la Guerra Civil como la Guerra del Río Rojo implicaron grandes cambios para Texas. En cada conflicto, las personas de ambas partes debieron decidir por qué cosas valía la pena luchar. En ambos conflictos, algunas personas luchaban por preservar su modo de vida.

Piensa en las cosas que son importantes para tu modo de vida. **Describe** algunas de las cosas más importantes de tu modo de vida.

....

....

....

Dibuja una de las cosas que incluiste en la lista.

SAVVAS realize Conéctate en línea a tu lección digital interactiva.

271

Un estado en crecimiento

mi Historia: ¡Despeguemos!

PREGUNTA PRINCIPAL

¿Qué oportunidades ofrece el crecimiento económico?

Identifica tu tienda local favorita y los artículos que compras allí. **Explica** de qué manera tú, tu familia y las personas de tu comunidad dependen de la tienda y de los artículos que se venden en ella.

Conocimiento y destrezas esenciales de Texas

4.B Explicar el crecimiento, el desarrollo y el impacto de la industria del ganado, incluyendo las contribuciones hechas por Charles Goodnight, Richard King y Lizzie Johnson.

4.C Identificar el impacto del ferrocarril en la vida de Texas, incluyendo los cambios a las ciudades y a las industrias importantes.

4.D Examinar los efectos en la vida de los grupos indígenas norteamericanos, como resultado de los cambios en Texas, incluyendo la Guerra del Río Rojo, la construcción de fuertes y vías de ferrocarril y la pérdida de búfalos.

5.A Identificar el impacto de varios asuntos y acontecimientos en la vida de Texas tales como la urbanización, el aumento del uso del petróleo y el gas, la Gran Depresión, el periodo de sequía conocido como Dust Bowl (Cuenco de Polvo) y la Segunda Guerra Mundial.

5.B Explicar el desarrollo e impacto de la industria del gas y el petróleo en la industrialización y urbanización de Texas, incluyendo personas y lugares importantes tales como Spindletop y Pattillo Higgins.

8.A Identificar y explicar agrupaciones y patrones relacionados con los asentamientos en Texas en diferentes épocas, tales como antes de la Revolución de Texas, después de la construcción del ferrocarril y después de la Segunda Guerra Mundial.

9.A Describir cómo las personas se han adaptado o modificado su medio ambiente en Texas, en el pasado y en el presente, tales como la deforestación, la producción de productos agrícolas, el drenaje de las tierras acuosas, la producción de energía y la construcción de diques.

9.B Identificar por qué las personas se han adaptado o modificado su ambiente en Texas, en el pasado y en el presente, tales como el uso de los recursos naturales para satisfacer las necesidades básicas, facilitar el transporte y mejorar las actividades recreacionales.

11.A Describir el desarrollo de un sistema de libre empresa en Texas.

11.B Describir cómo funciona un sistema de libre empresa, incluyendo la oferta y la demanda.

12.A Explicar cómo las personas en las diferentes regiones de Texas se ganaban la vida en el pasado y cómo se ganan la vida en el presente, a través del sustento económico y el suministro de bienes y servicios.

12.B Explicar cómo los factores geográficos tales como el clima, el transporte y los recursos naturales han impactado la ubicación de las actividades económicas en Texas.

12.C Analizar los efectos de la exploración, la inmigración, la migración y los recursos limitados en el desarrollo económico y en el crecimiento de Texas.

12.D Describir el impacto de la producción en masa, la especialización y la división laboral en el crecimiento económico de Texas.

12.E Explicar cómo los avances en el transporte y en las comunicaciones han impactado las actividades económicas en Texas.

13.A Identificar cómo los cambios tecnológicos en áreas como el transporte y la comunicación han conducido a una mayor interdependencia entre Texas, los Estados Unidos y el mundo.

13.B Identificar los productos tejanos en las áreas del petróleo y el gas, la agricultura y la tecnología que satisfacen las necesidades en los Estados Unidos y alrededor del mundo.

19.C Resumir las contribuciones de los diferentes grupos raciales, étnicos y religiosos en el desarrollo de Texas, tales como Lydia Mendoza, Chelo Silva y Julius Lorenzo Cobb Bledsoe.

20.A Identificar inventores famosos, tales como Gail Borden, Joseph Glidden, Michael DeBakey y Millie Hughes-Fulford y sus contribuciones.

20.B Describir cómo los descubrimientos y las innovaciones científicas en el área aeroespacial, en la agricultura, en la energía y la tecnología han sido un beneficio para los individuos, los negocios y para la sociedad en Texas.

21.B Analizar información, ordenando en una secuencia, categorizando, identificando las relaciones de causa y efecto, comparando, contrastando, encontrando la idea principal, resumiendo, formulando generalizaciones y predicciones y formulando inferencias y sacando conclusiones.

21.C Organizar e interpretar información en bosquejos, reportes, bases de datos y visuales, incluyendo gráficos, diagramas, líneas cronológicas y mapas.

También, 6.A, 6.B, 7.A, 8.B, 9.C, 18.B.

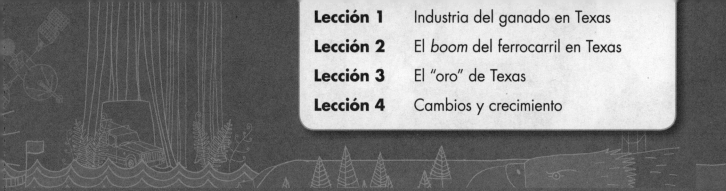

La industria ganadera

El ganado longhorn cambia a Texas

mi Historia: Video

"¡Guau, son longhorn de verdad!", exclama Zeb. Zeb está aprendiendo acerca de la industria ganadera de Texas. Hace poco visitó el Museo de la Herencia del Camino de Chisholm, en la localidad de Cuero, pero ahora tendrá una experiencia más directa en un rancho de recreación histórica situado en las afueras de Houston. Cookie, el guía de Zeb, es el jefe ejecutivo del rancho y el cocinero del carromato de provisiones.

"El ganado longhorn es una mezcla de las diferentes razas que los colonos españoles y americanos trajeron a Texas. Los longhorn de Texas son fuertes como robles", explica Cookie. "¿Por qué son tan importantes en Texas?". "Es que tuvieron mucho que ver con la construcción de la economía texana", responde Cookie. La economía es el intercambio de bienes y servicios por dinero. Cuando las personas ganan dinero trabajando o vendiendo cosas, forman parte de la economía.

Al finalizar la Guerra Civil, los ganaderos de Texas vislumbraron problemas y oportunidades. "Verás", explica Cookie, "un longhorn costaba apenas tres o cuatro dólares en Texas, pero la gente que vivía en el este de Estados Unidos quería comer carne, de modo que allí estos animales llegaban a valer cuarenta dólares por cabeza. ¡Diez veces más!". "Pero Texas está bastante lejos del este de los Estados Unidos", contesta Zeb. "Es cierto, ¿pero alguna vez has oído hablar de los arreos de ganado?". "¡Por supuesto!", exclama Zeb.

Zeb aprende sobre la época dorada de los arreos de ganado.

273

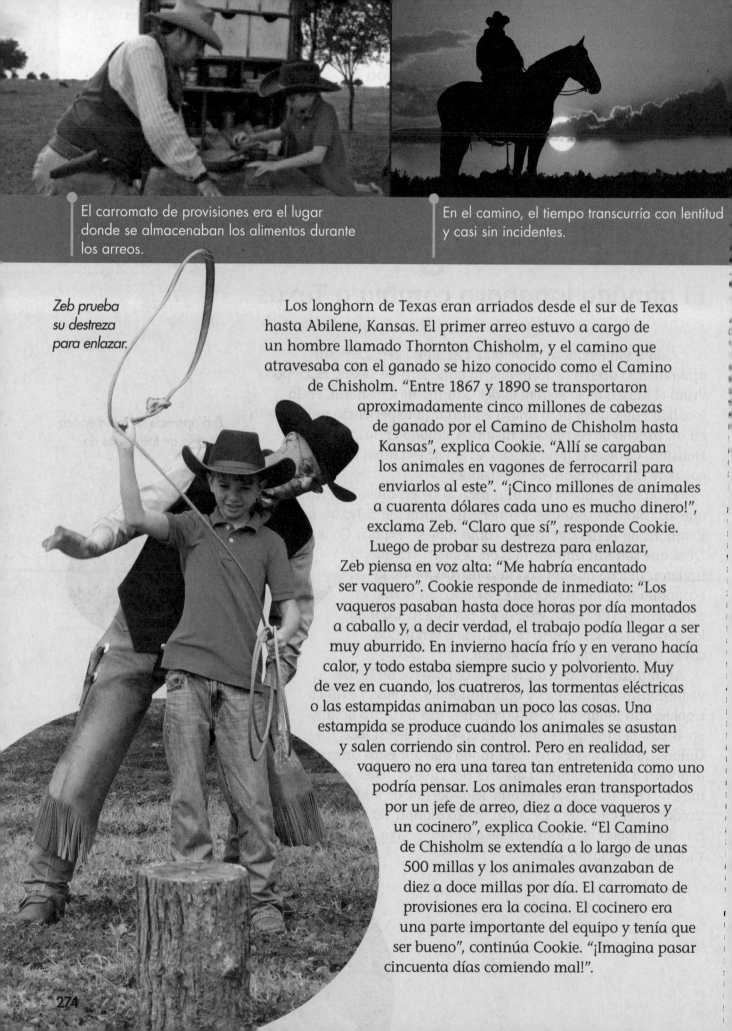

El carromato de provisiones era el lugar donde se almacenaban los alimentos durante los arreos.

En el camino, el tiempo transcurría con lentitud y casi sin incidentes.

Zeb prueba su destreza para enlazar.

Los longhorn de Texas eran arriados desde el sur de Texas hasta Abilene, Kansas. El primer arreo estuvo a cargo de un hombre llamado Thornton Chisholm, y el camino que atravesaba con el ganado se hizo conocido como el Camino de Chisholm. "Entre 1867 y 1890 se transportaron aproximadamente cinco millones de cabezas de ganado por el Camino de Chisholm hasta Kansas", explica Cookie. "Allí se cargaban los animales en vagones de ferrocarril para enviarlos al este". "¡Cinco millones de animales a cuarenta dólares cada uno es mucho dinero!", exclama Zeb. "Claro que sí", responde Cookie. Luego de probar su destreza para enlazar, Zeb piensa en voz alta: "Me habría encantado ser vaquero". Cookie responde de inmediato: "Los vaqueros pasaban hasta doce horas por día montados a caballo y, a decir verdad, el trabajo podía llegar a ser muy aburrido. En invierno hacía frío y en verano hacía calor, y todo estaba siempre sucio y polvoriento. Muy de vez en cuando, los cuatreros, las tormentas eléctricas o las estampidas animaban un poco las cosas. Una estampida se produce cuando los animales se asustan y salen corriendo sin control. Pero en realidad, ser vaquero no era una tarea tan entretenida como uno podría pensar. Los animales eran transportados por un jefe de arreo, diez a doce vaqueros y un cocinero", explica Cookie. "El Camino de Chisholm se extendía a lo largo de unas 500 millas y los animales avanzaban de diez a doce millas por día. El carromato de provisiones era la cocina. El cocinero era una parte importante del equipo y tenía que ser bueno", continúa Cookie. "¡Imagina pasar cincuenta días comiendo mal!".

En 1995, el longhorn fue designado el mamífero grande oficial del estado de Texas.

El alambre de púas permitía a los ganaderos proteger su ganado y mantenerlo separado de otros animales.

Hasta entonces, el ganado siempre había pastado libremente por las tierras públicas o en campo abierto. Para evitar que los animales sueltos se mezclaran, los ganaderos marcaban sus animales con hierro caliente. En época de rodeos, los vaqueros arreaban el ganado a un lugar y lo separaban mediante esas marcas. Esto funcionó bien por un tiempo, hasta que se inventó el alambre de púas. "Yo también vi una muestra de alambres de púas en el Museo de la Herencia del Camino de Chisholm", dice Zeb. "Había muchos alambres diferentes". El alambre de púas es un alambre con puntas muy filosas que se usaba en los cercos para el ganado.

"Los ganaderos comenzaron a comprar tierras y cercarlas, de modo que resultaba más difícil trasladar el ganado, debido a los cercos", explica Cookie. Después, cuando los ferrocarriles se expandieron por Texas, ya no hubo necesidad de arrear el ganado a otros estados. Ahora los ganaderos solo lo llevaban hasta la estación de ferrocarril del pueblo más cercano. "El alambre de púas y los ferrocarriles marcaron el final de los arreos de ganado", agrega Cookie. "Eso es un poco triste", contesta Zeb. "Eso es progreso, Zeb".

Cookie agrega que las cosas han cambiado mucho desde los días en los que el ganado andaba suelto. Los ganaderos modernos contratan "vaqueros en helicóptero" y crían ovejas, cabras, e incluso avestruces y cebras, junto con el ganado vacuno. De todos modos, hoy Texas tiene más ranchos y ganado que cualquier otro estado del país. "Entonces, la cría de ganado sigue siendo una parte importante de la economía texana", dice Zeb. "¡Correcto, vaquero!".

Piénsalo ¿De qué manera la industria ganadera brindó oportunidades económicas a los texanos? Mientras lees, piensa cómo impactan la ganadería y otras industrias de Texas en la población del estado.

Industria del ganado en Texas

¡Imagínalo!

Los vaqueros, como el de la foto, desempeñaron un papel importante en la historia de Texas.

El ganado tiene una larga historia en nuestro estado. Los exploradores y misioneros españoles comenzaron a traer ganado a Texas en el siglo XVII.

Cuando los angloamericanos se establecieron en Texas después de 1820, también trajeron ganado. El ganado español y el angloamericano se mezclaron y formaron una nueva raza. Esta nueva raza, junto con las contribuciones de algunos emprendedores texanos, llevaría al crecimiento y el desarrollo de la industria del ganado en Texas. La ganadería pronto se transformaría en una importante industria de Texas.

Una nueva raza

Los dos tipos de ganado se mezclaron y produjeron algo nuevo: el ganado longhorn de Texas. Es fácil ver de dónde obtuvo su nombre el ganado longhorn ("long" y "horn" significan en español "largo" y "cuerno", respectivamente). Las puntas de sus cuernos largos y curvos suelen estar a seis pies de distancia. Sin embargo, en algunos casos, puede haber hasta ocho pies entre las puntas de los cuernos.

El ganado longhorn es conocido por su fuerza. Estos animales tienen patas largas y pueden resistir varias millas sin agua. Este robusto ganado tampoco teme pelear. Así describía el escritor texano J. Frank Dobie al ganado longhorn:

"Podían ahuyentar de una cornada al lobo más temible, olfatear a la pantera más astuta… no dudaban en enfrentarse a los osos pardos".

—J. Frank Dobie

El ganado longhorn, símbolo de Texas, es el mamífero grande oficial del estado.

_____
_____
_____
_____
_____

¿Qué sabes sobre los vaqueros? Haz una lista de las tareas que hace un vaquero.

Aprenderé que la cría de ganado ofreció oportunidades económicas para los texanos.

Vocabulario

campo abierto	rodeo
marca	estampida
jinetes vigilantes	alambre de púas

El campo abierto

A las herbosas llanuras de Texas se las llamaba **campo abierto**. Hace tiempo, el ganado de Texas andaba suelto por la llanura. Antes de la década de 1880, no había vallas que limitaran sus movimientos. Los ganaderos eran dueños de una parte de las llanuras y el estado era dueño de la otra parte. En el año 1865, ya había en Texas entre 3 y 4 millones de cabezas de ganado longhorn.

TEKS
4.B, 9.A, 9.B, 12.A, 12.B, 12.C, 18.B, 19.C, 20.A

1. ◉ **Hacer inferencias Explica** por qué crees que el ganado longhorn se convirtió en un símbolo de Texas.

....

....

....

En 1927, se formó un rebaño de ganado longhorn oficial del estado para preservar la raza.

Ranchos y rodeos

La industria del ganado se desarrolló y creció rápidamente en Texas después de la Guerra Civil. Muchos de los nuevos pobladores traían su ganado con ellos. Otros cazaban ganado longhorn salvaje y formaban rebaños. Los ganaderos de Texas comenzaron a mezclar otros tipos de ganado con el longhorn.

Richard King fue uno de los nuevos pobladores que ayudaron con el desarrollo y el crecimiento de la industria. Nacido en Nueva York, King compró su primer terreno en Texas en 1853. Con el correr de los años, fue sumando más tierras, caballos y ganado. King demostró que la ganadería podía ser una industria importante. En la actualidad, el rancho King, que tiene más de 800,000 acres, todavía está en el comercio o negocio de la ganadería.

Lizzie Johnson fue otra ganadera texana muy conocida, que contribuyó al crecimiento y desarrollo de la industria del ganado. Siendo una mujer que sabía hacer negocios, Johnson comenzó a comprar tierras en la década de 1870. También fue la primera mujer de Texas en arrear su ganado por el Camino Chisholm hasta Kansas con su propio rebaño de ganado.

En Texas, los ganaderos podían comprar tierras a dueños particulares o al estado. También podían dejar su ganado suelto en tierras del estado. Esto no era tan fácil como suena. A menudo, distintos rebaños se mezclaban en tierras del estado. Era difícil distinguir a qué rancho pertenecía cada ganado. Entonces, los ganaderos comenzaron a marcar el ganado. Una **marca** es un diseño que se hace en caliente sobre la piel de la vaca.

Richard King

Lizzie Johnson

LEYENDA
ꟽꟽ Rancho King
ꟽSA Rancho Long S
ꟽA Rancho JA
XII Rancho XIT

2. Localiza cada marca en el mapa. **Identifica** qué significan usando la leyenda. Luego imagina que tienes un rancho en Texas. En el recuadro, escribe el nombre de tu rancho y diseña una marca para tu rancho.

El trabajo del vaquero

Los vaqueros marcaban y cuidaban el ganado. Algunos vaqueros, llamados **jinetes vigilantes**, cabalgaban por los límites del rancho para vigilar el ganado. En Texas, muchos vaqueros eran afroamericanos, hispanos o indígenas.

La primavera y el otoño eran épocas de mucha actividad en los ranchos. Era cuando los ganaderos hacían un **rodeo**. Los vaqueros de diferentes ranchos rodeaban todo el ganado que pudieran encontrar. Los arreaban hacia una zona. Allí, todos trabajaban para separar el ganado por marcas. En el rodeo, los vaqueros también marcaban los nuevos terneros.

Charles Goodnight

Charles Goodnight fue uno de los ganaderos más conocidos de Texas y fue muy importante para el desarrollo y crecimiento de la industria del ganado en Texas. Goodnight estableció un rancho grande y productivo en el Panhandle de Texas. También trabajó para establecer el rebaño del bisonte del estado de Texas. En la década de 1850, seguía a su propio rebaño largas distancias. De esta manera, conoció bien el territorio de Texas. Más adelante, usó este conocimiento como explorador militar.

Goodnight arreó su ganado a mercados lejanos en donde los precios de la carne vacuna eran más altos. Para llegar allí, abrió nuevos caminos. Uno de ellos fue el Camino Goodnight-Loving, del centro de Texas hasta Wyoming. Este camino se convirtió en uno de los caminos de ganado más usados de todos.

Charles Goodnight

3. **Explica** la contribución de cada persona al crecimiento de la industria del ganado en Texas.

Richard King ....

....

....

Lizzie Johnson ....

....

....

Charles Goodnight ....

....

....

Arreo de ganado en los caminos de Texas

Después de la Guerra Civil, los ganaderos de Texas enfrentaron un problema. Una cabeza de ganado en Texas valía solo $3 o $4. El mismo animal en una ciudad del norte podía valer $30 o $40. Los ganaderos necesitaban encontrar una manera de enviar su ganado al norte. En esa época, Texas tenía pocas rutas de ferrocarril. Entonces, los ganaderos organizaron arreos de ganado. Contrataron vaqueros para arrear el ganado hacia el norte, donde estaba el ferrocarril.

Arrear el ganado era difícil. Los vaqueros cabalgaban todo el día cualquiera fuese el estado del tiempo. Por la noche, dormían al aire libre. A veces debían defenderse de los ladrones de ganado o detener estampidas. El ganado sale en **estampida**, es decir, corre sin control, cuando los animales se asustan.

Un arreo de ganado podía abarcar cientos de millas. Los arreos de ganado comenzaban en diferentes puntos de Texas y terminaban en pueblos en donde había ferrocarril, como Abilene, en Kansas. Allí, los compradores compraban el ganado y lo enviaban hacia el norte en ferrocarril.

Entre fines de 1860 y 1880, se arrearon fuera de Texas de 5 a 10 millones de cabezas de ganado. Este movimiento masivo de ganado ayudó a revivir la economía de Texas después de la Guerra Civil.

Caminos de ganado en Texas

LEYENDA
— Principales caminos de ganado de Texas, décadas de 1860 a 1880

4. ¿Dónde terminaba el Camino al Oeste? En el mapa, **identifica** y encierra en un círculo el pueblo. ¿Qué tan largo era el Camino Shawnee aproximadamente?

Palabras en español en el camino

Hacía siglos que los vaqueros mexicanos arreaban ganado. Los texanos aprendieron de ellos sobre los arreos de ganado. Los ganaderos y los vaqueros usaban palabras en español que aprendían de los vaqueros mexicanos. Algunas palabras de origen español, como "rodeo" y "corral", no cambiaron. Otras cambiaron un poco. La palabra "rancho", por ejemplo, en inglés pasó a ser *"ranch"*. La "reata", una cuerda que se usaba para atrapar ganado, se convirtió en *"lariat"*.

Vallar el campo abierto

En 1874, un invento cambió el paisaje de Texas. Joseph Farwell Glidden ideó una manera de hacer **alambre de púas**. Este alambre trenzado tenía puntas filosas, es decir, púas. Suspendido entre postes de madera, el alambre de púas impedía que el ganado saliera o entrara.

Los granjeros de Texas estaban interesados en mantener el ganado lejos de sus cultivos. Los ganaderos que tenían ganado premiado también estaban interesados en las nuevas vallas. Impedían que su ganado se mezclara con el ganado común.

A los ganaderos que no tenían ranchos no les gustaba el alambre de púas. Algunas vallas bloqueaban el campo abierto. Otras separaban al ganado de los abrevaderos y arroyos en donde bebían agua. Para obtener agua para sus animales, algunos ganaderos tuvieron que construir molinos. Los molinos bombeaban el agua subterránea hacia unos tanques.

Cerrar el campo

El uso generalizado del alambre de púas y los molinos cambió la ganadería en Texas. En 1890, el campo abierto estaba vallado casi en su totalidad. También se había cerrado el paso a los caminos de ganado hacia el norte. La ganadería seguía siendo un buen negocio, pero los días de largos arreos de ganado se habían terminado.

Esta canción muestra qué pensaba un vaquero sobre cerrar el campo abierto:

Causa: Los texanos construyeron cercas de alambre de púas.

Efecto: ....

Efecto: ....

5. Causa y efecto **Identifica** y subraya en el texto un inventor famoso de Texas. Completa el diagrama con dos efectos de su invento.

Alambre de púas en el campo de Texas

Old Texas
(El lamento del vaquero)

De Texas me voy caminando;
ganado longhorn ya no están necesitando.

Araron y vallaron el campo donde pastaba,
y todas estas personas de por aquí son raras.

Me llevo mi caballo y me llevo mi cuerda,
y tomaré el camino que va a la izquierda.

Diré adiós a El Álamo,
y hacia México haré el tramo.

Crece la agricultura en Texas

La modificación del medio ambiente mediante el uso de vallas de alambre de púas ayudó a los agricultores de Texas. Estas vallas impedían que el ganado entrara a los campos de cultivo. Los molinos de viento también mejoraron la vida de los agricultores. Con un molino de viento, una familia podía bombear agua hacia su granja o su granero.

El clima influyó en la ubicación y en el tipo de actividades económicas de Texas. Por ejemplo, los agricultores de Texas no usaban los molinos para irrigación. En cambio, dependían de la lluvia para regar sus campos. La cantidad de lluvia varía según la región de Texas. Entonces, los agricultores aprendieron a sembrar cultivos que crecieran bien con la cantidad de lluvia de la región.

Después de la Guerra Civil, algunos granjeros de Texas continuaron ganándose la vida proveyendo bienes como el algodón. Los grandes terratenientes ahora rentaban campos pequeños a granjeros arrendatarios. Muchos granjeros arrendatarios eran afroamericanos. La mayoría de los arrendatarios cultivaba 20 acres de algodón. Dos tercios de cada cultivo solían ser para el terrateniente para el pago de semillas, herramientas, suministros y la renta de la tierra.

Muchos agricultores de Texas eran dueños de su tierra. Las granjas pequeñas tenían entre 120 y 160 acres de extensión. Estos agricultores plantaban un poco de algodón o caña de azúcar como cultivos comerciales. Los cultivos comerciales se venden por dinero. Los pequeños granjeros también cultivaban verduras y frutas, y criaban cerdos y pollos para consumo propio.

6. Identifica y subraya en el texto cómo los granjeros modificaron el medio ambiente en Texas.

Los granjeros usaban molinos de viento para bombear agua hacia la granja o el granero.

El número de granjas en Texas aumentó rápidamente a fines del siglo XIX. Texas tenía unas 61,000 granjas en 1870. El número subió a 174,000 en 1880. En 1900, había 350,000 granjas.

Una razón de este rápido aumento fueron los ferrocarriles. Con los ferrocarriles, los agricultores tenían una manera rápida de enviar cultivos a los mercados. De esa manera, podían sembrar más cultivos comerciales, especialmente granos. Los ferrocarriles también trajeron herramientas y provisiones a los agricultores. En 1900, la agricultura se había convertido en una industria más grande que la ganadería.

Planta de algodón

¿Entiendes?

TEKS 4.B, 12.B

7. Generalizar **Describe** un ejemplo de cómo influyó el clima de Texas en la ubicación y en los tipos de actividades económicas en Texas.

_____

_____

_____

8. **Explica** cómo impactó la industria del ganado en la economía de Texas.

mi Historia: Ideas

_____

_____

9. Durante la década de 1880, tú decides mudarte a Texas y establecer una granja. **Explica** cómo ciertos factores geográficos, como el clima, el transporte y los recursos naturales, te ayudan a decidir dónde establecer tu granja.

_____

_____

SAVVAS realize. Conéctate en línea a tu lección digital interactiva.

283

Formular inferencias

Una **inferencia** es una suposición que uno hace basándose en pistas y en información que ya conoce. Formular inferencias es una manera de entender mejor lo que lees.

Los escritores no dicen todo cuando escriben. A veces, los significados y las conexiones no son completamente claros. Formular una inferencia es una manera de completar parte de la información.

Para formular una inferencia, comienza por las pistas del texto. Asegúrate de que las entiendes. Luego piensa en cualquier información relacionada que ya sabes, información de tu propia experiencia o de algo que has leído hace poco. Combina las pistas del texto con lo que ya sabes para formular una inferencia.

Lee las siguientes líneas de esta versión de la canción de vaqueros "El viejo Camino Chisholm" (*The Old Chisholm Trail*). Luego lee la información de abajo para ver cómo se formula una inferencia.

> Vengan muchachos, y escuchen mis dilemas,
> les contaré del Camino Chisholm y todos mis problemas.
>
> (estribillo)
>
> Come a-ti yi youpy youpy yea youpy yea
> Come a-ti yi youpy youpy yea
>
> En un caballo de diez dólares y una silla de cuarenta,
> voy arreando mi ganado de Texas listo para la venta.
>
> Dejamos el viejo Texas en octubre veintidós,
> y recorrimos todo el camino con el rebaño U-2.
>
> Estoy de pie en la mañana antes de que el Sol se levante,
> y antes de irme a dormir la Luna se ve brillante.

Pistas: El ganado de la canción se llama U-2.

Lo que sé: Los ganaderos marcaban el ganado para identificarlo.

Inferencia: El ganado era del rancho U-2 y tenía la marca U-2.

TEKS

SLA 10 Inferir el propósito del autor en contextos culturales, históricos y contemporáneos, y proporcionar evidencia del texto para apoyar su comprensión.

SLA 11 Inferir el texto expositivo, y proporcionar evidencia del texto para apoyar su comprensión.

ES 11.B Describir cómo funciona un sistema de libre empresa, incluyendo la oferta y la demanda.

ES 21.B Analizar información formulando inferencias.

¡Inténtalo!

1. **Formula una inferencia** sobre los dos últimos versos de la canción.

   Pistas: Los vaqueros se levantan antes del amanecer y no se acuestan hasta que brilla la Luna.

   Lo que sé: Desde que sale el Sol hasta que anochece pasan unas 14 horas.

   Inferencia: ....

2. Vuelve a leer estas oraciones de la página 280. **Formula una inferencia** sobre por qué el precio del ganado era mucho más bajo en Texas que en el norte.

   > Después de la Guerra Civil, los ganaderos de Texas enfrentaron un problema. Una cabeza de ganado en Texas valía solo $3 o $4. El mismo animal en una ciudad del norte podía valer $30 o $40. Los ganaderos necesitaban encontrar una manera de enviar su ganado al norte.

   Pistas: ....

   ....

   Lo que sé: ....

   Inferencia: ....

   ....

3. Vuelve a un capítulo anterior de este libro. Busca un pasaje en el que hayas formulado una inferencia. **Explica** por qué te ayudó tu inferencia.

   ....

   ....

4. **Crea** un esquema de inferencias como los de arriba. Usa el pasaje que encontraste para la pregunta 3 y muestra cómo formulaste la inferencia.

 SAVVAS realize Conéctate en línea a tu lección digital interactiva.

285

El *boom* del ferrocarril en Texas

A mediados del siglo XIX, los texanos viajaban en carreta o diligencia. Más adelante comenzaron a viajar en tren.

Antes de los ferrocarriles, los productos agrícolas viajaban de la granja a los puertos en barcos de vapor. Richard King llegó a Texas como el capitán de un barco de vapor. Sin embargo, solo se podía navegar en los ríos por cortas distancias y solo se podía andar por los caminos durante tiempo seco. Por eso es que el ferrocarril mejoró la vida de los agricultores en Texas. El ferrocarril también cambió la vida de muchos otros texanos.

Los trenes llegan a Texas

Texas tenía solo 400 millas de vías de ferrocarril en 1860. Luego llegó el *boom* o auge del ferrocarril. Un **auge** es un período de crecimiento rápido. En 1890, Texas tenía más de 8,000 millas de vías de ferrocarril. El auge comenzó en las ciudades portuarias a lo largo de la costa del Golfo. Luego se extendió hacia el norte.

1. **Secuencia** En el mapa, **identifica** dónde comenzó el auge del ferrocarril. ¿Hacia qué ciudades se extendió el auge después?

....

....

....

....

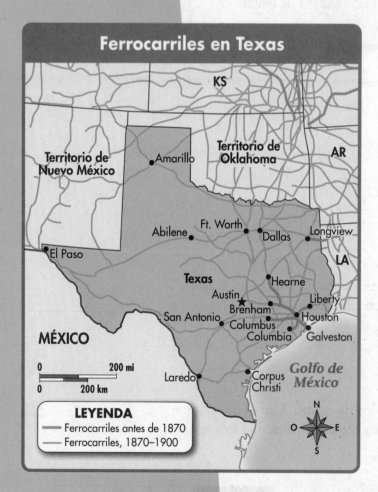

Ferrocarriles en Texas

KS

Territorio de Nuevo México

Amarillo

Territorio de Oklahoma

AR

Abilene

Ft. Worth

Dallas

Longview

El Paso

LA

Texas

Austin

Hearne

Brenham

Liberty

San Antonio

Columbus

Houston

Columbia

Galveston

MÉXICO

| 0 | 200 mi |
| 0 | 200 km |

Laredo

Corpus Christi

Golfo de México

N O E S

LEYENDA
— Ferrocarriles antes de 1870
— Ferrocarriles, 1870–1900

DESCIFRA LA PREGUNTA PRINCIPAL

Aprenderé que el crecimiento del ferrocarril trajo oportunidades económicas a Texas.

Vocabulario

auge	productor
locomotora	consumidor
punto de conexión	oferta
	demanda
libre empresa	

Estos desarrollos del transporte influyeron en las actividades económicas de Texas. El impacto del auge del ferrocarril en Texas fue muy grande. Ciudades y pueblos surgieron con las nuevas líneas de ferrocarril. Ahora las empresas podían enviar y recibir los productos con rapidez.

Los texanos podían visitar otras partes del estado y la nación con más facilidad. Algunos ferrocarriles estaban unidos a otras líneas de los Estados Unidos y a líneas de México. Esto permitió que los texanos comerciaran tanto con otros estados como con México.

El ferrocarril no ayudó a todos. La vida de los indígenas norteamericanos se vio afectada de manera negativa por estos cambios en Texas. Las vías atravesaban tierras indígenas. El medio ambiente también se vio afectado. Las compañías de ferrocarril masacraron búfalos dentro y fuera de tierras indígenas. Esta pérdida afectó a los indígenas, ya que contaban con los búfalos para obtener alimento y ropa.

TEKS

4.C, 4.D, 6.B, 7.A, 8.A, 8.B, 9.A, 9.B, 9.C, 11.A, 11.B, 11.C, 12.A, 12.B, 12.C, 12.E, 13.A, 13.B

Muchos de los trabajadores que construyeron los ferrocarriles de Texas eran chinos.

2. **Examina** los efectos del ferrocarril en la vida de los indígenas de Texas.

....

....

....

Los recién llegados en tren

El ferrocarril también trajo nuevos habitantes a Texas. Personas de otros estados se mudaron a Texas en tren. Otros vinieron de otros países en barco y luego usaban el tren para viajar a sus nuevos hogares en Texas. Uno de estos grupos de recién llegados era el de los chinos.

Miles de trabajadores chinos vinieron a Texas a construir los ferrocarriles. Estos trabajadores colocaban las vías en condiciones difíciles. La mayoría ganaba $20 por mes más el alimento y hospedaje. Algunos ahorraron el dinero y volvieron a China. Otros se quedaron una vez que terminó la construcción y buscaron nuevos trabajos.

Período de auge

Durante el auge del ferrocarril, entre 1870 y 1900 aproximadamente, la población de Texas superó el doble de la entonces existente. Pasó de 800,000 a más de 2 millones de personas. Estos recién llegados trajeron con ellos sus ideas, su cultura, religiones, arte y música. La **locomotora**, también llamada locomotora de vapor, fue, además, un motor de cambio. El impacto del ferrocarril en la vida en Texas y los cambios en las industrias más importantes fueron profundos.

Las compañías de ferrocarril pusieron anuncios promocionando Texas en otros estados. Había trenes especiales, los "buscadores de hogar", que permitían a las personas explorar Texas. Los nuevos habitantes podían usar estos trenes por una tarifa baja.

Las compañías de ferrocarril también influyeron en la industria agrícola. Los ferrocarriles ganaban dinero enviando cultivos y trayendo suministros para las granjas en todo Texas y otras partes del país. Por eso, animaban a los granjeros a probar nuevos y mejores métodos de cultivo. Si los agricultores prosperaban, los ferrocarriles también.

Las locomotoras funcionaban a vapor. Los ferrocarriles necesitaban agua para producir vapor, por eso, construyeron pozos en todo Texas. A medida que las líneas de ferrocarril se

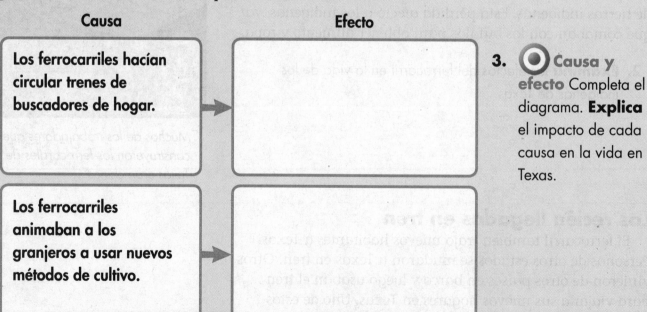

Causa	Efecto
Los ferrocarriles hacían circular trenes de buscadores de hogar.	
Los ferrocarriles animaban a los granjeros a usar nuevos métodos de cultivo.	

3. **Causa y efecto** Completa el diagrama. **Explica** el impacto de cada causa en la vida en Texas.

extendían hacia la frontera, continuaban cavando pozos. Luego, los ferrocarriles vendían las tierras alrededor de los pozos a los nuevos pobladores. Nuevos pueblos se asentaron cerca de las líneas de ferrocarril y de los pozos.

Industrias de Texas en crecimiento

El auge del ferrocarril resultó en el auge de muchos negocios de Texas. Para la década de 1870, por ejemplo, los ferrocarriles habían llegado a los bosques de pinos del este de Texas. Las compañías madereras tenían una manera rápida de enviar los árboles que talaban. La madera se cargaba en los vagones del tren. Los trenes la llevaban velozmente a compradores lejanos. Como resultado, la industria de la madera creció con rapidez.

El transporte en barco era una importante industria a lo largo de la costa del Golfo. Galveston era una ciudad portuaria con mucho movimiento. Barcos de todo el mundo descargaban sus productos en esa ciudad. Los ferrocarriles llevaban esos productos a otras partes de Texas y de los Estados Unidos. Los ferrocarriles también llevaban productos al puerto que luego eran enviados por barco. En 1860, se construyó una línea de ferrocarril para unir Galveston y Houston. Esto fue importante porque permitió que Houston creciera.

Los ferrocarriles transforman la ganadería

La primera industria de Texas, la ganadería, también estaba cambiando. En 1890, los días del arreo por los caminos habían terminado. Los ferrocarriles habían llegado a las tierras ganaderas. Lo único que debían hacer los vaqueros era arrear el ganado hasta un punto de envío cercano. Allí se cargaba el ganado en vagones de ganado. Los pueblos que se encontraban en las cercanías de los puntos de envío crecieron. En aquel tiempo, al igual que en la actualidad, las industrias de Texas estaban cambiando.

El ferrocarril hizo que fuera más fácil para los ganaderos vender ganado a otras partes del estado y del país.

4. **Identifica** el impacto del ferrocarril en la vida en Texas, incluyendo la industria ganadera.

Fort Worth recibió el apodo de "ciudad de las vacas".

Ciudades en crecimiento

Los ferrocarriles tuvieron un gran impacto en el crecimiento de las ciudades de Texas. Muchos grupos de asentamientos crecieron cerca de los puntos de conexión del ferrocarril. Un **punto de conexión** es un lugar en donde se cruzan dos o más líneas de ferrocarril. Este patrón de asentamiento continuó hasta principios de 1900, siendo las ciudades más importantes de Texas puntos de conexión del ferrocarril. Estos puntos de encuentro atraían el comercio y la industria. También atraían a personas que buscaban trabajo.

Fort Worth, por ejemplo, era un punto de conexión. Tenía más de 20,000 habitantes en 1900. En Fort Worth había corrales y plantas empacadoras de carne. Los ferrocarriles que se cruzaban allí traían ganado y enviaban productos derivados de la carne. Las personas llamaban a Fort Worth la "ciudad de las vacas", un apodo que mantiene hasta el día de hoy.

La ciudad de Marshall era otro punto de conexión. Allí los ferrocarriles construyeron grandes talleres de reparación. Trabajadores calificados hacían mantenimiento y reparaciones a las locomotoras. En el Panhandle, las compañías de ferrocarril reparaban equipamiento en Childress. Walter Chrysler trabajó allí como administrador. Más tarde se mudó a Michigan y formó su propia compañía automotriz, la Chrysler Corporation.

5. **Interpreta** la gráfica lineal, **identifica** y encierra en un círculo la ciudad que más creció entre 1870 y 1900. **Explica** dónde crecieron grupos de asentamientos en la década de 1900 en Texas.

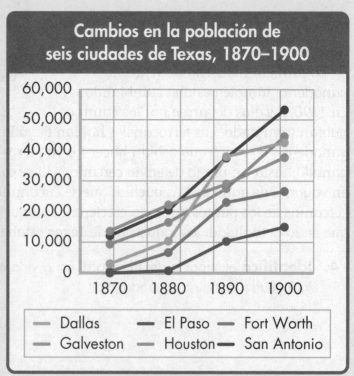

Fuente: Texas State Historical Association, Texas Almanac

En el este de Texas, la ciudad de Tyler se encontraba en una próspera región algodonera. Luego de la Guerra Civil, su industria algodonera quedó en ruinas. Los primeros ferrocarriles no pasaban por la ciudad, lo cual empeoraba la situación. Luego, en 1874, los ciudadanos convencieron a una compañía de ferrocarril para que construyera una línea hacia Tyler. El ferrocarril creó puestos de trabajo. También ayudó a los agricultores a enviar el algodón. En diez años, la población de Tyler se había triplicado.

¿Qué tan importantes fueron los ferrocarriles para el crecimiento y la vida de los pueblos y las ciudades de Texas? Tomemos el ejemplo de Clarendon. En 1897, los habitantes de ese pueblo movieron sus casas cinco millas. De esa manera, podían estar cerca de la estación de ferrocarril de una línea con mucha actividad.

Después de 1900, Texas comenzó a construir ferrocarriles eléctricos dentro de las ciudades. El más grande estaba en el área de Dallas. Allí, el ferrocarril Texas Electric Railway tenía 226 millas de vías. Los trenes eléctricos eran una manera rápida de viajar dentro de las ciudades y entre ellas.

En Texas, los ferrocarriles eléctricos sumaban alrededor de 500 millas. Cerca del 70 por ciento de estas millas estaban en la zona de Dallas-Fort Worth.

Un récord en Texas

En 1910, Texas había establecido un récord: tenía más millas de vías de ferrocarril que cualquier otro estado. El estado también tenía más empleados de ferrocarriles que otros estados. Texas todavía tiene estos récords.

6. **Hacer inferencias** Identifica el impacto del ferrocarril y del ferrocarril eléctrico en la vida de las ciudades de Texas.

El crecimiento de la libre empresa

El comercio en Texas creció rápidamente a medida que crecía la necesidad de productos y servicios. Este comercio se desarrolló bajo el sistema de libre empresa. La **libre empresa** es un sistema económico en el que las personas son libres de comprar y vender productos y servicios con poco control del gobierno. El beneficio de la libre empresa es que ayuda tanto a los productores como a los consumidores. Un **productor** es una persona o compañía que hace o vende productos u ofrece un servicio. Un **consumidor** es una persona o compañía que compra o usa productos o servicios.

Los plantadores de algodón esperan a los compradores en Palestine, Texas, en 1890.

Por ejemplo, bajo el sistema de libre empresa, los agricultores tienen libertad para cultivar algodón, maíz u otro cultivo. Cualquiera sea el cultivo que escoge el agricultor, tiene el derecho de cultivar la cantidad máxima o mínima posible. El agricultor es libre de vender o no vender el cultivo a un comprador.

¿Por qué un agricultor no querría vender un cultivo? En el sistema de libre empresa, los productores esperan obtener ganancias. La ganancia es el dinero que queda luego de pagar los costos de producir algo. Por ejemplo, los costos de cultivar algodón son muchos: semillas, maquinaria, tierra, etc. Para tener ganancia, los agricultores buscan el mejor momento para vender, el momento en el que pueden obtener más dinero por sus cultivos.

Un comprador de algodón tiene el derecho de comprar todo el algodón que esté a la venta. Encontrará algodón que tal vez no tenga buen aspecto o no se sienta bien al tacto. El consumidor es libre de seguir buscando hasta encontrar el algodón justo al precio justo.

Oferta y demanda

La libre empresa se basa en la oferta y la demanda. **Oferta** es el número de productos que un productor pone a la venta por un precio determinado. **Demanda** es el número de productos que los consumidores, es decir, los compradores, están dispuestos a comprar por un precio determinado.

Piensa nuevamente en el agricultor que cultiva algodón en Texas. Imagina que fue un mal año para el cultivo de algodón. Se perdió parte del cultivo por una plaga. La oferta de algodón sería baja. En este caso, el precio del algodón subiría. Los compradores deberían pagar más para obtener parte de la limitada oferta.

7. Describe cómo se desarrolló la libre empresa en Texas.

....

....

....

....

....

....

....

Otro año, el cultivo de algodón puede ser muy bueno. Habría mucho algodón disponible para vender. Si la demanda se mantiene igual que el año anterior, habría más oferta que demanda. Entonces, el precio del algodón bajaría. Los productores de algodón deberían bajar los precios para atraer compradores.

Un sistema eficiente

La libre empresa es eficiente. La oferta y la demanda permiten que los precios suban y bajen al nivel correcto. La libre empresa también conduce a nuevas tecnologías. Eso sucede porque los productores quieren producir productos de manera más eficiente. Los consumidores se benefician del incremento en la oferta.

8. **Resumir Describe** cómo funcionan la oferta y la demanda en el sistema de libre empresa.

....

....

¿Entiendes?

TEKS 4.C, 8.A, 12.E

9. **Hacer inferencias** Imagina que viviste en un pueblo de Texas que no tenía ningún ferrocarril durante el auge del ferrocarril. Con el correr de los años, las empresas cerraron y las personas se fueron de la ciudad. **Explica** por qué puede haber sucedido esto.

....

....

....

10. **Identifica** algunas de las oportunidades económicas que hubo en ciudades como Galveston, Dallas y Fort Worth en el siglo xx. **Explica** cómo contribuyeron con el crecimiento de estas ciudades.

mi Historia: Ideas

....

....

11. **Explica** cómo los desarrollos en el transporte influyeron en las actividades económicas de Texas.

....

....

Interpretar gráficos

La información acerca del crecimiento y los cambios económicos suele incluir muchos datos, es decir, números e información. Las gráficas lineales y las gráficas de barras son dos maneras de organizar los datos claramente.

La **gráfica lineal** suele organizar los datos de manera que se vea el cambio a través del tiempo. Mira la gráfica lineal titulada "Millas de ferrocarril en Texas, 1860–1900". El eje horizontal muestra décadas, es decir, períodos de diez años. El eje vertical muestra el número de millas de vías de ferrocarril en Texas. La línea del medio de la gráfica conecta los puntos de los datos de la gráfica. Esta línea muestra cómo cambió el número de millas total a lo largo de 40 años, es decir, cuatro décadas. La gráfica lineal representa información del período desde 1860 hasta 1900.

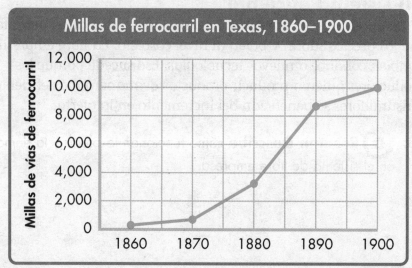

Millas de ferrocarril en Texas, 1860–1900

Fuente: U.S. Census Bureau

Al igual que la gráfica lineal, la **gráfica de barras** es una manera de organizar datos de manera visual. Las gráficas de barras son mejores para comparar y contrastar información que para mostrar datos a través del tiempo.

La gráfica de barras usa barras para comparar información. En la gráfica de barras titulada "Total de millas de ferrocarril en estados seleccionados, 1900", puedes comparar las millas de vías de ferrocarril en el mismo año, 1900. La gráfica compara el total de millas de vías de ferrocarril de cada estado.

Total de millas de ferrocarril en estados seleccionados, 1900

Fuente: U.S. Census Bureau

Objetivo de aprendizaje

Aprenderé a interpretar información de una gráfica lineal y una gráfica de barras.

TEKS

SLA 13.B Explicar la información basada en hechos que se presenta gráficamente (ej., gráficos).
ES 4.C Identificar el impacto del ferrocarril en la vida de Texas, incluyendo los cambios a las ciudades y a las industrias importantes.
ES 21.C Organizar e interpretar información en visuales, incluyendo gráficos.

Para interpretar una gráfica lineal, primero debes leer el título de la gráfica. El título dice qué tipo de datos muestra la gráfica. A continuación, lee los rótulos de cada eje. Luego mira la línea que conecta los puntos de datos de la gráfica. ¿Va hacia arriba o hacia abajo?

Para interpretar una gráfica de barras, primero debes leer el título de la gráfica. A continuación, lee los rótulos del eje vertical. Luego, mira los rótulos de cada barra de la gráfica. Compara la información comparando las alturas de las barras.

Examina la gráfica lineal de la página 294 y contesta estas dos preguntas:

1. ¿Aproximadamente cuántas millas de vías de ferrocarril tenía Texas en 1870?

....

2. ¿En qué década creció más rápido el número de millas de vías de ferrocarril en Texas?

....

Examina la gráfica de barras de la página 294 y contesta estas dos preguntas:

3. ¿Aproximadamente cuántas millas de vías de ferrocarril tenía California en 1900? ¿Y la Florida?

....

4. **Estima** cuántas millas de vías de ferrocarril más que Massachusetts tenía Nueva York en 1900.

....

5. **Compara** los datos de las dos gráficas. ¿Qué estado tenía aproximadamente la misma cantidad de vías de ferrocarril que Texas en 1900?

....

SAVVAS realize Conéctate en línea a tu lección digital interactiva.

295

El "oro" de Texas

¡Imagínalo!

Esta imagen muestra torres petroleras en Texas cerca de 1900.

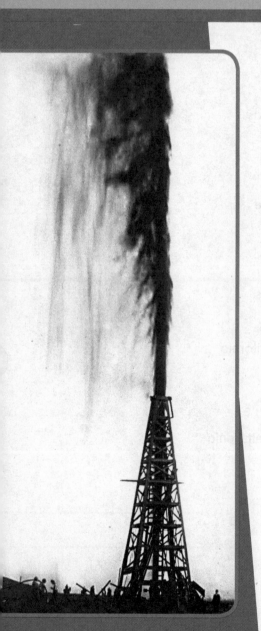

El pozo de petróleo Lucas en Spindletop, enero de 1901

El auge del ferrocarril favoreció el crecimiento de Texas. En 1900, las ciudades e industrias de Texas crecían rápidamente. Sin embargo, el auge más grande estaba por llegar.

Oro negro en Spindletop

Hacía años, desde antes de que los europeos llegaran a la región, que se sabía que en Texas había **petróleo**. Cuando los conquistadores españoles llegaron a la región, usaban el alquitrán natural, que se forma cuando el petróleo crudo sale a la superficie, para cubrir agujeros o grietas en sus barcos.

Los primeros pozos de petróleo se construyeron en el condado de Nacogdoches. Producían pequeñas cantidades de petróleo. En aquel tiempo, la demanda y los precios del petróleo eran bajos. Entonces, no se desarrollaron campos de petróleo.

Pattillo Higgins, que vivía en Beaumont, era el dueño de una compañía que hacía ladrillos. Para hacerlos, quería un combustible que, al quemarse, diera un calor estable. La colina Spindletop era un domo salino al sur de Beaumont. Higgins creía que debajo de los domos salinos se podía encontrar petróleo y gas. Entonces, compró casi la mitad de Spindletop.

Higgins comenzó a construir pozos de petróleo en 1893, con la esperanza de hallar una fuente de combustible para hacer ladrillos. Como no tuvo éxito, no se desarrolló el campo petrolífero. En 1899, Pattillo Higgins contrató al capitán Antonio F. Lucas para buscar petróleo en Spindletop. El descubrimiento de ambos ayudó a hacer crecer la industrialización y la urbanización en Texas.

1. **Identifica** en el texto cómo se desarrolló la industria del petróleo en Texas. ¿Quién ayudó al desarrollo de la industria?

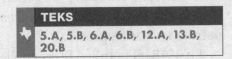

DESCIFRA LA **PREGUNTA PRINCIPAL**

Aprenderé cómo la industria del petróleo y la industria del gas, ambas en crecimiento, ofrecieron oportunidades económicas a Texas.

Vocabulario

petróleo

refinería de petróleo

El 10 de enero de 1901 fue un día para recordar. Lucas había perforado 1,139 pies. De repente, con un sonido como el de un cañón, brotó lodo del pozo. Luego siguió una nube de gas. Finalmente, brotó petróleo, también llamado oro negro. El potente flujo de petróleo salió como en un estallido.

TEKS

5.A, 5.B, 6.A, 6.B, 12.A, 13.B, 20.B

Yacimientos petrolíferos en Texas

El descubrimiento de Lucas y Higgins en Spindletop fue el primer pozo petrolero importante de Texas. Su descubrimiento pronto haría crecer la urbanización en Texas. En 1902, solo en Spindletop se produjeron más de 17 millones de barriles, el 94 por ciento del total del estado. Durante los siguientes tres años, se desarrollaron otros yacimientos importantes alrededor de Spindletop. Estos incluían Sour Lake, Batson y Humble.

Entre 1902 y 1910, los perforadores encontraron petróleo en el centro norte de Texas, en Brownwood, Petrolia y Wichita Falls. En los años siguientes, se perforaron muchos más pozos. Era el auge de la industria del petróleo.

2. **Interpreta** el mapa. **Identifica** y encierra en un círculo el primer yacimiento petrolífero. **Identifica** y dibuja un recuadro alrededor de los yacimientos más recientes que se muestran en el mapa.

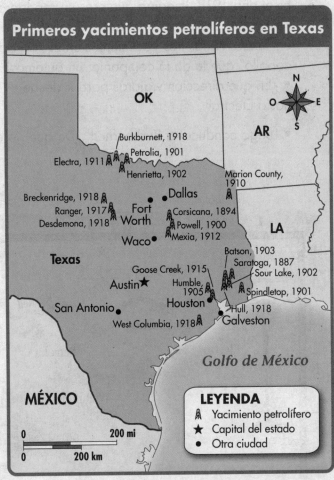

Primeros yacimientos petrolíferos en Texas

OK

AR

Burkburnett, 1918
Petrolia, 1901
Electra, 1911
Henrietta, 1902
Marion County, 1910
Breckenridge, 1918
Ranger, 1917
Desdemona, 1918
Dallas
Fort Worth
Corsicana, 1894
Powell, 1900
Mexia, 1912
Waco
LA
Batson, 1903
Saratoga, 1887
Sour Lake, 1902
Goose Creek, 1915
Texas
Austin
Humble, 1905
Spindletop, 1901
San Antonio
Houston
Hull, 1918
West Columbia, 1918
Galveston

Golfo de México

MÉXICO

LEYENDA
🗼 Yacimiento petrolífero
★ Capital del estado
● Otra ciudad

0   200 mi
0   200 km

El *boom* petrolero en Texas

El pozo de petróleo Lucas fue una gran noticia. Miles de personas llegaron rápidamente a la región de Spindletop. Beaumont tenía hasta entonces 9,000 habitantes. En solo unos meses, la población subió a 50,000.

La mayoría de los recién llegados estaban en la industria del petróleo. Algunos compraban tierras y hacían perforaciones en busca de petróleo. Otros vendían equipos de perforación. También hubo personas que se mudaron a Beaumont para conseguir trabajo. Beaumont se transformó en un centro de industrialización en Texas. Los recién llegados hacían perforaciones o construían oleoductos para transportar el petróleo a las refinerías. Una **refinería de petróleo** es una fábrica que limpia y procesa el petróleo para convertirlo en combustible o keroseno. Se construyeron muchas refinerías a lo largo de la costa del Golfo. Desde los puertos, Texas enviaba petróleo a varios países.

En 1918, el petróleo fluía en Electra, Burkburnett y otras ciudades de Texas. El desarrollo de la industria del petróleo significaba más puestos de trabajo y más dinero para los texanos. En 1928, Texas era el productor de petróleo líder de la nación.

3. Es el año 1918. Imagina que eres un reportero en Wichita Falls. Estás escribiendo un artículo sobre el *boom* petrolero en Texas. Visitas tres yacimientos en el novedoso "carruaje sin caballo" que te da tu compañía: un automóvil.

• ¿En qué dirección viajarás para ir desde Wichita Falls hasta Electra? ....

• Luego conduces a Burkburnett. ¿De qué río está cerca? ....

• Por último, vas a Petrolia. ¿A qué distancia se encuentra de Burkburnett? ¿En qué dirección conducirás? ....

• Esa noche te enteras de que el fotógrafo está perdido en Oklahoma. Usa la cuadrícula del mapa para explicar dónde está Petrolia. ....

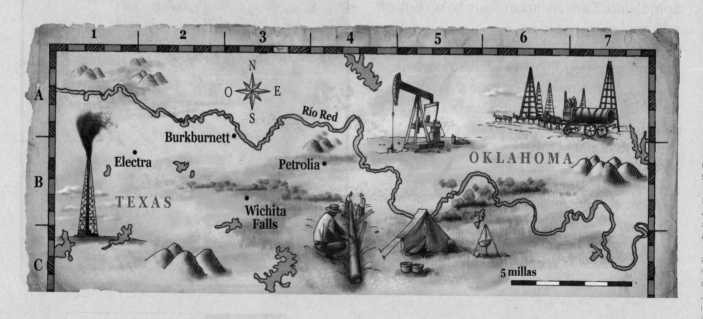

4. Describe cómo el carro fue una innovación que benefició a las personas de Texas.

....

....

En la década de 1920, el uso del carro creció con rapidez en Texas.

Nuevos usos del petróleo

Durante el auge de Texas, el petróleo era abundante y barato. Entonces, se encontraron nuevos usos para el petróleo. Los ferrocarriles y los barcos comenzaron a usar petróleo en lugar de carbón.

El descubrimiento del petróleo benefició a muchos individuos en Texas. A principios del siglo XX, muchos estadounidenses comenzaron a conducir carros. Cada año, se veían más y más carros en los caminos de Texas. Los carros funcionaban con gasolina, un producto del petróleo. A medida que aumentaba el número de carros, también aumentaba la demanda de petróleo. Además, los nuevos carros necesitaban caminos pavimentados. El petróleo se usaba para hacer el pavimento.

El petróleo también cambió la vida en la granja. Los agricultores siempre habían usado caballos y mulas para arrastrar la maquinaria. Entonces, empezaron a usar tractores. Los tractores funcionan con gasolina. Al tener equipamiento que funciona a gasolina, los agricultores podían sembrar y cosechar más tierras. Por eso las granjas se hicieron más grandes.

Luego del *boom* petrolero, Texas se volvió más industrializada. El número de fábricas aumentó porque se usaba petróleo barato para hacer funcionar la maquinaria de las fábricas. Esto hizo crecer la urbanización en Texas. Muchos texanos de las granjas pequeñas vendieron sus tierras y se fueron a trabajar en las nuevas fábricas en los pueblos y ciudades.

A medida que pasaban los años, se encontraban cada vez más usos para el petróleo. La pintura, por ejemplo, se hace con petróleo, al igual que muchas lociones y medicamentos. Incluso el bálsamo labial que se usa para los labios agrietados es un producto derivado del petróleo. El plástico es uno de los productos más comunes hechos con petróleo. Desde ropa hasta carros y recipientes, el plástico se usa para hacer innumerables productos.

El equipamiento a gasolina hizo que las granjas fueran más productivas.

5. ◉ **Sacar conclusiones Describe** cómo los descubrimientos científicos y las innovaciones en materia de energía han beneficiado a Texas.

La industria del gas en Texas

Durante el *boom* petrolero en Texas, los perforadores de pozos encontraron más que petróleo. También descubrieron el gas natural. Los depósitos de petróleo y gas suelen estar en la misma área. Con el tiempo, el gas natural se convirtió en una importante industria de Texas.

Al igual que el petróleo, el gas natural se formó hace millones de años. A medida que los animales morían, los restos quedaban cubiertos por lodo y arena. Con el tiempo, el lodo y la arena se hicieron roca y los restos quedaron atrapados. Al pasar más tiempo, el calor y la presión transformaron los restos en gas. Para llegar a este gas, los perforadores debían atravesar la roca.

El primer pozo de gas de Texas se perforó en 1907. Este pozo era parte del yacimiento de petróleo de Petrolia, cerca de Wichita Falls. Un comerciante llamado Edwy Brown contribuyó a la urbanización de Texas. Comenzó a enviar gas por tuberías hacia pueblos y ciudades cercanos. En 1913, su compañía, Lone Star Gas, suministraba este combustible de combustión limpia a Dallas y a Fort Worth.

Más pueblos se convirtieron en centros urbanos. Al igual que en Dallas y Fort Worth, el gas era llevado por tuberías a los pueblos y ciudades que estaban cerca de depósitos de gas. Al principio, el gas se usaba principalmente para calentar calderas y calentadores de agua. Pero, para fines de la década de 1880, los productores comenzaron a vender estufas que funcionaban a gas. Con el tiempo, el gas se convirtió en una importante fuente de energía para las industrias. El gas natural comenzó a usarse para producir acero, vidrio, papel, ropas, ladrillos y electricidad. Estos productos se usan en Estados Unidos y en todo el mundo.

Los pozos de gas modernos, como este, son comunes en Texas.

Gasoductos

Suministrar gas a los consumidores no era fácil. Las compañías de gas tuvieron que construir gasoductos. Estas tuberías subterráneas se extendían desde los pozos de gas hasta las casas y las fábricas. Algunas tenían cientos de millas de longitud. La construcción y el mantenimiento de los gasoductos se convirtieron en una importante industria.

La mayoría de los gasoductos iban a las ciudades, no al campo. El nuevo combustible limpio era un beneficio para la vida en la ciudad. Las fábricas y las empresas abrían en lugares en donde había gas natural. Eso ayudó a crecer a las ciudades. En la actualidad, Texas tiene más gasoductos que cualquier otro estado.

6. **Identifica** y subraya en el texto cómo se desarrolló la industria del gas natural en Texas. ¿En qué lugar de Texas se perforó el primer pozo de gas?

....

Un gran descubrimiento

En 1925, se descubrió un campo de gas natural en el Panhandle, cerca de Amarillo. ¡Un pozo de esa zona producía más de 100 millones de pies cúbicos de gas por día! Rápidamente llegaron personas en busca de trabajo y oportunidades. Surgió un nuevo pueblo, Borger. Miles de personas rápidamente se asentaron en la *boomtown*. La población de Amarillo pronto se triplicó. El campo de gas del Panhandle dio puestos de trabajo y riqueza durante mucho tiempo. Durante más de 75 años, produjo 8 billones de pies cúbicos de gas.

En la actualidad, Texas produce más gas natural que cualquier otro estado. Nuestro estado produce el 30 por ciento del gas natural del país. Texas tiene, además, el 30 por ciento del gas natural subterráneo de los Estados Unidos.

¿Entiendes?

TEKS 5.A, 5.B, 13.B

7. **Resumir Explica** el impacto que tuvieron Pattillo Higgins, Anthony F. Lucas y Edwy Brown en la urbanización de Texas.

....

....

8. **Identifica** el impacto del *boom* petrolero en la vida en Texas. Haz una lista de tres maneras en que impactó.

mi Historia: Ideas

1. ....

....

2. ....

....

3. ....

....

9. **Identifica** y escribe tres productos derivados del petróleo que se compran para satisfacer las necesidades de las personas en todo el mundo.

....

Cambios y crecimiento

¡Imagínalo!

Los nuevos desarrollos en la comunicación, como el teléfono, influyeron en las actividades económicas de Texas.

Los inventos traen cambios

El *boom* petrolero provocó grandes cambios en Texas a principios del siglo xx. Muchos texanos llevaban una vida **urbana**, es decir, relacionada con la ciudad. Las personas que vivían en las ciudades, como Dallas, vieron que la vida cambió rápidamente. Los **inventos**, es decir, los productos nuevos, provocaron esos cambios. Las primeras líneas de electricidad fueron para las ciudades. Así, las personas que vivían en las ciudades tuvieron luz eléctrica. Eso les permitió trabajar más horas. Las primeras líneas telefónicas fueron para las ciudades. Eso aceleró la comunicación en el comercio y en la vida diaria. Los habitantes de las ciudades podían usar un teléfono en lugar de escribir cartas o enviar telegramas. En las ciudades también se construyeron los tranvías eléctricos, llamados troles. Eso ayudó a la gente a movilizarse con rapidez.

Sin embargo, en algunas partes del estado, los cambios fueron más lentos. Muchos texanos llevaban una vida **rural**, es decir, relacionada con el campo. Para ellos, la vida siguió siendo bastante parecida a lo que era antes. Los texanos rurales usaban mulas para arrastrar los arados. Viajaban en coches tirados por caballos. Usaban leña para cocinar y para calefacción. Sus casas rurales no tenían electricidad ni plomería.

1. **Identifica** y encierra en un círculo la parte de la fotografía que muestra cómo el trole recibía la electricidad.

2. **Explica** cómo influyeron los avances en la comunicación en las actividades económicas de Texas.

Troles eléctricos en Dallas, 1905

Describe cómo cambió la vida de los texanos con el teléfono.

DESCIFRA LA PREGUNTA PRINCIPAL

Aprenderé que los inventos y el crecimiento de las industrias ofrecieron oportunidades económicas a los texanos.

Vocabulario

urbano

invento

rural

industria

manufacturar

línea de montaje

Los carros también cambiaron el modo de vivir de las personas. Ya en 1910, los carros eran algo común en los caminos de Texas. El uso del carro creció con tanta rapidez que, en la década de 1920, las ciudades comenzaron a instalar señales de tráfico y a escribir leyes para controlar la velocidad.

TEKS

5.A, 5.B, 6.B, 7.A, 12.A, 12.C, 12.D, 12.E, 20.B

Nuevos pobladores, nuevas oportunidades

Muchas personas se mudaron a Texas. Mira la gráfica de barras. Muestra que la población de Texas creció en más de 1.5 millones de personas entre 1900 y 1920.

Muchos nuevos texanos venían de otros estados. Otros inmigraban desde México y otros países cercanos. Algunos venían desde muy lejos, desde países de Europa, Asia y África. La artista Elizabet Ney vino a Texas desde Alemania, un país de Europa. Ney talló las esculturas de Sam Houston y Stephen F. Austin que se encuentran en el capitolio de nuestro estado.

¿Qué trajo a las ciudades de Texas a los recién llegados? Las ciudades ofrecían teatros, conciertos y oportunidades culturales. Había buenas escuelas y buenos hospitales. Sin embargo, lo más importante eran las oportunidades económicas. Las personas solían mudarse a las ciudades de Texas para buscar un trabajo bien remunerado.

Uno de los efectos de la inmigración fue que había más personas para trabajar en las industrias que estaban creciendo en Texas.

3. Identifica y subraya en el texto tres razones por las que las personas se mudaron a las ciudades de Texas a principios del siglo xx.

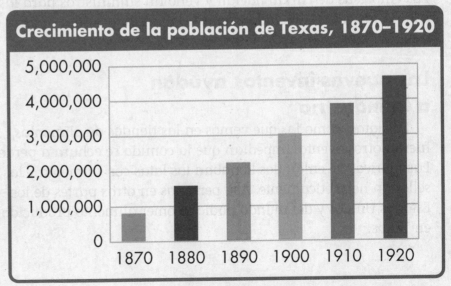

Crecimiento de la población de Texas, 1870–1920

Fuente: U.S. Census Bureau

Industrias en crecimiento

Había puestos de trabajo disponibles en las industrias de Texas. Una **industria** es un grupo de empresas, que hace un tipo de producto o proporciona un tipo de servicio. Gracias al auge de los ferrocarriles y al descubrimiento del petróleo, muchas industrias de Texas crecieron rápidamente.

La industria del petróleo estaba en su apogeo. Muchas personas se mudaban a Houston para trabajar en las refinerías de petróleo. Otras trabajaban en las ciudades portuarias de la costa del Golfo, enviando petróleo al exterior. Más adelante, la industria del gas natural creó muchos puestos de trabajo. Se necesitaban trabajadores para construir gasoductos para las ciudades de Texas.

Otra industria en crecimiento en Texas era la industria empacadora de carne. Fort Worth era un centro de comercio de ganado. La industria del ganado impactó en las empacadoras de carne. A medida que se criaba más ganado, se necesitaban más plantas empacadoras de carne. Las grandes plantas empacadoras de carne de allí contrataban muchos trabajadores. Los trabajadores mataban el ganado y preparaban la carne para enviarla a los mercados.

Muchos texanos encontraron trabajo en la manufacturación. **Manufacturar** significa hacer o procesar bienes especialmente a máquina en grandes cantidades. En 1910, Texas ya tenía varias fábricas de algodón.

Había mucha actividad en las compañías de explotación forestal y en los aserraderos del este de Texas. Surgieron las ciudades de los aserraderos para alojar a los trabajadores. Lufkin se convirtió en un centro de la creciente industria maderera. Las empresas de Lufkin hacían y vendían suministros para las compañías y los trabajadores que talaban los grandes pinares del este de Texas.

Los nuevos inventos ayudan a la industria

Las latas, como las que vemos en las tiendas de alimentos, fueron otro invento. Impedían que la comida se echara a perder. Las fábricas de enlatados llenaban las latas con alimento y las sellaban herméticamente. Así, personas en otras partes de los Estados Unidos y del mundo podían comer alimento producido en Texas.

Las hilanderías manufacturaban telas de algodón.

4. **Explica** el impacto de la industria del petróleo y del gas en la industrialización y urbanización de las siguientes ciudades.

Houston, puertos de la costa del Golfo

....

....

....

Fort Worth

....

....

....

Líneas de montaje y producción en masa

Henry Ford comenzó a fabricar automóviles en Detroit, Michigan, en 1903. En un principio, los trabajadores de Ford solo podían fabricar unos pocos carros por día. Luego, Ford puso una línea de montaje en movimiento. Una **línea de montaje** mueve un producto pasando por diferentes trabajadores que no cambian de lugar. Cada trabajador se especializa en un pequeño trabajo. Separar un trabajo grande en partes pequeñas se llama división laboral, es decir, del trabajo. La fábrica de Ford podía fabricar un carro cada 90 minutos. Esto se conoce como producción en masa.

En 1913, Henry Ford trajo esta nueva tecnología a Texas. Abrió una fábrica de carros en Deep Ellum, cerca de Dallas. El impacto de la producción en masa y de la especialización fue muy grande en el crecimiento económico de Texas. La producción en masa, la especialización y la división del trabajo permitían a las fábricas producir más bienes y producirlos a un costo menor. Esto significaba que más personas podían comprar a precios más baratos y que las fábricas necesitarían más trabajadores para producir estos bienes.

Con la división del trabajo, cada trabajador de la línea de montaje hacía una pequeña parte de un trabajo grande.

¿Entiendes?

TEKS 12.D, 12.E, 20.B

5. ⦿ **Hacer inferencias** **Describe** el impacto de la producción en masa, la especialización y la división del trabajo en el crecimiento económico de Texas.

....

....

6. ❓ Es el año 1910. Tu familia acaba de mudarse a una gran ciudad de Texas. **Escribe** una carta que **describa** las oportunidades económicas o de otro tipo que hay en la ciudad.

mi Historia: Ideas

7. **Describe** cómo benefició a Texas cada descubrimiento científico o innovación en tecnología.

teléfono ....

....

trole ....

línea de montaje ....

....

Lección 1 ◆ TEKS 4.B, 20.A

Industria del ganado en Texas

1. **Explica** la contribución de cada persona al desarrollo de la industria del ganado en Texas.

Charles Goodnight ....

Richard King ....

Lizzie Johnson ....

2. Lee la pregunta con atención. Determina cuál es la mejor respuesta entre las cuatro opciones. Encierra en un círculo la mejor respuesta.

¿En qué contribuyeron los caminos de ganado a la importancia de la industria ganadera en Texas?

A Los caminos conducían a ricos pastizales y abrevaderos.

B Los caminos ayudaban a los ganaderos a mantener los rebaños separados.

C Los caminos permitían a los ganaderos vender el ganado a un precio más alto.

D Los caminos abrieron las puertas hacia nuevas áreas de ganadería.

3. Completa el siguiente diagrama. En el recuadro de causa, **identifica** la contribución de Joseph Glidden al desarrollo de Texas. Luego **describe** un efecto.

> **Causa:**
>
> ↓
>
> **Efecto:**
> Los agricultores protegían sus cultivos del ganado suelto.
>
> ↓
>
> **Efecto:**

Lección 2 ◆ TEKS 8.A, 9.C, 11.C, 13.A

El *boom* del ferrocarril en Texas

4. **Identifica** los patrones de asentamiento en Texas después de la construcción de los ferrocarriles.

....

....

....

....

5. Compara las consecuencias positivas y negativas de que las compañías de ferrocarril modificaran el medio ambiente.

....

....

....

....

6. Describe las opciones y oportunidades del sistema de libre empresa.

Opciones: ....

....

....

....

Oportunidades: ....

....

....

....

7. Explica cómo ayudó el ferrocarril a aumentar las actividades económicas de Texas con otros estados y países.

....

....

....

....

....

El "oro" de Texas

8. Identifica y **explica** el impacto del desarrollo de la industria del petróleo y el gas en la industrialización y la urbanización en la vida en Texas. Da un ejemplo.

....

....

....

....

....

....

9. Explica cómo impactó Pattillo Higgins en la industrialización y la urbanización en Texas.

....

....

....

10. Describe cómo benefició a los individuos el descubrimiento del petróleo en Texas.

....

....

....

11. Además del petróleo, **identifica** un producto de Texas que se compra para satisfacer necesidades energéticas en los Estados Unidos y en el mundo.

....

12. Identifica tres personas importantes para el desarrollo de la industria del petróleo y el gas de Texas y **explica** su impacto en la urbanización e industrialización de Texas.

Lección 4 TEKS 12.D, 20.B

Cambios y crecimiento

13. Identifica los productos agrícolas de Texas que pueden venderse en todos los Estados Unidos y el mundo a causa del invento de la lata moderna.

14. Define cada término. Luego **describe** su impacto en el crecimiento económico de Texas.

División del trabajo:

Producción en masa:

15. **¿Qué oportunidades ofrece el crecimiento económico?**

TEKS 12.D

Casi todos los años, Texas es el estado del país que crea más oportunidades de trabajo. Texas crea más oportunidades de trabajo que cualquier otro estado.

a. **Explica** por qué el crecimiento económico crea nuevos puestos de trabajo.

b. ¿Qué oportunidades ofrecen los nuevos puestos de trabajo?

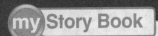

Conéctate en línea para escribir e ilustrar tu **myStory Book** usando **miHistoria: Ideas** de este capítulo.

¿Qué oportunidades ofrece el crecimiento económico?

TEKS
ES 4.B, 4.C, 5.A, 5.B
SLA 15

La historia de Texas es una historia de crecimiento económico. La ganadería, el auge del ferrocarril y el *boom* petrolero crearon oportunidades en Texas. El crecimiento de las ciudades y las fábricas de Texas también crearon oportunidades. En la actualidad, Texas sigue disfrutando del crecimiento económico. Nuevas industrias crean oportunidades para nuestros ciudadanos.

Piensa en las industrias que en la actualidad ofrecen oportunidades de trabajo a los texanos.
Haz una lista de tus ejemplos y **explica** por qué los escogiste.

....

....

....

Haz un dibujo que muestre uno de tus ejemplos. Muestra dónde podrías encontrar una oportunidad de trabajo algún día.

Tiempos difíciles en Texas y en el mundo

mi Historia: ¡Despeguemos!

¿Cómo responden las personas a los buenos y a los malos tiempos?

En la tabla, lee qué ocurre en los buenos tiempos. Luego completa con lo que ocurriría si los buenos tiempos se terminaran.

Buenos tiempos	Malos tiempos
Clases de música y arte en la escuela	
Muchos empleos	

🗺️ **Conocimiento y destrezas esenciales de Texas**

5.A Identificar el impacto de varios asuntos y acontecimientos en la vida de Texas.

5.C Identificar los logros de notables individuos.

8.A Identificar y explicar agrupaciones y patrones relacionados con los asentamientos en Texas en diferentes épocas.

11.B Describir cómo funciona un sistema de libre empresa, incluyendo la oferta y la demanda.

11.C Dar ejemplos de los beneficios de un sistema de libre empresa como la opción y la oportunidad.

12.B Explicar cómo los factores geográficos tales como el clima, el transporte y los recursos naturales han impactado la ubicación de las actividades económicas en Texas.

12.F Explicar el impacto de las ideas estadounidenses sobre el progreso y la igualdad de oportunidades en el desarrollo económico y el crecimiento de Texas.

13.A Identificar cómo los cambios tecnológicos en áreas como el transporte y la comunicación han conducido a una mayor interdependencia entre Texas, los Estados Unidos y el mundo.

13.B Identificar los productos tejanos en las áreas del petróleo y el gas, la agricultura y la tecnología que satisfacen las necesidades en los Estados Unidos y alrededor del mundo.

17.A Identificar importantes individuos que han participado en forma voluntaria en asuntos cívicos, en el estado y a nivel local.

17.B Explicar cómo las personas pueden participar voluntariamente en asuntos cívicos, en el estado y a nivel local, a través de actividades.

17.D Identificar la importancia de algunos individuos y personajes históricos quienes han participado activamente en el proceso democrático.

18.A Identificar líderes del gobierno local, estatal y nacional.

19.C Resumir las contribuciones de los diferentes grupos raciales, étnicos y religiosos en el desarrollo de Texas.

21.A Distinguir, localizar y usar fuentes válidas primarias y secundarias, tales como material oral visual e impreso para adquirir información sobre los Estados Unidos y Texas.

21.B Analizar información resumiendo.

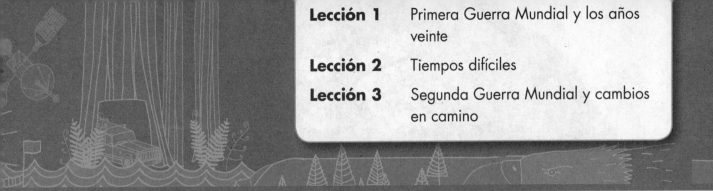
Latinos y latinas durante la Segunda Guerra Mundial

Combatir por nuestro país

"¡No veo la hora de llegar a Austin!", exclama José con impaciencia mientras mira por la ventanilla del carro. "Espero que sea posible ver fotos de los veteranos de la Segunda Guerra Mundial. El bisabuelo de mi amigo Jorge fue soldado en esa guerra, pero no quedó ninguna fotografía". José viaja al encuentro de la Dra. Maggie Rivas-Rodríguez, profesora de periodismo en la Universidad de Texas, Austin.

La Dra. Rivas-Rodríguez tiene una amplia colección de grabaciones y narraciones, o crónicas escritas, sobre los veteranos latinos de la Segunda Guerra Mundial. Ha recolectado ese material desde 1999, cuando comenzó el Proyecto de Historia Oral de los Latinos y Latinas Estadounidenses en la Segunda Guerra Mundial.

"Hola, Dra. Rivas-Rodríguez. Gracias por recibirme hoy", dice José con timidez. "Bienvenido, José", dice la Dra. Rivas-Rodríguez mientras le estrecha la mano. José no pierde un segundo y va directo al grano. Antes de que ambos se hayan sentado, hace la primera pregunta. "¿Cuántos veteranos de la Segunda Guerra Mundial eran latinos?". "Bueno, no lo sabemos con certeza, pero podemos decir que unos 450,000 latinos y latinas sirvieron en el Ejército de los Estados Unidos durante la Segunda Guerra Mundial", responde la profesora. "¡Fueron muchísimos!", dice José. "Así es", responde ella.

José aprende acerca del Proyecto de Historia Oral de los Latinos y Latinas Estadounidenses en la Segunda Guerra Mundial.

Un veterano apoya la mano derecha sobre su corazón.

La Dra. Rivas-Rodríguez le dice a José cuántos latinos y latinas contribuyeron con la guerra, tanto en el frente de combate como desde el país.

El sargento José M. López recibe su Medalla de Honor.

La Segunda Guerra Mundial fue un enfrentamiento entre muchos países y afectó a más personas de todo el mundo que ninguna otra guerra. Texas fue el estado que más ciudadanos aportó a las fuerzas armadas de los Estados Unidos. Muchos hombres también se entrenaron en Texas antes de ser enviados a los campos de batalla en Europa, África y Asia.

Cuando se habla sobre la Segunda Guerra Mundial, la mayoría de las personas suelen pensar en los soldados que lucharon en el frente de batalla, o en los pilotos de caza o en los capitanes de submarinos. "Sin embargo", advierte la Dra. Rivas-Rodríguez, "también tenemos que recordar a los compatriotas que se quedaron en el país". "¿Cómo cambiaron las cosas aquí a causa de la guerra?", pregunta José. "Bueno, en la década de 1940, las personas que se quedaron en el país contribuyeron de muchas maneras al esfuerzo de la guerra. La guerra cambió la vida de muchísimas personas. Las esposas, las madres y las hijas fueron a trabajar a las fábricas para hacer las máquinas y las provisiones necesarias para la guerra. Otras mujeres se ofrecieron como voluntarias para realizar tareas de apoyo a los soldados que estaban defendiendo al país. Los granjeros y los trabajadores rurales tomaron empleos en ciudades", explica la Dra. Rivas-Rodríguez.

La profesora le cuenta a José que muchas personas de Texas y los Estados Unidos sumaron fuerzas para colaborar con la guerra. La gente cultivaba verduras en su casa para contribuir con alimentos. Los niños recolectaban metales y otros materiales que pudieran ser usados para fabricar armas y otras provisiones. "¡Hoy también reciclamos!", interviene José. Mientras observa la gran colección de artefactos que reunió la profesora, José pregunta: "¿Cuál fue uno de los veteranos latinos más famosos de la Segunda Guerra Mundial?".

Esta imagen de José M. López se exhibe en el Monumento a la Segunda Guerra Mundial del Capitolio de Texas.

Este avión de la Segunda Guerra Mundial se exhibe en Burnet, Texas.

"Un hombre que se llamaba igual que tú recibió la Medalla de Honor", responde la profesora. "José M. López ganó esa condecoración por su valentía durante la batalla de las Ardenas, en Europa. Otro latino que recibió la Medalla de Honor fue Cleto L. Rodríguez. Lo distinguieron por su valerosa actuación en el Pacífico Sur. Y por supuesto, miles de otros hombres y mujeres desempeñaron tareas importantes que no implicaban su presencia en el frente de combate", agrega. Muchas de esas historias se encuentran en los archivos de la Dra. Rivas-Rodríguez, y en ellas se percibe muy bien cómo la guerra cambió la vida de la gente. "Es impresionante todo lo que esas personas hicieron por nuestro país", dice la profesora. "Aquí hay mucho para ver sobre el tema".

Mientras continúa examinando atentamente las fotos, las historias y los videos, José se pregunta en voz alta. "¿Cómo se habrán sentido estos soldados tan jóvenes cuando debieron cruzar el océano para combatir en un país extraño? ¡Algunos no eran mucho más grandes que yo!". "Eso es cierto, José. Y hemos reunido cientos de historias de hombres y mujeres que participaron en todas las facetas del conflicto bélico", explica la Dra. Rivas-Rodríguez. "Muchos de ellos aseguraron que su vida nunca volvió a ser la misma después de la guerra".

Al ver el interés con que José sigue revisando el material, la Dra. Rivas-Rodríguez se da cuenta de que la visita será prolongada. "Podría pasar horas mirando estos archivos", le comenta José. "Vamos a almorzar y te cuento algunas de las historias", responde ella. "Está bien, pero, ¿después podemos regresar?", pregunta José. "Puedes quedarte todo el tiempo que desees, José. Aquí hay mucha historia y me complace que la disfrutes".

Piénsalo Según este relato, ¿crees que las personas pueden resolver problemas que no crearon? A medida que lees, piensa cómo los texanos respondieron a los malos tiempos trabajando para resolver los problemas.

Lección 1

Primera Guerra Mundial y los años veinte

¡Imagínalo!

Antes de 1920, las mujeres no tenían derecho al voto. Las pancartas señalaban lo injusto que era esto.

Al otro lado del océano, en 1914, estalló la guerra en Europa. Gran Bretaña, Francia, Italia y Rusia formaron una alianza. Una **alianza** es un acuerdo formal de amistad entre países. Estos cuatro países formaron el grupo de las Potencias Aliadas. Por otra parte, Alemania, Austria-Hungría y el Imperio Otomano (es decir, Turquía) formaron el grupo de las Potencias Centrales.

Grandes Potencias Aliadas y Centrales, 1917

ALEMANIA
GRAN BRETAÑA
FRANCIA
ESTADOS UNIDOS
RUSIA
ITALIA
AUSTRIA-HUNGRÍA
TURQUÍA

OCÉANO PACÍFICO

N
O   E
S

0   4,000 mi
0   4,000 km

OCÉANO ATLÁNTICO

OCÉANO ÍNDICO

LEYENDA
Grandes Potencias Aliadas en 1917
Grandes Potencias Centrales en 1917

Primera Guerra Mundial

El presidente Woodrow Wilson pidió al pueblo de los Estados Unidos que no tomaran partido en la guerra. Entonces, en 1915, un submarino alemán hundió un barco de pasajeros británico, el *Lusitania*. Murieron más de 1,100 personas, incluidos 128 estadounidenses. A pesar de su enojo, los Estados Unidos siguieron sin declarar la guerra. Pero los ataques alemanes a los barcos mercantes y de otros tipos aumentaron. En abril de 1917, los Estados Unidos se sumaron a las Potencias Aliadas para combatir contra Alemania y las Potencias Centrales.

1. **Identifica** y escribe los nombres de los continentes donde se ubicaban las grandes Potencias Aliadas y Centrales.

314

Diseña y dibuja una pancarta que, en tu opinión, habría ayudado a las mujeres a obtener el derecho al voto.

DESCIFRA LA PREGUNTA PRINCIPAL

Aprenderé cómo influyeron en la vida de Texas los acontecimientos de las dos primeras décadas del siglo xx.

Vocabulario

alianza   sufragio
conservar   jazz
bono   prejuicio
interés

Los texanos van a la guerra

La Primera Guerra Mundial tuvo un gran impacto en la vida de Texas y de la nación. Millones de estadounidenses se sumaron a las fuerzas armadas para luchar contra las Potencias Centrales. Más de 20,000 de ellos eran mujeres que fueron a Europa a servir como enfermeras. También se sumaron casi 200,000 texanos. Entre ellos había 450 mujeres enfermeras.

Los nuevos soldados necesitaban entrenamiento. Los Estados Unidos instalaron campamentos donde los soldados podían aprender nuevas destrezas y trabajar en equipo. En Texas, entre los más grandes se contaban Camp MacArthur en Waco, Camp Logan en Houston, Camp Travis en San Antonio y Camp Bowie en Fort Worth. El entrenamiento de los oficiales tenía lugar en Leon Springs.

Durante la Primera Guerra Mundial, se comenzó a usar aviones con frecuencia. Muchos nuevos pilotos se entrenaron en San Antonio. Más de 1,500 hombres aprendieron a volar en la base aérea de Kelly Field. Otros miles aprendieron a ser mecánicos de aviones. Cerca de allí, también se entrenaban pilotos en la Escuela de Aviación Stinson. La había fundado Marjorie Stinson, una aviadora matriculada. Marjorie la dirigía con la ayuda de su hermana Katherine y de sus otros hermanos.

TEKS
5.A, 5.C, 11.C, 12.F, 13.B, 17.A, 17.B, 18.A

Hombres presentándose para el servicio en Camp Travis. Cuando salen de la base, llevan puestos sus nuevos uniformes militares.

2. ⊙ **Resumir Identifica** el impacto de la Primera Guerra Mundial en la vida de Texas.

....

....

Texas durante la Primera Guerra Mundial

La Primera Guerra Mundial también tuvo un impacto en la vida en Texas. Para ganar la guerra, se necesitaban alimentos para los soldados y provisiones para las fuerzas armadas. Pero a medida que los agricultores abandonaban sus campos para hacerse soldados, comenzaban a escasear los alimentos. Los agricultores que se quedaron en Texas trabajaron duro para obtener más cultivos y así satisfacer la demanda. El gobierno de los Estados Unidos luego compró estos productos agrícolas a Texas y otros estados.

El gobierno de los Estados Unidos compró productos agrícolas texanos para satisfacer las necesidades de la nación en tiempos de guerra.

Las personas de todo el país y de Texas se ofrecían como voluntarios para ayudar en la guerra. Millones conservaban alimentos. **Conservar** significa cuidar que una cosa no se desperdicie ni se use demasiado. Los habitantes seguían el plan establecido por la Administración de Alimentos de los Estados Unidos. Se ofrecían como voluntarios para reducir el consumo diario de azúcar y carne. Muchas familias texanas cultivaban sus propias verduras. De esa manera era posible enviar más alimentos enlatados a los soldados.

La gente también tomó empleos que ayudaban en la guerra. Las refinerías de Texas elaboraban productos de petróleo que eran comprados por el gobierno de los Estados Unidos para la guerra. Criar ganado y empacar carne también era importante. Las mujeres fueron a trabajar a las fábricas para tomar los empleos que habían dejado los hombres al partir. Algunas trabajaban en agrupaciones de voluntarios, como la Cruz Roja.

Muchas personas ayudaban al gobierno a recaudar dinero para la guerra comprando los bonos Libertad. Un **bono** es un documento que se recibe a cambio de dinero. Más tarde, los compradores devuelven el bono en una fecha determinada y recuperan su dinero con intereses. El **interés** es el dinero que se gana, a una tasa regular, por el uso del dinero prestado.

La guerra terminó en 1918. Las Potencias Aliadas ganaron, pero el costo fue grande. Más de 5,000 texanos murieron mientras servían en las fuerzas armadas.

3. **Explica** cómo ayudó cada persona voluntariamente a ganar la guerra.

Los derechos de las mujeres

Incluso mientras apoyaban la guerra, muchas mujeres continuaron luchando por sus derechos. Las mujeres reclamaban el sufragio desde hacía muchos años. El **sufragio** es el derecho al voto. A principios del siglo xx, aún no se permitía que las mujeres votaran en las elecciones nacionales ni en las de Texas.

Para obtener sus derechos, las mujeres de Texas comenzaron a actuar voluntariamente en asuntos cívicos a nivel local y del estado. Jessie Daniel Ames creció en Texas. En 1919 fundó la Liga de Mujeres Votantes. Allí reunió a las mujeres afroamericanas y blancas para que trabajaran por el sufragio. Mary Eleanor Brackenridge apoyó muchas cuestiones relacionadas con los derechos de las mujeres, incluido el sufragio. Cuando Texas legalizó el voto femenino en 1918, ella fue la primera mujer del condado de Bexar en registrarse para votar. Sin embargo, las mujeres todavía no podían votar en las elecciones nacionales.

También en 1918, Texas eligió a la primera mujer para un cargo a nivel estatal. Annie Webb Blanton era una escritora y profesora universitaria que creía en la igualdad de derechos para las mujeres. Fue la primera mujer elegida para el cargo de directora de educación pública en Texas.

En 1920, los Estados Unidos finalmente ratificaron la Decimonovena Enmienda de su Constitución. Esta ley otorgaba a las mujeres ciudadanas de todo el país el derecho a votar en cualquier elección.

Las mujeres texanas lucharon muy duro y lograron el derecho a votar en las elecciones locales dos años antes de que se aprobara el pleno derecho al voto para todas las mujeres de los Estados Unidos.

4. **Identifica** individuos importantes del movimiento sufragista que hayan participado voluntariamente en asuntos cívicos a nivel local y del estado.

....

....

....

Los felices años veinte

Era una época de progreso. La vida cambió rápidamente para Texas y los Estados Unidos durante la década de 1920. La experiencia de la guerra y la problemática de la igualdad de las mujeres tuvo un impacto en la vida de las personas en Texas y en la nación. Las opiniones de muchas personas cambiaron. La sociedad se estaba volviendo más moderna.

El comercio se desarrolló y creció. Hoy llamamos a esa época "los felices años veinte". Entre 1920 y 1929, el sistema de libre empresa contribuyó al veloz crecimiento de las industrias y las ciudades. Las fábricas que hacían productos para la Primera Guerra Mundial cambiaron su producción para hacer cosas que la gente quisiera comprar. Para estar a la altura de la demanda, contrataron a más trabajadores.

Ahora había más personas que tenían empleo y ganaban más dinero que nunca antes. Mucha gente pudo comprar una casa propia. El progreso también significaba acceder a los inventos más recientes. Se hicieron populares las radios, los teléfonos y los refrigeradores.

Gracias a la nueva tecnología, el automóvil era ahora más accesible económicamente. La gente nunca había usado tanto petróleo y tanta gasolina como entonces. En Texas, la industria del petróleo entró en auge. Con el petróleo de Texas, las empresas de gasolina construyeron más refinerías. Hacia 1928, los texanos ya poseían más de un millón de carros y camiones. Las ciudades y los estados construyeron mejores carreteras para los vehículos. Las carreteras pavimentadas alentaron a más gente a viajar más. Se desarrollaron nuevas empresas para satisfacer las necesidades de los que tenían carros. Se multiplicaron las gasolineras y los moteles.

Texaco Motor Oil, fundada en 1902, es hoy una de las empresas de petróleo más grandes del mundo.

Los estadounidenses conducían más autos en la década de 1920.

5. **Identifica** el impacto del aumento del uso del petróleo y la gasolina en la vida de Texas durante la década de 1920.

_____

_____

_____

La era del jazz

Durante la década de 1920, las ciudades estadounidenses crecieron a paso acelerado. Muchos agricultores dejaron sus tierras para tomar empleos en las fábricas. El precio de los productos agrícolas había caído. Muchos agricultores ya no podían ganarse la vida con sus tierras. Entonces se mudaban a las ciudades para buscar empleo.

Las ciudades se movían al compás de un nuevo ritmo: el jazz. El **jazz** es un tipo de música que comenzó en las comunidades afroamericanas. Sus ritmos potentes y contagiosos inspiraron otro apodo para los años veinte: "la era del jazz".

La gente buscaba nuevas cosas que hacer y nuevas maneras de divertirse. Scott Joplin, un músico de *ragtime* nacido en Texas, era muy popular. En Deep Ellum, un vecindario de Dallas, la gente iba a clubes nocturnos para bailar y escuchar música en vivo. Deep Ellum era un verdadero centro de jazz y blues. Las canciones de blues daban voz a las experiencias de los afroamericanos en el sur. El cantante texano de blues Blind Lemon Jefferson grabó más de 100 canciones.

La radio y el cine también cumplían un papel importante en el entretenimiento. Muchas familias de Texas y otros estados se reunían alrededor de la radio al anochecer. Escuchaban informes noticiosos, obras de teatro radial, comedias y programas musicales. En el cine daban películas mudas en blanco y negro. Recién a fines de la década de 1920 se estrenó la primera película con sonido. Se llamaba *The Jazz Singer* (El cantor de jazz).

6. ◉ **Resumir Explica** por qué crecieron las ciudades en la década de 1920. Usa detalles del texto para apoyar tu respuesta.

....

....

....

....

La manía del baile se extendió por toda la nación en la década de 1920.

WAITING ROOM FOR WHITE ONLY →

BY ORDER
POLICE DEPT.

En algunos lugares, a los afroamericanos se los mantenía separados de los blancos.

En otros lugares, como esta compañía maderera de Camden, Texas, los afroamericanos trabajaban junto con los blancos.

Tiempos de dificultades

Pero no todo era felicidad en la década de 1920. Los afroamericanos de todo el país recibían un trato muy injusto. Muchos afroamericanos sureños viajaron hacia el Norte esperando encontrar igualdad de oportunidades en el trabajo. Conseguían trabajo en las fábricas pero en muy malas condiciones. Se enfrentaban al racismo y la intolerancia.

Además, el Ku Klux Klan (KKK) había ganado fuerza en Texas. Ellos querían negar los derechos de los afroamericanos. Las creencias del KKK se basaban en el prejuicio y el odio. Un **prejuicio** es una opinión firme que no se forma a partir de hechos concretos.

Sin embargo, muchos estadounidenses, tanto blancos como afroamericanos, se oponían al KKK. Miriam "Ma" Ferguson y otros texanos se presentaron como candidatos para derrotar a los miembros del KKK en las elecciones. Miriam Ferguson fue la primera mujer texana elegida gobernadora del estado, en 1924. Fue candidata para el cargo (y ganó las elecciones) después de su marido, quien también había sido gobernador pero se vio obligado a dejar el cargo. Cuando "Ma" Ferguson asumió como gobernadora, el KKK se debilitó: perdió miembros y también gran parte de su poder.

7. Explica por qué muchos afroamericanos y blancos, incluida "Ma" Ferguson, se oponían al KKK.

....

....

....

....

....

....

....

Miriam "Ma" Ferguson, la primera mujer gobernadora de Texas, luchó contra los prejuicios.

¿Entiendes?

TEKS 11.C, 12.F, 13.B

8. **Resumir Identifica** de qué manera los productos texanos satisficieron las necesidades de los estadounidenses durante la Primera Guerra Mundial.

....

....

9. Escribe un diálogo breve que **describa** a dos personas que se mudaron a una gran ciudad en busca de igualdad de oportunidades durante la década de 1920 y las situaciones a las que se enfrentaron.

mi Historia: Ideas

....

....

....

10. Usa evidencia del texto para **dar ejemplos** de cómo el sistema de libre empresa brindó más opciones a la gente durante los felices años veinte.

....

....

Resumir

Cuando **resumes** una lectura, vuelves a contar los aspectos más importantes de un pasaje o capítulo. Resumir te ayuda a comprobar si comprendiste lo que has leído. Un resumen es breve. Se compone de unas pocas oraciones.

Para resumir, halla la idea principal del pasaje que estás leyendo. Luego busca los detalles importantes que apoyan la idea principal. Por último, expresa la idea principal y los detalles con tus propias palabras.

Bessie Coleman, piloto (1892–1926)

Bessie Coleman, o Queen Bess, como la llamaba la gente, fue una aviadora acrobática y la primera mujer afroamericana de la historia en obtener una licencia de piloto. Nació en Atlanta, Texas, en 1892, y tenía 12 hermanos. De niña cosechaba algodón y ayudaba a su mamá a ganarse la vida lavando ropa de otras personas, pero soñaba con aprender a volar. Coleman se graduó en la escuela secundaria, pero no le alcanzó el dinero para pagar más de un semestre de la universidad.

Bessie Coleman

Coleman se mudó a Chicago y trabajó allí durante algunos años. No había abandonado su sueño de volar. En las escuelas de aviación se negaban a darle clases a una mujer afroamericana. En vez de darse por vencida, Coleman viajó en barco a Francia. Allí estudió durante diez meses en una escuela de aviación y obtuvo su licencia. Tras regresar a los Estados Unidos en 1921, participó de espectáculos aéreos. Sus temerarias acrobacias la colocaron entre los aviadores más populares de los Estados Unidos. Coleman daba conferencias para animar a los jóvenes afroamericanos, tanto hombres como mujeres, a convertirse en pilotos.

Objetivo de aprendizaje

Aprenderé a analizar información resumiendo.

TEKS

SLA.11.A Resumir la idea principal y los detalles de apoyo de un texto de manera que se mantenga el significado.
ES 5.C Identificar los logros de individuos notables tales como Bessie Coleman.
ES 21.B Analizar información resumiendo.

¡Inténtalo!

1. **Analiza** el pasaje sobre Bessie Coleman de la página anterior.

2. **Resume** la idea principal.

....

....

....

....

3. Usa el pasaje para **identificar** los logros de Bessie Coleman.

....

....

....

....

4. **Resume** por qué Bessie Coleman es una persona notable de Texas del siglo xx.

....

....

....

....

....

....

 SAVVAS realize. Conéctate en línea a tu lección digital interactiva.

323

Tiempos difíciles

A lo largo de su historia, Texas padeció largos períodos de tiempo tan seco y con tantas polvaredas que de día parecía ser de noche.

Durante los felices años veinte, los negocios entraron en auge. Muchas personas querían ganar dinero con las empresas estadounidenses que estaban en pleno crecimiento. Entonces compraban acciones. Las **acciones** representan un porcentaje de propiedad de una empresa. La gente puede comprar y vender acciones en la bolsa de valores. Cuando las empresas obtienen una ganancia, el precio de sus acciones sube. Una **ganancia** es el dinero que queda después de que se pagan los costos del negocio. Cuando las empresas pierden dinero, el precio de sus acciones baja.

Se desploma la bolsa de valores

Atraídos por las crecientes ganancias, muchos estadounidenses invirtieron sus ahorros en acciones a fines de la década de 1920. Otros pidieron préstamos para comprar acciones. Ofrecían su casa y otras posesiones como garantía. Luego las empresas comenzaron a quebrar.

Los precios de las acciones cayeron. En octubre de 1929, la bolsa de valores se desplomó. Muchas personas corrieron a vender sus acciones, que ya habían perdido todo su valor. Cuando no lograron venderlas, se encontraron con que debían más dinero del que tenían. Perdieron sus ahorros. No tenían con qué pagar los préstamos que habían obtenido. Los bancos que habían otorgado los préstamos cerraron. Más gente perdió sus ahorros. Tantas personas perdieron dinero que las empresas encontraron dificultades para vender sus productos. Dejaron de contratar trabajadores y comenzaron a echarlos. Muchas empresas cerraron.

Los periódicos de todo el país informaron sobre el desplome de la bolsa de valores en 1929.

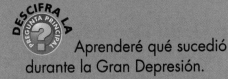

Aprenderé qué sucedió durante la Gran Depresión.

Vocabulario

acciones	desempleado
ganancia	sequía
depresión	discriminación
beneficencia	

Identifica un problema que, en tu opinión, podría ser causado por un largo período de tiempo seco.

Problemas en Texas

Al principio, muchos texanos se negaron a creer que los problemas con la bolsa de valores podían causar una depresión en Texas. Una **depresión** es una época en la que el comercio disminuye y los precios caen. Pero la Gran Depresión, como se conoce este período, perjudicó a los habitantes de todo el país, incluidos los de Texas, y también a los países de todo el mundo.

Muchos texanos y habitantes de otros estados perdieron sus empleos. Entonces les resultó difícil comprar lo que necesitaban para vivir. Hubo gente que perdió su casa. Muchos pasaron hambre. Algunos viajaban de un lugar a otro en busca de trabajo o mendigando comida. Las beneficencias trataban de ayudar. Una **beneficencia** es una organización que ayuda a la gente necesitada.

TEKS
5.A, 11.B, 12.B, 12.F, 17.D, 18.A

Niños en un campamento de trabajadores temporales

1. ⊚ **Resumir Identifica** el impacto que causó en la vida en Texas el desplome de la bolsa de valores.

realize Conéctate en línea a tu lección digital interactiva.

325

La Gran Depresión y el *Dust Bowl*

La depresión empeoró aún más. A principios de la década de 1930, tanta gente había perdido su trabajo que las beneficencias se quedaron sin dinero. Entonces intervinieron los líderes del gobierno y de la comunidad de Texas. Algunos pueblos patrocinaron programas de huertas. Entregaban a la gente semillas y tierra para que sembraran verduras para alimentarse. Austin, Dallas, Fort Worth y Houston presentaban obras de teatro y musicales con el fin de recaudar dinero para los comedores comunitarios y para el reparto de alimentos en las filas de los necesitados.

Muchas de las personas que perdieron sus trabajos y sus casas fueron a vivir con sus parientes. Otros no tenían dónde vivir y comenzaron a establecerse en las afueras de las grandes ciudades. Con desechos de maderas, cartones y planchas de metal, construyeron casas precarias. Cientos de miles de desempleados y familias estadounidenses sin hogar vivían en esos barrios pobres. Estar **desempleado** es no tener empleo o trabajo. Los barrios pobres fueron apodados *Hoovervilles*, o "villas de Hoover". Se llamaban así por el nombre del presidente de los Estados Unidos, Herbert Hoover.

Durante los felices años veinte, los agricultores de Texas y de todas las Grandes Llanuras habían arado millones de acres de pastizales para cultivar la tierra. Cultivaron tanto trigo que los precios cayeron. Los productores de trigo apenas podían ganarse la vida. Los precios cayeron aún más después de que se desplomó la bolsa de valores. Los agricultores de Texas perdían dinero cultivando trigo y algodón.

Luego, a mediados de la década de 1930, las cosas empeoraron aún más. Texas y gran parte de la región de las Grandes Llanuras padecieron una terrible sequía. Una **sequía** es un largo período sin suficiente lluvia. Sin lluvias regulares, los cultivos no podían crecer.

Un barrio pobre en Texas

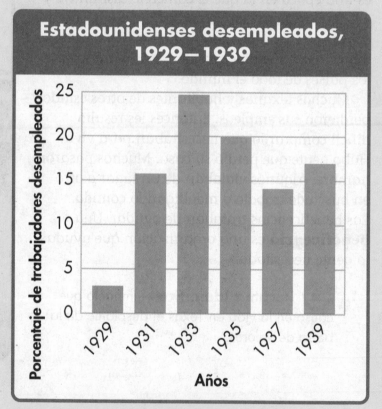

Estadounidenses desempleados, 1929–1939

Fuente: U.S. Bureau of the Census, *Historical Statistics of the United States, Colonial Times to 1957*

2. **Analiza** la gráfica de barras. Encierra en un círculo el año con la tasa más alta de desempleo. Luego subraya el año con la tasa más baja de desempleo.

Muchos agricultores no habían tomado medidas para conservar o fertilizar el suelo. La capa superficial del suelo se secó rápidamente y quedó expuesta al sol. Luego llegaron los vientos. Soplando sin parar sobre la tierra reseca de los campos, los vientos levantaban inmensas polvaredas. Las fuertes tormentas de viento elevaban altísimos torbellinos de polvo por el aire. Oscurecían el cielo durante días y, a veces, llegaban incluso hasta la costa este. Comenzó a conocerse como *Dust Bowl* ("cuenco de polvo") esa parte de las Grandes Llanuras.

En algunos lugares, las tormentas de polvo arrastraron la capa superficial del suelo. En otros, el polvo se apiló sobre los campos. Los cultivos se echaron a perder y no pudieron madurar. La gente paleaba el polvo de sus patios y jardines como si fuera nieve. Una tormenta de polvo en Amarillo duró más de tres días.

Como ya no se podía cultivar nada, muchos agricultores abandonaron sus tierras para buscar otro trabajo. Algunos se mudaron a California para trabajar en las granjas de allí. Familias enteras hicieron las maletas y emigraron en busca de un nuevo comienzo.

3. **Identifica** cómo impactaron en Texas la Gran Depresión y el *Dust Bowl*.

....

....

....

El Dust Bowl *tuvo impacto en la vida de muchos texanos en la década de 1930.*

El Nuevo Trato

En 1932, los estadounidenses eligieron a Franklin D. Roosevelt como presidente de los Estados Unidos. Roosevelt creía que el gobierno debía ayudar a su pueblo. Por eso, propuso y firmó leyes para crear empleos, aliviar la pobreza y mejorar la economía. Este conjunto de leyes se denominó el Nuevo Trato.

Un programa del Nuevo Trato, el Cuerpo Civil de Conservación (CCC), creó trabajo para 3 millones de hombres jóvenes. Estos hombres trabajaban en los bosques y las tierras agrestes cavando acequias o construyendo caminos, carreteras y parques estatales. Otro programa, la Administración para el Avance de Obras Públicas (WPA, por sus siglas en inglés), contrató a más de 8 millones de trabajadores para construir represas, puentes, carreteras, parques y aeropuertos. Algunos artistas de este programa pintaron murales en las paredes de los edificios públicos. Las tareas que llevaron a cabo los trabajadores del Nuevo Trato aportaron grandes mejoras a las comunidades.

El presidente ordenó que los estadounidenses contratados por la WPA tuvieran igualdad de oportunidades. Esto significaba que nadie debía ser rechazado por su raza o su religión. La WPA contrató a miles de afroamericanos, que ayudaron a construir y reparar hospitales, casas y escuelas. También trabajaron como médicos y maestros. Sin embargo, los afroamericanos de la WPA sufrieron discriminación. La **discriminación** es el trato desigual que se da a algunas personas. A menudo, los trabajadores afroamericanos de la WPA cobraban salarios más bajos que los blancos y recibían los puestos menos deseables.

Parques del Cuerpo Civil de Conservación, en Texas

N O E S

0 — 100 mi
0 — 100 km

Cañón de Palo Duro

Bonham
Daingerfield
Lago Caddo
Big Spring
Abilene
Cleburne
Tyler
Meridian
Lago Brownwood
Fort Parker
Mission Tejas
Balmorhea
Mother Neff
Montañas Davis
Lago Inks
Huntsville
Indian Lodge
Longhorn Cavern
Bastrop
Blanco
Buescher
Garner
Lockhart
Palmetto
Goliad
Lago Corpus Christi
Isla Goose

Golfo de México

LEYENDA
● Parque estatal del CCC

4. ◉ **Resumir Analiza** el mapa. Encierra en un círculo el parque estatal del CCC más cercano al lugar donde vives. Luego **resume** cómo contribuyó el CCC al desarrollo y el crecimiento de Texas.

Los texanos desempeñaron papeles importantes en el Nuevo Trato. John Nance Garner, de Uvalde, Texas, fue vicepresidente de Franklin D. Roosevelt. El diputado Sam Rayburn, de Bonham, Texas, ayudó a aprobar muchas leyes del Nuevo Trato. Una de las leyes que promovió permitió llevar electricidad a las granjas. Un joven llamado Lyndon B. Johnson dirigió un programa del Nuevo Trato que ayudó a los jóvenes a encontrar trabajo en Texas. Muchos años más tarde, Johnson fue presidente de los Estados Unidos.

No todos los texanos estaban de acuerdo con el Nuevo Trato del presidente Roosevelt. Algunas personas temían que esos programas le dieran demasiado poder al gobierno federal. Otros creían que el gobierno no debía interferir demasiado en el sistema de libre empresa. Sin embargo, los empleos creados por los programas gubernamentales levantaron el ánimo a muchos trabajadores. Con el dinero que ganaban, podían comprar alimentos para su familia y pagar por los servicios para su hogar.

El texano Lyndon Johnson estrecha la mano del presidente Roosevelt. También está presente el gobernador de Texas, James Allred.

¿Entiendes?

🔻 TEKS 12.F, 17.D

5. ⊙ **Resumir** Escribe brevemente cómo las ideas del presidente Roosevelt sobre la igualdad de oportunidades influyeron en las contrataciones de la WPA.

....

....

6. ❓ Imagina que trabajas en el CCC. Analiza cómo ayudó el CCC en los tiempos difíciles. Después, escribe un anuncio para convocar a jóvenes para trabajar al aire libre en los bosques del país y las tierras agrestes.   **mi** **Historia: Ideas**

....

....

7. **Identifica** y **resume** de qué modo Sam Rayburn fue un individuo importante con una participación activa en el proceso democrático.

....

....

Analizar imágenes

Las imágenes están en todas partes y son fuentes primarias; por lo tanto, es importante entenderlas. Hay un refrán que dice: "Una imagen vale más que mil palabras". Esto significa que nos dicen cosas que las palabras no pueden.

Analizar una imagen significa observarla de una manera diferente. En lugar de ver una ilustración como un todo, intenta observar primero las personas, luego los objetos y, finalmente, las actividades que se están llevando a cabo. Lee la leyenda también. Esta te dará información importante acerca de la imagen.

Observa la imagen de abajo. A partir de ella puedes obtener información acerca de los Estados Unidos y Texas. La pintura muestra una granja del *Dust Bowl* rodeada de dunas. La leyenda te dice el nombre de la pintura y quién la pintó. Las leyendas agregan información acerca de la imagen. Te pueden ayudar a comprender mejor la historia que el artista quería contar a través de su trabajo.

Drought Stricken Area, 1934 (Área azotada por la sequía), del artista texano Alexandre Hogue

TEKS

SLA 13.B Explicar la información basada en hechos que se presenta gráficamente.

SLA 14 Utilizar destrezas de comprensión para analizar cómo las palabras, las imágenes, los gráficos y los sonidos interactúan de diferentes maneras para impactar el significado.

SS 5.A Identificar el impacto de varios asuntos y acontecimientos en la vida de Texas tales como el periodo de sequía conocido como Dust Bowl (Cuenco de Polvo).

ES 21.A Distinguir, localizar y usar fuentes válidas primarias y secundarias, tales como material oral visual e impreso para adquirir información sobre los Estados Unidos y Texas.

Analiza la imagen de la página 330. Luego úsala para responder las peguntas.

1. **Describe** los seres vivos y los objetos que aparecen en la pintura. Luego **explica** por qué crees que el artista pintó esos seres y objetos en lugar de personas.

2. ¿Qué información acerca de los Estados Unidos y Texas infieres de la pintura?

3. **Describe** cómo crees que se siente el artista con respecto a la sequía.

4. **Aplícalo Explica** cómo se puede usar una pintura u otro tipo de imagen para obtener información acerca de los Estados Unidos y Texas.

SAVVAS realize™ Conéctate en línea a tu lección digital interactiva.

331

Segunda Guerra Mundial y cambios en camino

¡Imagínalo!

Después de la Segunda Guerra Mundial, se crearon nuevos vecindari en las afueras de las ciudades para los soldados y sus familias.

"above and beyond the call of duty"

DORIE MILLER
Received the Navy Cross at Pearl Harbor, May 27, 1942

Doris "Dorie" Miller

La gente tenía la esperanza de que la Primera Guerra Mundial fuera "la guerra que acabara con todas las guerras". Pero los años que siguieron a aquella guerra, a pesar de ser pacíficos, fueron agitados. Luego, en 1939, Alemania atacó a Polonia. Los países de Europa tomaron partido una vez más. Gran Bretaña, Francia y la Unión Soviética se unieron bajo el nombre de los Aliados. Combatieron contra las Potencias del Eje: Alemania, Italia y Japón. Había comenzado la Segunda Guerra Mundial.

Segunda Guerra Mundial

Al principio, los Estados Unidos permanecieron neutrales. Ser **neutral** significa no apoyar a ninguno de los dos bandos. Luego los japoneses lanzaron un ataque sorpresivo a Pearl Harbor, en Hawái. En la mañana del 7 de diciembre de 1941, aviones japoneses bombardearon barcos estadounidenses anclados en la bahía. Doris Miller, un marinero texano a bordo del *USS West Virginia*, vio lo que ocurría. Defendió su barco disparando a los aviones japoneses y recibió la Cruz de la Armada por su valentía bajo fuego.

Los Estados Unidos declararon la guerra a Japón y Alemania. El país se sumó a los Aliados. Los estadounidenses, incluidos muchos texanos, corrieron a defender a su país. Texas mandó a la guerra a más habitantes que cualquier otro estado: unas 750,000 personas, incluidas 12,000 mujeres.

Varias divisiones, es decir, grupos del ejército, se entrenaron en Texas. Los hombres de la 36.º División llevaban con orgullo un parche con una "T" sobre una punta de flecha. La gente los llamaba "La División de Texas". Estuvieron entre los primeros estadounidenses en cruzar el océano.

Aprenderé el efecto que tuvo la Segunda Guerra Mundial en Texas y los Estados Unidos.

Vocabulario

neutral
comunismo
suburbio
derechos civiles

Diseña, rotula y explica un nuevo tipo de vecindario para que lo habiten personas de hoy en día.

Los texanos combatieron valientemente en África, Asia y Europa. Treinta y tres texanos recibieron la Medalla de Honor. Este es el máximo honor militar. Se entrega por actos de valor que están por encima y más allá del deber. De hecho, el estadounidense más condecorado en la guerra fue el teniente Audie Murphy de Farmersville, Texas. Murphy ingresó en el ejército como soldado raso. Tenía 18 años. Él en persona detuvo un ataque de tanques enemigos y recibió 33 medallas, menciones y condecoraciones. Más tarde fue un actor y escritor de canciones exitoso.

El general Dwight D. Eisenhower comandó las fuerzas estadounidenses en Europa. Condujo a las tropas en importantes batallas e invasiones, y aceptó la rendición de los alemanes en 1945. Nacido en Denison, Texas, Eisenhower fue más tarde el 34.º presidente de los Estados Unidos.

TEKS
5.A, 5.C, 8.A, 11.B, 11.C, 12.F, 13.A, 13.B, 17.B, 17.D, 18.A, 19.C

1. **Resumir** **Identifica** y luego **explica** brevemente el impacto que causó el bombardeo de Pearl Harbor en la vida en Texas.

....

....

....

....

....

Teniente Audie Murphy

333

Más texanos en la guerra

Aproximadamente 500,000 latinos lucharon valientemente en la Segunda Guerra Mundial; muchos de ellos eran de Texas. Cleto Rodríguez, de San Antonio, fue uno de los cinco mexicoamericanos que ganaron la Medalla de Honor. Combatió en el Pacífico Sur, donde ayudó a derrotar a los japoneses. En 1975, una escuela primaria fue bautizada con su nombre.

Las mujeres texanas desempeñaron un papel vital en la guerra. Aproximadamente 1,000 mujeres sirvieron como pilotos durante la guerra. La mayoría se entrenó en Texas. Oveta Culp Hobby, de Houston, ayudó a planear y dirigir el Cuerpo Auxiliar de Mujeres del Ejército (WAAC, por sus siglas en inglés) de los Estados Unidos. El WAAC ofrecía a las voluntarias una oportunidad para colaborar durante la guerra. Bajo la dirección de Hobby, cientos de miles de mujeres llevaron a cabo una gran variedad de tareas para el ejército, desde doblar paracaídas hasta trabajar como secretarias.

AMERICANOS TODOS ★ LUCHAMOS POR LA VICTORIA

★ AMERICANS ALL ★ LET'S FIGHT FOR VICTORY

Los mexicoamericanos combatieron con valentía en la Segunda Guerra Mundial.

La industria y la guerra

Las industrias de Texas entraron en auge durante la guerra. La más exitosa fue la industria del petróleo. Los buques de guerra, los aviones, los tanques y los *jeeps* funcionaban con gasolina. Las empresas petroleras de Texas suministraban aproximadamente la mitad del combustible necesario para la guerra. El caucho, que se hace con petróleo y otros materiales, también provenía de las fábricas texanas. El gobierno de los Estados Unidos compró estos productos a Texas.

Las viejas empresas se reorientaron con el fin de suministrar materiales para la guerra. Se necesitaban materiales para hacer uniformes y tiendas. Por ejemplo, el empresario texano Stanley Marcus descubrió técnicas para conservar textiles. Marcus había convertido la empresa de su familia, Neiman Marcus, en una tienda de ropa lujosa. En 1941, ingresó a la Junta de Producción Bélica. Ayudó a convencer a los estadounidenses de que se las arreglaran con la ropa que tenían.

2. **Identifica** y subraya dos logros de Stanley Marcus.

Otras industrias de Texas colaboraron con la guerra. Los agricultores de Texas sembraron cantidades enormes de cereales para alimentar a los Aliados. Para satisfacer la demanda de acero, las acerías de Houston y Daingerfield produjeron miles de toneladas. Las fábricas de Houston, Galveston y Corpus Christi construyeron barcos. Los aviones se construían cerca de Dallas y Fort Worth.

A medida que aumentaba la demanda de materiales para la guerra, también lo hacía la demanda de trabajadores. Las mujeres tomaron los empleos de los hombres que habían ido a la guerra. Medio millón de habitantes rurales de Texas se mudaron a las ciudades del estado para trabajar en fábricas de materiales para la guerra. Lo mismo ocurrió con gente de todo el país y de México. Las ciudades crecieron rápidamente. La cantidad de trabajadores asalariados aumentó en más del doble entre 1939 y 1945.

En 1945, las Potencias del Eje se rindieron. Los Aliados habían ganado. Millones de personas, entre ellas 22,000 texanos, habían muerto en el campo de batalla y por otras causas. Los que regresaron a casa se encontraron con un lugar distinto. La Gran Depresión había terminado. La industria de Texas estaba creciendo.

3. Imagina que eres un trabajador de la zona rural de Texas que trabaja en una fábrica de aviones durante la Segunda Guerra Mundial. **Describe** cómo las leyes económicas de la oferta y la demanda te permitieron acceder a esta oportunidad laboral.

Durante la Segunda Guerra Mundial, muchas mujeres colaboraron con las tareas que requería la guerra.

....

....

....

....

Cultura y arte de Texas

Al ver la velocidad de los cambios durante los primeros años del siglo XX, algunos texanos comprendieron que era necesario preservar el pasado. Los objetos y los inventos que antes habían parecido modernos eran reemplazados rápidamente por cosas nuevas. Entonces, los texanos construyeron museos para preservar nuestra rica historia. El museo más antiguo del estado es el Museo Histórico del Panhandle y las Llanuras. Contiene un molino de viento auténtico, una carreta de provisiones, puntas de flecha y más. Muchos otros museos se construyeron en 1936, cuando Texas celebró sus 100 años de independencia. Uno de ellos, el Museo y Monumento de San Jacinto, honra a los héroes de la Batalla de San Jacinto. Este museo cuenta la historia de Texas y de la región a lo largo de miles de años.

La rica historia de Texas se preserva en el Museo Histórico del Panhandle y las Llanuras, en Amarillo, Texas.

Los músicos texanos de principios del siglo XX también dejaron su marca en la historia de Texas. Julius Lorenzo Cobb Bledsoe, de Waco, cantaba ópera y musicales, componía música y actuaba en el cine. Fue un afroamericano célebre en Europa, así como en los Estados Unidos. La cantante tejana Chelo Silva, de Brownsville, se convirtió en una estrella internacional, con éxitos que sonaban en la radio. A Lydia Mendoza, de Houston, la llamaban "la Alondra de la Frontera". Durante su larga carrera como cantante de estilo "conjunto" se estima que grabó 50 álbumes. El estilo "conjunto" combina la música tradicional mexicana con las polcas alemanas. Por su contribución a la música mexicoamericana, Lydia Mendoza recibió muchos premios, incluida la Medalla Nacional de las Artes, en 1999.

4. ◎ **Resumir** Escribe las contribuciones de Julius Lorenzo Cobb Bledsoe y Chelo Silva en el desarrollo de Texas.

....

....

Un país cambiante

Después de la Segunda Guerra Mundial, surgieron nuevos problemas. Los Estados Unidos y la Unión Soviética entraron en un conflicto llamado Guerra Fría. Este enfrentamiento se manifestó en conflictos más pequeños, como las guerras de Corea y Vietnam. Además, los países pelearon con ideas, palabras y dinero. Como democracia, los Estados Unidos se oponían al comunismo, el sistema político de los soviéticos. El **comunismo** es un sistema en el que el gobierno es el dueño de todas las propiedades de un país. En cambio, bajo el sistema de libre empresa de los Estados Unidos, los individuos son dueños de la mayoría de las propiedades.

A pesar de la Guerra Fría, los Estados Unidos experimentaron una gran prosperidad económica. Muchos texanos tenían más dinero que nunca. Podían comprar bienes, como carros y casas.

Los carros y las nuevas carreteras tuvieron un impacto en la vida en Texas. En la década de 1950, el gobierno de los Estados Unidos comenzó a construir el Sistema de Carreteras Interestatales. Este sistema conectó las grandes ciudades del país. Las nuevas carreteras conectaron a los estadounidenses de nuevas maneras. Aumentaron la interdependencia de estados y regiones. Las nuevas carreteras facilitaron el comercio y los viajes entre los estados.

Las nuevas carreteras de Texas también permitieron que la gente pudiera vivir más lejos de su trabajo. Muchas personas comenzaron a mudarse a los suburbios. Un **suburbio** es una comunidad que está al lado o cerca de una ciudad. En la década de 1950, la construcción de vías rápidas para automóviles impulsó el desarrollo y el crecimiento de los suburbios alrededor de ciudades como Houston. Este era un nuevo patrón de población. La gente podía comprar casas más baratas en los suburbios. Muchas familias se establecieron allí. ¿Qué hacían las familias de los suburbios para entretenerse? Miraban el invento más reciente: ¡la televisión! Pronto, las tiendas de comestibles comenzaron a vender otra nueva idea: comidas congeladas especiales, llamadas "cenas de TV".

Una nueva carretera interestatal contribuyó al crecimiento de los suburbios de Houston en la década de 1950.

5. **Identifica** y **explica** por qué se desarrollaron los suburbios en Texas después de la Segunda Guerra Mundial.

El movimiento por los derechos civiles

Mientras muchos estadounidenses prosperaban en las décadas de 1950 y 1960, otros continuaban enfrentando serios problemas. Muchos afroamericanos y mexicoamericanos no tenían los mismos derechos que los angloamericanos. Como se les negaba la igualdad de oportunidades, ganaban menos dinero por los mismos trabajos. Se los trataba injustamente en las escuelas y en los lugares de trabajo. Los afroamericanos no podían ir a los mismos restaurantes y cines que frecuentaban los blancos ni viajar en los asientos delanteros de los autobuses. Algunos niños mexicoamericanos tenían que ir a escuelas de Texas que estaban separadas de las demás. Esta separación injusta, basada en la raza, se llama segregación.

Los afroamericanos y mexicoamericanos lucharon para terminar con la segregación y la discriminación en todas sus formas. El Dr. Martin Luther King, Jr. lideró un movimiento nacional para dar igualdad de derechos a todos los individuos. La gente marchaba para demostrar su apoyo. En Texas, la Liga de Ciudadanos Latinoamericanos Unidos (LULAC, por sus siglas en inglés) luchó en las cortes o tribunales contra la segregación en las escuelas mexicanas y por otros derechos civiles para los mexicoamericanos. Los **derechos civiles** son los derechos de las personas a la libertad y la igualdad.

El trabajo de miles de activistas ayudó a personas de todo Texas a obtener sus derechos civiles. En la actualidad, la segregación es ilegal. En 1964, el Congreso de los Estados Unidos creó una ley patrocinada por el presidente Lyndon B. Johnson. La Ley de los Derechos Civiles convirtió en ley vigente el trato justo a todas las personas. Ya nadie podía recibir un trato distinto por su raza, religión o género.

6. ⊙ **Resumir** Completa el diagrama **resumiendo** cómo los texanos y otros estadounidenses lucharon por terminar con la desigualdad.

Necesidad de derechos civiles

Problema	Solución
Muchos afroamericanos y mexicoamericanos no tenían los mismos derechos y oportunidades que los angloamericanos.	....

En 1967, los texanos eligieron a Barbara Jordan para el Senado de Texas. Jordan fue la primera senadora afroamericana del estado desde 1883. Ayudó a los afroamericanos a registrarse para votar en la década de 1960. Esta abogada y activista por los derechos civiles de Houston continuó su carrera hasta alcanzar la presidencia del Senado de Texas. Más tarde, fue la primera mujer afroamericana en llegar al Congreso de los Estados Unidos. En 1994, recibió la Medalla Presidencial de la Libertad.

Muchas cosas han cambiado desde la década de 1960. Pero aún queda más trabajo por hacer a fin de garantizar el trato justo para todos, así como la igualdad de derechos y oportunidades.

Barbara Jordan

¿Entiendes?

TEKS 5.A, 17.B, 17.D

7. **Resumir Identifica** cómo impactaron en la vida en Texas los principales sucesos que enfrentaron Texas y los Estados Unidos después del ataque a Pearl Harbor.

....

....

....

8. Imagina que eres un estudiante en Texas durante la Segunda Guerra Mundial. Escribe una carta a un familiar en otro estado. **Describe** cómo ha cambiado tu vida para bien y para mal.

mi Historia: Ideas

....

....

....

....

9. **Resume** las maneras en que Barbara Jordan participó en el proceso democrático.

....

....

Capítulo 9

Práctica de TEKS

TEKS 5.A, 5.C, 11.C, 12.F, 13.B, 17.A, 18.A

Primera Guerra Mundial y los años veinte

1. **Identifica** al menos dos maneras en que la Primera Guerra Mundial tuvo un impacto en la vida en Texas.

....

....

....

....

2. **Identifica** a cada individuo notable con su logro en el siglo xx en Texas.

Mary Eleanor Brackenridge	Luchó por el sufragio femenino.
Miriam Ferguson	Tocaba música *ragtime*.
Scott Joplin	
	Gobernó el estado de Texas.

3. **Explica** el impacto que tuvieron las ideas estadounidenses acerca del progreso en el desarrollo económico y crecimiento de Texas en los felices años veinte.

....

....

....

....

....

....

....

4. Completa los espacios en blanco para **identificar** los beneficios del sistema de libre empresa en Texas durante la década de 1920.

La demanda de carros y camiones contribuyó al auge de la industria del .... Para satisfacer las necesidades de los que tenían carros, surgieron nuevos tipos de .... , como las gasolineras y los moteles.

5. ◉ **Resumir** **Describe** la experiencia de muchos afroamericanos que se mudaron a las ciudades durante la década de 1920.

....

....

....

....

TEKS 5.A, 11.B, 12.B, 12.F, 17.D, 18.A

Tiempos difíciles

6. Lee la pregunta con atención. Determina cuál es la mejor respuesta entre las cuatro opciones. Encierra en un círculo la mejor respuesta.

¿Qué programa creó empleos y mejoró la economía en la década de 1930?

A el Nuevo Trato

B el *Dust Bowl*

C el desplome de la bolsa de valores

D la Gran Depresión

7. Explica por qué mucha gente compró acciones de empresas estadounidenses durante los felices años veinte.

....

....

....

8. Describe cómo los principios de la oferta y la demanda afectaron a los agricultores texanos durante los felices años veinte.

....

....

....

....

....

9. Lee la pregunta con atención. Determina cuál es la mejor respuesta entre las cuatro opciones. Encierra en un círculo la mejor respuesta.

¿Quién fue Lyndon Johnson?

F   un trabajador de la Administración para el Avance de Obras Públicas

G   un banquero que perdió dinero con el desplome de la bolsa de valores

H   un texano que se oponía al Nuevo Trato de Roosevelt

J   un texano que dirigió un programa del Nuevo Trato y más tarde fue presidente de los Estados Unidos

10. Explica cómo influyeron los factores geográficos en la ubicación de las actividades agrícolas en Texas durante la década de 1930.

....

....

....

....

....

....

Lección 3   TEKS 5.A, 5.C, 8.A, 19.C

Segunda Guerra Mundial y cambios en camino

11. Identifica un logro de los individuos notables de Texas del siglo XX, Audie Murphy y Cleto Rodríguez.

....

....

....

....

12. Da un ejemplo de oportunidades económicas disponibles para los texanos después de la Segunda Guerra Mundial.

....

....

....

....

13. Identifica y **explica** los agrupamientos y patrones de asentamiento en Texas después de la Segunda Guerra Mundial.

....

....

....

....

....

....

....

....

....

....

14. 🎯 **Resumir Identifica** las contribuciones de Lydia Mendoza a Texas.

....

....

....

....

....

....

....

15. ❓ **¿Cómo responden las personas a los buenos y a los malos tiempos?**
🔹 TEKS 5.A

Analiza la escena de la fábrica de la foto de abajo y responde la pregunta.

¿Cómo respondieron las mujeres estadounidenses a los desafíos que debieron enfrentar cuando los Estados Unidos entraron en la Segunda Guerra Mundial?

....

....

....

....

....

....

....

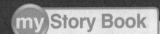

Conéctate en línea para escribir e
ilustrar tu **myStory Book** usando
miHistoria: Ideas de este capítulo.

¿Cómo responden las personas a los buenos y a los malos tiempos?

TEKS
SLA 15

Texas se transformó a principios del siglo xx. Hubo buenos tiempos y malos tiempos. Los nuevos inventos y los productos mejorados hicieron la vida más fácil. Pero el auge económico de los años veinte terminó en una grave depresión. El *Dust Bowl* arruinó a los agricultores. Además, los texanos combatieron en dos guerras mundiales.

Piensa en la vida actual. ¿Cómo responden las personas a los buenos y a los malos tiempos? ¿Cómo respondes tú a los buenos y a los malos tiempos?

Describe cómo podrías responder a los buenos tiempos, como cuando compras o recibes algo que querías.

....

....

Dibuja cómo podrías responder a los malos tiempos, como en el caso de que tuvieras que dejar tu casa.

Texas en la actualidad

 mi Historia: ¡Despeguemos!

¿Qué metas deberíamos fijar para nuestro estado?

Analiza qué te gusta más de vivir en Texas en la actualidad. **Identifica** qué podrían necesitar o querer los texanos en los próximos cien años. **Describe** cómo podría mejorar Texas en el futuro.

....

....

....

Conocimiento y destrezas esenciales de Texas

6.B Traducir datos geográficos, distribución de la población y recursos naturales en una variedad de formatos.

7.A Describir una variedad de regiones en Texas y en los Estados Unidos tales como la población política y las regiones económicas que resultan de cambios en la actividad humana.

8.A Identificar y explicar agrupaciones y patrones relacionados con los asentamientos en Texas en diferentes épocas, tales como antes de la Revolución de Texas, después de la construcción del ferrocarril y después de la Segunda Guerra Mundial.

8.B Describir y explicar la ubicación y distribución de diferentes pueblos y ciudades en Texas, en el pasado y en el presente.

9.A Describir cómo las personas se han adaptado o modificado su medio ambiente en Texas, en el pasado y en el presente, tales como la deforestación, la producción de productos agrícolas, el drenaje de las tierras acuosas, la producción de energía y la construcción de diques.

9.B Identificar por qué las personas se han adaptado o modificado su ambiente en Texas, en el pasado y en el presente, tales como el uso de los recursos naturales para satisfacer las necesidades básicas, facilitar el transporte y mejorar las actividades recreacionales.

9.C Comparar las consecuencias positivas y negativas de las modificaciones humanas del medio ambiente en Texas, en el pasado y en el presente, tanto en el sector gubernamental como en el sector privado, tales como el desarrollo económico y el impacto en los hábitats y la fauna, como también en la calidad del aire y del agua.

11.C Dar ejemplos de los beneficios de un sistema de libre empresa como la opción y la oportunidad.

12.A Explicar cómo las personas en las diferentes regiones de Texas se ganaban la vida en el pasado y cómo se ganan la vida en el presente, a través del sustento económico y el suministro de bienes y servicios.

12.B Explicar cómo los factores geográficos tales como el clima, el transporte y los recursos naturales han impactado la ubicación de las actividades económicas en Texas.

12.C Analizar los efectos de la exploración, la inmigración, la migración y los recursos limitados en el desarrollo económico y en el crecimiento de Texas.

12.E Explicar cómo los avances en el transporte y en las comunicaciones han impactado las actividades económicas en Texas.

13.A Identificar cómo los cambios tecnológicos en áreas como el transporte y la comunicación han conducido a una mayor interdependencia entre Texas, los Estados Unidos y el mundo.

13.B Identificar los productos tejanos en las áreas del petróleo y el gas, la agricultura y la tecnología que satisfacen las necesidades en los Estados Unidos y alrededor del mundo.

13.C Explicar cómo los tejanos satisfacen algunas de sus necesidades a través de la compra de productos de los Estados Unidos y del resto del mundo.

16.D Describir los orígenes y la significancia de las celebraciones del estado, tales como el Día de la Independencia de Texas y el Día de la Emancipación (Juneteenth).

19.A Identificar las similitudes y diferencias entre los diferentes grupos raciales, étnicos y religiosos de Texas.

19.B Identificar costumbres, celebraciones y tradiciones de los diferentes grupos culturales, regionales y locales en Texas, tales como Cinco de Mayo, Oktoberfest, el Festival de la Fresa y la Fiesta San Antonio.

20.A Identificar inventores famosos, tales como Gail Borden, Joseph Glidden, Michael DeBakey y Millie Hughes-Fulford y sus contribuciones.

20.B Describir cómo los descubrimientos y las innovaciones científicas en el área aeroespacial, en la agricultura, en la energía y la tecnología han sido un beneficio para los individuos, los negocios y para la sociedad en Texas.

20.C Predecir cómo los futuros descubrimientos científicos y las innovaciones tecnológicas podrían afectar la vida en Texas.

21.B Analizar información, ordenando en una secuencia, categorizando, identificando las relaciones de causa y efecto, comparando, contrastando, encontrando la idea principal, resumiendo, formulando generalizaciones y predicciones y formulando inferencias y sacando conclusiones.

21.C Organizar e interpretar información en bosquejos, reportes, bases de datos y visuales, incluyendo gráficos, diagramas, líneas cronológicas y mapas.

21.D Identificar diferentes puntos de vista sobre un asunto, un tópico, un acontecimiento histórico o un evento actual.

El Centro Espacial Johnson

Un lugar para aprender sobre el Programa Espacial

mi Historia: Video

Si vas a Houston, no dejes de visitar el Centro Espacial Johnson. Frente a él está emplazada una réplica del transbordador espacial, que se eleva a 54 pies por encima del suelo. "¡No puedo creer el tamaño que tiene!", exclama Gianna, una estudiante de diez años. "Me imagino que se necesita un motor bastante grande para llevar esa cosa inmensa al espacio".

Gianna está en el Centro Espacial Houston, el sitio oficial donde se recibe a los visitantes del Centro Espacial Johnson. Allí le dicen que ese complejo tiene una larga historia. También le cuentan que la industria aeroespacial es muy importante para la economía de Texas. Esta industria, que construye y opera naves espaciales, ofrece muchos empleos en el estado. Pero en este momento, a Gianna solo le interesa saber cómo viven los astronautas en el espacio. "¿Cómo pueden dormir flotando?", le pregunta a Jack, su guía. Gianna encuentra la respuesta a su pregunta en el módulo "La vida en el espacio". Jack le cuenta que los astronautas de la Estación Espacial Internacional se meten en bolsas de dormir que están sujetas a la estación, de modo que no quedan flotando por ahí. "Supongo que está todo muy tranquilo y silencioso allá arriba por la noche...", comenta Gianna.

Los transbordadores espaciales como el que ve Gianna durante su visita fueron diseñados, desarrollados y probados en el Centro Espacial Johnson, en Houston.

345

En el Centro Espacial Johnson, muchos astronautas hacen su entrenamiento.

Gianna conoce la sala de Control de Misión del Centro Espacial Johnson donde se supervisó el primer alunizaje.

Para aprender más sobre la Estación Espacial Internacional, Gianna recorre una galería especializada en el tema. Aprende que la primera tripulación que permaneció en la Estación Espacial Internacional llegó allí en noviembre de 2000. En ese laboratorio flotante, que es casi tan grande como una cancha de fútbol americano, han trabajado astronautas de todo el mundo. Gianna se entera de que muchos astronautas realizan su capacitación en Houston antes de emprender misiones en la Estación Espacial Internacional. "De hecho", le dice Jack, "el Control de Misión, la sala donde los ingenieros y científicos monitorean la Estación Espacial Internacional desde la Tierra se encuentra aquí, en el Centro Espacial Johnson.

Jack lleva a Gianna a otra sala de Control de Misión: es el histórico lugar donde se supo por primera vez que los seres humanos habíamos llegado a la Luna. El 20 de julio de 1969, los astronautas Neil A. Armstrong y Edwin "Buzz" Aldrin, Jr. realizaron el primer alunizaje. Armstrong se comunicó por radio con la Tierra para anunciar que habían llegado a la Luna, y las decenas de personas que estaban en el Centro Espacial Johnson festejaron el éxito de la misión.

En el Centro Espacial Houston, Gianna experimenta la sensación de estar en el espacio. "¡Me asusta un poco!", exclama. En esta parte de la exhibición, los visitantes se suben a un simulador que los hace sentir como si estuvieran viajando por el espacio. "¡Es fantástico! Me

Como Gianna, puedes visitar el Centro espacial Johnson para ver cohetes, naves espaciales, la sala de Control de Misión y satélites que han estado en el espacio.

encantaría poder hacerlo todos los días", dice Gianna. Jack le explica que los astronautas se entrenan durante meses antes de lanzarse al espacio. La Administración Nacional de la Aeronáutica y del Espacio (NASA) cuenta con instalaciones de capacitación donde los astronautas practican todo (desde cómo comer hasta cómo reparar costosos satélites) inmersos en un ambiente sin fuerza de gravedad.

En parte gracias al trabajo realizado en el Centro Espacial Johnson, satélites como este orbitan la Tierra.

El cohete Saturno V, el más potente de la historia, llevó las misiones Apolo a la Luna y las trajo de regreso a la Tierra.

Nuevamente con los pies en tierra, Gianna visita su lugar favorito del recorrido: el Edificio 9. Allí puede observar a los ingenieros y científicos que trabajan en el desarrollo de nuevas tecnologías para el espacio. Gianna recuerda que la madre de un amigo es ingeniera aeronáutica y se pregunta si alguna vez llegará a trabajar en este lugar fascinante. Después mira robots y vehículos espaciales, e incluso trajes de astronauta. "Me encantaría ponerme uno de esos algún día", le dice a Jack.

Antes de irse, Gianna recorre con Jack el Parque de los Cohetes. Se maravilla al ver el Saturno V, el cohete más potente jamás construido. "Este cohete, que tiene más de 36 pisos de altura, transportó los astronautas estadounidenses a la Luna durante las misiones Apolo", le dice Jack. Gianna no puede creer que en su ciudad natal exista una tecnología tan asombrosa. La idea de explorar el espacio no deja de darle vueltas en la cabeza. Entonces se vuelve hacia Jack y le dice: "Algún día volveré. ¡Pero no de visita, sino para trabajar aquí!"

Piénsalo ¿Cuán importante es el rol de Texas en el programa espacial de nuestro país? Mientras lees el capítulo, piensa en cómo Texas y los texanos están haciendo descubrimientos innovadores y están siempre trabajando hacia nuevos objetivos.

El Parque de los Cohetes, en el Centro Espacial Johnson

SAVVAS realize Conéctate en línea a tu lección digital interactiva.

347

Economía de Texas

Ubicado en Houston, el Centro Espacial Lyndon Johnson, de la NASA, es un lugar importante para el programa espacial de los Estados Unidos.

Las refinerías de Texas procesan el 27 por ciento del petróleo de nuestro país.

Texas tiene hoy una economía fuerte. Como resultado de los patrones de la actividad económica, se han desarrollado regiones económicas. Entre ellas hay ciudades como Austin y Dallas, que son hoy centros económicos de alta tecnología. También se ha desarrollado una región económica alrededor de la industria del petróleo y del gas en las Grandes Llanuras y las Llanuras Centrales.

La industria petroquímica de Texas

Nuestro estado es el productor de petróleo líder de los Estados Unidos. También produce cerca del 30 por ciento del gas natural del país. Tanto el petróleo como el gas son recursos limitados que han sido beneficiosos para el desarrollo económico de Texas. En la actualidad, el petróleo y el gas de Texas se comercian para satisfacer las necesidades de Texas, los Estados Unidos y el mundo.

Como Texas tenía tanto gas y petróleo, las compañías petroleras construyeron refinerías en Texas. Además, se construyeron fábricas que utilizan gas y petróleo para hacer plásticos, fertilizantes, productos químicos y telas. Junto con el gas y el petróleo, estos y muchos otros productos se usan en todo el mundo. Sirven como combustible para los carros y la calefacción de las casas, y proveen productos que las personas necesitan. Estas industrias, refinerías y fábricas forman la **industria petroquímica**.

Muchos texanos encontraron trabajos bien remunerados, como ingenieros de proyectos o de estructuras. Esto ayudó a que la economía de Texas creciera.

1. **Identifica** y subraya en el texto los productos de Texas derivados del gas y el petróleo que se comercian para satisfacer las necesidades de Texas, los Estados Unidos y el mundo. **Analiza** los efectos de estos recursos limitados en el desarrollo económico de Texas.

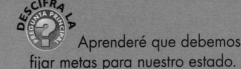

DESCIFRA LA
PREGUNTA PRINCIPAL
?
Aprenderé que debemos fijar metas para nuestro estado.

¿Cómo crees que Texas se beneficia del programa espacial de los Estados Unidos?

Vocabulario

industria

petroquímica

filántropo

recesión

aeroespacial

tecnología

software

interdependiente

pesticida

El *boom* del petróleo de la década de 1970 también atrajo nuevos habitantes a Texas. Algunos venían de los estados del norte, en donde las acerías y las plantas automotrices estaban cerrando. Otros venían de países como Corea del Sur, el Pakistán, la India, El Salvador y Guatemala. ¡El aspecto de Texas estaba cambiando!

El gas y el petróleo han contribuido con la educación en Texas. Algunos pozos de gas y de petróleo se encuentran en tierras que pertenecen al estado. El dinero de estos pozos va a un fondo especial. Todos los años, este fondo ayuda a pagar escuelas y universidades. Además, algunos petroleros millonarios de Texas se convirtieron en filántropos. Un **filántropo** dona dinero para ayudar a otras personas. En Texas, los filántropos donan dinero para construir hospitales, museos y universidades.

Desafíos y cambios

Durante la década de 1980, los Estados Unidos sufrieron una recesión. Una **recesión** es un período de actividad económica reducida. La demanda y los precios del gas y el petróleo de Texas cayeron. Muchos trabajadores de la industria petroquímica de Texas perdieron su trabajo.

En la década de 1990, la economía de los Estados Unidos estaba creciendo otra vez. La industria petroquímica era una parte importante de la economía del estado. Aun así, los líderes de Texas fijaron una nueva meta para el estado. Decidieron atraer nuevas industrias al estado.

TEKS

7.A, 8.A, 9.A, 9.B, 9.C, 11.C, 12.A, 12.B, 12.C, 12.E, 13.A, 13.B, 13.C, 20.A, 20.B, 20.C, 21.C

2. **Analiza** e **identifica** en el texto el efecto de depender de recursos limitados en el desarrollo económico de Texas en la década de 1980.

Los estudiantes, como estos de Corpus Christi, se benefician de la industria del gas y del petróleo de Texas.

Los trabajadores del Control de Misión del Centro Espacial Johnson de Houston hicieron posible la primera caminata lunar.

Espacio y tecnología

El 20 de julio de 1969 fue un día para recordar. La pequeña nave espacial *Eagle* (en español, "águila") se acercaba a la Luna. Años de innovación científica habían hecho posible este viaje. El astronauta Neil Armstrong estaba a bordo. Cuando la nave espacial *Eagle* llegó, Armstrong anunció: "Houston, aquí Base Tranquilidad. El *Águila* ha alunizado".

En la actualidad, el Control de Misión es parte del Centro Espacial Johnson. Está ubicado en Houston. Recibió su nombre en honor al presidente Lyndon B. Johnson y es el centro de operaciones de las actividades de nuestro país en la Estación Espacial Internacional. Los descubrimientos científicos y las innovaciones en la industria aeroespacial han beneficiado a Texas, porque han traído mucho trabajo al estado.

El Centro Espacial Johnson forma parte de la Administración Nacional de la Aeronáutica y del Espacio, o NASA (por sus siglas en inglés). Este grupo administra el programa espacial de los Estados Unidos y entrena a los astronautas.

El trabajo de la Dra. Millie Hughes-Fulford para la NASA ayudó a que futuros astronautas permanecieran más tiempo en el espacio.

Industria aeroespacial

El Centro Espacial Johnson es parte de la industria **aeroespacial** de Texas. Esta industria construye y opera aeronaves, naves espaciales y satélites. Es una parte importante de la economía de Texas. Da empleo a científicos, ingenieros y otros especialistas.

Uno de esos especialistas es la Dra. Millie Hughes-Fulford, una bióloga de Texas. En 1991, voló durante nueve días en una nave de la NASA llamada *Spacelab* (laboratorio espacial). Durante ese tiempo, completó 18 importantes experimentos científicos. Sus contribuciones científicas a la industria aeroespacial han ayudado a que los astronautas puedan permanecer más tiempo en el espacio.

3. **Identifica** y escribe la contribución que hizo la científica Dra. Millie Hughes-Fulford.

Alta tecnología

Los descubrimientos científicos en tecnología también han beneficiado a Texas. Un pequeño invento, el microchip, creó una enorme industria. El microchip, más pequeño que la uña del dedo de una mano, es el "cerebro" de una computadora. Con los microchips, las computadoras se volvieron más pequeñas, más potentes y menos costosas. Los individuos y los negocios de todo el mundo comenzaron a usar computadoras.

El auge de las computadoras hizo posible la industria de la alta tecnología. La **tecnología** es el uso de conocimientos, destrezas e instrumentos científicos para ayudar a las personas a satisfacer sus necesidades. Desde la década de 1980, muchas compañías de Texas se han especializado en alta tecnología.

En la actualidad, muchas compañías de alta tecnología tienen su casa matriz en Austin o Dallas. Algunas de estas compañías se especializan en hacer computadoras. Otras crean **software**, es decir, programas especiales que indican a la computadora lo que debe hacer. Estas compañías proporcionan muchos puestos de trabajo. También contribuyen al crecimiento de las ciudades. Las computadoras y el *software* de Texas se venden en todo el mundo.

Estos avances tecnológicos en las comunicaciones dieron como resultado maneras de trabajar más rápido, el crecimiento de los negocios y un aumento en las ganancias. Además, han beneficiado a individuos y negocios de Texas al permitirles estar en contacto con negocios e individuos de otras partes de Texas, los Estados Unidos y el mundo. Como resultado, el mundo es más **interdependiente**. Eso significa que los individuos y los negocios de Texas y de todo el mundo dependen unos de otros para hacer su trabajo.

4. **Identifica** y **explica** de qué manera los avances tecnológicos en las comunicaciones han influido en las actividades económicas y aumentado la interdependencia entre Texas, los Estados Unidos y el mundo.

5. En la línea cronológica, **identifica** un producto en la tecnología que haya tenido influencia en las actividades económicas de Texas, y que se use para satisfacer las necesidades en los Estados Unidos y alrededor del mundo.

1975
Las primeras computadoras personales comenzaron a aparecer a mediados de la década de 1970.

1969
El ejército de los EE. UU. creó una primera versión de Internet. La Internet que conocemos comenzó en 1983.

1959
Se hicieron los primeros circuitos integrados (microchips).

1957
Rusia lanza el *Sputnik*, el primer satélite hecho por el hombre.

1951
El gobierno de los EE. UU. usó UNIVAC, una computadora primitiva que pesaba 16,000 libras.

Otras industrias de Texas que cambian

En 1945, Texas tenía unas 385,000 granjas. En 2010, había 240,000. Eso ocurre porque, en la actualidad, las granjas son las más grandes de la historia. El promedio de tamaño de una granja en Texas es de 527 acres, y hay muchas que son más grandes.

Los nuevos inventos, los descubrimientos científicos y las tecnologías ayudaron al crecimiento de las granjas. Por ejemplo, los agricultores compraron maquinaria más grande y mejor para sembrar y cosechar más tierras. Las universidades enseñaron métodos científicos de cultivo. Los agricultores comenzaron a usar pesticidas. Un **pesticida** es un producto químico que mata las pestes que dañan los cultivos. Estos cambios hicieron que la agricultura fuera más productiva que nunca.

Los agricultores de Texas suelen cultivar más algodón que los agricultores de cualquier otro estado.

Más granjas productivas significaban más puestos de trabajo en Texas. Estos trabajos, como el procesamiento de alimentos, dependían de una fuerte industria agrícola.

La industria manufacturera de Texas también está cambiando. Hace tiempo que las fábricas de Texas hacen automóviles y maquinaria para la industria petrolera. También procesan alimentos y madera. Sin embargo, en la actualidad, Texas fabrica muchos productos nuevos. Estos productos son el resultado de avances recientes en ciencia e ingeniería. Ahora, Texas fabrica equipos informáticos, satélites y aviones. La producción de alta tecnología brinda muchas oportunidades en Texas.

En todas las regiones de Texas hay personas que se ganan la vida proveyendo servicios. Hospitales, escuelas y tiendas de reparación son ejemplos de servicios. Muchos texanos trabajan en el área de servicios. En la actualidad, casi uno de cada cinco texanos trabaja en el área de servicios.

6. **Explica** cómo se ganan la vida las personas proveyendo servicios en distintas regiones de Texas.

....

....

....

....

Descubrimientos científicos e innovaciones

Los nuevos descubrimientos científicos y las innovaciones tecnológicas han contribuido al crecimiento de la economía de Texas. Una innovación es un invento o una nueva manera de hacer algo. Los inventos en maquinaria ayudaron a la agricultura de Texas. Innovaciones como la línea de montaje y la división del trabajo hicieron que las fábricas de Texas fueran más productivas. Muchas de estas innovaciones, que comenzaron en Texas, han beneficiado a individuos, a negocios y a la sociedad.

Has leído acerca del microchip. Jack Kilby, un científico de Texas Instruments, fabricó el primer microchip en 1958. El invento de Kilby ha tenido un impacto duradero en la sociedad. En la actualidad, los microchips controlan teléfonos celulares, computadoras, televisores, automóviles y más. Este único invento creó muchas nuevas industrias y oportunidades de trabajo.

En el campo de la medicina, también ha habido descubrimientos científicos e innovaciones tecnológicas que han beneficiado a Texas. El Dr. Michael DeBakey es un famoso inventor y científico de Texas que ha hecho importantes contribuciones. Era un reconocido cirujano cardiovascular y con el tiempo se convirtió en el presidente de la Escuela de Medicina de Baylor en Houston. El Dr. DeBakey ayudó a construir el primer corazón artificial. También inventó maneras de operar corazones enfermos. Las innovaciones de DeBakey beneficiaron a los individuos de Texas y de todo el mundo. Su trabajo ayuda a muchos individuos a vivir más tiempo.

Jack Kilby ganó un Premio Nobel por su trabajo.

Los inventos del Dr. Michael DeBakey salvan vidas.

7. **Describe** cómo las innovaciones científicas han beneficiado a la sociedad de Texas.

8. ⊙ Predecir **Describe** descubrimientos científicos e innovaciones tecnológicas que crees que verás en el transcurso de tu vida. **Predice** cómo afectarían la vida en Texas.

Una economía global

Texas es parte de una economía global. La economía global es toda la actividad económica que ocurre entre varios países del mundo. Las compañías de Texas, por ejemplo, venden productos en otras partes de los Estados Unidos, en Europa, Asia, África y América del Sur. Los texanos pueden satisfacer sus necesidades porque compran productos de los Estados Unidos y de todo el mundo. Por ejemplo, es posible que una compañía que produce bicicletas en el Canadá compre las partes de las bicicletas a una compañía de los Estados Unidos. Una vez que las bicicletas están listas, la compañía puede venderlas a las tiendas de Texas, que se las vende a los texanos. La economía mundial es interdependiente.

El comercio entre Texas y México es parte de la economía global. Texas comparte con México una frontera de 1,241 millas. Los individuos y los productos pasan fácilmente de un país a otro. Por ejemplo, las compañías automotrices estadounidenses envían partes de carros y camiones a México. Las partes se ensamblan en México, en las fábricas que están cerca de la frontera con Texas.

En 1993, los Estados Unidos, el Canadá y México firmaron el Tratado de Libre Comercio de América del Norte (NAFTA, por sus siglas en inglés). Este acuerdo eliminó la mayoría de los aranceles. Los aranceles son impuestos que se aplican a los bienes importados de otros países. El libre comercio benefició a los negocios de Texas. Ahora podían exportar más bienes al Canadá y especialmente a México.

Comercio de los Estados Unidos con México

Millones de dólares estadounidenses

— Importaciones — Exportaciones

Fuente: U.S. Census Bureau

9. **⊙Causa y efecto Explica** cómo los avances tecnológicos han llevado a una mayor interdependencia entre Texas, los Estados Unidos y el mundo.

....

....

Crecimiento industrial y medio ambiente

La industria de la energía ha modificado el medio ambiente a través de la producción de energía. El impacto positivo de esto son los puestos de trabajo que genera. Sin embargo, también hay impactos negativos en el medio ambiente. Por ejemplo, en 2010, explotó una plataforma petrolera en el golfo de México. Cerca de 5 millones de barriles de petróleo se derramaron en el agua. La contaminación llegó a pocas zonas de Texas, pero otros estados cercanos no tuvieron tanta suerte.

A medida que nuestro estado crece, debemos poner especial atención en proteger el medio ambiente. Muchas de las plantas petroquímicas de Texas están en la costa del Golfo o cerca de ella. La contaminación de estas plantas daña los hábitats de pájaros y peces. Algunas especies de Texas están en peligro de extinción. La contaminación, además, ensucia nuestro aire y nuestra agua. Esto tiene un impacto en nuestra salud.

Los texanos quieren una economía fuerte. Esto significa que las industrias necesitan crecer. Pero los texanos también quieren un medio ambiente seguro y limpio. Para alcanzar estas metas económicas y ambientales, las industrias y los ciudadanos deben trabajar juntos.

Esta plataforma petrolera está en el golfo de México.

¿Entiendes?

TEKS 8.A, 12.E, 13.A, 20.A

10. **Resumir Identifica** dos científicos famosos y **describe** sus contribuciones, descubrimientos e innovaciones científicas.

....

....

11. **Describe** los cambios tecnológicos en áreas como la comunicación y el transporte. Comenta cómo estos cambios han conducido a una mayor interdependencia entre Texas, los Estados Unidos y el mundo.

mi Historia: Ideas

....

....

12. En 1945, 2.2 millones de texanos vivían en zonas rurales. **Explica** cómo crees que cambiaron los patrones de asentamiento desde entonces. ¿Por qué?

....

....

Identificar puntos de vista

Todas las personas tienen un punto de vista. Un **punto de vista** es lo que una persona cree acerca de algo. El punto de vista de una persona afecta lo que dice y hace.

Imagina que tu escuela decide que todos los estudiantes de cuarto grado deben estudiar un idioma extranjero. Tal vez algunos estudiantes se opondrían al plan. Dirían que aprender un idioma extranjero les agregaría más tarea en la escuela y en sus casas. Desde el punto de vista de ellos, estudiar un idioma es una mala idea.

Otros estudiantes podrían estar a favor del plan. Dirían que en el mundo actual, un segundo idioma es muy útil. Desde el punto de vista de ellos, estudiar un idioma extranjero es una buena idea.

En la lección anterior, leíste acerca de la industria petroquímica. Los siguientes enunciados muestran cómo pueden diferir los puntos de vista sobre esta industria.

Necesitamos construir una nueva refinería de petróleo. La gasolina es el sustento de nuestra nación. En este momento, estamos con el depósito vacío. Además, se crearán puestos de trabajo en nuestra comunidad.

No deberíamos construir otra refinería. Las refinerías contaminan nuestro aire y nuestra agua. También contaminan el hábitat de las aves de la costa y la vida en el océano.

TEKS

ES 21.D Identificar diferentes puntos de vista sobre un asunto, un tópico, un acontecimiento histórico o un evento actual.

Para identificar un punto de vista, sigue estos pasos:

- Primero, identifica el tópico, es decir, el tema. Por ejemplo, en los enunciados de la página anterior, el tópico es la industria petroquímica.

- Después, pregúntate qué está diciendo la persona sobre el tópico. Busca palabras y frases que te digan cuál es el punto de vista de la persona.

- Por último, pregúntate quién diría esto. ¿Cuál es el punto de vista de la persona?

1. ¿Cuál es el tópico que se discute en los dos enunciados de la página 356?

....

2. **Identifica** una frase de cada enunciado que diga cuál es el punto de vista.

Enunciado 1: ....

Enunciado 2: ....

3. ¿Quién tendría cada opinión?

Enunciado 1: ....

Enunciado 2: ....

4. **Aplícalo** Piensa en el medio ambiente en el que vives. Luego piensa en todo lo que has aprendido sobre la industria petroquímica. **Analiza** las consecuencias positivas y negativas de construir una refinería de petróleo en el medio ambiente, los hábitats naturales y en la calidad del aire y el agua. Luego, en el espacio de abajo, escribe tu punto de vista sobre construir una refinería. Explica tu punto de vista.

....

....

....

....

SAVVAS realize Conéctate en línea a tu lección digital interactiva.

357

Expresiones culturales de Texas

Mi comida favorita son los tacos.

Mi plato favorito son los panqueques de cebolleta con camarones.

Estos niños están hablando de sus comidas favoritas.

Un estado diverso

Personas de todo el mundo han traído sus culturas a Texas. En el Festival Folklórico de Texas, puedes apreciar su música, su arte, sus comidas, sus bailes y sus narraciones.

La cultura es la forma de vida de un grupo de personas. El idioma, la música, la comida y los días feriados son parte de la cultura. También lo son las creencias religiosas y otras creencias. Cada grupo cultural tiene su propia **herencia**, es decir, una historia compartida.

Los grupos étnicos tienen similitudes y diferencias. Todos los grupos étnicos tienen celebraciones y costumbres importantes, pero es posible que sean diferentes. Una **costumbre** es la manera en que un grupo de personas hace algo. Tú eres miembro de un grupo cultural. Tu grupo cultural tiene costumbres y tradiciones. Por ejemplo, la manera en que tu familia cocina y come o celebra acontecimientos son costumbres.

1. ⊙ **Comparar y contrastar**
Describe algunas costumbres de tu familia o grupo étnico. **Compara** esas costumbres con otras costumbres que conozcas.

....

....

....

Un grupo practica capoeira, un arte marcial brasileño, en el Festival Folklórico de Texas en San Antonio.

Vocabulario

herencia

costumbre

quinceañera

bat mitzvah

bar mitzvah

Dibuja tu comida favorita. Escribe qué es y de qué país proviene.

Costumbres y tradiciones

En Texas hay muchos grupos étnicos con diferentes culturas. Algunas de estas incluyen las culturas de los indígenas norteamericanos y de los antiguos tejanos. Otras corresponden a personas de distintas partes del mundo que se establecieron aquí. En las décadas recientes, han venido personas de Asia, América del Sur, América Central y otras partes del mundo. Estas personas traen con ellas su cultura, que incluye sus costumbres, celebraciones y tradiciones. Por ejemplo, una costumbre de las personas de la cultura mexicana de Texas es la celebración del Día de los Muertos, en el que recuerdan a sus seres queridos.

Entre los hispanoparlantes, una tradición en los cumpleaños es una piñata llena de golosinas y pequeños juguetes. Los niños intentan golpear con un palo la piñata para romperla y llevarse las golosinas y juguetes. La **quinceañera** es otra tradición. Se celebra la transición de una niña de la infancia a la adultez. Suele comenzar con una ceremonia religiosa y termina con una fiesta.

Unos 35,000 vietnamita-estadounidenses viven en Houston. Para compartir su cultura, su arte y sus tradiciones con otros texanos, organizan un Festival Vietnamita. Esta celebración suele tener lugar en distintas ciudades de Texas cada año.

Otra celebración en Texas es el Año Nuevo Chino. En Houston, todos los inviernos hay un desfile de dragones en carrozas gigantes para celebrar la ocasión.

En la actualidad, más de 100,000 filipinos viven en Texas. Los bailes tradicionales son parte de la cultura filipina. Estos bailes conmemoran eventos o acontecimientos importantes de la vida, como el nacimiento o el matrimonio.

TEKS
6.B, 12.A, 16.D, 19.A, 19.B

Una piñata

2. Identifica similitudes y diferencias entre diferentes grupos étnicos de Texas.

SAVVAS realize Conéctate en línea a tu lección digital interactiva.

359

Tradiciones religiosas

Entre los diferentes grupos religiosos que hay en Texas hay similitudes y diferencias. Los judíos, por ejemplo, tienen una costumbre para sus hijos. Una niña se convierte en **bat mitzvah** cuando cumple 12 o 13 años y un niño se convierte en **bar mitzvah** cuando cumple 13 años. En esta ceremonia, los niños aceptan responsabilidades religiosas.

El noveno mes del calendario islámico es el ramadán. Los musulmanes celebran este mes reflexionando sobre su fe. Durante el mes entero, no comen ni beben entre el amanecer y el atardecer.

Los festivales tradicionales suelen conmemorar las estaciones. En diciembre, los cristianos celebran la Navidad y el nacimiento de Jesús. Una tradición de la Navidad consiste en dar regalos a familiares y amigos.

El Kwanza es otra celebración de invierno. Está basada en los festivales de cosecha africanos y dura varios días. Algunos afroamericanos celebran el Kwanza. Es una manera de honrar su herencia africana.

Días feriados tradicionales de Texas

Algunos días feriados conmemoran acontecimientos históricos. Para los texanos, participar en estas celebraciones del estado es una tradición.

Los texanos celebran el Día de la Independencia de Texas el 2 de marzo. Esta celebración tuvo su origen el 2 de marzo de 1836 y tiene mucha importancia para los texanos. Ese día, los líderes de Texas firmaron la Declaración de Independencia de Texas.

El Día de la Independencia de Texas es un momento para recordar el pasado. Es un día para celebrar la libertad. Muchos pueblos y muchas ciudades hacen festivales. A veces se hacen barbacoas o competencias de cocina de chili con carne; siempre es muy divertido.

Celebración del Día de la Independencia de Texas

3. **Identifica** similitudes y diferencias entre diferentes grupos religiosos de Texas. Da ejemplos.

....

....

....

....

....

....

Luego de declarar la independencia, los texanos tuvieron que luchar por ella. La victoria final llegó con la Batalla de San Jacinto, el 21 de abril de 1836. En la actualidad, San Antonio celebra este día con la Fiesta San Antonio. Las personas llegan a San Antonio desde muchos lugares para participar en esta costumbre local.

El Cinco de Mayo es otro feriado con origen histórico. En 1861, un numeroso ejército francés intentó tomar el poder en México. Sin embargo, el 5 de mayo de 1862, los mexicanos derrotaron a los franceses.

El Cinco de Mayo la gente recuerda este acontecimiento. En Texas, las comunidades organizan eventos especiales para realzar el valor de la herencia mexicana. Tocan bandas de mariachis. Hay bailes folklóricos con ropa tradicional. La comida mexicana es muy importante en las celebraciones. También se rinde honor a los líderes y héroes mexicanos y mexicoamericanos.

Las personas de todos los grupos raciales y étnicos de Texas tienen días feriados, tradiciones y celebraciones. Por ejemplo, la Fiesta del 19 de junio, también conocida como Día de la Emancipación, comenzó como un día feriado afroamericano. En la actualidad, el Día de la Emancipación es una celebración del estado muy importante. Tiene su origen a mediados del siglo XIX. El 19 de junio de 1865, el general de la Unión Gordon Granger hizo un anuncio importante. Todos los esclavos de Texas y otros estados debían ser liberados inmediatamente.

Los esclavos liberados de Texas nombraron ese día "Juneteenth", o Día de la Emancipación. En los años siguientes, celebraban cada 19 de junio. En la actualidad, los afroamericanos de todo el país celebran el Día de la Emancipación. A pesar de que los grupos raciales y étnicos de Texas celebran días feriados de diferentes orígenes, todas las celebraciones son ocasiones festivas en las que participan los texanos de todos los grupos raciales y étnicos.

Los afroamericanos celebran el Día de la Emancipación el 19 de junio.

4. **Comparar y contrastar** **Identifica** las similitudes y diferencias entre los diferentes grupos a través de estas celebraciones: Día de la Independencia de Texas, Cinco de Mayo y Día de la Emancipación.

....

....

....

....

Otros festivales de Texas

Otra costumbre local de Texas es el Festival de la Fresa de Poteet. Poteet es una pequeña ciudad en el condado de Atascosa, en las afueras de San Antonio. Hace más de 60 años, los agricultores locales organizaron un festival de fresas. Invitaron a las personas a probar y comprar sus fresas. Cada año, el festival se fue haciendo más grande. En la actualidad, unas 100,000 personas visitan el festival todos los años.

En Texas hay también muchas celebraciones culturales tradicionales. Nuestro estado tiene una rica herencia alemana. En la década de 1840, nuevos inmigrantes llegaron a Texas desde Alemania. La mayoría se estableció en New Braunfels, Fredericksburg y otras comunidades cercanas. Para las personas que viven en la región, es una tradición celebrar su herencia todos los meses de octubre. Esta celebración regional en Texas se llama *Oktoberfest*.

Otro festival regional de Texas es el Festival Regional de Ciencia de Austin Energy. En esta feria de ciencias, los estudiantes de la región central de Texas presentan innovadores proyectos de ciencias.

El Festival del Libro de Texas es una tradición más reciente. Laura Bush lo instituyó en 1995 y se realizó por primera vez en 1996. Las personas pueden ver y comprar los libros más recientes. Los escritores de Texas leen y hablan de sus obras. El festival también recauda dinero para las bibliotecas.

Laura Bush instituyó el Festival del Libro de Texas en 1995.

5. **Hacer inferencias**
En el mapa, **localiza** el Festival de Rodeo del Camino Chisholm. ¿Qué crees que verías si fueras a ese festival?

....

....

....

....

Festivales de Texas

Dalhart

Festival de Rodeo del Camino Chisholms

XIT Rodeo

Stamford

Fiesta del Vaquero de Texas

Ft. Worth

Festival del Este de Texas

Gilmer

Festival del Libro de Texas

Pecos

Festival del Melón

Fredericksburg

Austin

Festival Renacentista de Texas

Plantersville

Oktoberfest

San Antonio

Luling

Fiesta San Antonio

Poteet

Fiesta de la Sandía

Mission

Festival de la Fresa

Desfile de la Fiesta de los Cítricos de Texas

Deportes en Texas

¿Practicas algún deporte en la escuela? ¿Y después de la escuela? Los deportes son parte importante de la cultura de Texas.

Algunos texanos han obtenido grandes logros como atletas profesionales. Han hecho del deporte su carrera profesional. Algunos son mundialmente famosos. Los atletas texanos, del pasado y del presente, han recibido muchos premios en diferentes competencias.

Nolan Ryan fue uno de los mejores lanzadores de béisbol. Nacido en Refugio, Texas, jugó al béisbol durante 27 años, todo un récord. También tiene el récord del mayor número de ponches lanzados de la historia. En la actualidad, Nolan Ryan es miembro del Salón de la Fama del Béisbol.

Mildred "Babe" Didrikson Zaharias fue una atleta completa. Nació en Port Arthur y se crió en Beaumont. En las olimpíadas de 1932, ganó dos medallas de oro y una de plata en atletismo. Luego se dedicó al golf. En total, ganó 82 torneos de golf.

Carl Lewis fue uno de los atletas olímpicos más grandes del país. Mientras estaba en la Universidad de Houston, era el mejor atleta en el ranking de atletismo del país. Luego ganó diez medallas olímpicas, nueve de oro y una de plata, en eventos de atletismo.

Lee Trevino se crió en Dallas. Ganó dos veces el Abierto de Golf de los Estados Unidos y dos veces el título de la Asociación de Golfistas Profesionales (PGA, por sus siglas en inglés).

Sheryl Swoopes es una gran basquetbolista. Nació en Brownfield, Texas, y obtuvo el título nacional de básquetbol femenino con la Universidad Texas Tech. También ganó tres medallas de oro olímpicas.

6. **Identifica** los logros de Carl Lewis.

....

....

....

Nolan Ryan

Babe Didrikson Zaharias

Carl Lewis

Lee Trevino

Sheryl Swoopes

El arte en Texas

El arte sigue vivo en Texas. Así lo demuestran los premios Medalla de las Artes de Texas. Cada dos años, el Consorcio Cultural de Texas escoge a los ganadores. Estos premios celebran la creatividad de los texanos. El cantante Willie Nelson, el actor Tommy Lee Jones y la escritora Sandra Cisneros han ganado este premio. También ganaron premios el Ballet de Houston, el músico de jazz Ornette Coleman y el artista Robert Rauschenberg. Estos y muchos otros artistas contribuyen a la cultura de Texas.

Los texanos creativos también suelen recibir premios fuera de Texas. Por ejemplo, el dramaturgo Horton Foote recibió el premio nacional Medalla de las Artes. Sus obras, como *The Trip to Bountiful* (Regreso a Bountiful), describen la vida en un pequeño pueblo de Texas.

Museos en Texas

Los museos son lugares que nos ayudan a apreciar el arte y la cultura. Texas tiene excelentes museos. El Museo de Arte de Dallas es uno de los mejores del país. También se pueden ver algunos de los mejores cuadros del mundo en el Museo de Bellas Artes de Houston. Hay cientos de museos en Texas. Los museos muestran cuán importantes son el arte y la cultura en nuestro estado.

El Museo Bullock de Historia de Texas se encuentra en Austin, cerca del Capitolio. Su propósito es contar toda la historia de Texas. Y cuenta con suficiente espacio para hacerlo. Cada uno de los tres pisos desarrolla un tema: Tierra, Identidad y Oportunidad. Los artefactos y las exhibiciones dan vida a esos temas. Caminar por este museo es recorrer la historia y la cultura de nuestro estado.

En el Museo Bullock de Historia del Estado de Texas puedes ver vasijas y mantas indígenas, hierros para marcar y monturas.

7. 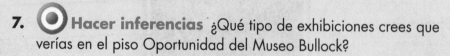 **Hacer inferencias** ¿Qué tipo de exhibiciones crees que verías en el piso Oportunidad del Museo Bullock?

....

....

....

Películas de Texas

En la actualidad, las películas son una parte importante de la cultura. Se han filmado muchas películas en Texas. Por ejemplo, algunas escenas de *Cast Away* (Náufrago), *Apollo 13* (Apolo 13) y *Spy Kids* (Mini espías) se filmaron en Texas.

Establecer una industria cinematográfica fue una meta de los líderes de Texas. En 1971, el gobernador Preston Smith creó la Comisión Cinematográfica de Texas con el fin de motivar a la industria cinematográfica a desarrollar más películas en Texas. En 1987, pasó a formar parte de la Comisión de Desarrollo Económico de Texas. En 2007 y 2009 se aprobaron leyes para ayudar a los cineastas. Una de esas leyes otorga subsidios y permite que los cineastas no paguen impuestos para filmar películas en Texas.

Gracias a la ayuda de la Comisión Cinematográfica de Texas, muchas películas se filman en Texas.

¿Entiendes?

TEKS 16.D, 19.B

8. **Sacar conclusiones Identifica** qué piensan los texanos sobre la cultura y el arte.

....

9. ¿Qué meta se fijó Texas para la industria cinematográfica? **Describe** qué hicieron los líderes del estado para alcanzar esa meta.

mi Historia: Ideas

....

10. Completa la tabla. **Describe** los orígenes y la importancia de cada celebración en Texas.

Celebración	Fecha	Origen	Importancia
Día de la Independencia de Texas			
Día de la Emancipación			
Cinco de Mayo			

Sacar conclusiones

Cuando **sacamos conclusiones**, pensamos en los hechos y detalles y luego tomamos una decisión con respecto a ellos. Utilizamos lo que sabemos y lo que hemos aprendido para sacar una conclusión. Sacar conclusiones nos ayuda a comprender un texto.

En la vida diaria, sacamos conclusiones todo el tiempo. Imagina, por ejemplo, que tu familia viaja en carro por una parte de Texas que tú nunca viste antes. Es un hermoso día de marzo. En un pueblo, ves una gran multitud. Se han reunido personas frente al juzgado. ¿Qué está sucediendo?

Para sacar una conclusión:

Primero, **reúne** y **analiza información**.

Observas con atención la multitud y reúnes información. Ves algunas personas vestidas con ropa de principios del siglo XIX. Algunos niños agitan banderas de Texas. Hay un hombre sobre un pequeño escenario dando un discurso. Habla de la libertad. Después del discurso, la multitud canta "Texas, nuestro Texas".

Después, **busca puntos de conexión entre los datos**.

¿Qué conecta todos los detalles que observaste? Las banderas y la canción sugieren que el evento es sobre Texas. Según el vestuario, es posible que tenga que ver con la historia. Finalmente, el discurso sugiere que el evento celebra la libertad.

Por último, **saca una conclusión**.

Concluyes que esas personas están celebrando el Día de la Independencia de Texas. La conclusión tiene sentido según todos los hechos y detalles que observaste.

Hechos y detalles	Conclusión
banderas y canciones de Texas; disfraces históricos; discurso sobre la celebración de la libertad	Día de la Independencia de Texas

Objetivo de aprendizaje

Aprenderé cómo analizar información al sacar conclusiones.

📍 **TEKS**

SLA 10 Sacar conclusiones sobre el propósito del autor en contextos culturales, históricos y contemporáneos, y proporcionar evidencia del texto para apoyar su comprensión.
SLA 11 Sacar conclusiones sobre el texto expositivo, y proporcionar evidencia del texto para apoyar su comprensión.
ES 20.B Describir cómo los descubrimientos y las innovaciones científicas han sido un beneficio para los individuos, los negocios y para la sociedad en Texas.
ES 21.B Analizar información sacando conclusiones.

¡Inténtalo!

1. **Identifica** y subraya en el siguiente párrafo hechos y detalles importantes sobre la economía de Texas.

> La economía de Texas creció un 3.2% en 2012. La economía de los EE. UU. creció un 2.2% ese año. Texas creó más puestos de trabajo que cualquier otro estado. La tasa de desempleo, es decir, el porcentaje de individuos sin trabajo, es más baja en Texas que a nivel nacional.

2. **Analiza** la información del párrafo. ¿Qué comparaciones se hacen?

....

....

3. **Saca una conclusión** sobre el párrafo.

....

4. Lee el siguiente párrafo. **Saca una conclusión** sobre la economía de Texas en la actualidad.

> Los avances en la tecnología informática han hecho posibles los viajes al espacio. La industria petroquímica depende de las computadoras para buscar petróleo y refinarlo. Para proporcionar servicios rápida y adecuadamente, la industria de servicios también depende de las computadoras. La tecnología informática (*hardware* y *software*) es una industria muy importante.

Conclusión: ....

....

5. Ve hacia atrás en el libro y busca un evento específico. **Identifica** los hechos y detalles importantes. Descubre la conexión entre los hechos que reúnes. Luego **saca una conclusión** y anótala a continuación.

¡Imagínalo!

La vida en Texas en la actualidad

La vida y el trabajo en Texas serán muy diferentes en el futuro.

Crecimiento urbano en Texas

Texas está cambiando rápidamente. En el 2000, Texas tenía una población de 20,851,820. En 2013, el estado tenía más de 26 millones de habitantes. En los Estados Unidos, California es el único estado que tiene más habitantes que Texas.

La urbanización cambió a Texas. La **urbanización** es el proceso por el cual los pueblos y las ciudades se forman y crecen, porque cada vez más personas comienzan a vivir y trabajar en áreas centrales. En la actualidad, alrededor del 85 por ciento de los texanos viven en áreas urbanas. Casi todo el crecimiento de Texas ocurrió en estas regiones demográficas. El mayor crecimiento ocurre en el llamado "Triángulo de Texas". Es la región delimitada por Dallas-Fort Worth, Houston y San Antonio. Las ciudades de la frontera, como El Paso, también están creciendo con rapidez.

La distribución de la población en Texas no fue uniforme. En la actualidad, viven menos personas en las áreas rurales. Esto se debe a que se necesitan menos personas para trabajar en las granjas. Por eso, los texanos fueron mudándose a áreas urbanas para encontrar trabajo.

1. **Analiza** la gráfica de barras. ¿En qué período de diez años se espera el menor incremento en la población de Texas?

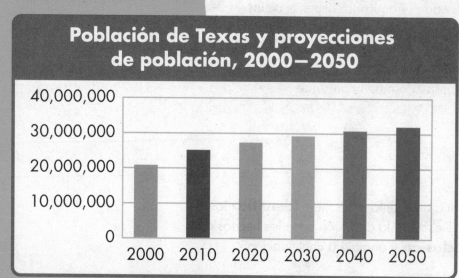

Población de Texas y proyecciones de población, 2000–2050

Fuente: U.S. Census Bureau, Texas State Data Center

Haz una lista de los tres trabajos que más te gustaría hacer en el futuro.

Vocabulario

urbanización

expansión urbana

automatización

Desafíos de la urbanización

El rápido crecimiento de las ciudades de Texas ha creado desafíos, como el tráfico lento. El tren ligero es una solución. Estos trenes suelen usar electricidad como fuente de energía. Houston tiene un tren ligero llamado METRORail. Dallas también tiene un tren ligero llamado DART. La opción de un buen medio de transporte también ha tenido influencia en la ubicación de las actividades económicas en Texas.

Otro desafío es la expansión urbana. La **expansión urbana** es el crecimiento rápido de áreas que rodean una ciudad. Los planes de viviendas, los centros comerciales y los complejos de oficinas son parte de la expansión urbana. Las personas que viven en estas zonas viajan grandes distancias para llegar al trabajo u obtener servicios en el centro de la ciudad.

A medida que estas regiones demográficas crecen, necesitan más agua. Encontrar nuevas fuentes de agua es una meta de muchas ciudades de Texas. San Antonio, por ejemplo, está experimentando con una nueva fuente de agua: el golfo de México. El agua salada se bombea hacia una planta donde se le quita la sal. Luego se bombea el agua dulce y potable a zonas vecinas.

2. **Calcula** el porcentaje en que cambió la distribución de la población de Texas entre 1950 y 2005. **Explica** qué causó este cambio.

TEKS
6.B, 7.A, 8.B, 9.A, 9.B, 9.C, 12.B, 12.E

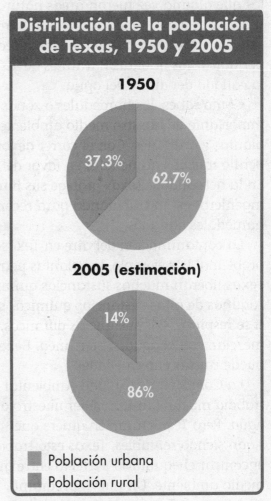

Distribución de la población de Texas, 1950 y 2005

1950

37.3% 62.7%

2005 (estimación)

14%

86%

◼ Población urbana
◼ Población rural

Fuente: U.S. Census Bureau

Científicos de Texas trabajan para recuperar humedales perdidos.

Trabajar por nuestro futuro

Las modificaciones del medio ambiente por parte de las industrias privadas y como consecuencia de una población en crecimiento han tenido consecuencias positivas. La construcción de caminos y casas en las que alguna vez fueron áreas naturales provee agua y vivienda a los individuos y a los negocios. Sin embargo, estas modificaciones del medio ambiente también pueden tener consecuencias negativas. Se pueden perjudicar los hábitats naturales de las plantas y los animales, así como la calidad del aire y del agua.

Como sabes, los humedales o zonas acuosas son una parte importante de nuestro medio ambiente y un hábitat importante para plantas y animales. Con el correr de los años, Texas perdió muchos humedales en favor del desarrollo. En la actualidad, Texas protege sus humedales. Los ingenieros están trabajando para reconstruir los humedales dañados.

Take Care of Texas ayuda a los texanos a aprender a conservar el agua y la energía y mantener limpios el agua y el aire.

La contaminación del aire en Texas es otro problema. Por ejemplo, las plantas petroquímicas de Texas liberan muchas sustancias químicas al aire. Algunas de estas sustancias químicas son peligrosas si se respiran. Las sustancias químicas, además, se mezclan con el agua subterránea. Beber esta agua puede causar enfermedades.

La Comisión de Calidad Ambiental de Texas trabaja mucho para proteger nuestro aire y nuestra agua. Pero Texas también quiere que sus industrias sigan siendo rentables. Texas está trabajando para encontrar el equilibrio perfecto entre industria y medio ambiente. Un nuevo programa, *Take Care of Texas* (Cuidemos a Texas), está ayudando. En todo el estado, los texanos están buscando maneras de reducir la contaminación del agua y del aire.

3. **Identifica** dos problemas ambientales de Texas.

Educar para el futuro

Los trabajos en Texas y en el resto del mundo están cambiando. Cada vez más industrias usan alta tecnología. La automatización eliminó muchos de los trabajos de baja calificación que, hace tiempo, hacían las personas. La **automatización** es el uso de computadoras y máquinas para hacer trabajos en una fábrica u otro lugar de trabajo. Los lugares de trabajo de hoy y de mañana necesitan trabajadores con destrezas especiales.

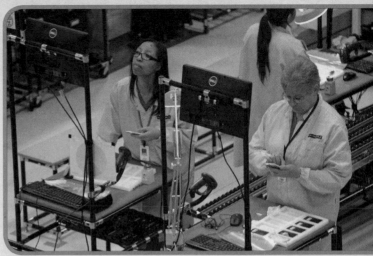

En el futuro, los trabajos requerirán que los trabajadores estén bien capacitados e instruidos. En 2010, el 25.9 por ciento de los texanos mayores de 25 años tenían al menos un título universitario. Nuestro estado está trabajando para aumentar el número de texanos que terminen la universidad o reciban capacitación para trabajos especiales. Cumplir estas metas ayudará a nuestra economía a mantenerse fuerte.

En la actualidad, los trabajadores necesitan destrezas especiales para trabajar en muchas industrias.

¿Entiendes?

TEKS 7.A, 12.B, 12.E

4. **Sacar conclusiones** **Describe** las regiones demográficas de Texas que han resultado de los patrones de actividad humana.

....

....

....

5. Se te pidió que participes en un grupo que planifica el futuro de Texas. **Explica** al grupo cómo los medios de transporte pueden influir en la ubicación de las actividades económicas de Texas. ¿Qué metas fijarías para el estado?

mi Historia: Ideas

....

....

....

6. **Identifica** las metas educativas que te fijarías a ti mismo. ¿Por qué son importantes?

....

....

....

SAVVAS realize. Conéctate en línea a tu lección digital interactiva.

Lección 1 TEKS 7.A, 9.C, 11.C, 13.C, 20.B

Economía de Texas

1. **Explica** de qué manera la interdependencia ha permitido a los texanos satisfacer mejor sus necesidades.

....

....

....

....

2. Lee la pregunta con atención. Determina cuál es la mejor respuesta entre las cuatro opciones. Encierra en un círculo la mejor respuesta.

¿Qué enunciado compara correctamente las consecuencias positivas y negativas de la modificación del medio ambiente?

A La economía crece pero muchas personas se enferman.

B La economía crece pero las personas pierden su trabajo.

C Se crean nuevos puestos de trabajo pero a veces se daña el medio ambiente.

D Se crean nuevas industrias pero antiguas industrias comienzan a quebrar.

3. **Describe** las regiones económicas de Texas que resultaron de los patrones de actividad humana.

....

....

4. **Sacar conclusiones Analiza** de qué manera los futuros avances tecnológicos podrían beneficiar a la sociedad y a los individuos. Completa el diagrama.

> **Hechos y detalles**
> - La tecnología hizo posible los viajes espaciales.
> - La tecnología informática creó nuevos negocios.
> - La tecnología permitió a los artistas crear nuevas obras.

> **Conclusión**
>
>
>

5. **Describe** cómo los descubrimientos científicos y las innovaciones tecnológicas de las siguientes industrias han beneficiado a los negocios, a los individuos y a la sociedad de Texas.

Aeroespacial: ....

....

....

....

Agrícola: ....

....

....

....

6. **Explica** cómo los texanos satisfacen algunas de sus necesidades a través de la compra de productos de los Estados Unidos y del resto del mundo.

....

....

....

....

....

7. **Identifica** dos famosos inventores de Texas.

....

Lección 2 ➡ TEKS 16.D, 19.A, 19.B

Expresiones culturales de Texas

8. **Identifica** celebraciones culturales, regionales y locales de Texas.

....

....

....

....

....

9. **Identifica** una costumbre y una tradición de cada grupo de Texas.

grupos culturales ....

....

grupos regionales ....

....

grupos locales ....

....

10. **Identifica** dos atletas de Texas que han contribuido a hacer de Texas un lugar especial.

....

....

....

....

11. **Identifica** las similitudes y diferencias entre los diferentes grupos raciales de Texas.

....

....

....

....

....

Lección 3 TEKS 21.B

La vida en Texas en la actualidad

12. **Causa y efecto** En el diagrama, lee el efecto e **identifica** la causa.

Causa

Efecto
El porcentaje de la población que vive en áreas rurales está disminuyendo.

13. **Identifica** una solución para cada uno de los siguientes problemas de urbanización.

A rápido crecimiento del tráfico dentro de las ciudades de Texas y alrededor de ellas

....

....

B necesidad de más agua para una población en constante aumento

....

....

14. ¿Qué metas deberíamos fijar para nuestro estado?

 TEKS 9.B

Los texanos disfrutan de actividades recreacionales en la costa del Golfo. **Identifica** razones por las que es importante que los texanos protejan la costa del Golfo y otras áreas naturales de Texas.

a. ¿Por qué es importante que haya muchos lugares en donde los texanos puedan descansar, relajarse y divertirse?

....

....

....

b. ¿Cómo podemos asegurarnos de que lugares como la costa del Golfo estén limpios y sean seguros para los texanos en el futuro?

....

....

....

Conéctate en línea para escribir e ilustrar tu **myStory Book** usando **miHistoria: Ideas** de este capítulo.

¿Qué metas deberíamos fijar para nuestro estado?

TEKS
ES 20.C
SLA 15

Como leíste en este capítulo, Texas es en la actualidad un lugar lleno de vida. Tenemos industrias prósperas, una cultura fascinante y ciudades que crecen con rapidez.

Texas está cambiando constantemente. Y seguirá cambiando en los próximos años. Para ayudar a que nuestro estado cambie de manera correcta, los habitantes de Texas necesitan fijar metas.

Identifica un cambio importante que crees que podría ocurrir en Texas para el año 2050. Escribe las cosas que tú y otros texanos podrían hacer para que este cambio ocurra. Haz un dibujo que muestre a Texas en 2050.

....

....

....

....

SAVVAS realize Conéctate en línea a tu lección digital interactiva.

375

El gobierno de Texas

mi Historia: ¡Despeguemos!

PREGUNTA PRINCIPAL

¿Cuáles deben ser los objetivos del gobierno?

Identifica las cosas que hace el gobierno. **Analiza** cómo impactan las acciones de gobierno en los habitantes de Texas. **Describe** una meta que te propondrías si fueras gobernador o gobernadora de Texas.

....

....

....

....

⭐ Conocimiento y destrezas esenciales de Texas

5.C Identificar los logros de notables individuos tales como John Tower, Scott Joplin, Audie Murphy, Cleto Rodríguez, Stanley Marcus, Bessie Coleman, Raul A. Gonzalez Jr. y otros notables individuos locales.

7.A Describir una variedad de regiones en Texas y en los Estados Unidos tales como la población política y las regiones económicas que resultan de cambios en la actividad humana.

15.A Identificar los propósitos y explicar la importancia de la Declaración de Independencia de Texas, la Constitución de Texas y otros documentos tales como el Tratado Meusebach-Comanche.

15.B Identificar y explicar las funciones básicas de las tres ramas de gobierno de acuerdo a la Constitución de Texas.

15.C Identificar la intención, el significado y la importancia de la Declaración de Independencia, la Constitución de EE.UU. y la Carta de Derechos (la celebración de la Semana de la libertad).

17.A Identificar importantes individuos que han participado en forma voluntaria en asuntos cívicos, en el estado y a nivel local, tales como Adina de Zavala y Clara Driscoll.

17.B Explicar cómo las personas pueden participar voluntariamente en asuntos cívicos, en el estado y a nivel local, a través de actividades tales como respetando las disposiciones de los oficiales públicos, escribiendo cartas y participando en la conservación de la historia y en los proyectos de servicio.

17.C Explicar los deberes de los individuos en los procesos electorales estatales y locales, tales como manteniéndose informado y votando.

17.D Identificar la importancia de algunos individuos y personajes históricos quienes han participado activamente en el proceso democrático, tales como Sam Houston, Barbara Jordan, Lorenzo de Zavala, Ann Richards, Sam Rayburn, Henry B. González, James A. Baker III, Wallace Jefferson y otros individuos locales.

17.E Explicar cómo contactarse con líderes que han sido nominados y elegidos, en el estado y el sector local.

18.A Identificar líderes del gobierno local, estatal y nacional, incluyendo al gobernador, a los miembros locales del Poder Legislativo de Texas, al alcalde local, a los senadores de los EE.UU., a los representantes locales de los EE.UU. y a los tejanos que han sido presidentes de los Estados Unidos.

18.B Identificar las cualidades de liderazgo que han presentado líderes estatales y locales, en el pasado y en el presente.

21.B Analizar información, ordenando en una secuencia, categorizando, identificando las relaciones de causa y efecto, comparando, contrastando, encontrando la idea principal, resumiendo, formulando generalizaciones y predicciones y formulando inferencias y sacando conclusiones.

23.A Usar un proceso de solución de problemas para identificar un problema, reunir información, hacer una lista y considerar opciones, considerar las ventajas y desventajas, elegir e implementar una solución y evaluar la efectividad de la solución.

Una visita a la capital

El Capitolio de Texas

mi Historia: Video

Mientras pasea por Great Walk, el bulevar bordeado de árboles que atraviesa el parque del Capitolio de Texas, en Austin, Lauren se maravilla al ver los monumentos a ambos lados del camino. "Esto fue instalado en 1891, mamá. ¡Hace mucho tiempo! ¿Puedes creer que todavía esté aquí?", pregunta.

Lauren está haciendo una visita al Capitolio de Texas para ver más de cerca cómo es el gobierno de su estado. "Legislativo, ejecutivo y judicial: esos son los tres poderes del gobierno estatal", comenta con orgullo. El paseo con su madre por el parque del capitolio estatal es una buena oportunidad para pensar en las metas de gobierno. En el edificio del capitolio están las oficinas de la Legislatura de Texas, donde se elaboran y aprueban las leyes del estado, y el despacho del gobernador. "¿Qué crees que se hace aquí todos los días?", le pregunta su mamá. "Seguramente se hacen muchas cosas, porque el lugar es bastante grande", bromea Lauren. Después se pone más seria y agrega: "Los texanos que trabajan en este edificio toman muchas decisiones que involucran a los habitantes de nuestro estado".

La respuesta de Lauren es bastante acertada. El gobierno de Texas se basa en la Constitución del estado. Y los representantes y senadores que trabajan en este lugar se esmeran en hacer cumplir la Constitución de Texas.

Lauren está visitando el Capitolio de Texas, en Austin. El capitolio, con su parque de 22 acres, es el centro gubernamental del estado de Texas.

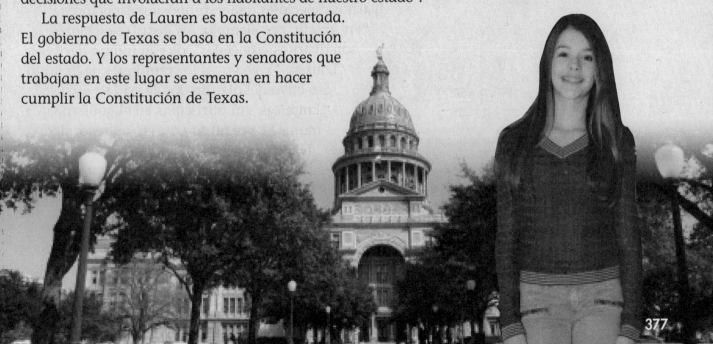

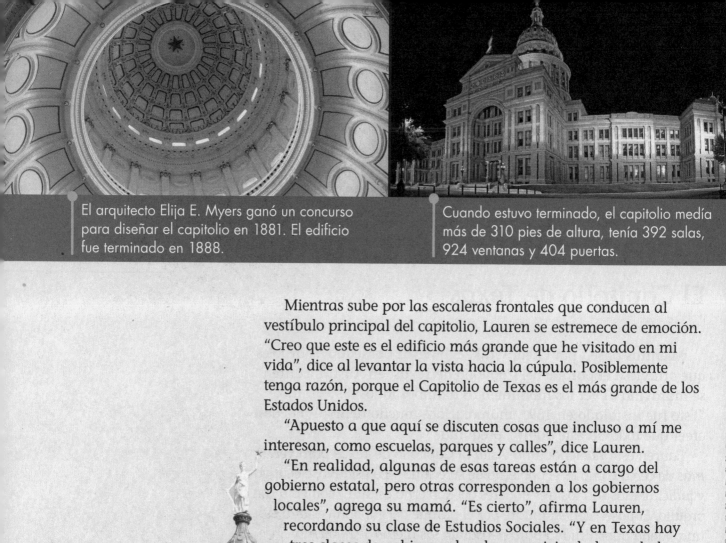

El arquitecto Elija E. Myers ganó un concurso para diseñar el capitolio en 1881. El edificio fue terminado en 1888.

Cuando estuvo terminado, el capitolio medía más de 310 pies de altura, tenía 392 salas, 924 ventanas y 404 puertas.

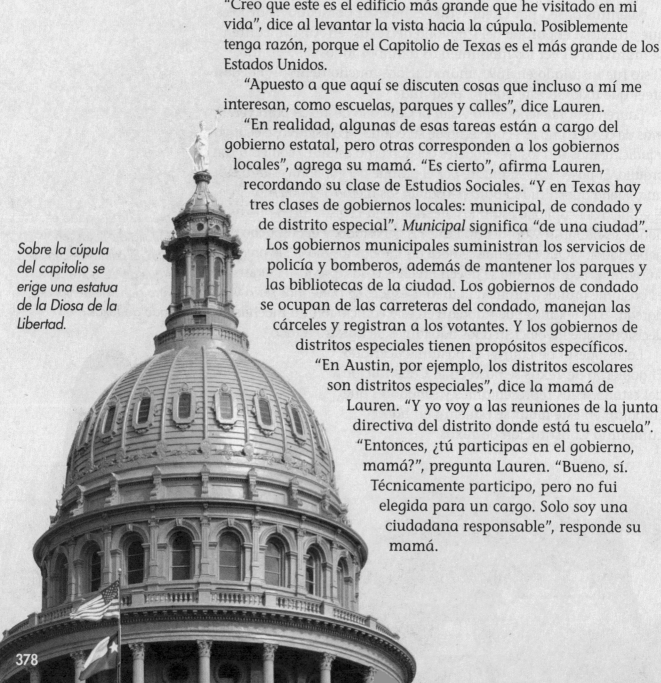

Sobre la cúpula del capitolio se erige una estatua de la Diosa de la Libertad.

Mientras sube por las escaleras frontales que conducen al vestíbulo principal del capitolio, Lauren se estremece de emoción. "Creo que este es el edificio más grande que he visitado en mi vida", dice al levantar la vista hacia la cúpula. Posiblemente tenga razón, porque el Capitolio de Texas es el más grande de los Estados Unidos.

"Apuesto a que aquí se discuten cosas que incluso a mí me interesan, como escuelas, parques y calles", dice Lauren.

"En realidad, algunas de esas tareas están a cargo del gobierno estatal, pero otras corresponden a los gobiernos locales", agrega su mamá. "Es cierto", afirma Lauren, recordando su clase de Estudios Sociales. "Y en Texas hay tres clases de gobiernos locales: municipal, de condado y de distrito especial". *Municipal* significa "de una ciudad". Los gobiernos municipales suministran los servicios de policía y bomberos, además de mantener los parques y las bibliotecas de la ciudad. Los gobiernos de condado se ocupan de las carreteras del condado, manejan las cárceles y registran a los votantes. Y los gobiernos de distritos especiales tienen propósitos específicos.

"En Austin, por ejemplo, los distritos escolares son distritos especiales", dice la mamá de Lauren. "Y yo voy a las reuniones de la junta directiva del distrito donde está tu escuela".

"Entonces, ¿tú participas en el gobierno, mamá?", pregunta Lauren. "Bueno, sí. Técnicamente participo, pero no fui elegida para un cargo. Solo soy una ciudadana responsable", responde su mamá.

En la Cámara del Senado hay una impresionante colección de pinturas históricas de Texas.

Los rascacielos y la ribera de la zona céntrica de Austin rodean al Capitolio de Texas.

Los habitantes de los pueblos y las ciudades también desempeñan un papel en el gobierno. Los ciudadanos tienen que cumplir con las reglas y obedecer las leyes. Desde los 18 años de edad, todos los ciudadanos tienen el privilegio y el deber de votar con el fin de elegir a sus líderes para los cargos locales, estatales y nacionales. Los buenos ciudadanos son activos en sus comunidades y se ofrecen como voluntarios para ayudar a los demás o colaborar con la limpieza de los lugares que así lo requieren.

Mientras mira las cámaras legislativas y salas de reuniones, Lauren trata de imaginar todas las conversaciones y decisiones que tienen lugar allí. "Mmmm, no estaría nada mal ser una mosca posada en esa pared", dice con voz pícara. "En realidad, algún día podrías ser elegida para trabajar aquí", responde su mamá. Lauren apenas logra contener una gran sonrisa que le ilumina el rostro. "O tal vez en Washington, D.C.", exclama. "¡Ya hubo varios texanos que llegaron a la presidencia de los Estados Unidos!".

Esta escultura de James E. "Pete" Laney está en uno de los pasillos del capitolio. Laney fue miembro y presidente de la Cámara de Representantes de Texas.

Cuando finaliza la visita, Lauren no puede quitarse de la cabeza la idea de participar en el gobierno. Mientras baja por las escaleras del espectacular edificio del capitolio, se pregunta: "¿Qué podría comenzar a hacer ahora para convertirme en una ciudadana activa?".

Piénsalo ¿Cuáles crees que deberían ser los objetivos del gobierno? Mientras lees el capítulo, piensa en las metas que deben tener el gobierno de tu estado y tu gobierno local. ¿Qué metas te corresponden a ti como ciudadano?

Gobierno de Texas

Las reglas nos ayudan a jugar juntos. También ayudan a los miembros de las comunidades a llevarse bien y a respetarse el uno al otro.

¿Quién decide cuáles son las reglas del gobierno? ¿Quién verifica que esas reglas, o leyes, se cumplan? Los líderes del gobierno tienen estas y otras responsabilidades.

Líderes del gobierno

Muchos líderes del gobierno son elegidos por los votantes en las elecciones. Otros son designados (es decir, elegidos para una determinada tarea) por los líderes que ganaron las elecciones. Por ejemplo, los votantes de Texas eligen al gobernador, quien luego designa al secretario del estado.

Dado que Texas forma parte de los Estados Unidos, los texanos también participan en la política nacional. Texas envía senadores y representantes a Washington, D.C., para contribuir con el gobierno del país. Los líderes nacionales trabajan tanto para Texas como para el resto de los estadounidenses.

Cuatro presidentes de los Estados Unidos fueron texanos. Dwight D. Eisenhower nació en Denison, Texas. Ganó las elecciones presidenciales en 1953. Lyndon B. Johnson nació cerca de Stonewall, Texas. Fue elegido vicepresidente, pero asumió la presidencia cuando el presidente John F. Kennedy fue asesinado en 1963. En 1964, Johnson fue elegido presidente.

George H. W. Bush nació en Massachusetts, pero luego se mudó a Texas. Al igual que Eisenhower, sirvió en la Segunda Guerra Mundial. Fue elegido presidente en 1989. Su hijo, George W. Bush, nació en Connecticut pero creció en Midland, Texas. Fue gobernador de Texas antes de ganar las elecciones presidenciales en 2001.

1. **Identifica** y nombra a dos texanos que hayan sido presidentes de los Estados Unidos.

Dwight D. Eisenhower

Lyndon B. Johnson

George H. W. Bush

George W. Bush

_____

_____

_____

_____

_____

_____

Escribe qué podría ocurrir si los juegos no tuvieran reglas.

DESCIFRA LA PREGUNTA PRINCIPAL

Aprenderé cuáles son las responsabilidades de los poderes del gobierno estatal de Texas.

Vocabulario

ciudadano	vetar
municipal	poder legislativo
condado	
poder ejecutivo	poder judicial
	república constitucional

La Constitución de Texas

El gobierno de Texas se basa en una constitución. La función de la Constitución de Texas es establecer un plan para gobernar Texas y proteger los derechos de sus ciudadanos. Un **ciudadano** es un miembro de una nación, un estado, un condado, una ciudad o un pueblo.

Probablemente conozcas algunos de tus derechos. Tienes derecho a la libertad de expresión y de religión. Una persona acusada de un delito tiene derecho a un juicio justo. Cuando cumplas 18 años, tendrás derecho a votar. Estos y otros derechos se hallan bajo la protección del estado de Texas y de los Estados Unidos.

La Constitución de Texas también contiene un plan para el gobierno estatal. Este plan divide al gobierno en tres poderes: el poder legislativo, el poder ejecutivo y el poder judicial. Los tres poderes trabajan juntos para gobernar el estado. El poder total se divide en tres partes, para que ninguna de ellas pueda volverse demasiado poderosa.

TEKS

7.A, 15.A, 15.B, 15.C, 17.B, 17.C, 17.D, 18.A, 18.B

3. Identifica y subraya las oraciones del texto que explican el plan para el gobierno estatal en la Constitución de Texas.

Esta es la primera página de la Constitución de Texas, adoptada en 1876.

2. Identifica para qué se creó la Constitución de Texas. ¿Por qué es importante tener una constitución del estado?

....

....

....

....

....

Constitution of the State of Texas

SAVVAS realize™ Conéctate en línea a tu lección digital interactiva.

381

Celina

Dallas

Gobiernos locales de Texas

Además del gobierno nacional y el gobierno estatal, tu comunidad tiene un gobierno local. En Texas hay tres tipos de gobiernos locales: los de ciudades o pueblos, los de condados y los de distritos especiales.

El gobierno de la ciudad suele llamarse gobierno municipal. **Municipal** significa "de una ciudad". Un gobierno municipal rige a las personas que viven en un pueblo o una ciudad. Brinda servicios importantes, como los de policía y bomberos. También se ocupa de los parques y las bibliotecas. Por ejemplo, si tu biblioteca necesita más libros o el parque local necesita nuevo equipamiento, el gobierno local debería ocuparse de esas cosas.

Hay tres formas de gobierno municipal en Texas. Una de ellas está encabezada por un alcalde elegido por los votantes. Otra está encabezada por un administrador municipal. Ambas formas cuentan con un concejo municipal. Los miembros del concejo municipal son elegidos por los votantes. Ellos son quienes hacen las leyes y ayudan a manejar el gobierno local. Los diferentes departamentos, como los de policía, bomberos o parques, están bajo las órdenes del alcalde o administrador municipal de su pueblo o ciudad. Un tercer tipo de gobierno municipal es la comisión. En esta forma de gobierno, los votantes eligen un grupo pequeño de personas que se hacen responsables de los impuestos y otras funciones generales de la ciudad.

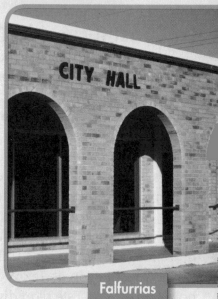

Falfurrias

El gobierno municipal se reúne en la alcaldía. Las alcaldías pueden ser grandes, medianas o pequeñas. También pueden ser antiguas o nuevas.

4. ◉ **Sacar conclusiones Explica** por qué crees que las alcaldías de los diversos pueblos o ciudades son tan diferentes.

....

....

Un **condado** es cada una de las secciones en que se divide un estado. La mayoría de los condados son más grandes que una ciudad. Texas tiene 254 condados.

El gobierno del condado es otro tipo de gobierno local. La ciudad o pueblo escogido como centro gubernamental de un condado es la sede del condado. Los gobiernos de los condados llevan el registro de los nacimientos, muertes y casamientos. También registran a los votantes. Además, manejan las cárceles y se ocupan de algunas carreteras del condado.

El gobierno del condado está liderado por cinco funcionarios elegidos por los votantes: cuatro comisionados del condado y un juez del condado. Un comisionado es alguien que está a cargo de un departamento gubernamental. El juez es el líder y trabaja con los cuatro comisionados. Este grupo se conoce como la corte de comisionados del condado. Los condados también tienen comisarios elegidos por los votantes. El comisario se asegura de que todos obedezcan las leyes del condado y del estado.

El tercer tipo de gobierno local es el gobierno de distrito especial. Los distritos especiales están a cargo de funcionarios elegidos por los votantes. Cada distrito especial tiene una función determinada. Algunos distritos especiales administran los recursos hídricos. Otros brindan protección contra incendios en zonas rurales.

Los distritos escolares son distritos especiales. Un distrito escolar supervisa todas las escuelas de su área. Los ciudadanos del distrito eligen a los miembros del directorio escolar, que son las autoridades del distrito. El directorio escolar decide cómo se manejarán las escuelas del distrito. Cualquier habitante del distrito escolar puede asistir a la mayoría de las reuniones del directorio escolar.

5. ⊚ **Categorizar**
Describe cada tipo de gobierno local en la tabla de abajo.

Gobierno municipal	Gobierno del condado	Distritos especiales

Tanto los gobiernos municipales como los gobiernos de los condados, al igual que los distritos especiales, son regiones políticas. Las regiones políticas resultan de los patrones de la actividad humana en el estado. Los Estados Unidos también tienen regiones políticas.

El capitolio de Austin

Gobierno estatal

El centro del gobierno estatal de Texas es la ciudad de Austin. Allí hay muchas oficinas gubernamentales. La residencia del gobernador y el capitolio también están en Austin. El capitolio, que se terminó de construir en 1888, es el capitolio estatal más grande de los Estados Unidos.

Como ya leíste, la Constitución de Texas divide el gobierno estatal en tres poderes. También establece las facultades de cada uno. La constitución del estado ordena que los tres poderes funcionen por separado. Esto contribuye al equilibrio de manera tal que ninguno de los tres poderes pueda tomar el control.

Los tres poderes del gobierno

La función básica del **poder ejecutivo** es hacer cumplir la ley. Los habitantes de Texas eligen un gobernador al frente del poder ejecutivo. El gobernador puede sugerir nuevas leyes para que la legislatura las considere, pero no crea las leyes. Los gobernadores cumplen la función de líderes y designan a muchos funcionarios del estado.

Cuando la legislatura envía una ley al gobernador, este puede firmarla si cree que es buena. De lo contrario, el gobernador puede **vetar** la ley, es decir, negarse a firmarla. Entonces, la ley vuelve a la legislatura. Sin embargo, una ley vetada puede ser aprobada si dos tercios de los legisladores votan a favor.

El poder ejecutivo tiene más de 150 agencias. Una agencia es un grupo responsable de asegurar que se cumplan ciertas leyes. Por ejemplo, la Agencia de Educación de Texas supervisa todas las escuelas de Texas.

6. Explica cuál es el trabajo del poder ejecutivo.

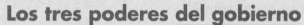

La función básica del **poder legislativo** es crear las leyes de Texas. Este poder se compone de dos partes: el Senado y la Cámara de Representantes. El Senado tiene 31 miembros. La Cámara de Representantes tiene 150 miembros. El estado se divide en distritos políticos. Los votantes de cada distrito eligen sus propios senadores y representantes.

El pueblo de Texas también elige un teniente gobernador, que encabeza el Senado. La persona que encabeza la Cámara de Representantes es su presidente. Es un representante elegido por los votantes y escogido para ese cargo por los otros miembros de la cámara. En 2009 Joe Strauss fue elegido presidente de la cámara.

El **poder judicial** está formado por cortes y jueces. Su función básica es asegurarse de que las leyes estatales se apliquen de forma justa y correcta. En Texas hay más de 2,500 cortes o tribunales y casi 3,468 jueces. Muchos de ellos actúan en áreas locales. Algunos juicios por jurado se llevan a cabo en las cortes del distrito.

La Corte Suprema de Texas y la Corte de Apelaciones Penales son las cortes más altas del estado. La Corte Suprema tiene nueve miembros elegidos por el pueblo de Texas. Es la principal corte de asuntos civiles.

Los miembros de la corte suprema se denominan "magistrados". Wallace B. Jefferson fue abogado y juez, y luego pasó a la historia en 2004, cuando se convirtió en el primer presidente afroamericano de la Corte Suprema de Texas. Jefferson fue un participante activo del proceso democrático desde 2004 hasta 2013.

Wallace B. Jefferson

La Corte de Apelaciones Penales también tiene nueve miembros elegidos por los votantes. Esta corte interviene en casos penales. Cualquier persona declarada culpable en una corte más baja tiene derecho a apelar, es decir, pedir otro juicio. Estas apelaciones van a la Corte de Apelaciones Penales.

Los senadores estatales se reúnen en esta sala del capitolio de Austin para debatir y crear leyes para el estado.

7. ⊙ **Comparar y contrastar**

Identifica en el texto y encierra en un círculo qué tienen en común la Corte Suprema de Texas y la Corte de Apelaciones Penales de Texas.

Explica en qué se diferencian.

Corte Suprema de Texas:

....

....

Corte de Apelaciones Penales:

....

Cómo se convierte en ley un proyecto de ley

Un proyecto de ley es una ley que se propone o sugiere. Los miembros de la Cámara de Representantes o del Senado de Texas redactan un proyecto de ley. Luego debaten si puede ser una buena ley. Una vez aprobado por los miembros de la Cámara de Representantes y el Senado, el proyecto de ley es enviado al gobernador. Si el gobernador firma el proyecto, se convierte en ley. Si el gobernador lo veta, el proyecto de ley vuelve a la legislatura y se somete a votación. Si dos tercios de la legislatura votan a favor del proyecto vetado, este se convierte en ley.

El gobernador, un legislador o un ciudadano tienen una idea para crear una ley. Se presenta el proyecto de ley.

Nuestro gobierno nacional

Nuestro gobierno nacional comenzó con la Declaración de Independencia en 1776. Esta fue creada para explicar por qué las colonias norteamericanas se separaban de Gran Bretaña. Luego se escribieron otros dos documentos importantes. Su función era crear un plan para gobernar la nación y delinear los derechos y las responsabilidades de los ciudadanos. El nuevo plan para gobernar la nación fue la Constitución de los Estados Unidos. Pero muchos estadounidenses no confiaban en que ese plan protegería sus derechos. Entonces se agregaron nuevas leyes, llamadas en conjunto Carta de Derechos. La Carta de Derechos delinea los derechos de los ciudadanos. La existencia de estos documentos significaba que los derechos de los ciudadanos siempre estarían protegidos por la ley.

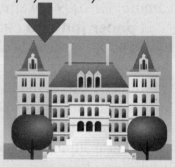

Los legisladores de ambas cámaras debaten el proyecto de ley y luego votan. Si ambas cámaras lo aprueban, el proyecto de ley es enviado al gobernador.

Una región política es un área que se gobierna como una unidad. La región política principal de los Estados Unidos es el estado. El gobierno del estado de Texas tiene numerosas similitudes con el gobierno de los Estados Unidos. Por ejemplo, la Constitución de Texas refleja muchas de las ideas de la Constitución nacional. La Constitución federal también divide el gobierno en tres poderes.

Los votantes de cada estado eligen senadores y representantes para que los representen en la capital del país, Washington, D.C. Cada estado elige dos senadores para enviar a Washington. El número de representantes depende de la población del estado. Texas está dividida en 36 distritos electorales y, por lo tanto, tiene 36 representantes. Los ciudadanos de cada distrito votan por sus propios representantes.

Si el gobernador lo aprueba, el proyecto se convierte en ley. Si el gobernador lo veta, el proyecto de ley vuelve a la legislatura.

8. **Identifica** en el texto y subraya los tres documentos del gobierno estadounidense y para qué fueron creados. ¿Cuál es la importancia de estos documentos?

....

....

Si dos tercios de cada cámara aprueban el proyecto de ley tras ser vetado, el proyecto se convierte en ley.

Los Estados Unidos son una república constitucional. Una **república constitucional** es una forma de gobierno en la que los representantes reciben su autoridad del pueblo, ocupan el cargo durante un tiempo establecido y juran respetar la Constitución de los Estados Unidos al asumirlo. La Constitución limita el poder del gobierno nacional, dejando muchas decisiones importantes para los gobiernos estatales y locales.

Todos los integrantes del gobierno nacional juran respetar la Constitución. Esto significa que su tarea consiste en asegurar que se protejan los derechos y las libertades garantizadas por la Constitución, que se cumplan las leyes y que el gobierno se mantenga al servicio del pueblo.

La Constitución de los Estados Unidos define las facultades y responsabilidades de cada poder del gobierno. También define cuánto tiempo mantendrá alguien su cargo antes de que se lleve a cabo otra elección. Los representantes son elegidos por mandatos de dos años. Los senadores son elegidos por mandatos de seis años.

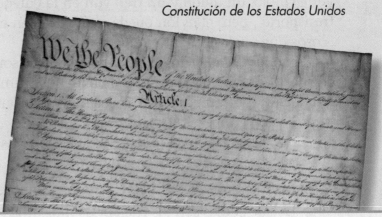
Constitución de los Estados Unidos

¿Entiendes?

🔹 TEKS 7.A, 15.B, 15.C

9. ⊙ **Resumir Identifica** y **explica** las funciones básicas de los tres poderes del gobierno de acuerdo con la Constitución de Texas.

....

....

10. ❓ **Explica** el propósito u objetivo de cada uno de estos tres documentos.

mi Historia: Ideas

Declaración de Independencia: ....

....

Constitución de los Estados Unidos: ....

....

Carta de Derechos: ....

11. **Describe** la siguiente región política de Texas.

Condado: ....

....

Categorizar

Categorizar significa organizar cosas, ideas o personas sobre la base de características relacionadas. Una categoría es el grupo en el que incluyes las cosas que ordenas. Todo lo que hay dentro de una categoría se relaciona de alguna manera. Sin embargo, muchas cosas entran en más de una categoría. Por ejemplo, un avión y un tren van en la categoría "medios de transporte", pero el avión puede estar también en la categoría "cosas que vuelan".

Como las cosas incluidas en una categoría son similares, categorizar puede ayudarnos a entenderlas. También puede ayudarnos a comprender lo que leemos y a ordenar la información cuando investigamos.

Para categorizar algo, puedes seguir estos pasos:

1. Identifica qué quieres categorizar.

2. Busca similitudes entre las cosas que quieres categorizar.

3. Decide cuáles son las categorías más útiles para organizar las cosas que estás categorizando.

4. Crea material visual, como una tabla, para analizar tu información.

En la Lección 1 leíste sobre el gobierno local, el estatal y el federal o nacional. La tabla de abajo categoriza las facultades del gobierno estatal y del gobierno federal. ¿Qué otra categoría podrías agregar a la tabla "Facultades y responsabilidades del gobierno"?

Facultades y responsabilidades del gobierno

Gobierno federal	Gobierno estatal
• Imprimir dinero • Regular el comercio dentro del país y con otros países • Firmar tratados y dirigir la política exterior • Declarar la guerra • Proveer un ejército y una armada • Establecer correos • Crear las leyes necesarias para ejercer estas facultades	• Emitir licencias • Regular el comercio dentro del estado • Llevar a cabo elecciones • Establecer gobiernos locales • Ratificar las enmiendas a la Constitución • Tomar medidas de salud pública y seguridad • Posibilidad de ejercer facultades que la Constitución no prohíbe usar a los estados ni delega en el gobierno federal

TEKS

SLA 24.C Tomar apuntes sencillos y clasificar las evidencias de la investigación en categorías o en un organizador gráfico.
ES 15.B Identificar las funciones básicas de las tres ramas del gobierno de acuerdo a la Constitución de Texas.
ES 21.B Analizar información categorizando.

¡Inténtalo!

En la Lección 1 leíste sobre el gobierno local, el estatal y el nacional. Hay muchas maneras de categorizar esta información. Aquí hay algunas ideas para que hagas el intento.

1. ¿Cuáles son los tres tipos de gobierno local?

....

2. Haz una lista de al menos dos cosas que podrías incluir en la categoría "gobierno municipal".

....

....

3. ¿Cuáles son los tres poderes del gobierno, tanto a nivel estatal como nacional?

....

....

4. **Aplícalo Mira** las páginas 384 y 385. Crea una tabla como la de abajo para **analizar** la información de esas páginas. Puede ayudarte a **categorizar** la información acerca de los diferentes poderes del gobierno.

Poder ejecutivo		Poder judicial
....	Hace las leyes.	....
....	Está dividido en dos partes.	....
Firma o veta las leyes.		....

 SAVVAS realize. Conéctate en línea a tu lección digital interactiva.

389

Ciudadanía activa en Texas

¡Imagínalo!

Los estudiantes pueden mejorar su comunidad ayudando a las personas que viven allí. Estos estudiantes plantan árboles.

En la Lección 1, leíste sobre los diferentes niveles del gobierno. También leíste sobre algunas tareas del gobierno. Ahora leerás acerca del papel que desempeñan los individuos en las comunidades y en el gobierno. Cuando hablamos de los ciudadanos de los Estados Unidos, nos referimos a las personas que nacieron en el país o han obtenido el derecho a ser ciudadanos del país.

El papel del ciudadano

Los ciudadanos están protegidos por las leyes del país. Sin embargo, también es su deber obedecer las leyes. Un **deber** es algo que debes hacer. Los ciudadanos jóvenes tienen el deber de ir a la escuela. Todos los ciudadanos tienen el deber de respetar los derechos de los demás.

En los Estados Unidos, los ciudadanos tenemos muchos derechos y libertades. Entre nuestros derechos se cuentan la libertad de expresión, la libertad de religión y el derecho a votar líderes que nos representen. Algunos de estos derechos son limitados. Por ejemplo, para votar debes tener al menos 18 años de edad.

También tenemos derecho a un juicio justo. A veces se pide a los ciudadanos que integren un jurado. Un **jurado** es un grupo de personas que escuchan la evidencia y deciden el resultado de un juicio. Los jurados se aseguran de que las leyes se apliquen con justicia. Integrar un jurado es un deber.

1. Identifica y subraya tres deberes que se describen en el texto.

Ir a la escuela es un deber de los estudiantes. Estudiar es una responsabilidad.

¿Qué podrías hacer para ayudar a algunos miembros de tu comunidad? Explica tu idea y escríbela en el espacio de arriba.

 DESCIFRA LA PREGUNTA PRINCIPAL

Aprenderé cómo los ciudadanos pueden trabajar juntos para mejorar su comunidad e influir en el manejo del gobierno.

Vocabulario

deber   voluntario

jurado   partido político

responsabilidad petición

Votar no es solo un derecho. También es una **responsabilidad**, es decir, algo que una persona debe hacer. Es un deber de los ciudadanos votar y estar informados acerca de los candidatos y los problemas que es preciso resolver. Otra responsabilidad es ayudar a resolver los problemas del lugar donde vives.

Los buenos ciudadanos a menudo son **voluntarios**, es decir, brindan su tiempo para ayudar donde se los necesita. Por ejemplo, muchos se ofrecen como voluntarios para ayudar en escuelas o en centros para la tercera edad. También pueden ser voluntarios en proyectos de limpieza.

TEKS

5.C, 7.A, 15.A, 17.A, 17.B, 17.C, 17.D, 17.E, 18.A, 18.B, 21.B

Derechos del ciudadano	Responsabilidades y deberes
libertad de expresión	ser voluntario

2. **Categorizar** Piensa en algunos derechos, responsabilidades y deberes. Categorízalos en la tabla.

Líderes locales

Los individuos locales también son importantes para el proceso democrático. Todos queremos elegir líderes honestos y bien informados, pero hay otras cualidades importantes que también deberían tener los líderes locales. Según cuál sea su tarea, necesitan conocer las leyes locales. También necesitan comprender la economía local. Además, es importante que conozcan a los habitantes locales y los problemas a resolver.

Es importante que los líderes de los distritos especiales conozcan la función de su distrito. Por ejemplo, el líder de un distrito escolar debe preocuparse por la educación y saber cómo funcionan las escuelas.

Casi todos los candidatos se identifican con un partido político específico. Un **partido político** es un grupo organizado de personas que comparten ideas similares acerca de cómo manejar el gobierno. Hay muchos partidos políticos, pero la mayoría de la gente pertenece al Partido Republicano o al Partido Demócrata.

Es un honor servir en un gobierno local. Mucha gente ha debido hacer grandes esfuerzos para obtener su cargo. Harrie Mae White, residente de Houston, fue la primera afroamericana elegida por los votantes para un cargo de Texas, en 1958. Fue elegida para el directorio escolar.

Cuando Birdie Hardwood fue elegida alcalde de Marble Halls, Texas, en 1917, fue la primera mujer alcalde de los Estados Unidos. En esta lección leerás más sobre otros pioneros.

Los líderes tienen diversos antecedentes y dan importancia a diferentes cuestiones. Por ejemplo, Robert Cluck, el alcalde de Arlington, es médico. La cuestión más importante para él es la limpieza del aire.

Aunque los líderes no siempre están de acuerdo en todo, la mayoría quiere hacer un buen trabajo para la gente que los eligió. Por otra parte, las personas representadas tienen la responsabilidad de exigir a sus líderes que cumplan sus promesas.

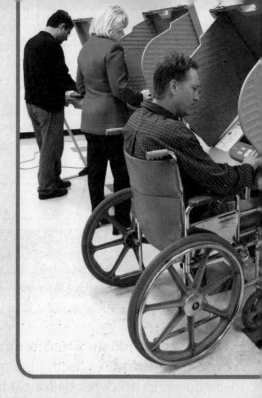

Antes de ir a votar, los ciudadanos deben informarse lo mejor posible acerca de los candidatos.

3. Usando Internet, periódicos u otros recursos, **identifica** un miembro local de la legislatura de Texas y otro líder local que ejerza un cargo actualmente, como el alcalde o un comisionado del condado. Escribe el cargo de cada uno y sus responsabilidades.

Líderes del estado

Hay muchas personas importantes que decidieron participar en asuntos cívicos en Texas, en puestos estatales y locales. Al igual que en el gobierno local, los diversos cargos requieren diferentes destrezas. Para postularse a cualquier cargo, la persona debe ser ciudadana de los Estados Unidos. También hay restricciones de edad para los diferentes cargos. Por ejemplo, un candidato a gobernador debe tener al menos 30 años.

Aunque la mayoría de los gobernadores de Texas han sido hombres, hubo dos mujeres gobernadoras. Miriam "Ma" Ferguson fue la primera mujer gobernadora. Ejerció el cargo de 1925 a 1927 y otra vez de 1933 a 1935.

Gobernadora Miriam "Ma" Ferguson

Ann Richards fue otra persona importante que participó activamente en el proceso democrático. Ella fue la segunda mujer gobernadora de Texas. Ejerció varios cargos durante su carrera política. Fue elegida comisionada del condado en 1976. En 1982 fue nombrada tesorera del estado. Fue gobernadora de Texas de 1991 a 1995.

Raúl A. González, Jr. se involucró en política cuando estaba en la universidad. Como muchos otros políticos, ejerció cargos en el nivel local antes de pasar al nivel estatal. Fue abogado a nivel local y estatal. En 1978, fue nombrado juez. Luego, en 1984, fue el primer hispanoamericano en integrar la Corte Suprema de Texas.

Gobernadora Ann Richards

Muchos líderes locales y estatales disfrutan de trabajar en su lugar de origen o quieren quedarse en Texas. Pero los líderes locales también pueden pasar a ocupar cargos estatales. Y los líderes estatales pueden pasar al liderazgo nacional. Por ejemplo, George W. Bush fue gobernador de Texas antes de llegar a la presidencia de los Estados Unidos.

4. **Identifica** y subraya en el texto los nombres de individuos que son ejemplos de participación activa en el proceso democrático.

5. Usando Internet, periódicos u otros recursos, investiga e **identifica** los nombres de al menos dos líderes estatales que ejerzan cargos actualmente. Por ejemplo, puedes mencionar al gobernador, tu representante del estado, o bien un magistrado de la Corte Suprema. Además, **identifica** el cargo de cada uno.

Magistrado Raúl A. González, Jr.

....

....

....

Cómo ponerte en contacto con tus líderes locales y estatales

Los ciudadanos pueden participar en el gobierno votando líderes que los representen. Cuando cumplas 18 años, podrás votar. Sin embargo, ya desde ahora puedes ponerte en contacto con las personas que han sido elegidas como tus líderes locales y estatales. Puedes hacerles preguntas, darles tus opiniones, contarles cómo te gustaría que voten un proyecto de ley o compartir información con ellos. También puedes hacer saber a los funcionarios u oficiales públicos que esperas que cumplan con su palabra. Para saber más sobre el gobierno estatal, puedes visitar estos sitios de Internet:

http://www.senate.state.tx.us/kids/	http://governor.state.tx.us/
http://www.house.state.tx.us/	http://www.courts.state.tx.us/

Aquí es donde puedes ponerte en contacto con tus líderes estatales:

Gobernador P.O. Box 12428 Austin, Texas 78711 1 (512) 463-2000	**Presidente de la Cámara de Representantes** Room CAP 2W.13, Capitol P.O. Box 2910 Austin, Texas 78768 1 (512) 463-1000
Teniente Gobernador Capitol Station P.O. Box 12068 Austin, Texas 78711 1 (512) 463-0001	**Magistrado de la Corte Suprema** 201 W. 14th Austin, Texas 78701 1 (512) 463-1312

La Internet puede ayudarte a contactarte con los líderes locales. Por ejemplo, una búsqueda de "alcalde de Dallas Texas" da como resultado http://www.dallascityhall.com/government/mayor/. También puedes buscar el tribunal de tu condado. Por ejemplo, si buscas "tribunal del condado de Anderson Texas" encontrarás http://www.co.anderson.tx.us/. En ambos sitios hallarás información para establecer contacto con tus líderes.

6. **Identifica** en el texto razones para ponerte en contacto con líderes locales o estatales. **Explica** cómo podrías ponerte en contacto con tu alcalde local o con un líder local que haya sido elegido.

....

....

Lograr un cambio en Texas

La Constitución de los Estados Unidos comienza con estas palabras: "Nosotros, el pueblo…". Fueron los ciudadanos quienes crearon los Estados Unidos y su Constitución, y son los ciudadanos quienes llevan adelante el país.

No hace falta que tengas 18 años o que seas un político para hacer un cambio positivo. Las personas de todas las edades pueden participar voluntariamente en asuntos cívicos a nivel estatal y local. Ya has leído acerca de cómo escribirles a los líderes, pero aquí te proponemos otras cosas que puedes hacer:

- Colabora en las campañas para las elecciones locales, estatales o nacionales. Averigua quiénes se postulan para los diferentes cargos. Habla con personas que sepan cuáles son los problemas a resolver. Busca artículos periodísticos que estén a favor y en contra de los candidatos.

- Funda un club de política. Debate con tus amigos sobre las cuestiones que los afectan. Recopila artículos sobre asuntos de interés. Cuando seas un poco más grande, podrás formar parte de un programa como Juventud y Gobierno de Texas, que ayuda a los adolescentes a aprender sobre el gobierno e incluso los prepara para ser líderes. Una vez que estés en la escuela secundaria, puedes entrar en el Programa Juvenil del Senado de los Estados Unidos para Texas.

- Distribuye información sobre problemas actuales. Si algo es importante, asegúrate de que la gente sepa sobre el tema. Por ejemplo, puedes distribuir información sobre los peligros de fumar o comer mucho azúcar.

- Inicia una petición. Una **petición** es un pedido oficial al gobierno, firmado por muchos ciudadanos. Mostrarles a los líderes que muchas personas se preocupan por algo es una manera de hacer que resuelvan el problema.

Hay muchas cosas que los ciudadanos pueden hacer sin llegar a ser funcionarios. Hay muchas oportunidades para voluntarios en casi todas las comunidades. Levantar la basura de un parque o ser voluntario en una escuela mejora la vida de las personas beneficiadas. Involucrarse en asuntos locales y estatales mejora la vida de todos.

Estos estudiantes están participando en asuntos cívicos de su estado escribiendo a su senador sobre una causa en la que creen.

7. **Explica** cómo los individuos participan voluntariamente en asuntos cívicos a nivel estatal y local.

....

....

....

....

....

....

....

395

Representar a Texas en Washington, D.C.

Muchas personas han participado activamente en el proceso democrático de Texas y del país en Washington, D.C. Texas tiene dos senadores en la capital de la nación. También hay 36 texanos en la Cámara de Representantes de los Estados Unidos. Aquí te presentamos a varios texanos notables que han representado a Texas en Washington, D.C.

Henry B. González fue el primer hispanoamericano de Texas en ser elegido para la Cámara de Representantes de los Estados Unidos. Este miembro del Partido Demócrata había sido concejal de San Antonio y senador estatal. Fue elegido representante nacional en 1961 y se mantuvo allí durante 37 años.

Henry B. González

El republicano John Tower hizo una larga carrera al servicio de Texas y los Estados Unidos. Fue miembro del Senado de los Estados Unidos desde 1961 hasta 1985. También fue el primer senador republicano de Texas desde 1870.

Barbara Jordan trabajó arduamente por la causa de los afroamericanos. En 1973 fue la primera mujer afroamericana de la región del sur en ser elegida para la Cámara de Representantes de los Estados Unidos. Jordan era una demócrata de Houston. Fue representante durante tres mandatos y después regresó al estado para dar clases en la Universidad de Texas, en Austin.

John Tower

La republicana Kay Bailey Hutchison fue senadora de los Estados Unidos de 1993 a 2013. Fue la primera mujer en representar a Texas en el Senado nacional. Hutchison había trabajado en el comercio y en el gobierno estatal antes de ser elegida senadora.

Como Barbara Jordan, Sheila Jackson Lee es una demócrata de Houston. Integra la Cámara de Representantes de los Estados Unidos desde 1995. Antes, estuvo en el Concejo Municipal de Houston y fue jueza asesora en la corte municipal.

Kay Granger fue la primera mujer republicana de Texas en la Cámara de Representantes de los Estados Unidos. Ingresó en 1997 y su mandato actual termina en 2015.

Barbara Jordan

8. Usando Internet, periódicos u otros recursos, **identifica** y escribe los nombres de senadores de los Estados Unidos por Texas y del representante del lugar donde vives en el gobierno nacional.

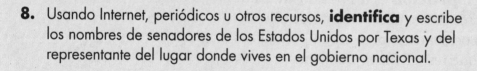

Kay Granger

También hay gente de Texas que ha participado activamente del proceso democrático yendo a Washington para colaborar en el funcionamiento del gobierno nacional. El republicano James A. Baker III, de Houston, es un ejemplo. Se desempeñó en varios puestos importantes para los presidentes Gerald Ford, Ronald Reagan y George H. W. Bush. Baker fue subsecretario de comercio, jefe de personal de la Casa Blanca, secretario del tesoro y secretario de estado. En 1991 recibió la Medalla Presidencial de la Libertad.

James A. Baker III

9. **Identifica** y subraya en el texto las maneras en que James A. Baker III demostró su participación activa en el proceso democrático.

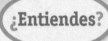
¿Entiendes?

TEKS 5.C, 17.C, 17.D

10. ● **Idea principal y detalles Identifica** la importancia de los individuos que figuran en la tabla.

Kay Bailey Hutchinson	
Henry B. González	
John Tower	
Barbara Jordan	

11. ? En los Estados Unidos se anima a las personas a hablar con sus representantes. **Explica** qué te dice esto sobre tu gobierno.

mi Historia: Ideas

....

....

12. **Explica** por qué los individuos tienen el deber de votar y estar informados sobre los procesos electorales a nivel local y estatal

....

....

Resolver problemas

Las personas y las comunidades enfrentan problemas todos los días. Para resolver un problema es necesario seguir estos seis pasos:

- Identifica el problema.
- Reúne información sobre las maneras de resolver el problema.
- Haz una lista de tus opciones y piensa en cada una de ellas.
- Considera las ventajas y desventajas de cada solución posible.
- Implementa una solución.
- Evalúa la efectividad de la solución.

Una comunidad advirtió recientemente que los estudiantes comían demasiados bocadillos poco saludables. En la escuela había máquinas expendedoras de gaseosas y golosinas. Los padres, los maestros y los líderes de la comunidad debatieron sobre el problema. Reunieron información. Aprendieron que los bocadillos con alto contenido de grasas y azúcar dañan la salud de los estudiantes. También se enteraron de que el exceso de azúcar perjudica el rendimiento en la escuela. Los estudiantes que ingieren mucho azúcar tienen dificultades para prestar atención y aprender.

Las escuelas de la comunidad quitaron las máquinas expendedoras de gaseosas y golosinas. Algunas escuelas también comenzaron a ver cómo podían hacer almuerzos más saludables. Si eliminar el azúcar ayudaba a los estudiantes a aprender mejor y conservar la salud, ¿qué más se podía hacer en materia de nutrición?

Objetivo de aprendizaje

Aprenderé a resolver problemas.

 TEKS

ES 23.A Usar un proceso de solución de problemas para identificar un problema, reunir información, hacer una lista y considerar opciones, considerar las ventajas y desventajas, elegir e implementar una solución y evaluar la efectividad de la solución.

¡Inténtalo!

1. **Identifica** otra solución que los padres podrían implementar si las escuelas no prohibieran las máquinas de dulces.

....

....

2. **Explica** qué podrían hacer las escuelas y los padres para ayudar a los estudiantes a involucrarse en la campaña contra los bocadillos poco saludables.

....

....

....

....

3. **Aplícalo** Usa los pasos para resolver problemas que aprendiste para **identificar** un problema, reunir información, considerar soluciones posibles y evaluar tu solución.

Problema:

....

....

Soluciones posibles y evaluación:

....

....

....

....

....

Lección 1 TEKS 7.A, 15.B, 15.C, 17.D

Gobierno de Texas

1. **Identifica** dos maneras de seleccionar líderes gubernamentales.

   ....

2. **Identifica** al presidente de los Estados Unidos oriundo de Texas que era hijo de otro presidente de los Estados Unidos.

   ....

3. **Identifica** al menos dos derechos garantizados por la Constitución de Texas.

   ....

   ....

4. **Identifica** el significado de *municipal*.

   ....

5. Lee la pregunta con atención. Determina cuál es la mejor respuesta entre las cuatro opciones. Encierra en un círculo la mejor respuesta.

   ¿Qué tipo de gobierno local se ocupa de cuestiones como las escuelas y los recursos hídricos?

   A gobierno estatal

   B distritos especiales

   C gobierno del condado

   D gobierno rural

6. **Identifica** para qué se crearon los siguientes documentos.

   Declaración de Independencia:

   ....

   ....

   ....

   ....

   Constitución de los Estados Unidos:

   ....

   ....

   ....

   ....

   Carta de Derechos:

   ....

   ....

   ....

   ....

7. **Explica** las funciones básicas de los tres poderes del gobierno según la Constitución de Texas.

   ....

   ....

   ....

   ....

   ....

8. Describe la principal región política de los Estados Unidos.

....

....

9. Identifica la importancia de Wallace B. Jefferson. ¿Cómo demostró su participación activa en el proceso democrático?

....

....

....

....

....

10. Identifica qué es un proyecto de ley.

....

11. Explica qué significa decir que los Estados Unidos son una república constitucional.

....

....

....

Lección 2 TEKS 5.C, 17.C, 17.D, 17.E, 18.A

Ciudadanía activa en Texas

12. Identifica dos responsabilidades o deberes que tienen los ciudadanos de los Estados Unidos.

....

....

13. ⊙ **Sacar conclusiones Explica** por qué conocer a los candidatos y los problemas actuales es una responsabilidad importante de los ciudadanos.

....

....

....

....

....

14. ⊙ **Categorizar** En la lista de abajo se enumeran cargos locales, estatales y nacionales. Para **categorizarlos**, escribe *L* por local, *E* por estatal o *N* por nacional junto a cada título o cargo.

_____ alcalde

_____ senador de los Estados Unidos

_____ gobernador

15. Identifica la importancia de Ann Richards. ¿Cómo demostró su participación activa en el proceso democrático?

....

....

16. Identifica los logros de Raúl A. González, Jr.

....

....

....

17. Identifica los términos de búsqueda que podrías usar para hallar la siguiente información.

a. El nombre del alcalde de Galveston

....

....

b. La dirección de la alcaldía de Fort Worth

....

....

c. Los comisionados de tu condado

....

....

18. Explica qué es una petición.

....

....

19. Explica por qué es importante involucrarse en el proceso político.

....

....

....

20. Identifica la importancia de Barbara Jordan. ¿Cómo demostró su participación activa en el proceso democrático?

....

....

....

21. Identifica a la persona de Texas que trabajó en Washington, D.C., tanto con Ronald Reagan como con George H. W. Bush.

....

22. **¿Cuáles deben ser los objetivos del gobierno?**

🚩 TEKS 21.B

Nuestros líderes hacen leyes que nosotros debemos obedecer. **Describe** el objetivo de los siguientes tipos de leyes.

a. leyes de tránsito

....

....

b. leyes de salud

....

....

c. leyes de aire puro

....

....

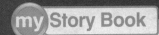

Conéctate en línea para escribir e ilustrar tu **myStory Book** usando **miHistoria: Ideas** de este capítulo.

¿Cuáles deben ser los objetivos del gobierno?

TEKS
ES 17.B
SLA 15

Has leído acerca del gobierno local, estatal y nacional. También has leído sobre los servicios que proveen los diferentes niveles de gobierno. Además, has leído que los ciudadanos pueden participar para que las comunidades funcionen mejor.

Piensa en una mejora que te gustaría ver en tu comunidad. **Explica** cómo podrías participar en tu comunidad para que se produzca esa mejora.

....

....

....

....

Ahora, haz un dibujo para mostrar algunas maneras de trabajar en esas mejoras en el nivel estatal.

La Declaración de Independencia

En el Congreso, el 4 de julio de 1776
La Declaración unánime de los trece
Estados Unidos de América

La primera parte de la Declaración de Independencia se llama el Preámbulo. Un preámbulo es una introducción, es decir, una parte que viene antes del mensaje principal. El Preámbulo establece por qué se escribió la Declaración.

El segundo párrafo hace una lista de los derechos básicos que deben tener todas las personas. Los fundadores llamaron a estos derechos **inalienables,** que quiere decir que no se pueden quitar ni se puede renunciar a ellos. Si un gobierno no puede proteger estos derechos, las personas deben cambiar de gobierno o formar uno nuevo.

1. Según la Declaración, ¿cuáles son tres "derechos inalienables"? **Identifica** y encierra en un círculo esas palabras en el texto. Luego escribe el significado de la Declaración.

....

....

....

El tercer párrafo presenta la Lista de agravios. Cada parte de la lista tiene la palabra "ha". Esta palabra se refiere a las acciones del rey George III en las colonias. Para probar que el rey había abusado de su poder sobre las colonias, esta lista de 27 quejas describía cómo el gobierno británico y el rey habían tratado a los colonos.

Cuando en el curso de los acontecimientos humanos se hace necesario para un pueblo disolver los vínculos políticos que lo han ligado a otro y tomar entre las naciones de la tierra el puesto separado e igual a que las leyes de la naturaleza y el Dios de esa naturaleza le dan derecho, un justo respeto al juicio de la humanidad exige que declare las causas que lo impulsan a la separación.

Sostenemos como evidentes estas verdades: que todos los hombres son creados iguales; que son dotados por su Creador de ciertos derechos inalienables; que entre estos están la vida, la libertad y la búsqueda de la felicidad; que para garantizar estos derechos se instituyen entre los hombres los gobiernos, cuyos poderes legítimos derivan del consentimiento de los gobernados; que cuando quiera que una forma de gobierno se haga destructora de estos principios, el pueblo tiene el derecho a reformarla o abolirla e instituir un nuevo gobierno que se funde en dichos principios, y a organizar sus poderes en la forma que a su juicio ofrecerá las mayores probabilidades de alcanzar su seguridad y felicidad. La prudencia, claro está, aconsejará que no se cambie por motivos leves y transitorios gobiernos de antiguo establecidos; y, en efecto, toda la experiencia ha demostrado que la humanidad está más dispuesta a padecer, mientras los males sean tolerables, que a hacerse justicia aboliendo las formas a que está acostumbrada. Pero cuando una larga serie de abusos y usurpaciones, dirigida invariablemente al mismo objetivo, demuestra el designio de someter al pueblo a un despotismo absoluto, es su derecho, es su deber, derrocar ese gobierno y establecer nuevos resguardos para su futura seguridad.

Tal ha sido el paciente sufrimiento de estas colonias; tal es ahora la necesidad que las obliga a reformar su anterior sistema de gobierno. La historia del actual Rey de la Gran Bretaña es una historia de repetidos agravios y usurpaciones, encaminados todos directamente hacia el establecimiento de una tiranía absoluta sobre estos estados. Para probar esto, sometemos los hechos al juicio de un mundo imparcial.

El rey se ha negado a aprobar las leyes más favorables y necesarias para el bienestar público.

Ha prohibido a sus gobernadores sancionar leyes de importancia inmediata y apremiante, a menos que su ejecución se suspenda hasta obtener su asentimiento; y, una vez suspendidas, se ha negado por completo a prestarles atención.

Se ha rehusado a aprobar otras leyes convenientes a grandes comarcas pobladas, a menos que esos pueblos renuncien al derecho de ser representados en la asamblea legislativa; derecho que es inestimable para el pueblo y temible solo para los tiranos.

Ha convocado a los cuerpos legislativos en sitios desusados, incómodos y distantes del asiento de sus documentos públicos, con la sola idea de fatigarlos para cumplir con sus medidas.

En repetidas ocasiones, ha disuelto las Cámaras de Representantes, por oponerse con firmeza viril a sus intromisiones en los derechos del pueblo.

Durante mucho tiempo, y después de esas disoluciones, se ha negado a permitir la elección de otras cámaras; por lo cual, los poderes legislativos, cuyo aniquilamiento es imposible, han retornado al pueblo, sin limitación para su ejercicio; permaneciendo el Estado, mientras tanto, expuesto a todos los peligros de una invasión exterior y a convulsiones internas.

Ha tratado de impedir que se pueblen estos estados; dificultando, con ese propósito, las Leyes de Naturalización de Extranjeros; rehusando aprobar otras para fomentar su inmigración y elevando las condiciones para las nuevas adquisiciones de tierras.

Ha entorpecido la administración de justicia al no aprobar las leyes que establecen los poderes judiciales.

Ha hecho que los jueces dependan solamente de su voluntad para poder desempeñar sus cargos y en cuanto a la cantidad y pago de sus emolumentos.

Ha fundado una gran diversidad de oficinas nuevas, enviado a un enjambre de funcionarios que acosan a nuestro pueblo y menguan su sustento.

En tiempo de paz, ha mantenido entre nosotros ejércitos permanentes, sin el consentimiento de nuestras asambleas legislativas.

Ha influido para que la autoridad militar sea independiente de la civil y superior a ella.

Se ha asociado con otros para someternos a una jurisdicción extraña a nuestra constitución y no reconocida por nuestras leyes; aprobando sus actos de pretendida legislación:

Para acuartelar, entre nosotros, grandes cuerpos de tropas armadas;

Para protegerlos, por medio de un juicio ficticio, del castigo por los asesinatos que pudieren cometer entre los habitantes de estos estados;

En la Lista de agravios, los colonos se quejan de su falta de participación en la elección de las leyes que los gobiernan. Afirman que el rey George III no se preocupa por su seguridad y su felicidad. Enumeran las ocasiones en las que el rey les negó el derecho a representación. Los colonos establecen también que el rey ha interferido con los jueces, con los tribunales y con los extranjeros que quieren convertirse en ciudadanos.

2. Hay muchas palabras en la Declaración que pueden resultarte desconocidas. **Identifica** y encierra en un círculo tres palabras que no conozcas. Búscalas en el diccionario. Escribe una de las palabras y su significado en las líneas de abajo.

En esta página continúa la larga Lista de agravios de los colonos.

3. Resume brevemente con tus propias palabras tres de los agravios.

....

....

....

....

4. Une cada palabra de la Declaración con su significado. Usa el diccionario si necesitas ayuda con una palabra.

abolir	intentado
	lograr
saqueado	cambiar
suspender	eliminar
alterar	detener
	por un
	tiempo
esforzado	robado

Enunciación de independencia
Después de enumerar los principales agravios, los firmantes prosiguen con la enunciación de independencia. Como el rey se ha negado a resolver los problemas, es un gobernante injusto. Por lo tanto, no es apto para gobernar al pueblo libre de los Estados Unidos.

Para suspender nuestro comercio con todas las partes del mundo;

Para imponernos impuestos sin nuestro consentimiento;

Para privarnos, en muchos casos, de los beneficios de un juicio con jurado;

Para transportarnos más allá de los mares, con el fin de ser juzgados por supuestos agravios;

Para abolir en una provincia vecina el libre sistema de las leyes inglesas, estableciendo en ella un gobierno arbitrario y extendiendo sus límites, con el objeto de dar un ejemplo y disponer de un instrumento adecuado para introducir el mismo gobierno absoluto en estas colonias;

Para suprimir nuestras cédulas, abolir nuestras leyes más valiosas y alterar en su esencia las formas de nuestros gobiernos;

Para suspender nuestras propias asambleas legislativas y declararse investido con facultades para legislarnos en todos los casos, cualesquiera que estos sean.

Ha abdicado de su gobierno en estos territorios al declarar que estamos fuera de su protección y al emprender una guerra contra nosotros.

Ha saqueado nuestros mares, asaltado nuestras costas, incendiado nuestras ciudades y destruido la vida de nuestro pueblo.

Al presente, está transportando grandes ejércitos de extranjeros mercenarios para completar la obra de muerte, desolación y tiranía, ya iniciada en circunstancias de crueldad y perfidia que apenas si encuentran paralelo en las épocas más bárbaras, y por completo indignas del jefe de una nación civilizada.

Ha obligado a nuestros conciudadanos, aprehendidos en alta mar, a que tomen armas contra su país, forzándolos así a convertirse en los verdugos de sus amigos y hermanos, o a morir bajo sus manos.

Ha provocado insurrecciones domésticas indígenas entre nosotros y se ha esforzado por lanzar sobre los habitantes de nuestras fronteras a los inmisericordes salvajes, cuya conocida disposición para la guerra se distingue por la destrucción de vidas, sin considerar edades, sexos ni condiciones.

En cada etapa de estas opresiones, hemos pedido justicia en los términos más humildes: a nuestras repetidas peticiones se ha contestado solamente con repetidos agravios. Un Príncipe, cuyo carácter está así señalado con cada uno de los actos que pueden definir a un tirano, no es digno de ser el gobernante de un pueblo libre.

Tampoco hemos dejado de dirigirnos a nuestros hermanos británicos. Los hemos prevenido de tiempo en tiempo de las tentativas de su poder legislativo para englobarnos en una jurisdicción injustificable. Les hemos recordado las circunstancias de nuestra emigración y radicación aquí. Hemos apelado a su innato sentido de justicia y magnanimidad, y los hemos conjurado, por los vínculos de nuestro parentesco, a repudiar esas usurpaciones, las cuales interrumpirían inevitablemente nuestras relaciones y correspondencia. También ellos han sido sordos a la voz de la justicia y de la consanguinidad. Debemos, pues, convenir en la necesidad, que establece nuestra separación y considerarlos, como consideramos a las demás colectividades humanas: enemigos en la guerra, en la paz, amigos.

Por lo tanto, los Representantes de los Estados Unidos de América, convocados en Congreso General, apelando al Juez Supremo del mundo por la rectitud de nuestras intenciones, en nombre y por la autoridad del buen pueblo de estas Colonias, solemnemente hacemos público y declaramos: Que estas Colonias Unidas son, y deben serlo por derecho, Estados Libres e Independientes; que quedan libres de toda lealtad a la Corona Británica, y que toda vinculación política entre ellas y el Estado de la Gran Bretaña queda y debe quedar totalmente disuelta; y que, como Estados Libres e Independientes, tienen pleno poder para hacer la guerra, concertar la paz, concertar alianzas, establecer el comercio y efectuar los actos y providencias a que tienen derecho los Estados independientes. Y en apoyo de esta Declaración, con absoluta confianza en la protección de la Divina Providencia, empeñamos nuestra vida, nuestra hacienda y nuestro sagrado honor.

New Hampshire:
Josiah Bartlett
William Whipple
Matthew Thornton

Bahía de Massachusetts:
John Hancock
Samuel Adams
John Adams
Robert Treat Paine
Elbridge Gerry

Rhode Island:
Stephan Hopkins
William Ellery

Connecticut:
Roger Sherman
Samuel Huntington
William Williams
Oliver Wolcott

Nueva York:
William Floyd
Philip Livingston
Francis Lewis
Lewis Morris

Nueva Jersey:
Richard Stockton
John Witherspoon
Francis Hopkinson
John Hart
Abraham Clark

Delaware:
Caesar Rodney
George Read
Thomas M'Kean

Maryland:
Samuel Chase
William Paca
Thomas Stone
Charles Carroll of
  Carrollton

Virginia:
George Wythe
Richard Henry Lee
Thomas Jefferson
Benjamin Harrison
Thomas Nelson, Jr.
Francis Lightfoot Lee
Carter Braxton

Pennsylvania:
Robert Morris
Benjamin Rush
Benjamin Franklin
John Morton
George Clymer
James Smith
George Taylor
James Wilson
George Ross

Carolina del Norte:
William Hooper
Joseph Hewes
John Penn

Carolina del Sur:
Edward Rutledge
Thomas Heyward, Jr.
Thomas Lynch, Jr.
Arthur Middleton

Georgia:
Button Gwinnett
Lyman Hall
George Walton

En este párrafo, los firmantes señalan que han pedido ayuda a los británicos muchas veces. Los colonos esperaban que los británicos escucharan sus reclamos porque tienen mucho en común. Sin embargo, el pueblo británico no presta atención a su pedido de justicia. Este es otro motivo por el que las colonias deben separarse de Gran Bretaña.

En el último párrafo, los miembros del Congreso Continental declaran que las trece colonias dejan de considerarse colonias. Son ahora una nación libre sin vínculos con Gran Bretaña. Los Estados Unidos tienen ahora todos los poderes que tienen los países independientes.

5. Identifica tres de los nuevos poderes de la nación, según lo establecen los firmantes.

....

....

....

....

....

6. Los firmantes prometieron apoyar la Declaración de Independencia y a sus colegas empeñando su vida, su hacienda y su honor. En una hoja aparte, escribe lo que crees que significa esto. Luego **explica** por qué esta es una actitud valerosa.

La Constitución de los Estados Unidos

El **Preámbulo** explica los motivos para redactar y tener una Constitución. La Constitución formaría una nación más fuerte y más unida. Promoverá la paz, la justicia y la libertad y defenderá a los ciudadanos estadounidenses. Además, mejorará la vida de las personas.

Sección 1. El Congreso

El poder legislativo del gobierno crea las leyes de un país. Se lo llama Congreso y se compone de dos partes, es decir, cámaras: la Cámara de Representantes y el Senado.

Sección 2. La Cámara de Representantes

Los miembros de la Cámara de Representantes se escogen cada dos años. Los representantes deben tener al menos 25 años de edad y deben ser ciudadanos estadounidenses. También deben vivir en el estado que los escogió.

La cantidad de representantes por estado se basa en su población, es decir, el número de personas que viven en él.

1. Explica por qué algunos estados tienen más representantes en el Congreso que otros.

....

....

....

....

Con los años, la Constitución sufrió modificaciones, es decir, cambios. Las partes que se modificaron se muestran aquí en gris.

PREÁMBULO

Nosotros, el Pueblo de los Estados Unidos, a fin de formar una Unión más perfecta, establecer Justicia, afirmar la tranquilidad interior, proveer la Defensa común, promover el bienestar general y asegurar para nosotros mismos y para nuestros descendientes los beneficios de la Libertad, estatuimos y sancionamos esta Constitución para los Estados Unidos de América.

ARTÍCULO UNO
El poder legislativo

Sección 1.

Todos los poderes legislativos otorgados en la presente Constitución corresponderán a un Congreso de los Estados Unidos, que se compondrá de un Senado y una Cámara de Representantes.

Sección 2.

1. La Cámara de Representantes estará formada por miembros elegidos cada dos años por los habitantes de los diversos Estados, y los electores deberán poseer en cada Estado las condiciones requeridas para los electores de la rama más numerosa de la legislatura local.

2. No será representante ninguna persona que no haya cumplido 25 años de edad y sido ciudadano de los Estados Unidos durante siete años, y que no sea habitante del Estado en el cual se le designe, al tiempo de la elección.

3. Los representantes y los impuestos directos se prorratearán entre los distintos Estados que formen parte de esta Unión, de acuerdo con su población respectiva, la cual se determinará sumando al número total de personas libres, inclusive las obligadas a prestar servicios durante cierto término de años y excluyendo a los indios no sujetos al pago de contribuciones, las tres quintas partes de todas las personas restantes. El recuento deberá hacerse efectivamente dentro de los tres años siguientes a la primera sesión del Congreso de los Estados Unidos y en lo sucesivo cada 10 años, en la forma que dicho cuerpo disponga por medio de una ley. El número de representantes no excederá de uno por cada 30 mil habitantes con tal que cada Estado cuente con un representante cuando menos; y hasta que se efectúe dicho recuento, el Estado de Nueva Hampshire tendrá derecho a elegir tres; Massachusetts, ocho; Rhode Island y las Plantaciones de Providence, uno; Connecticut, cinco; Nueva York, seis; Nueva Jersey, cuatro; Pennsylvania, ocho; Delaware, uno; Maryland, seis; Virginia, diez; Carolina del Norte, cinco; Carolina del Sur, cinco y Georgia, tres.

3. Cuando ocurran vacantes en la representación de cualquier Estado, la autoridad ejecutiva del mismo expedirá un decreto en que se convocará a elecciones con el objeto de llenarlas.

4. La Cámara de Representantes elegirá su presidente y demás funcionarios y será la única facultada para declarar que hay lugar a proceder en los casos de responsabilidades oficiales.

Sección 3.

1. El Senado de los EE. UU. se compondrá de dos Senadores por cada Estado, elegidos por seis años por la legislatura del mismo, y cada Senador dispondrá de un voto.

2. Tan pronto como se hayan reunido a virtud de la elección inicial, se dividirán en tres grupos tan iguales como sea posible. Las actas de los senadores del primer grupo quedarán vacantes al terminar el segundo año; las del segundo grupo, al expirar el cuarto año y las del tercer grupo, al concluir el sexto año, de tal manera que sea factible elegir una tercera parte cada dos años, y si ocurren vacantes, por renuncia u otra causa, durante el receso de la legislatura de algún Estado, el Ejecutivo de este podrá hacer designaciones provisionales hasta el siguiente período de sesiones de la legislatura, la que procederá a cubrir dichas vacantes.

3. No será senador ninguna persona que no haya cumplido 30 años de edad y sido ciudadano de los Estados Unidos durante nueve años y que, al tiempo de la elección, no sea habitante del Estado por parte del cual fue designado.

4. El Vicepresidente de los EE. UU. será presidente del Senado, pero no tendrá voto sino en el caso de empate.

5. El Senado elegirá a sus demás funcionarios, así como un presidente pro tempore, que fungirá en ausencia del Vicepresidente o cuando este se halle desempeñando la presidencia de los Estados Unidos.

6. El Senado poseerá derecho exclusivo de juzgar sobre todas las acusaciones por responsabilidades oficiales. Cuando se reúna con este objeto, sus miembros deberán prestar un juramento o protesta. Cuando se juzgue al Presidente de los EE. UU., deberá presidir el del Tribunal Supremo. Y a ninguna persona se le condenará si no concurre el voto de dos tercios de los miembros presentes.

7. En los casos de responsabilidades oficiales, el alcance de la sentencia no irá más allá de la destitución del cargo y la inhabilitación para ocupar y disfrutar cualquier empleo honorífico, de confianza o remunerado, de los Estados Unidos; pero el individuo condenado quedará sujeto, no obstante, a que se le acuse, enjuicie, juzgue y castigue con arreglo a derecho.

El gobernador de un estado convoca a elecciones especiales si se provoca una vacante en la Cámara de Representantes.

Los miembros de la Cámara de Representantes escogen a sus propios líderes. También tienen el poder de llevar a juicio político, es decir, acusar de un delito, a los funcionarios del gobierno.

Sección 3. El Senado

Cada estado tiene dos senadores. Un senador cumple un mandato de seis años.

Al principio, el cuerpo legislativo de cada estado escogía a los dos senadores. La Decimoséptima Enmienda lo modificó. Hoy en día, los votantes de cada estado escogen a sus senadores.

Los senadores deben tener al menos 30 años de edad y deben ser ciudadanos estadounidenses. También deben vivir en los estados que representan.

2. ¿En qué se diferencia la longitud del mandato de un senador de la de un miembro de la Cámara de Representantes?

....

....

El Vicepresidente es el funcionario a cargo del Senado pero vota solamente si hay un empate. Cuando el Vicepresidente no está, un líder temporario, (Presidente pro tempore) lidera el Senado.

El Senado puede llevar a cabo juicios políticos. Cuando se lleva a juicio político al Presidente, el juez es el Presidente de la Corte Suprema de Justicia. Es necesario un voto de dos tercios para lograr una condena. Una vez que se condena a un funcionario, este puede ser removido de su cargo. Otros tribunales de justicia pueden imponer penas adicionales.

Sección 4. Las elecciones y las sesiones del Congreso

El cuerpo legislativo de cada estado determina el momento, el lugar y la manera de llamar a elecciones para senadores y miembros de la Cámara de Representantes.

Sección 5. Reglas del Congreso

El Senado y la Cámara de Representantes decidirán si las elecciones fueron justas y evaluarán la capacidad legal de sus propios miembros. Al menos la mitad de los miembros deben estar presentes para sesionar. Cada cámara puede determinar las reglas de sus procedimientos y castigar a sus miembros por conducta indebida. Cada cámara del Congreso debe llevar un registro de las sesiones y publicarlo cada tanto.

3. Explica por qué es importante que el Congreso publique lo que hace.

....

....

....

....

....

Sección 6. Derechos y restricciones de los miembros del Congreso

Los senadores y los miembros de la Cámara de Representantes recibirán una remuneración por sus servicios. El Tesoro de los Estados Unidos aportará el dinero. Los miembros del Congreso no pueden ser arrestados mientras participen en una sesión del Congreso, a menos que se trate de un delito grave. Tampoco se los puede arrestar por una cosa que digan en el Congreso. Ninguna persona puede tener simultáneamente un trabajo en el gobierno y en el Congreso.

Sección 4.

1. Los lugares, épocas y modo de celebrar las elecciones para senadores y representantes se prescribirán en cada Estado por la legislatura respectiva pero el Congreso podrá formular o alterar las reglas de referencia en cualquier tiempo por medio de una ley, excepto en lo tocante a los lugares de elección de los senadores.

2. El Congreso se reunirá una vez al año, y esta reunión será el primer lunes de diciembre, a no ser que por ley se fije otro día.

Sección 5.

1. Cada Cámara calificará las elecciones, los informes sobre escrutinios y la capacidad legal de sus respectivos miembros, y una mayoría de cada una constituirá el quórum necesario para deliberar; pero un número menor puede suspender las sesiones de un día para otro y estará autorizado para compeler a los miembros ausentes a que asistan, del modo y bajo las penas que determine cada Cámara.

2. Cada Cámara puede elaborar su reglamento interior, castigar a sus miembros cuando se conduzcan indebidamente y expulsarlos de su seno con el asentimiento de las dos terceras partes.

3. Cada Cámara llevará un diario de sus sesiones y lo publicará de tiempo en tiempo a excepción de aquellas partes que a su juicio exijan reserva, y los votos afirmativos y negativos de sus miembros con respecto a cualquier cuestión se harán constar en el diario, a petición de la quinta parte de los presentes.

4. Durante el período de sesiones del Congreso ninguna de las Cámaras puede suspenderlas por más de tres días ni acordar que se celebrarán en lugar diverso de aquel en que se reúnen ambas Cámaras sin el consentimiento de la otra.

Sección 6.

1. Los senadores y representantes recibirán por sus servicios una remuneración que será fijada por la ley y pagada por el tesoro de los EE. UU. En todos los casos, exceptuando los de traición, delito grave y perturbación del orden público, gozarán del privilegio de no ser arrestados durante el tiempo que asistan a las sesiones de sus respectivas Cámaras, así como al ir a ellas o regresar de las mismas, y no podrán ser objeto en ningún otro sitio de inquisición alguna con motivo de cualquier discusión o debate en una de las Cámaras.

2. A ningún senador ni representante se le nombrará, durante el tiempo por el cual haya sido elegido, para ocupar cualquier empleo civil que dependa de los Estados Unidos, que haya sido creado o cuyos emolumentos hayan sido aumentados durante dicho tiempo, y ninguna persona que ocupe un cargo de los Estados Unidos podrá formar parte de las Cámaras mientras continúe en funciones.

Sección 7.

1. Todo proyecto de ley que tenga por objeto la obtención de ingresos deberá proceder primeramente de la Cámara de Representantes; pero el Senado podrá proponer reformas o convenir en ellas de la misma manera que tratándose de otros proyectos.

2. Todo proyecto aprobado por la Cámara de Representantes y el Senado se presentará al Presidente de los Estados Unidos antes de que se convierta en ley; si lo aprobare lo firmará; en caso contrario lo devolverá, junto con sus objeciones, a la Cámara de su origen, la que insertará íntegras las objeciones en su diario y procederá a reconsiderarlo. Si después de dicho nuevo examen las dos terceras partes de esa Cámara se pusieren de acuerdo en aprobar el proyecto, se remitirá, acompañado de las objeciones, a la otra Cámara, por la cual será estudiado también nuevamente y, si lo aprobaren los dos tercios de dicha Cámara, se convertirá en ley. Pero en todos los casos de que se habla, la votación de ambas Cámaras será nominal y los nombres de las personas que voten en pro o en contra del proyecto se asentarán en el diario de la Cámara que corresponda. Si algún proyecto no fuera devuelto por el Presidente dentro de 10 días (descontando los domingos) después de haberle sido presentado, se convertirá en ley, de la misma manera que si lo hubiera firmado, a menos de que al suspender el Congreso sus sesiones impidiera su devolución, en cuyo caso no será ley.

3. Toda orden, resolución o votación para la cual sea necesaria la concurrencia del Senado y la Cámara de Representantes (salvo en materia de suspensión de las sesiones), se presentará al Presidente de los Estados Unidos y no tendrá efecto antes de ser aprobada por él o de ser aprobada nuevamente por dos tercios del Senado y de la Cámara de Representantes, en el caso de que la rechazare, de conformidad con las reglas y limitaciones prescritas en el caso de un proyecto de ley.

Sección 8.

El Congreso tendrá facultad:

1. Para establecer y recaudar contribuciones, impuestos, derechos y consumos; para pagar las deudas y proveer a la defensa común y bienestar general de los Estados Unidos; pero todos los derechos, impuestos y consumos serán uniformes en todos los Estados Unidos.

2. Para contraer empréstitos a cargo de créditos de los Estados Unidos.

3. Para reglamentar el comercio con las naciones extranjeras, entre los diferentes Estados y con las tribus indias.

4. Para establecer un régimen uniforme de naturalización y leyes uniformes en materia de quiebra en todos los Estados Unidos.

Sección 7. Cómo se hacen las leyes

Todos los proyectos de ley sobre recaudación de dinero deben originarse en la Cámara de Representantes. El Senado puede sugerir o concordar con las enmiendas a estos proyectos de ley sobre impuestos y con cualquier otro proyecto de ley.

Los proyectos de ley aprobados por la Cámara de Representantes y el Senado se presentarán al Presidente de los Estados Unidos antes de que se conviertan en ley. Si el Presidente aprueba el proyecto de ley, lo firma. Si no está de acuerdo, veta el proyecto y lo devuelve a la cámara en la que se originó, junto con una explicación de sus objeciones. La cámara las incorpora a sus registros y luego reconsidera el proyecto. Si dos tercios de cada cámara acuerdan aprobar el proyecto, se convierte en ley. Si el Presidente no firma ni veta un proyecto en un plazo de diez días (excluyendo el domingo) desde el momento en que lo recibe, el proyecto se convierte en ley. Si el Congreso suspende las sesiones antes de que se cumpla el plazo de diez días, el proyecto no se convierte en ley.

Sección 8. Los poderes del Congreso

Algunos de los poderes del Congreso enumerados en la Sección 8 son:

- establecer y recaudar impuestos sobre los bienes importados y exportados y sobre los bienes que se venden dentro del país. Además, el Congreso debe pagar las deudas y proveer a la defensa y el bienestar general del país. Todos los impuestos deben ser iguales en todo el territorio estadounidense;

- contraer empréstitos a cargo de créditos de los Estados Unidos;

- crear leyes sobre el comercio con otros países, entre los estados y con las tribus de indígenas;

- establecer un procedimiento que permita a una persona de otro país convertirse en un ciudadano legal de los Estados Unidos;

- proteger el trabajo de los artistas, científicos, autores e inventores;

- crear tribunales federales inferiores a la Corte Suprema;

- declarar la guerra;
- establecer y mantener al Ejército y a la Marina de los Estados Unidos;
- organizar y entrenar a la Guardia Nacional y llamar a filas en momentos de emergencia;
- gobernar la capital y los emplazamientos militares de los Estados Unidos; y
- crear todas las leyes necesarias para poder ejercer los poderes del Congreso.

4. La última cláusula de la Sección 8 se denomina "cláusula elástica" porque amplía el poder del Congreso. **Explica** por qué crees que se agregó a la Constitución.

....

....

....

....

....

....

5. Para acuñar monedas y determinar su valor, así como el de la moneda extranjera. Fijar los patrones de las pesas y medidas.

6. Para proveer lo necesario al castigo de quienes falsifiquen los títulos y la moneda corriente de los Estados Unidos.

7. Para establecer oficinas de correos y caminos de posta.

8. Para fomentar el progreso de la ciencia y las artes útiles, asegurando a los autores e inventores, por un tiempo limitado, el derecho exclusivo sobre sus respectivos escritos y descubrimientos.

9. Para crear tribunales inferiores al Tribunal Supremo.

10. Para definir y castigar la piratería y otros delitos graves cometidos en alta mar y violaciones al derecho internacional.

11. Para declarar la guerra, otorgar patentes de corso y represalias y para dictar reglas con relación a las presas de mar y tierra.

12. Para reclutar y sostener ejércitos, pero ninguna autorización presupuestaria de fondos que tengan ese destino será por un plazo superior a dos años.

13. Para habilitar y mantener una armada.

14. Para dictar reglas para el gobierno y ordenanza de las fuerzas navales y terrestres.

15. Para disponer cuándo debe convocarse a la milicia nacional con el fin de hacer cumplir las leyes de la Unión, sofocar las insurrecciones y rechazar las invasiones.

16. Para proveer lo necesario para organizar, armar y disciplinar a la milicia nacional y para gobernar aquella parte de esta que se utilice en servicio de los Estados Unidos; reservándose a los Estados correspondientes el nombramiento de los oficiales y la facultad de instruir conforme a la disciplina prescrita por el Congreso.

17. Para legislar en forma exclusiva en todo lo referente al Distrito (que no podrá ser mayor que un cuadrado de 10 millas por lado) que se convierta en sede del gobierno de los Estados Unidos, como consecuencia de la cesión de algunos Estados en que se encuentren situados, para la construcción de fuertes, almacenes, arsenales, astilleros y otros edificios necesarios.

18. Para expedir todas las leyes que sean necesarias y convenientes para llevar a efecto los poderes anteriores y todos los demás que esta Constitución confiere al gobierno de los Estados Unidos o cualquiera de sus departamentos o funcionarios.

Sección 9.

1. El Congreso no podrá prohibir antes del año de mil ochocientos ocho la inmigración o importación de las personas que cualquiera de los Estados ahora existentes estime oportuno admitir, pero puede imponer sobre dicha importación una contribución o derecho que no pase de 10 dólares por cada persona.

2. El privilegio del habeas corpus no se suspenderá, salvo cuando la seguridad pública lo exija en los casos de rebelión o invasión.

3. No se aplicarán decretos de proscripción ni leyes ex post facto.

4. No se establecerá ningún impuesto directo ni de capitación, como no sea proporcionalmente al censo o recuento que antes se ordenó practicar.

5. Ningún impuesto o derecho se establecerá sobre los artículos que se exporten de cualquier Estado.

6. Los puertos de un Estado no gozarán de preferencia sobre los de ningún otro a virtud de reglamentación alguna mercantil o fiscal; tampoco las embarcaciones que se dirijan a un Estado o procedan de él estarán obligadas a ingresar por algún otro, despachar en él sus documentos o cubrirle derechos.

7. Ninguna cantidad podrá extraerse del tesoro si no es como consecuencia de asignaciones autorizadas por la ley, y de tiempo en tiempo deberá publicarse un estado y cuenta ordenados de los ingresos y gastos del tesoro.

8. Los Estados Unidos no concederán ningún título de nobleza y ninguna persona que ocupe un empleo remunerado u honorífico que dependa de ellos aceptará ningún regalo, emolumento, empleo o título, sea de la clase que fuere, de cualquier monarca, príncipe o Estado extranjero, sin consentimiento del Congreso.

Sección 10.

1. Ningún Estado celebrará tratado, alianza o confederación algunos; otorgará patentes de corso y represalias; acuñará moneda, emitirá papel moneda, legalizará cualquier cosa que no sea la moneda de oro y plata como medio de pago de las deudas; aprobará decretos por los que se castigue a determinadas personas sin que preceda juicio ante los tribunales, leyes ex post facto o leyes que menoscaben las obligaciones que derivan de los contratos, ni concederá título alguno de nobleza.

2. Sin el consentimiento del Congreso ningún Estado podrá imponer derechos sobre los artículos importados o exportados, cumplir sus leyes de inspección, y el producto neto de todos los derechos e impuestos que establezcan los Estados sobre las importaciones y exportaciones se aplicará en provecho del tesoro de los Estados Unidos; y todas las leyes de que se trata estarán sujetas a la revisión y vigilancia del Congreso.

Sección 9. Poderes negados al Congreso

El Congreso no podrá:

- impedir el ingreso de esclavos a los Estados Unidos antes de 1808;

- arrestar y encarcelar a las personas sin acusarlas de un delito; excepto en situaciones de emergencia;

- castigar a una persona sin un juicio previo; castigar a una persona por un acto que no se consideraba un delito cuando se lo realizó;

- aprobar un impuesto directo, como el impuesto sobre la renta, a menos que sea proporcional a la población;

- cobrar impuestos sobre los bienes enviados fuera de un estado;

- otorgar a los puertos de un estado una ventaja sobre los puertos de otro estado; permitir que un estado cobre impuestos sobre los barcos de otro estado;

- gastar dinero sin aprobar una ley que lo convierta en una acción legal; gastar dinero sin llevar un registro adecuado;

- otorgar títulos, como rey y reina, a nadie; permitir a los funcionarios federales que acepten regalos o títulos de gobiernos extranjeros.

5. Explica por qué crees que se incluyó la última cláusula en la Sección 9.

....

....

....

....

Sección 10. Poderes negados a los estados

A continuación, se enumeran los poderes que se les niegan a los estados.

Los gobiernos de los estados no tienen el poder de

- hacer tratados con países extranjeros; emitir moneda; hacer cualquier cosa que la Sección 9 de la Constitución establezca que no puede hacer;
- cobrar impuestos sobre los bienes que se transportan hacia o fuera de un estado a menos que el Congreso esté de acuerdo;
- mantener fuerzas armadas o declarar la guerra; hacer acuerdos con otros estados o gobiernos extranjeros a menos que el Congreso esté de acuerdo.

6. Si un estado le declarara la guerra a un país extranjero, ¿qué podría ocurrir?

....

....

....

....

En el artículo 2 se describe el poder ejecutivo.

Sección 1. Mandato del Presidente y del Vicepresidente

El Presidente tiene el poder de ejecutar, es decir, hacer cumplir, las leyes de los Estados Unidos.

Los electores de cada estado escogen al Presidente. Hoy en día se llama Colegio Electoral a los electores y los eligen los votantes.

Antes de 1804, la persona que obtenía la mayor cantidad de votos electorales se convertía en Presidente. La persona con el siguiente número mayor se convertía en Vicepresidente. La Decimosegunda Enmienda modificó esta manera de elegir presidentes.

3. Sin dicho consentimiento del Congreso ningún Estado podrá establecer derechos de tonelaje, mantener tropas o navíos de guerra en tiempo de paz, celebrar convenio o pacto alguno con otro Estado o con una potencia extranjera, o hacer la guerra, a menos de ser invadido realmente o de hallarse en peligro tan inminente que no admita demora.

ARTÍCULO DOS
El poder ejecutivo

Sección 1.

1. Se deposita el poder ejecutivo en un Presidente de los Estados Unidos. Desempeñará su encargo durante un término de cuatro años y, juntamente con el Vicepresidente designado para el mismo período, será elegido como sigue:

2. Cada Estado nombrará, del modo que su legislatura disponga, un número de electores igual al total de los senadores y representantes a que el Estado tenga derecho en el Congreso, pero ningún senador, ni representante, ni persona que ocupe un empleo honorífico o remunerado de los Estado Unidos podrá ser designado como elector.

3. Los electores se reunirán en sus respectivos estados y, por escrutinio secreto, elegirán a dos personas, una de las cuales, cuando menos, no será habitante del mismo estado que ellos. Los electores formularán una lista de todas las personas por quienes han votado, indicando el número de votos que obtuvo cada uno, la firmarán y certificarán, remitiéndola sellada a la sede del gobierno de los Estados Unidos, dirigida al Presidente del Senado, quien, en presencia de esa cámara y de la Cámara de Representantes, abrirá todos los certificados y procederá a contar los votos. Será presidente la persona que reúna el mayor número de votos, siempre que este número represente la mayoría de los electores nombrados. Si reunieren dicha mayoría más de una persona, con igual número de votos, la Cámara de Representantes elegirá inmediatamente de entre ellas, por escrutinio secreto, una para presidente; pero si ninguna persona alcanza esa mayoría, la cámara elegirá, de entre las cinco personas que hubiesen obtenido más votos, al Presidente. Al hacer la elección de presidente, los votos se contarán por estados, teniendo un voto la representación de cada estado; para este objeto, el quórum se integrará de un miembro o los miembros de las dos terceras partes de los estados, y será necesaria la mayoría de todos los estados para decidir la elección. En cualquier caso, y una vez elegido el presidente, la una vez hecha la elección del presidente, será vicepresidente la

persona que tenga el mayor número de votos de los electores. Pero si hubiese dos o más que tuvieren igual número de votos, el Senado elegirá de entre ellas al vicepresidente, por escrutinio secreto.

4. El Congreso podrá fijar la época de designación de los electores, así como el día en que deberán emitir sus votos, el cual deberá ser el mismo en todos los Estados Unidos.

5. Solo las personas que sean ciudadanos por nacimiento o que hayan sido ciudadanos de los Estados Unidos al tiempo de adoptarse esta Constitución, serán elegibles para el cargo de Presidente; tampoco será elegible una persona que no haya cumplido 35 años de edad y que no haya residido 14 años en los Estados Unidos.

5. En caso de que el Presidente sea separado de su puesto, de que muera, renuncie o se incapacite para dar cumplimiento a los poderes y deberes del referido cargo, este pasará al Vicepresidente y el Congreso podrá prever por medio de una ley el caso de separación, muerte, renuncia o incapacidad, tanto del Presidente como del Vicepresidente, y declarar que funcionario fungirá como Presidente hasta que desaparezca la causa de incapacidad o se elija un Presidente.

6. El Presidente recibirá una remuneración por sus servicios, en las épocas que se determinarán, la cual no podrá ser aumentada ni disminuida durante el período para el cual haya sido designado y no podrá recibir durante ese tiempo ningún otro emolumento de parte de los Estados Unidos o de cualquiera de estos.

7. Antes de entrar a desempeñar su cargo prestará el siguiente juramento o protesta: "Juro (o protesto) solemnemente que desempeñaré legalmente el cargo de Presidente de los Estados Unidos y que sostendré, protegeré y defenderé la Constitución de los Estados Unidos, empleando en ello el máximo de mis facultades".

Sección 2.

1. El Presidente será comandante en jefe del ejército y la marina de los Estados Unidos y de la milicia de los diversos Estados cuando se la llame al servicio activo de los Estados Unidos; podrá solicitar la opinión por escrito del funcionario principal de cada uno de los departamentos administrativos con relación a cualquier asunto que se relacione con los deberes de sus respectivos empleos, y estará facultado para suspender la ejecución de las sentencias y para conceder indultos tratándose de delitos contra los Estados Unidos, excepto en los casos de acusación por responsabilidades oficiales.

El Congreso decide cuándo se escogen los electores y cuándo votan al presidente. Los estadounidenses votan en la actualidad a los electores el Día de elecciones, el martes que sigue al primer lunes de noviembre.

Para ser presidente, una persona debe haber nacido en los Estados Unidos y ser un ciudadano. Debe tener al menos 35 años de edad y haber vivido en los Estados Unidos al menos durante 14 años.

Si un presidente muere o abandona su cargo por cualquier motivo, el vicepresidente se convierte en presidente. Si no hay un vicepresidente, el Congreso determina al próximo presidente. (En 1967, la Vigesimoquinta Enmienda cambió la manera en que se deben ocupar estos cargos).

7. Explica por qué es importante estar de acuerdo en la manera de reemplazar al Presidente o al Vicepresidente si muere repentinamente o abandona su cargo.

....

....

....

Mientras se encuentre en funciones, el presidente recibirá un sueldo que no aumentará ni disminuirá y no podrá aceptar dinero o regalos.

Antes de comenzar su mandato, debe jurar que sostendrá, protegerá y defenderá la Constitución.

Sección 2. Los poderes del Presidente
El Presidente está a cargo de las fuerzas armadas y la Guardia Nacional. Puede pedir consejo a los líderes de las secretarías del poder ejecutivo. (Hoy se los llama "gabinete presidencial"). El Presidente puede perdonar a las personas condenadas por delitos federales.

El Presidente puede celebrar tratados, pero dos tercios del Senado deben aprobarlos. El Presidente puede, con la aprobación del Senado, designar a los jueces de la Corte Suprema, los embajadores y otros funcionarios importantes.

8. Explica por qué es bueno que el Senado deba aprobar los tratados que hace el presidente.

....

....

....

Sección 3. Los deberes del presidente

Cada cierto tiempo, el Presidente debe describir al Congreso las condiciones en que se encuentra la nación. (Hoy en día se lo llama "Discurso del Estado de la Unión". El Presidente lo da una vez al año a finales de enero). En caso de emergencia, el Presidente puede llamar a una sesión del Congreso. Además, el Presidente se reúne con los líderes extranjeros, se asegura de que se cumplan las leyes de la nación y firma las órdenes de los oficiales militares.

Sección 4. Remoción del cargo

El Presidente, el Vicepresidente y otros funcionarios de alto mando pueden quedar sometidos a juicio político. Si se demuestra su culpabilidad, deben abandonar su cargo.

2. Tendrá facultad, con el consejo y consentimiento del Senado, para celebrar tratados, con tal de que den su anuencia dos tercios de los senadores presentes, y propondrá y, con el consejo y sentimiento del Senado, nombrará a los embajadores, los demás ministros públicos y los cónsules, los magistrados del Tribunal Supremo y a todos los demás funcionarios de los Estados Unidos a cuya designación no provea este documento en otra forma y que hayan sido establecidos por ley. Pero el Congreso podrá atribuir el nombramiento de los funcionarios inferiores que considere convenientes, por medio de una ley, al Presidente solo, a los tribunales judiciales o a los jefes de los departamentos.

3. El Presidente tendrá el derecho de cubrir todas las vacantes que ocurran durante el receso del Senado, extendiendo nombramientos provisionales que terminarán al final del siguiente período de sesiones.

Sección 3.

Periódicamente deberá proporcionar al Congreso informes sobre el estado de la Unión, recomendando a su consideración las medidas que estime necesarias y oportunas; en ocasiones de carácter extraordinario podrá convocar a ambas Cámaras o a cualquiera de ellas, y en el supuesto de que discrepen en cuanto a la fecha en que deban entrar en receso, podrá suspender sus sesiones, fijándoles para que las reanuden la fecha que considere conveniente; recibirá a los embajadores y otros ministros públicos; cuidará de que las leyes se ejecuten puntualmente y extenderá los despachos de todos los funcionarios de los Estados Unidos.

Sección 4.

El Presidente, el Vicepresidente y todos los funcionarios civiles de los Estados Unidos serán separados de sus puestos al ser acusados y declarados culpables de traición, cohecho u otros delitos y faltas graves.

ARTÍCULO TRES
El poder judicial

Sección 1.

Se depositará el poder judicial de los Estados Unidos en un Tribunal Supremo y en los tribunales inferiores que el Congreso instituya y establezca en lo sucesivo. Los jueces, tanto del Tribunal Supremo como de los inferiores, continuarán en sus funciones mientras observen buena conducta y recibirán en períodos fijos una remuneración por sus servicios que no será disminuida durante el tiempo de su encargo.

Sección 2.

1. El Poder Judicial entenderá en todas las controversias, tanto de derecho escrito como de equidad, que surjan como consecuencia de esta Constitución, de las leyes de los Estados Unidos y de los tratados celebrados o que se celebren bajo su autoridad; en todas las controversias que se relacionen con embajadores, otros ministros públicos y cónsules; en todas las controversias de la jurisdicción de almirantazgo y marítima; en las controversias en que sean parte los Estados Unidos; en las controversias entre dos o más Estados, entre un Estado y los ciudadanos de otro, entre ciudadanos de Estados diferentes, entre ciudadanos del mismo Estado que reclamen tierras en virtud de concesiones de diferentes Estados y entre un Estado o los ciudadanos del mismo y Estados, ciudadanos o súbditos extranjeros.

2. En todos los casos relativos a embajadores, otros ministros públicos y cónsules, así como en aquellos en que sea parte un Estado, el Tribunal Supremo poseerá jurisdicción en única instancia. En todos los demás casos que antes se mencionaron el Tribunal Supremo conocerá en apelación, tanto del derecho como de los hechos, con las excepciones y con arreglo a la reglamentación que formule el Congreso.

3. Todos los delitos serán juzgados por medio de un jurado excepto en los casos de acusación por responsabilidades oficiales, y el juicio de que se habla tendrá lugar en el Estado en que el delito se haya cometido; pero cuando no se haya cometido dentro de los límites de ningún Estado, el juicio se celebrará en el lugar o lugares que el Congreso haya dispuesto por medio de una ley.

El Artículo 3 trata del poder judicial.

Sección 1. El tribunal federal

Los jueces de la Corte Suprema y otros tribunales federales tienen el poder de tomar decisiones en los tribunales. Si se comportan adecuadamente, los jueces federales retienen el cargo de por vida.

9. ¿Crees que está bien que los jueces federales retengan el cargo de por vida? **Explica** tu respuesta.

....

....

....

....

....

....

Sección 2. Competencia de los tribunales federales

Los tribunales federales entienden en todos los casos

- de leyes creadas bajo la Constitución
- de tratados con naciones extranjeras
- de delitos en el mar
- que impliquen al gobierno federal
- que involucren a los estados o a los ciudadanos de diferentes estados
- que involucren a ciudadanos o gobiernos extranjeros

La Corte Suprema se ocupa de los casos en los que estén involucrados embajadores, funcionarios del gobierno o los estados. Los demás casos deben originarse en los tribunales inferiores, pero la Corte Suprema tiene la facultad de apelar o revisar los fallos.

En los casos de delitos penales fuera del juicio político, los juicios se llevan a cabo en el estado donde se cometió el delito. Un jurado decide la condena.

Sección 3. El delito de traición

Se considera traición librar la guerra contra los Estados Unidos o ayudar a sus enemigos. Para que se condene a una persona por traición, esta debe confesar su culpabilidad o debe haber dos testigos que declaren haber presenciado el delito.

10. Identifica los tres poderes del gobierno federal que se describen en los Artículos 1, 2 y 3.

....

....

El Congreso determina la pena de un traidor. No se puede castigar a los familiares del traidor si son inocentes.

El Artículo 4 trata sobre las relaciones entre los estados.

Sección 1. Reconocimiento de cada estado

Cada estado debe respetar las leyes y las decisiones de los tribunales de los otros estados.

Sección 2. Derechos de los ciudadanos en otros estados

Los ciudadanos conservan sus derechos cuando visitan otros estados.

Una persona acusada de un delito que escapa a otro estado debe enviarse de regreso al estado donde se llevó a cabo el delito.

Un esclavo que escapa a otro estado debe enviarse de regreso a su propietario. (La Decimotercera Enmienda eliminó la esclavitud).

Sección 3. Estados nuevos

El Congreso puede permitir que los estados nuevos se unan a los Estados Unidos. Los estados nuevos no pueden formarse en el territorio de los estados existentes a menos que el Congreso lo apruebe.

El Congreso tiene la facultad de dictar leyes para gobernar los territorios de los Estados Unidos.

Sección 3.

1. La traición contra los Estados Unidos solo consistirá en hacer la guerra en su contra o en unirse a sus enemigos, impartiéndoles ayuda y protección. A ninguna persona se le condenará por traición si no es sobre la base de la declaración de los testigos que hayan presenciado el mismo acto perpetrado abiertamente o de una confesión en sesión pública de un tribunal.

2. El Congreso estará facultado para fijar la pena que corresponda a la traición; pero ninguna sentencia por causa de traición podrá privar del derecho de heredar o de transmitir bienes por herencia, ni producirá la confiscación de sus bienes más que en vida de la persona condenada.

ARTÍCULO CUATRO
Relaciones entre los estados

Sección 1.

Se dará entera fe y crédito en cada Estado a los actos públicos, registros y procedimientos judiciales de todos los demás. Y el Congreso podrá prescribir, mediante leyes generales, la forma en que dichos actos, registros y procedimientos se probarán y el efecto que producirán.

Sección 2.

1. Los ciudadanos de cada Estado tendrán derecho en los demás a todos los privilegios e inmunidades de los ciudadanos de estos.

2. La persona acusada en cualquier Estado por traición, delito grave u otro crimen, que huya de la justicia y fuere hallada en otro Estado, será entregada, al solicitarlo así la autoridad ejecutiva del Estado del que se haya fugado, con el objeto de que sea conducida al Estado que posea jurisdicción sobre el delito.

3. Las personas obligadas a servir o laborar en un Estado, con arreglo a las leyes de este, que escapen a otros, no quedarán liberadas de dichos servicios o trabajo a consecuencia de cualesquiera leyes o reglamentos del segundo, sino que serán entregadas al reclamarlo la parte interesada a quien se deba tal servicio o trabajo.

Sección 3.

1. El Congreso podrá admitir nuevos Estados a la Unión, pero ningún nuevo Estado podrá formarse o erigirse dentro de los límites de otro Estado, ni un Estado constituirse mediante la reunión de dos o más Estados o partes de Estados, sin el consentimiento de las legislaturas de los Estados en cuestión, así como del Congreso.

2. El Congreso tendrá facultad para ejecutar actos de disposición y para formular todos los reglamentos y reglas que sean precisos con respecto a las tierras y otros bienes que pertenezcan a los Estados Unidos, y nada de lo que esta Constitución contiene se interpretará en un sentido que cause perjuicio a los derechos aducidos por los Estados Unidos o por cualquier Estado individual.

Sección 4.

Los Estados Unidos garantizarán a todo Estado comprendido en esta Unión una forma republicana de gobierno y protegerán a cada uno en contra de invasiones, así como contra los disturbios internos, cuando lo soliciten la legislatura o el ejecutivo (en caso de que no fuese posible reunir a la legislatura).

ARTÍCULO CINCO
Enmiendas a la Constitución

Siempre que las dos terceras partes de ambas Cámaras lo juzguen necesario, el Congreso propondrá enmiendas a esta Constitución, o bien, a solicitud de las legislaturas de los dos tercios de los distintos Estados, convocará una convención con el objeto de que proponga enmiendas, las cuales, en uno y otro caso, poseerán la misma validez que si fueran parte de esta Constitución, desde todos los puntos de vista y para cualesquiera fines, una vez que hayan sido ratificadas por las legislaturas de las tres cuartas partes de los Estados separadamente o por medio de convenciones reunidas en tres cuartos de los mismos, según que el Congreso haya propuesto uno u otro modo de hacer la ratificación, y a condición de que antes del año de mil ochocientos ocho no podrá hacerse ninguna enmienda que modifique en cualquier forma las cláusulas primera y cuarta de la sección novena del artículo primero y de que a ningún Estado se le privará, sin su consentimiento, de la igualdad de voto en el Senado.

ARTÍCULO SEIS
Deudas, supremacía federal, juramentos

Sección 1.

Todas las deudas contraídas y los compromisos adquiridos antes de la adopción de esta Constitución serán tan válidos en contra de los Estados Unidos bajo el imperio de esta Constitución, como bajo el de la Confederación.

Sección 2.

Esta Constitución, y las leyes de los Estados Unidos que se expidan con arreglo a ella, y todos los tratados celebrados o que se celebren bajo la autoridad de los Estados Unidos, serán la suprema ley del país y los jueces de cada Estado estarán obligados a observarlos, a pesar de cualquier cosa en contrario que se encuentre en la Constitución o las leyes de cualquier Estado.

Sección 4. Garantías a los estados
El gobierno federal garantiza que cada estado tiene derecho a elegir a sus líderes. Además, el gobierno federal protegerá a los estados de la invasión y los disturbios violentos.

11. Los estados eran 13 cuando se redactó la Constitución. ¿Crees que los autores suponían que el tamaño del país aumentaría? **Explica** tu respuesta.

....

....

....

....

El Artículo 5 describe dos formas de enmendar la Constitución. Dos tercios del Senado y la Cámara de Representantes pueden sugerir una enmienda, o dos tercios del cuerpo legislativo de los estados pueden organizar una convención especial para sugerir una enmienda. Una vez que se sugiere una enmienda, tres cuartos de los cuerpos legislativos de los estados o tres cuartos de las convenciones especiales deben aprobar la enmienda.

El Artículo 6 trata sobre las leyes nacionales y la deuda pública. El gobierno federal promete pagar todas las deudas y mantener todos los acuerdos realizados bajo los Artículos de la Confederación.

La Constitución y las leyes federales son la ley suprema de la nación. Si las leyes estatales las contradicen, se deben obedecer las leyes federales.

Sección 3. Apoyo a la Constitución

Los funcionarios federales y estatales deben prometer apoyo a la Constitución. La religión de una persona no es motivo para impedirle ocupar un cargo. Nueve de los trece estados deben aprobar la Constitución para que se convierta en la ley del territorio.

El Artículo 7 trata sobre la ratificación de la Constitución. El 17 de septiembre de 1787, doce años después de la Declaración de Independencia, todos en la Convención Constitucional acordaron que la Constitución estaba completa.

Los delegados de la Convención Constitucional firmaron con su nombre debajo del texto para demostrar su apoyo.

12. "El poder de la Constitución residirá siempre en el pueblo", escribió George Washington en 1787. **Explica** lo que crees que quiso decir.

....

....

....

....

....

....

Sección 3.

Los Senadores y representantes ya mencionados, los miembros de las distintas legislaturas locales y todos los funcionarios ejecutivos y judiciales, tanto de los Estados Unidos como de los diversos Estados, se obligarán mediante juramento o protesta a sostener esta Constitución; pero nunca se exigirá una declaración religiosa como condición para ocupar ningún empleo o mandato público de los Estados Unidos.

ARTÍCULO SIETE
Ratificación de la Constitución

La ratificación por las convenciones de nueve Estados bastará para que esta Constitución entre en vigor por lo que respecta a los Estados que la ratifiquen.

Dado en la convención, por consentimiento unánime de los Estados presentes, el día 17 de septiembre del año de Nuestro Señor de mil setecientos ochenta y siete y duodécimo de la Independencia de los Estados Unidos de América. En testimonio de lo cual suscribimos la presente

Dan fe:
William Jackson,
Secretario
George Washington,
Presidente y Representante de Virginia

New Hampshire
John Langdon
Nicholas Gilman

Massachusetts
Nathaniel Gorham
Rufus King

Connecticut
William Samuel
 Johnson
Roger Sherman

Nueva York
Alexander Hamilton

Nueva Jersey
William Livingston
David Brearley
William Paterson
Jonathan Dayton

Pennsylvania
Benjamin Franklin
Thomas Mifflin
Robert Morris
George Clymer
Thomas FitzSimons
Jared Ingersoll
James Wilson
Gouverneur Morris

Delaware
George Read
Gunning Bedford, Jr.
John Dickinson
Richard Bassett
Jacob Broom

Maryland
James McHenry
Dan of St. Thomas
 Jenifer
Daniel Carroll

Virginia
John Blair
James Madison, Jr.

Carolina del Norte
William Blount
Richard Dobbs Spaight
Hugh Williamson

Carolina del Sur
John Rutledge
Charles Cotesworth
 Pinckney
Charles Pinckney
Pierce Butler

Georgia
William Few
Abraham Baldwin

ENMIENDAS

Enmienda 1

El Congreso no hará ley alguna por la que adopte una religión como oficial del Estado o se prohíba practicarla libremente, o que coarte la libertad de palabra o de imprenta, o el derecho del pueblo para reunirse pacíficamente y para pedir al gobierno la reparación de agravios.

Enmienda 2

Siendo necesaria una milicia bien ordenada para la seguridad de un Estado Libre, no se violará el derecho del pueblo a poseer y portar armas.

Enmienda 3

En tiempo de paz a ningún militar se le alojará en casa alguna sin el consentimiento del propietario; ni en tiempo de guerra, como no sea en la forma que prescriba la ley.

Enmienda 4

El derecho de los habitantes de que sus personas, domicilios, papeles y efectos se hallen a salvo de pesquisas y aprehensiones arbitrarias, será inviolable, y no se expedirán al efecto mandamientos que no se apoyen en un motivo verosímil, estén corroborados mediante juramento o protesta y describan con particularidad el lugar que deba ser registrado y las personas o cosas que han de ser detenidas o embargadas.

Enmienda 5

Nadie estará obligado a responder de un delito castigado con la pena capital o con otra infamante si un gran jurado no lo denuncia o acusa, a excepción de los casos que se presenten en las fuerzas de mar o tierra o en la milicia nacional cuando se encuentre en servicio efectivo en tiempo de guerra o peligro público; tampoco se pondrá a persona alguna dos veces en peligro de perder la vida o algún miembro con motivo del mismo delito; ni se le compelerá a declarar contra sí misma en ningún juicio criminal; ni se le privará de la vida, la libertad o la propiedad sin el debido proceso legal; ni se ocupará la propiedad privada para uso público sin una justa indemnización.

Las primeras diez enmiendas a la Constitución se llaman Declaración de Derechos.

Primera Enmienda: 1791
Libertad de culto y de expresión

El Congreso no puede establecer una religión oficial o impedir a las personas la práctica de una religión. El Congreso no puede impedir a las personas o los periódicos que expresen lo que quieran. Las reuniones pacíficas para quejarse al gobierno están permitidas.

Segunda Enmienda: 1791
Derecho a tener armas

Las personas tienen derecho a poseer y portar armas.

Tercera Enmienda: 1791
Derecho a negar alojamiento a soldados

En los tiempos de paz, alojar a los soldados no es una obligación.

Cuarta Enmienda: 1791
Órdenes judiciales de allanamiento y arresto

No está permitido registrar personas o casas sin motivo. Para eso, se necesita una orden de allanamiento.

Quinta Enmienda: 1791
Derechos de las personas acusadas de un delito

Solo un gran jurado puede acusar a una persona de un delito grave. No se puede juzgar a una persona dos veces por el mismo delito si se lo declara inocente. No se puede obligar a las personas a atestiguar contra sí mismas.

13. **Identifica** el número de la enmienda que protege cada derecho.

____ hablar libremente

____ impedir un registro sin razón

____ evitar dos juicios por el mismo delito

Sexta Enmienda: 1791
Derecho a un juicio por jurados

Las personas tienen derecho a un juicio rápido por jurados y a oír los cargos y las pruebas en su contra. También tienen derecho a un abogado y a llamar testigos que presten declaración en su defensa.

Séptima Enmienda: 1791
Derecho a un juicio por jurados en una causa civil

En una causa civil, es decir, que no es penal, una persona también tiene derecho al juicio por jurados.

Octava Enmienda: 1791
Protección ante una pena injusta

No se puede obligar a una persona acusada de un delito a pagar una fianza muy alta. No se puede exigir a una persona condenada por un delito que pague una multa injustamente alta o que cumpla un castigo cruel o inusual.

Novena Enmienda: 1791
Otros derechos

Las personas tienen otros derechos que no se mencionan específicamente en la Constitución.

Décima Enmienda: 1791
Los poderes de los estados y el pueblo

Algunos poderes no se entregan al gobierno federal ni se le niegan a los estados. Estos derechos pertenecen a los estados o al pueblo.

Undécima Enmienda: 1795
Limitaciones al derecho de demandar a los estados

Las personas de otro estado o de un país extranjero no pueden demandar a un estado.

Enmienda 6

En toda causa criminal, el acusado gozará del derecho de ser juzgado rápidamente y en público por un jurado imparcial del distrito y Estado en que el delito se haya cometido, Distrito que deberá haber sido determinado previamente por la ley; así como de que se le haga saber la naturaleza y causa de la acusación, de que se le caree con los testigos que depongan en su contra, de que se obligue a comparecer a los testigos que le favorezcan y de contar con la ayuda de un abogado que lo defienda.

Enmienda 7

El derecho a que se ventilen ante un jurado los juicios de derecho consuetudinario en que el valor que se discuta exceda de veinte dólares, será garantizado, y ningún hecho de que haya conocido un jurado será objeto de nuevo examen en tribunal alguno de los Estados Unidos, como no sea con arreglo a las normas del derecho consuetudinario.

Enmienda 8

No se exigirán fianzas excesivas, ni se impondrán multas excesivas, ni se infligirán penas crueles y desusadas.

Enmienda 9

No por el hecho de que la Constitución enumera ciertos derechos ha de entenderse que niega o menosprecia otros que retiene el pueblo.

Enmienda 10

Los poderes que la Constitución no delega a los Estados Unidos ni prohíbe a los Estados, quedan reservados a los Estados respectivamente o al pueblo.

Enmienda 11

El poder judicial de los Estados Unidos no debe interpretarse que se extiende a cualquier litigio de derecho estricto o de equidad que se inicie o prosiga contra uno de los Estados Unidos por ciudadanos de otro Estado o por ciudadanos o súbditos de cualquier Estado extranjero.

Enmienda 12

Los electores se reunirán en sus respectivos Estados y votarán mediante cédulas para Presidente y Vicepresidente, uno de los cuales, cuando menos, no deberá ser habitante del mismo Estado que ellos; en sus cédulas indicarán la persona a favor de la cual votan para Presidente y en cédulas diferentes la persona que eligen para Vicepresidente, y formarán listas separadas de todas las personas que reciban votos para Presidente y de todas las personas a cuyo favor se vote para Vicepresidente y del número de votos que corresponda a cada una, y firmarán y certificarán las referidas listas y las remitirán selladas a la sede de gobierno de los Estados Unidos, dirigidas al Presidente del Senado; el Presidente del Senado abrirá todos los certificados en presencia del Senado y de la Cámara de Representantes, después de lo cual se contarán los votos; la persona que tenga el mayor número de votos para Presidente será Presidente, siempre que dicho número represente la mayoría de todos los electores nombrados, y si ninguna persona tiene mayoría, entonces la Cámara de Representantes, votando por cédulas, escogerá inmediatamente el Presidente de entre las tres personas que figuren en la lista de quienes han recibido sufragio para Presidente y cuenten con más votos. Téngase presente que al elegir al Presidente la votación se hará por Estados y que la representación de cada Estado gozará de un voto; que para este objeto habrá quórum cuando estén presentes el miembro o los miembros que representen a los dos tercios de los Estados y que será necesaria mayoría de todos los Estados para que se tenga por hecha la elección. Y si la Cámara de Representantes no eligiere Presidente, en los casos en que pase a ella el derecho de escogerlo, antes del día cuatro de marzo inmediato siguiente, entonces el Vicepresidente actuará como Presidente, de la misma manera que en el caso de muerte o de otro impedimento constitucional del Presidente.

La persona que obtenga el mayor número de votos para Vicepresidente será Vicepresidente, siempre que dicho número represente la mayoría de todos los electores nombrados, y si ninguna persona reúne la mayoría, entonces el Senado escogerá al Vicepresidente entre las dos con mayor cantidad de votos que figuran en la lista; para este objeto habrá quórum con las dos terceras partes del número total de senadores y será necesaria la mayoría del número total para que la elección se tenga por hecha.

Pero ninguna persona inelegible para el cargo de Presidente con arreglo a la Constitución será elegible para el de Vicepresidente de los Estados Unidos.

Decimotercera Enmienda: 1865
Abolición de la esclavitud

Los Estados Unidos prohíben la esclavitud.

El Congreso puede aprobar todas las leyes necesarias para hacer cumplir esta enmienda.

Decimocuarta Enmienda: 1868
Derechos de los ciudadanos

Las personas que nacieron en los Estados Unidos son ciudadanos tanto de los Estados Unidos como del estado donde viven. Los estados deben ofrecer un trato igualitario a sus ciudadanos. Los estados no pueden negar a sus ciudadanos los derechos enumerados en la Declaración de Derechos.

Esta sección de la enmienda convirtió a los antiguos esclavos en ciudadanos de los Estados Unidos y de su estado de origen.

Según su población, cada estado tiene un número determinado de representantes en el Congreso. El número de representantes de un estado puede disminuir si no se permite el voto a determinados ciudadanos.

El objetivo de esta sección era obligar a los estados del Sur a permitir el voto de los antiguos esclavos.

14. Explica por qué un estado puede no querer que se reduzca el número de representantes que tiene en el Congreso.

....

....

....

....

Enmienda 13

Sección 1. Ni en los Estados Unidos ni en ningún lugar sujeto a su jurisdicción habrá esclavitud ni trabajo forzado, excepto como castigo de un delito del que el responsable haya quedado debidamente convicto.

Sección 2. El Congreso estará facultado para hacer cumplir este artículo por medio de leyes apropiadas.

Enmienda 14

Sección 1. Todas las personas nacidas o naturalizadas en los Estados Unidos y sometidas a su jurisdicción son ciudadanos de los Estados Unidos y de los Estados en que residen. Ningún Estado podrá dictar ni dar efecto a cualquier ley que limite los privilegios o inmunidades de los ciudadanos de los Estados Unidos; tampoco podrá Estado alguno privar a cualquier persona de la vida, la libertad o la propiedad sin el debido proceso legal; ni negar a cualquier persona que se encuentre dentro de sus límites jurisdiccionales la protección de las leyes, igual para todos.

Sección 2. Los representantes se distribuirán proporcionalmente entre los diversos Estados de acuerdo con su población respectiva, en la que se tomará en cuenta el número total de personas que haya en cada Estado, con excepción de los indios que no paguen contribuciones. Pero cuando a los habitantes varones de un Estado que tengan veintiún años de edad y sean ciudadanos de los Estados Unidos se les niegue o se les coarte en la forma que sea el derecho de votar en cualquier elección en que se trate de escoger a los electores para Presidente y Vicepresidente de los Estados Unidos, a los representantes del Congreso, a los funcionarios ejecutivos y judiciales de un Estado o a los miembros de su legislatura, excepto con motivo de su participación en una rebelión o en algún otro delito, la base de la representación de dicho Estado se reducirá en la misma proporción en que se halle el número de los ciudadanos varones a que se hace referencia, con el número total de ciudadanos varones de veintiún años del repetido Estado.

Sección 3. Las personas que habiendo prestado juramento previamente en calidad de miembros del Congreso, o de funcionarios de los Estados Unidos, o de miembros de cualquier legislatura local, o como funcionarios ejecutivos o judiciales de cualquier Estado, de que sostendrían la Constitución de los Estados Unidos, hubieran participado de una insurrección o rebelión en contra de ella o proporcionando ayuda o protección a sus enemigos no podrán ser senadores o representantes en el Congreso, ni electores del Presidente o Vicepresidente, ni ocupar ningún empleo civil o militar que dependa de los Estados Unidos o de alguno de los Estados. Pero el Congreso puede derogar tal interdicción por el voto de los dos tercios de cada Cámara.

Sección 4. La validez de la deuda pública de los Estados Unidos que esté autorizada por la ley, inclusive las deudas contraídas para el pago de pensiones y recompensas por servicios prestados al sofocar insurrecciones o rebeliones, será incuestionable. Pero ni los Estados Unidos ni ningún Estado asumirán ni pagarán deuda u obligación alguna contraídas para ayuda de insurrecciones o rebeliones contra los Estados Unidos, como tampoco reclamación alguna con motivo de la pérdida o emancipación de esclavos, pues todas las deudas, obligaciones y reclamaciones de esa especie se considerarán ilegales y nulas.

Sección 5. El Congreso tendrá facultades para hacer cumplir las disposiciones de este artículo por medio de leyes apropiadas.

Enmienda 15

Sección 1. Ni los Estados Unidos, ni ningún otro Estado, podrán desconocer ni menoscabar el derecho de sufragio de los ciudadanos de los Estados Unidos por motivo de raza, color o de su condición anterior de esclavos.

Sección 2. El Congreso estará facultado para hacer cumplir este artículo mediante leyes apropiadas.

Los funcionarios que hayan participado en la Guerra Civil en contra de los Estados Unidos no podrán ocupar cargos públicos en la administración federal o estatal. El Congreso puede eliminar esta disposición a través del voto positivo de dos tercios de sus miembros.

Los Estados Unidos devolverán el dinero que pidieron prestado para luchar en la Guerra Civil. El dinero que pidió prestado el Sur para luchar en la Guerra Civil no se devolverá a los prestamistas. Los antiguos propietarios de esclavos no recibirán dinero para compensar la liberación de los esclavos.

El Congreso puede aprobar las leyes que sean necesarias para hacer cumplir este artículo.

15. **Identifica** dos maneras en que la Decimocuarta Enmienda tendía a castigar a los que se rebelaban en contra de los Estados Unidos.

....

....

....

....

....

....

....

....

....

**Decimoquinta Enmienda: 1870
Derecho al voto**

Ni el gobierno federal ni el gobierno estatal pueden impedir el voto basándose en la raza o el color. Los antiguos esclavos pueden votar.

Decimosexta Enmienda: 1913
Impuesto sobre los ingresos
El Congreso puede recaudar un impuesto sobre los ingresos independientemente de la población de un estado. (Originalmente, la Sección 9 del Artículo I de la Constitución había negado esta facultad al Congreso).

Decimoséptima Enmienda: 1913
Elección directa de los senadores
Los votantes de cada estado elegirán directamente a sus senadores. (Originalmente, el Artículo I, Sección 3, establecía que los cuerpos legislativos de los estados elegían a los senadores).

Un estado puede llamar a elecciones extraordinarias para ocupar una banca vacía en el Senado. Mientras, el gobernador puede designar a un senador que ocupe la banca.

Decimoctava Enmienda: 1919
La Prohibición
La fabricación, importación y venta de bebidas alcohólicas es ilegal en los Estados Unidos. Esto se llamó "Prohibición" porque la enmienda prohibió el uso de alcohol.

El Congreso y los estados pueden aprobar leyes de cualquier tipo para prohibir el alcohol.

Esta enmienda pasará a integrar la Constitución si obtiene la aprobación dentro de un plazo de siete años.

La enmienda se derogó, es decir, se anuló, en 1933 mediante la Vigesimoprimera Enmienda.

16. Identifica el número de enmienda que logró:
_____ que el gobierno federal recaudara un impuesto sobre los ingresos
_____ el derecho al voto de los afroamericanos
_____ que se prohibiera la venta de alcohol
_____ abolir la esclavitud
_____ que los votantes eligieran senadores

Enmienda 16

El Congreso tendrá facultades para establecer y recaudar impuestos sobre los ingresos, sea cual fuere la fuente de que provengan, sin prorratearlos entre los diferentes Estados y sin atender a ningún censo o recuento.

Enmienda 17

El Senado de los Estados Unidos se compondrá de dos senadores por cada Estado, elegidos por los habitantes del mismo por seis años, y cada senador dispondrá de un voto. Los electores de cada Estado deberán poseer las condiciones requeridas para los electores de la rama más numerosa de la legislatura local.

Cuando ocurran vacantes en la representación de cualquier Estado en el Senado, la autoridad ejecutiva de aquel expedirá un decreto en que convocará a elecciones con el objeto de cubrir dichas vacantes, en la inteligencia de que la legislatura de cualquier Estado puede autorizar a su Ejecutivo a hacer un nombramiento provisional hasta tanto que las vacantes se cubran mediante elecciones populares en la forma que disponga la legislatura.

No deberá entenderse que esta enmienda influye sobre la elección o período de cualquier senador elegido antes de que adquiera validez como parte integrante de la Constitución.

Enmienda 18

Sección 1. Un año después de la ratificación de este artículo quedará prohibida por el presente la fabricación, venta o transporte de licores embriagantes dentro de los Estados Unidos y de todos los territorios sometidos a su jurisdicción, así como su importación a los mismos o su exportación de ellos, con el propósito de usarlos como bebidas.

Sección 2. El Congreso y los diversos Estados poseerán facultades concurrentes para hacer cumplir este artículo mediante leyes apropiadas.

Sección 3. Este artículo no entrará en vigor a menos de que sea ratificado con el carácter de enmienda a la Constitución por las legislaturas de los distintos Estados en la forma prevista por la Constitución y dentro de los siete años siguientes a la fecha en que el Congreso lo someta a los Estados.

Enmienda 19

El derecho de sufragio de los ciudadanos de los Estados Unidos no será desconocido ni limitado por los Estados Unidos o por Estado alguno por razón de sexo.

El Congreso estará facultado para hacer cumplir este artículo por medio de leyes apropiadas.

Enmienda 20

Sección 1. Los períodos del Presidente y el Vicepresidente terminarán al medio día del veinte de enero y los períodos de los senadores y representantes al medio día del tres de enero, de los años en que dichos períodos habrían terminado si este artículo no hubiera sido ratificado, y en ese momento principiarán los períodos de sus sucesores.

Sección 2. El Congreso se reunirá, cuando menos, una vez cada año y dicho período de sesiones se iniciará al mediodía del tres de enero, a no ser que por medio de una ley fije una fecha diferente.

Sección 3. Si el Presidente electo hubiera muerto en el momento fijado para el comienzo del período presidencial, el Vicepresidente electo será Presidente. Si antes del momento fijado para el comienzo de su período no se hubiere elegido Presidente o si el Presidente electo no llenare los requisitos exigidos, entonces el Vicepresidente electo fungirá como Presidente electo hasta que haya un Presidente idóneo, y el Congreso podrá prever por medio de una ley el caso de que ni el Presidente electo ni el Vicepresidente electo satisfagan los requisitos constitucionales, declarando quien hará las veces de Presidente en ese supuesto o la forma en que se escogerá a la persona que habrá de actuar como tal, y la referida persona actuará con ese carácter hasta que se cuente con un Presidente o un Vicepresidente que reúna las condiciones legales.

Sección 4. El Congreso podrá prever mediante una ley el caso de que muera cualquiera de las personas de las cuales la Cámara de Representantes está facultada para elegir Presidente cuando le corresponda el derecho de elección, así como el caso de que muera alguna de las personas entre las cuales el Senado está facultado para escoger Vicepresidente cuando pasa a él el derecho de elegir.

Sección 5. Las secciones 1 y 2 entrarán en vigor el día quince de octubre siguiente a la ratificación de este artículo.

Sección 6. Este artículo quedará sin efecto a menos de que sea ratificado como enmienda a la Constitución por las legislaturas de las tres cuartas partes de los distintos Estados, dentro de los siete años posteriores a la fecha en que se les someta.

Decimonovena enmienda: 1920
Derecho al voto femenino

Ningún gobierno puede impedir el voto a las personas basándose en su sexo.

El Congreso puede aprobar las leyes necesarias para hacer cumplir esta enmienda.

Vigésima Enmienda: 1933
Duración de los mandatos

El mandato de un Presidente comienza el 20 de enero. Esta fecha se conoce como Día de la toma de posesión. Los miembros del Congreso pueden ocupar su cargo el 3 de enero. (Originalmente, su mandato comenzaba el 4 de marzo).

El Congreso debe sesionar al menos una vez al año. Deben realizar la primera sesión el 3 de enero a menos que se designe un día diferente.

Si un candidato a Presidente no obtiene la mayoría de los votos en el Colegio Electoral y muere mientras se resuelve la elección en la cámara, el Congreso tiene la facultad de crear leyes que resuelvan el conflicto. El Congreso tiene una facultad similar si el candidato a Vicepresidente muere mientras se resuelve la elección en el Senado.

Las secciones 1 y 2 de esta enmienda entran en vigencia el 15 de octubre posterior a la fecha en que la enmienda se convierte en parte de la Constitución.

Esta enmienda debe obtener el voto a favor de tres cuartos de los estados dentro de un plazo de siete años.

**Vigesimoprimera Enmienda: 1933
Derogación de la Prohibición**
La Decimoctava Enmienda, que prohibió el alcohol, quedó sin efecto.

Cualquier estado puede crear leyes que prohíban el alcohol.

17. ¿Durante cuánto tiempo estuvo en vigencia la Decimoctava Enmienda en los Estados Unidos?

....

**Vigesimosegunda Enmienda: 1951
Límite del mandato del** Presidente
El Presidente puede ocupar el cargo durante dos mandatos como máximo (ocho años). Si un Presidente ocupa más de dos años el mandato que dejara el Presidente anterior, solo podrá ser reelecto una vez.

18. ¿Crees que está bien limitar la tarea de un Presidente a solo dos mandatos? **Explica** por qué.

....

....

....

....

....

....

....

....

Enmienda 21

Sección 1. Queda derogado por el presente el decimoctavo de los artículos de enmienda a la Constitución de los Estados Unidos.

Sección 2. Se prohíbe por el presente que se transporte o importen licores embriagantes a cualquier Estado, Territorio o posesión de los Estados Unidos, para ser entregados o utilizados en su interior con violación de sus respectivas leyes.

Sección 3. Este artículo quedará sin efecto a menos de que sea ratificado como enmienda a la Constitución por convenciones que se celebrarán en los diversos Estados, en la forma prevista por la Constitución, dentro de los siete años siguientes a la fecha en que el Congreso lo someta a los Estados.

Enmienda 22

Sección 1. No se elegirá a la misma persona para el cargo de Presidente más de dos veces, ni más de una vez a la persona que haya desempeñado dicho cargo o que haya actuado como Presidente durante más de dos años de un período para el que se haya elegido como Presidente a otra persona. El presente artículo no se aplicará a la persona que ocupaba el puesto de Presidente cuando el mismo se propuso por el Congreso, ni impedirá que la persona que desempeñe dicho cargo o que actúe como Presidente durante el período en que el repetido artículo entre en vigor, desempeñe el puesto de Presidente o actúe como tal durante el resto del referido período.

Sección 2. Este artículo quedará sin efecto a menos de que las legislaturas de tres cuartas partes de los diversos Estados lo ratifiquen como enmienda a la Constitución dentro de los siete años siguientes a la fecha en que el Congreso los someta a los Estados.

Enmienda 23

Sección 1. El distrito que constituye la Sede del Gobierno de los Estados Unidos nombrará, según disponga el Congreso:

Un número de electores para elegir al Presidente y al Vicepresidente, igual al número total de Senadores y Representantes ante el Congreso al que el Distrito tendría derecho si fuere un Estado, pero en ningún caso será dicho número mayor que el del Estado de menos población; estos electores se sumarán al número de aquellos electores nombrados por los Estados, pero para fines de la elección del Presidente y del Vicepresidente, serán considerados como electores nombrados por un Estado; celebrarán sus reuniones en el Distrito y cumplirán con los deberes que se estipulan en la Enmienda XII.

Enmienda 24

Sección 1. Ni los Estados Unidos ni ningún Estado podrán denegar o coartar a los ciudadanos de los Estados Unidos el derecho al sufragio en cualquier elección primaria o de otra clase para Presidente o Vicepresidente, para electores para elegir al Presidente o al Vicepresidente o para Senador o Representante ante el Congreso, por motivo de no haber pagado un impuesto electoral o cualquier otro impuesto.

Sección 2. El Congreso queda facultado para poner en vigor este artículo por medio de legislación adecuada.

Enmienda 25

Sección 1. En caso de que el Presidente sea depuesto de su cargo, o en caso de su muerte o renuncia, el Vicepresidente será nombrado Presidente.

Sección 2. Cuando el puesto de Vicepresidente estuviera vacante, el Presidente nombrará un Vicepresidente que tomará posesión de su cargo al ser confirmado por voto mayoritario de ambas Cámaras del Congreso.

Sección 3. Cuando el Presidente transmitiera al Presidente pro tempore del Senado y al Presidente de Debates de la Cámara de Diputados su declaración escrita de que está imposibilitado de desempeñar los derechos y deberes de su cargo, y mientras no transmitiere a ellos una declaración escrita en sentido contrario, tales derechos y deberes serán desempeñados por el Vicepresidente como Presidente en funciones.

Vigesimotercera Enmienda: 1961
Elecciones presidenciales en el Distrito de Columbia

Los habitantes de Washington, D.C., tienen derecho a votar en las elecciones presidenciales. Washington, D.C., no podrá jamás poseer más votos electorales que el estado con la población menor.

Vigesimocuarta Enmienda: 1964
Eliminación del impuesto electoral

No se puede impedir el voto en elecciones federales a una persona que no haya pagado un impuesto electoral o de otro tipo.

El Congreso puede crear leyes para implementar esta enmienda.

Vigesimoquinta Enmienda: 1967
Sucesión presidencial

Si el Presidente muere o renuncia, el Vicepresidente será Presidente.

Si el cargo de Vicepresidente queda vacío, el Presidente designará uno nuevo.

Cuando el Presidente no esté capacitado para desempeñar su cargo, lo informará al Congreso. En ese caso, el Vicepresidente ocupará la presidencia. El Presidente puede retomar sus tareas después de notificar al Congreso.

Si el Vicepresidente y la mitad del gabinete le informan al Congreso que el Presidente no puede desempeñar sus funciones, el Vicepresidente se convierte en Presidente en funciones. Si el Presidente le informa al Congreso que es capaz de desempeñar sus funciones, vuelve a ocupar su cargo. Sin embargo, al cabo de cuatro días, si el Vicepresidente y la mitad del gabinete le informan al Congreso que el Presidente no puede desempeñar sus funciones, el Presidente no podrá volver a ocupar su cargo. El Congreso deberá decidir en un plazo de 21 días si el Presidente es capaz de desempeñar sus funciones. Si dos tercios del Congreso votan que el Presidente no puede continuar, el Vicepresidente se convierte en el Presidente en funciones. Si dos tercios votan de manera diferente, el Presidente retiene su cargo.

19. Identifica el número de la enmienda que:

_____ les otorgó el voto a las mujeres.

_____ les otorgó el voto a los ciudadanos de Washington, D.C.

_____ les otorgó el voto a los mayores de dieciocho años.

_____ eliminó los impuestos que limitaban el voto.

Sección 4. Cuando el Vicepresidente y la mayoría de los principales funcionarios de los departamentos ejecutivos o de cualquier otro cuerpo que el Congreso autorizara por ley trasmitieran al Presidente pro tempore del Senado y al Presidente de Debates de la Cámara de Diputados su declaración escrita de que el Presidente está imposibilitado de ejercer los derechos y deberes de su cargo, el Vicepresidente inmediatamente asumirá los derechos y deberes del cargo como Presidente en funciones.

Por consiguiente, cuando el Presidente transmitiera al Presidente pro tempore del Senado y al Presidente de Debates de la Cámara de Diputados su declaración escrita de que no existe imposibilidad alguna, asumirá de nuevo los derechos y deberes de su cargo, a menos que el Vicepresidente y la mayoría de los funcionarios principales de los departamentos ejecutivos o de cualquier otro cuerpo que el Congreso haya autorizado por ley transmitieran en el término de cuatro días al Presidente pro tempore del Senado y al Presidente de Debates de la Cámara de Diputados su declaración escrita de que el Presidente está imposibilitado de ejercer los derechos y deberes de su cargo. Luego entonces, el Congreso decidirá qué solución debe adoptarse, para lo cual se reunirá en el término de cuarenta y ocho horas, si no estuviera en sesión. Si el Congreso, en el término de veintiún días de recibida la ulterior declaración escrita o, de no estar en sesión, dentro de los veintiún días de haber sido convocado a reunirse, determinará por voto de las dos terceras partes de ambas Cámaras que el Presidente está imposibilitado de ejercer los derechos y deberes de su cargo, el Vicepresidente continuará desempeñando el cargo como Presidente Actuante; de lo contrario, el Presidente asumirá de nuevo los derechos y deberes de su cargo.

Enmienda 26

Sección 1. El derecho a votar de los ciudadanos de los Estados Unidos, de dieciocho años de edad o más, no será negado o menguado ni por los Estados Unidos ni por ningún Estado a causa de la edad.

Sección 2. El Congreso tendrá poder para hacer valer este artículo mediante la legislación adecuada.

Enmienda 27

Ninguna ley que varíe la remuneración de los servicios de los senadores y representantes tendrá efecto hasta después de que se haya realizado una elección de representantes.

Texas: Mapa físico

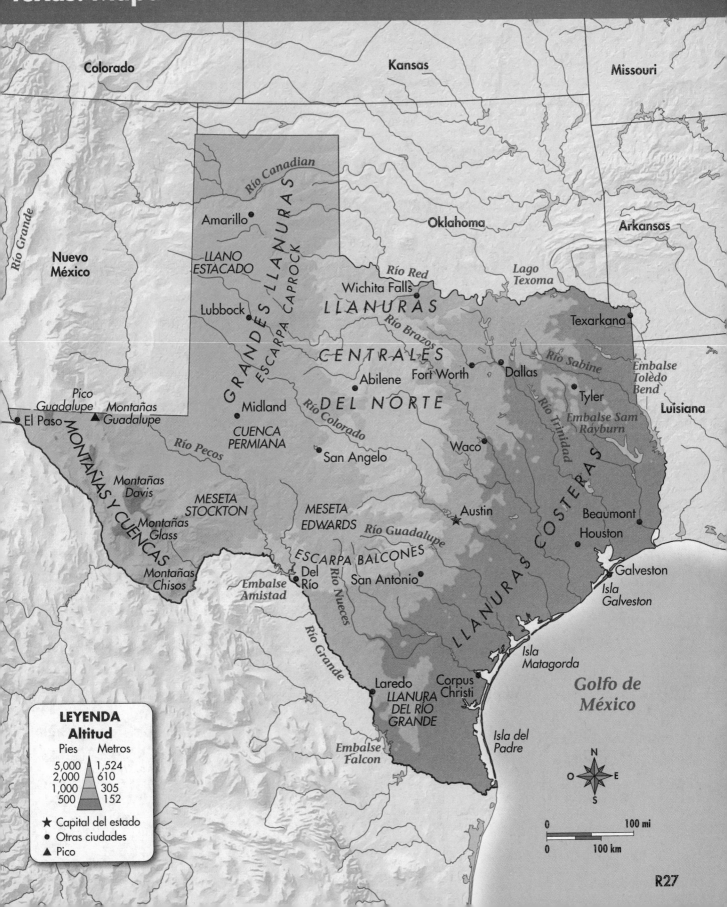

Colorado

Kansas

Missouri

Río Grande

Nuevo México

Río Canadian

Amarillo

Oklahoma

Arkansas

LLANO ESTACADO

GRANDES LLANURAS

Río Red

Lago Texoma

ESCARPA CAPROCK

Wichita Falls

Lubbock

LLANURAS

Texarkana

Río Brazos

Embalse Toledo Bend

CENTRALES

Abilene

Fort Worth

Dallas

Río Sabine

Luisiana

Pico Guadalupe

Montañas Guadalupe

DEL NORTE

Tyler

Río Trinidad

Embalse Sam Rayburn

El Paso

Midland

CUENCA PERMIANA

Río Colorado

Waco

Río Pecos

San Angelo

MONTAÑAS Y CUENCAS

Montañas Davis

MESETA STOCKTON

MESETA EDWARDS

Austin

LLANURAS COSTERAS

Beaumont

Houston

Montañas Glass

Río Guadalupe

Montañas Chisos

Embalse Amistad

Del Río

ESCARPA BALCONES

San Antonio

Galveston

Isla Galveston

Río Nueces

Río Grande

Laredo

LLANURA DEL RÍO GRANDE

Corpus Christi

Isla Matagorda

Golfo de México

Embalse Falcon

Isla del Padre

LEYENDA
Altitud

Pies	Metros
5,000	1,524
2,000	610
1,000	305
500	152

★ Capital del estado
● Otras ciudades
▲ Pico

N
O E
S

| 0 | 100 mi |
| 0 | 100 km |

Texas: Condados

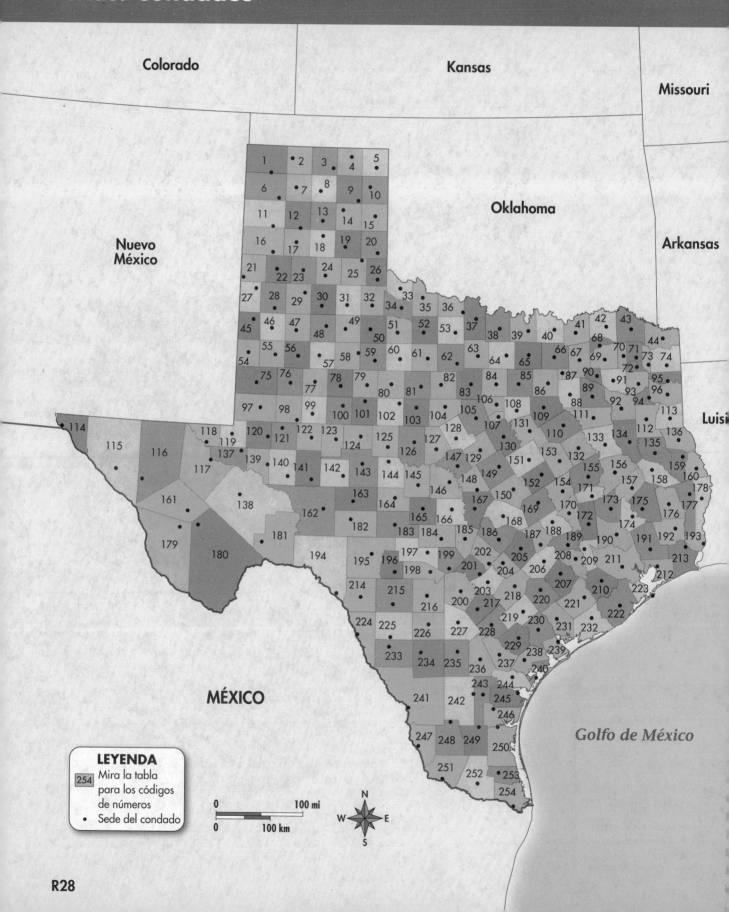

Colorado

Kansas

Missouri

Nuevo México

Oklahoma

Arkansas

Luisi

MÉXICO

Golfo de México

LEYENDA

254 Mira la tabla para los códigos de números

• Sede del condado

0   100 mi

0   100 km

N W E S

County	County Seat	Number
Anderson	Palestine	133
Andrews	Andrews	97
Angelina	Lufkin	158
Aransas	Rockport	240
Archer	Archer City	53
Armstrong	Claude	18
Atascosa	Jourdanton	227
Austin	Bellville	208
Bailey	Muleshoe	27
Bandera	Bandera	198
Bastrop	Bastrop	205
Baylor	Seymour	52
Bee	Beeville	237
Bell	Belton	150
Bexar	San Antonio	200
Blanco	Johnson City	185
Borden	Gail	77
Bosque	Meridian	130
Bowie	New Boston	44
Brazoria	Angleton	222
Brazos	Bryan	170
Brewster	Alpine	180
Briscoe	Silverton	24
Brooks	Falfurrias	249
Brown	Brownwood	127
Burleson	Caldwell	188
Burnet	Burnet	167
Caldwell	Lockhart	204
Calhoun	Port Lavaca	239
Callahan	Baird	103
Cameron	Brownsville	254
Camp	Pittsburg	72
Carson	Panhandle	13
Cass	Linden	74
Castro	Dimmitt	22
Chambers	Anahuac	212
Cherokee	Rusk	134
Childress	Childress	26
Clay	Henrietta	37
Cochran	Morton	45
Coke	Robert Lee	124
Coleman	Coleman	126
Collin	McKinney	66
Collingsworth	Wellington	20
Colorado	Columbus	207
Comal	New Braunfels	201
Comanche	Comanche	128
Concho	Paint Rock	144
Cooke	Gainesville	39
Coryell	Gatesville	149
Cottle	Paducah	32
Crane	Crane	139
Crockett	Ozona	162
Crosby	Crosbyton	48
Culberson	Van Horn	116
Dallam	Dalhart	1
Dallas	Dallas	86
Dawson	Lamesa	76
Deaf Smith	Hereford	16
Delta	Cooper	68
Denton	Denton	65
DeWitt	Cuero	219
Dickens	Dickens	49
Dimmit	Carrizo Springs	33
Donley	Clarendon	19
Duval	San Diego	242
Eastland	Eastland	104
Ector	Odessa	120
Edwards	Rocksprings	195
Ellis	Waxahachie	109
El Paso	El Paso	114
Erath	Stephenville	105
Falls	Marlin	152
Fannin	Bonham	41
Fayette	La Grange	206
Fisher	Roby	79
Floyd	Floydada	30
Foard	Crowell	34
Fort Bend	Richmond	210
Franklin	Mount Vernon	70
Freestone	Fairfield	132
Frio	Pearsall	226
Gaines	Seminole	75
Galveston	Galveston	223
Garza	Post	57
Gillespie	Fredericksburg	184
Glasscock	Garden City	122
Goliad	Goliad	229
Gonzales	Gonzales	218
Gray	Pampa	14
Grayson	Sherman	40
Gregg	Longview	94
Grimes	Anderson	172
Guadalupe	Seguin	203
Hale	Plainview	29
Hall	Memphis	25
Hamilton	Hamilton	129
Hansford	Spearman	3
Hardeman	Quanah	33
Hardin	Kountze	192
Harris	Houston	211
Harrison	Marshall	96
Hartley	Channing	6
Haskell	Haskell	60
Hays	San Marcos	202
Hemphill	Canadian	10
Henderson	Athens	111
Hidalgo	Edinburg	252
Hill	Hillsboro	131
Hockley	Levelland	46
Hood	Granbury	106
Hopkins	Sulphur Springs	69
Houston	Crockett	156
Howard	Big Spring	99
Hudspeth	Sierra Blanca	115
Hunt	Greenville	67
Hutchinson	Stinnett	8
Irion	Mertzon	142
Jack	Jacksboro	63
Jackson	Edna	231
Jasper	Jasper	177
Jeff Davis	Fort Davis	161
Jefferson	Beaumont	213
Jim Hogg	Hebbronville	248
Jim Wells	Alice	243
Johnson	Cleburne	108
Jones	Anson	80
Karnes	Karnes City	228
Kaufman	Kaufman	88
Kendall	Boerne	199
Kenedy	Sarita	250
Kent	Jayton	58
Kerr	Kerrville	197
Kimble	Junction	183
King	Guthrie	50
Kinney	Brackettville	214
Kleberg	Kingsville	246
Knox	Benjamin	51
Lamar	Paris	42
Lamb	Littlefield	28
Lampasas	Lampasas	148
La Salle	Cortulia	234
Lavaca	Hallettsville	220
Lee	Giddings	187
Leon	Centerville	155
Liberty	Liberty	191
Limestone	Groesbeck	153
Lipscomb	Lipscomb	5
Live Oak	George West	236
Llano	Llano	166
Loving	Mentone	118
Lubbock	Lubbock	47
Lynn	Tahoka	56
Madison	Madisonville	171
Marion	Jefferson	95
Martin	Stanton	98
Mason	Mason	165
Matagorda	Bay City	232
Maverick	Eagle Pass	224
McCulloch	Brady	145
McLennan	Waco	151
McMullen	Tilden	235
Medina	Hondo	216
Menard	Menard	164
Midland	Midland	121
Milam	Cameron	169
Mills	Goldthwaite	147
Mitchell	Colorado City	100
Montague	Montague	38
Montgomery	Conroe	190
Moore	Dumas	7
Morris	Daingerfield	73
Motley	Matador	31
Nacogdoches	Nacogdoches	135
Navarro	Corsicana	110
Newton	Newton	178
Nolan	Sweetwater	101
Nueces	Corpus Christi	245
Ochiltree	Perryton	4
Oldham	Vega	11
Orange	Orange	193
Palo Pinto	Palo Pinto	83
Panola	Carthage	113
Parker	Weatherford	84
Parmer	Farwell	21
Pecos	Fort Stockton	138
Polk	Livingston	175
Potter	Amarillo	12
Presidio	Marfa	179
Rains	Emory	90
Randall	Canyon	17
Reagan	Big Lake	141
Real	Leakey	196
Red River	Clarksville	43
Reeves	Pecos	117
Refugio	Refugio	238
Roberts	Miami	9
Robertson	Franklin	154
Rockwall	Rockwall	87
Runnels	Ballinger	125
Rusk	Henderson	112
Sabine	Hemphill	160
San Augustine	San Augustine	159
San Jacinto	Coldspring	174
San Patricio	Sinton	244
San Saba	San Saba	146
Schleicher	Eldorado	163
Scurry	Snyder	78
Shackelford	Albany	81
Shelby	Center	136
Sherman	Stratford	2
Smith	Tyler	92
Somervell	Glen Rose	107
Starr	Rio Grande City	251
Stephens	Breckenridge	82
Sterling	Sterling City	123
Stonewall	Aspermont	59
Sutton	Sonora	182
Swisher	Tulia	23
Tarrant	Fort Worth	85
Taylor	Abilene	102
Terrell	Sanderson	181
Terry	Brownfield	55
Throckmorton	Throckmorton	61
Titus	Mount Pleasant	71
Tom Green	San Angelo	143
Travis	Austin	186
Trinity	Groveton	157
Tyler	Woodville	176
Upshur	Gilmer	93
Upton	Rankin	140
Uvalde	Uvalde	215
Val Verde	Del Rio	194
Van Zandt	Canton	89
Victoria	Victoria	230
Walker	Huntsville	173
Waller	Hempstead	209
Ward	Monahans	137
Washington	Brenham	189
Webb	Laredo	241
Wharton	Wharton	221
Wheeler	Wheeler	15
Wichita	Wichita Falls	36
Wilbarger	Vernon	35
Willacy	Raymondville	253
Williamson	Georgetown	168
Wilson	Floresville	217
Winkler	Kermit	119
Wise	Decatur	64
Wood	Quitman	91
Yoakum	Plains	54
Young	Graham	62
Zapata	Zapata	247
Zavala	Crystal City	225

Estados Unidos de América: Mapa político

Washington
★Olympia

★Salem

Oregón

Montana
★Helena

Dakota del Norte
★Bismarck

Dakota del Sur
Pierre ★

★Boise

Idaho

Wyoming

Carson City★

Cheyenne
★

Nebraska

Salt Lake City★

Lincoln ★

★Sacramento

Nevada

Utah

Denver ★

Colorado

Topeka ★
Kansas

California

Arizona

Santa Fe
★

Oklahoma

Phoenix
★

Nuevo México

Oklahoma ★
City

Texas

Alaska

Austin
★

Juneau

Honolulu
★

Hawái

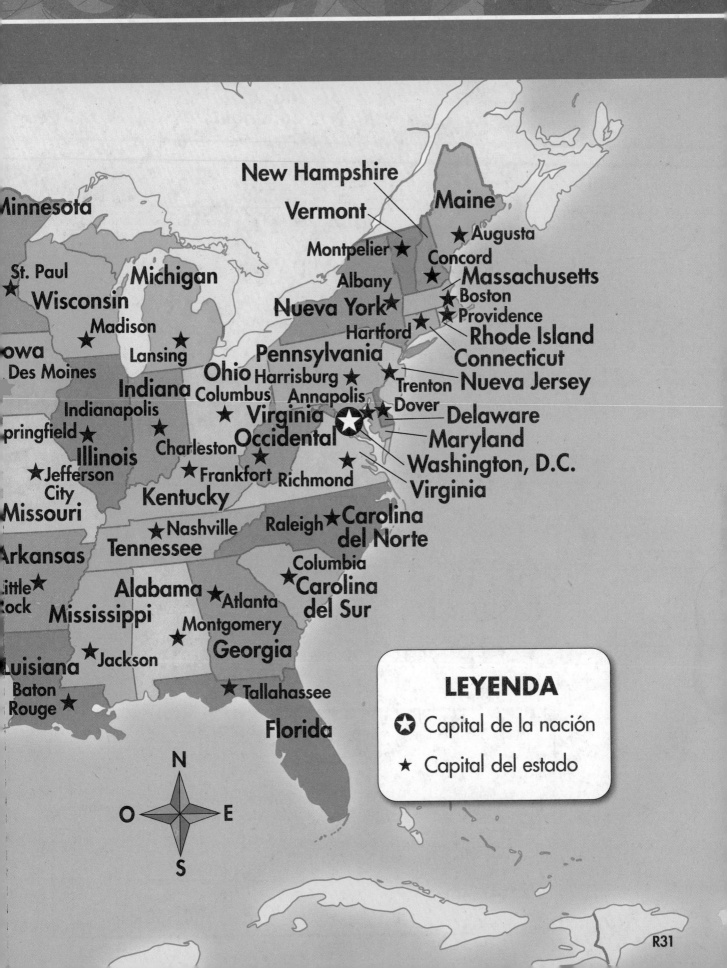

Minnesota

New Hampshire

Vermont

Maine

★ Augusta

St. Paul
★

Michigan

Montpelier ★

Concord
★

Wisconsin

Madison
★

Albany

Massachusetts

Nueva York ★

★ Boston

owa

Lansing
★

Pennsylvania

Hartford

★ Providence

Des Moines

Ohio Harrisburg ★

Rhode Island

Indiana Columbus

Annapolis

★ Dover

Connecticut

Indianapolis
★

Virginia

Trenton

Nueva Jersey

pringfield ★

Occidental

Delaware

Illinois Charleston
★

Maryland

Jefferson
★ City

★ Frankfort Richmond

Washington, D.C.

Missouri

Kentucky

Virginia

Arkansas

Nashville
★

Raleigh ★ Carolina
del Norte

Tennessee

Columbia
★ Carolina
del Sur

Little ★
ock

Alabama ★ Atlanta

Mississippi

Montgomery

Luisiana ★ Jackson

★
Georgia

Baton
Rouge ★

★ Tallahassee

Florida

N

O — E

S

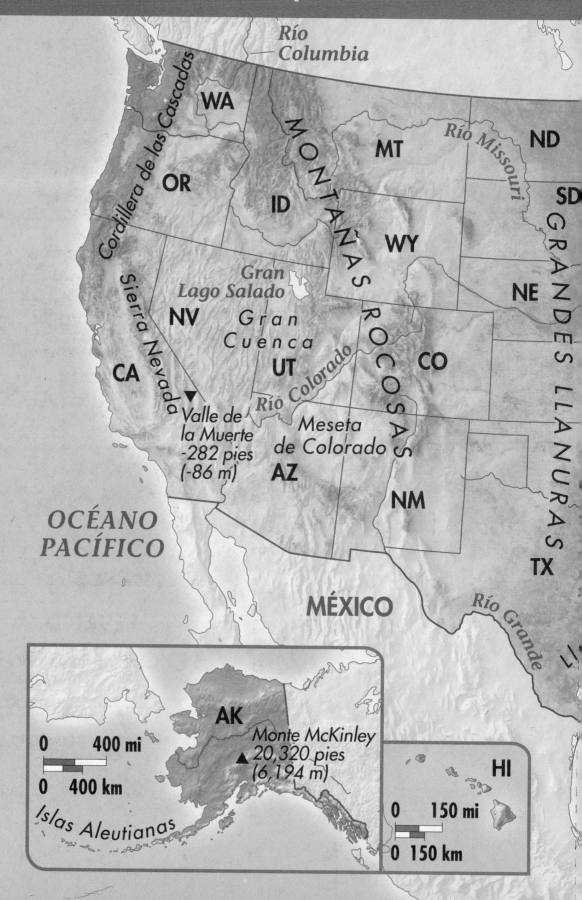

Río Columbia

WA

MONTAÑAS

MT

Río Missouri

ND

SD

OR

Cordillera de las Cascadas

ID

WY

GRANDES LLANURAS

Gran Lago Salado

NE

NV

Sierra Nevada

Gran Cuenca

UT

Río Colorado

ROCOSAS

CO

CA

Valle de la Muerte -282 pies (-86 m)

Meseta de Colorado

AZ

NM

OCÉANO PACÍFICO

TX

MÉXICO

Río Grande

AK

Monte McKinley 20,320 pies (6,194 m)

0   400 mi

0   400 km

Islas Aleutianas

HI

0   150 mi

0   150 km

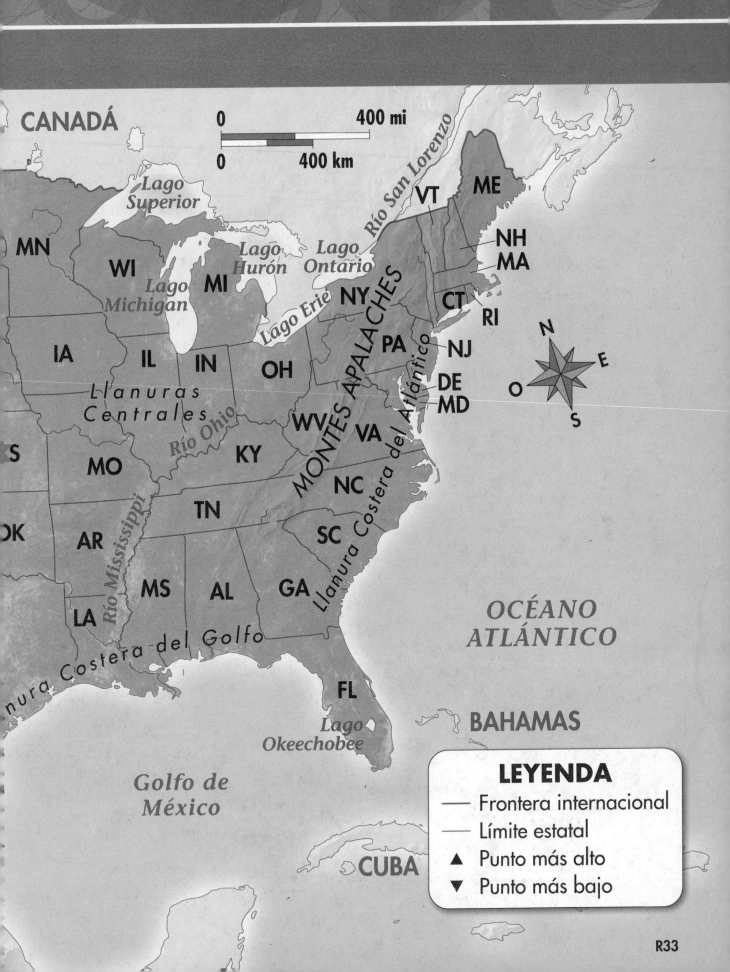

CANADÁ

0   400 mi

0   400 km

Río San Lorenzo

Lago Superior

VT   ME

MN

WI   *Lago Hurón*   *Lago Ontario*   NH

MI   MA

Lago Michigan

NY

CT

RI

Lago Erie

N

IA   IL   IN   OH   PA   NJ

O   E

Llanuras Centrales   DE

MD   S

Río Ohio   WV   VA

S   MO   KY

NC

OK   AR   TN

SC

Río Mississippi

MS   AL   GA

MONTES APALACHES

Llanura Costera del Atlántico

LA

OCÉANO ATLÁNTICO

Llanura Costera del Golfo

FL

BAHAMAS

Lago Okeechobee

Golfo de México

CUBA

LEYENDA

— Frontera internacional

— Límite estatal

▲ Punto más alto

▼ Punto más bajo

60° N

OCÉANO ÁRTICO

GROENLANDIA
(Dinamarca)

Estrecho de Bering

Mar de
Bering

Mar de
Beaufort

Estrecho Viscount Melville

Bahía de
Baffin

ALASKA
(EE. UU.)

Fairbanks

Anchorage

Cuenca
Foxe

Estrecho de Davis

180°

Golfo de
Alaska

Gran Lago
del Oso

Estrecho de Hudson

Mar de
Labrador

Juneau

Gran Lago
del Esclavo

CANADÁ

Bahía de
Hudson

Lago
Athabasca

150° O

Golfo de
San Lorenzo

Edmonton

Calgary

Lago
Winnipeg

Bahía de
James

Vancouver

Estrecho de Puget

Regina

Winnipeg

Quebec

OCÉANO
ATLÁNTIC

Seattle

Ottawa

Montreal

Boston

Portland

Toronto

Grandes
Lagos

Detroit

Ciudad de Nueva York

Gran Lago
Salado

Salt Lake
City

Chicago

Filadelfia
Washington, D.C.

San Francisco

Denver

St. Louis

30°

30° N

Las Vegas

ESTADOS UNIDOS

Los Ángeles

Atlanta

San Diego

Phoenix

Dallas

Savannah

60° O

San Antonio

Nueva
Orleans

BAHAMAS

REPÚBLICA
DOMINICAN

Houston

Miami

Nassau

PUERTO
RICO (EE

TRÓPICO DE CÁNCER

Golfo de
México

La Habana

CUBA

Santo Domingo

OCÉANO
PACÍFICO

MÉXICO

Kingston

Puerto Príncipe

BELICE

JAMAICA

HAITÍ

Mar Caribe

Ciudad de México

Belmopán

GUATEMALA

HONDURAS

Guatemala

Tegucigalpa

San Salvador

Managua

EL SALVADOR

NICARAGUA

San José

Panamá

COSTA RICA

PANAMÁ

0°

ECUADOR

120° O

90° O

LEYENDA
— Frontera internacional
⭐ Capital nacional
• Otras ciudades

OCÉANO ÁRTICO

60° N

180°

Mar de Bering

Islas Aleutianas

Monte McKinley 20,237 pies (6,168 m)

Estrecho de Bering

Montes Brooks

Punta Barrow

Mar de Beaufort

Alaska Range

Península de Alaska

Isla Kodiak

Golfo de Alaska

Monte Logan 19,524 pies (5,951 m)

Río Yukón

Río Mackenzie

Meseta Yukón

Isla Banks

Isla Victoria

Isla Ellesmere

Islas Queen Elizabeth

Isla Melville Isla Devon

Viscount Melville

Groenlandia

Bahía de Baffin

Isla de Baffin

Estrecho de Davis

Cape Farewell

30° O

Cuenca Foxe

Estrecho de Hudson

Mar de Labrador

OCÉANO ATLÁNTICO

Gran Lago del Oso

MACIZO

Queen Charlotte Islands

Coast Mountains

Río Liard

Río Peace

Gran Lago del Esclavo

Lago Athabasca

Bahía de Hudson

Labrador

Terranova

Río Athabasca

Río Saskatchewan

Lago Winnipeg

CANADIENSE

Bahía de James

Río San Lorenzo

Golfo de San Lorenzo

150° O

Vancouver Island

Puget Sound

Cordillera de las Cascadas

GRANDES

Grandes Lagos

Nueva Escocia

Bahía de Fundy

Cabo Cod

Long Island

Cadenas Costeras

Río Snake

Río Mississippi

Río

Missouri R.

Colinas Black

LLANURAS INTERIORES

MONTES APALACHES

MONTAÑAS ROCOSAS

Gran Lago Salado

Sierra Nevada

GRAN CUENCA

Río Platte

Río Arkansas

Río Ohio

30° N

30° N

60° O

Cabo Hatteras

Monte Whitney 14,495 pies (4,418 m)

Valle de la Muerte (punto más bajo de América del Norte) −282 pies (−86 m)

Río Colorado

Meseta Ozark

LLANURAS

Baja California

Desierto de Sonora

Sierra Madre Occidental

Río Grande

Sierra Madre Oriental

LLANURA COSTERA

Golfo de México

Bahamas

Puerto Rico

Antillas Menores

Cuba

Antillas Mayores

La Española

Mar Caribe

TRÓPICO DE CÁNCER

Citlaltépetl 18,701 pies (5,700 m)

Península de Yucatán

Jamaica

LEYENDA

Altitud

Pies	Metros
10,000	3,048
6,000	1,829
3,000	914
1,000	305
500	152
0	0

▲ Pico

▼ Bajo el nivel del mar

OCÉANO PACÍFICO

Istmo de Panamá

Lago Nicaragua

0° ECUADOR

120° O

90° O

El mundo

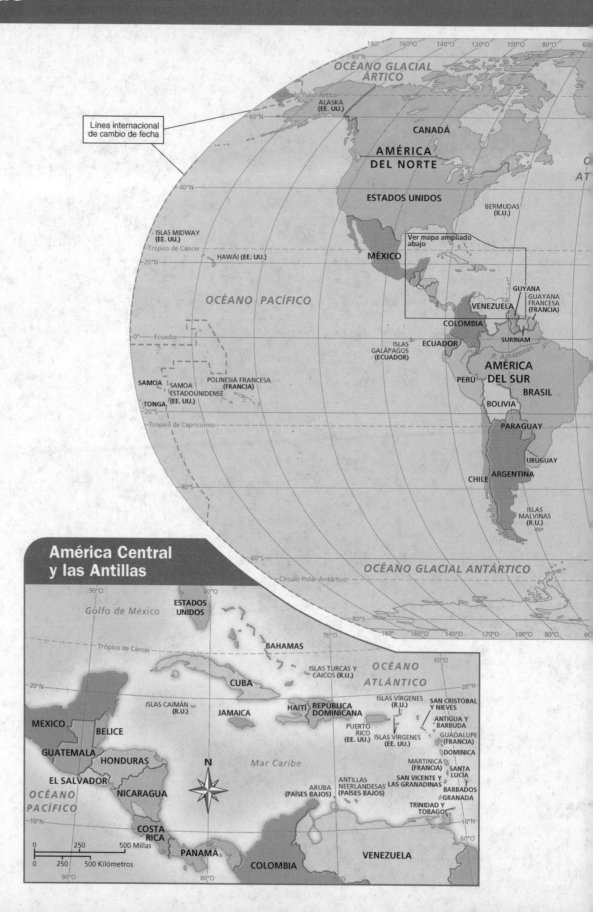

Línea internacional de cambio de fecha

OCÉANO GLACIAL ÁRTICO

Círculo Polar Ártico

ALASKA (EE. UU.)

CANADÁ

AMÉRICA DEL NORTE

ESTADOS UNIDOS

BERMUDAS (R.U.)

ISLAS MIDWAY (EE. UU.)

Trópico de Cáncer

HAWÁI (EE. UU.)

MÉXICO

Ver mapa ampliado abajo

OCÉANO PACÍFICO

GUYANA

VENEZUELA

GUAYANA FRANCESA (FRANCIA)

COLOMBIA

SURINAM

Ecuador

ISLAS GALÁPAGOS (ECUADOR)

ECUADOR

R. Amazonas

AMÉRICA DEL SUR

PERÚ

BRASIL

SAMOA

SAMOA ESTADOUNIDENSE (EE. UU.)

POLINESIA FRANCESA (FRANCIA)

BOLIVIA

TONGA

PARAGUAY

Trópico de Capricornio

URUGUAY

CHILE

ARGENTINA

ISLAS MALVINAS (R.U.)

OCÉANO GLACIAL ANTÁRTICO

Círculo Polar Antártico

América Central y las Antillas

Golfo de México

ESTADOS UNIDOS

Trópico de Cáncer

BAHAMAS

OCÉANO ATLÁNTICO

ISLAS TURCAS Y CAICOS (R.U.)

CUBA

ISLAS CAIMÁN (R.U.)

JAMAICA

HAITÍ

REPÚBLICA DOMINICANA

ISLAS VÍRGENES (R.U.)

SAN CRISTÓBAL Y NIEVES

MEXICO

BELICE

PUERTO RICO (EE. UU.)

ISLAS VÍRGENES (EE. UU.)

ANTIGUA Y BARBUDA

GUADALUPE (FRANCIA)

GUATEMALA

HONDURAS

DOMINICA

Mar Caribe

MARTINICA (FRANCIA)

SANTA LUCÍA

EL SALVADOR

OCÉANO PACÍFICO

NICARAGUA

N

ANTILLAS NEERLANDESAS (PAÍSES BAJOS)

ARUBA (PAÍSES BAJOS)

SAN VICENTE Y LAS GRANADINAS

BARBADOS

GRANADA

TRINIDAD Y TOBAGO

COSTA RICA

0 250 500 Millas

0 250 500 Kilómetros

PANAMÁ

COLOMBIA

VENEZUELA

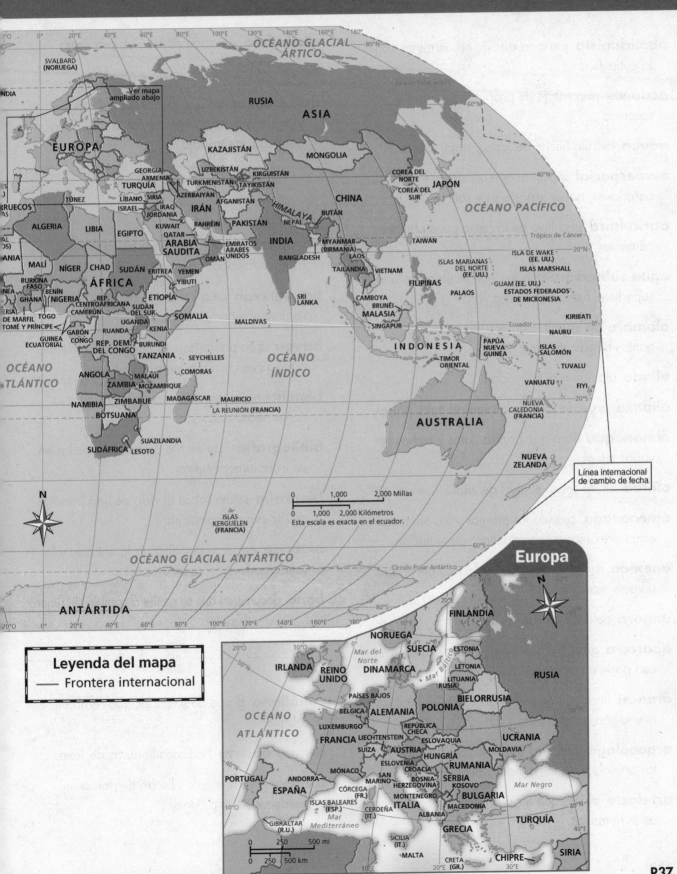

OCÉANO GLACIAL ÁRTICO

SVALBARD (NORUEGA)

Ver mapa ampliado abajo

EUROPA

ASIA

RUSIA

KAZAJISTÁN

MONGOLIA

GEORGIA
ARMENIA
TURQUÍA

UZBEKISTÁN

KIRGUISTÁN

COREA DEL NORTE
COREA DEL SUR

JAPÓN

TÚNEZ

LÍBANO SIRIA

TURKMENISTÁN

TAYIKISTÁN

ISRAEL

IRAQ
JORDANIA

AZERBAIYÁN

AFGANISTÁN

CHINA

OCÉANO PACÍFICO

RUECOS

IRÁN

HIMALAYA

BUTÁN

AS

KUWAIT

BAHRÉIN

PAKISTÁN

NEPAL

Trópico de Cáncer

ALGERIA

LIBIA

EGIPTO

QATAR

ARABIA SAUDITA

EMIRATOS ÁRABES UNIDOS

OMÁN

INDIA

MYANMAR (BIRMANIA)

TAIWÁN

ISLA DE WAKE (EE. UU.)

ANIA

BANGLADESH

LAOS

ISLAS MARIANAS DEL NORTE (EE. UU.)

ISLAS MARSHALL

MALÍ

NÍGER

CHAD

SUDÁN

ERITREA

YEMEN

TAILANDIA

VIETNAM

FILIPINAS

GUAM (EE. UU.)

BURKINA FASO

BENÍN

ÁFRICA

YIBUTI

SRI LANKA

CAMBOYA

PALAOS

ESTADOS FEDERADOS DE MICRONESIA

NEA

GHANA

NIGERIA

REP. CENTROAFRICANA

ETIOPÍA

SUDÁN DEL SUR

BRUNÉI

ERIA

DE MARFIL

TOGO

CAMERÚN

UGANDA

SOMALIA

MALDIVAS

MALASIA

SINGAPUR

KIRIBATI

TOMÉ Y PRÍNCIPE

GABÓN

CONGO

RUANDA

KENIA

Ecuador

NAURU

GUINEA ECUATORIAL

REP. DEM. DEL CONGO

BURUNDI

TANZANIA

SEYCHELLES

INDONESIA

PAPÚA NUEVA GUINEA

ISLAS SALOMÓN

OCÉANO ATLÁNTICO

ANGOLA

MALAUI

COMORAS

OCÉANO ÍNDICO

TIMOR ORIENTAL

TUVALU

ZAMBIA

MOZAMBIQUE

VANUATU

FIYI

NAMIBIA

ZIMBABUE

MADAGASCAR

MAURICIO

AUSTRALIA

NUEVA CALEDONIA (FRANCIA)

BOTSUANA

LA REUNIÓN (FRANCIA)

SUDÁFRICA

SUAZILANDIA

LESOTO

NUEVA ZELANDA

Línea internacional de cambio de fecha

N

0   1,000   2,000 Millas

0   1,000   2,000 Kilómetros

Esta escala es exacta en el ecuador.

ISLAS KERGUELEN (FRANCIA)

OCÉANO GLACIAL ANTÁRTICO

Círculo Polar Antártico

Europa

ANTÁRTIDA

N

FINLANDIA

NORUEGA

SUECIA

ESTONIA

Mar del Norte

IRLANDA

REINO UNIDO

DINAMARCA

LETONIA

LITUANIA
RUSIA

RUSIA

OCÉANO ATLÁNTICO

PAÍSES BAJOS

BÉLGICA

ALEMANIA

POLONIA

BIELORRUSIA

LUXEMBURGO

REPÚBLICA CHECA

FRANCIA

LIECHTENSTEIN

ESLOVAQUIA

UCRANIA

SUIZA

AUSTRIA

HUNGRÍA

MOLDAVIA

ESLOVENIA

CROACIA

RUMANIA

PORTUGAL

ANDORRA

MÓNACO

SAN MARINO

BOSNIA-HERZEGOVINA

SERBIA

KOSOVO

Mar Negro

ESPAÑA

CÓRCEGA (FR.)

MONTENEGRO

BULGARIA

ISLAS BALEARES (ESP.)

CERDEÑA (IT.)

ITALIA

MACEDONIA

ALBANIA

TURQUÍA

GIBRALTAR (R.U.)

Mar Mediterráneo

SICILIA (IT.)

GRECIA

MALTA

CRETA (GR.)

CHIPRE

SIRIA

Leyenda del mapa

Frontera internacional

Glosario

A

abolicionista persona que quiere terminar con la esclavitud

acciones porcentaje de propiedad de una empresa

adobe ladrillo hecho de lodo y paja

aeroespacial industria que construye y opera aeronaves, naves espaciales y satélites

agricultura el cultivo de la tierra para obtener alimentos

agua subterránea agua que se ubica bajo la superficie, fuera de nuestra vista

alambre de púas alambre trenzado con puntas filosas, es decir, púas

aliado alguien que te ayuda

alianza acuerdo formal de amistad entre países

almanaque libro que brinda datos y fechas de varios temas

altitud altura sobre el nivel del mar

amenazado cuando las plantas y los animales están próximos a correr peligro de extinción

anexión territorio que pasa a formar parte de un país más grande

angora pelo de las cabras de angora

aparcero granjero que paga a un terrateniente con parte de su cosecha

arancel impuesto que se paga sobre los bienes que llegan de otro país

arqueólogo científico que estudia la cultura y los artefactos de los antiguos pueblos

artefacto objeto que hicieron y que usan los seres humanos

atlas colección o libro de mapas

atolladero situación difícil o un problema

auge período de crecimiento rápido

automatización uso de computadoras y máquinas para hacer trabajos en una fábrica u otro lugar de trabajo

B

bar mitzvah niño judío que acepta responsabilidades religiosas

bat mitzvah niña judía que acepta responsabilidades religiosas

bayou área pantanosa de una bahía o de un arroyo con corriente lenta

beneficencia organización que ayuda a la gente necesitada

bibliografía lista escrita de fuentes usadas en un trabajo académico

biografía relato sobre la vida de una persona escrito por otra persona

bloqueo esfuerzo por obstruir la entrada y la salida de los barcos en un puerto

bono documento que se recibe a cambio de dinero

C

caballería grupo de soldados que combatía a caballo

campo abierto herbosas llanuras de Texas

cantera minas a cielo abierto de donde se pueden extraer piedras

cazador-recolector persona que recolecta plantas y caza animales para alimentarse

ciudadano miembro de una nación, un estado, un condado, una ciudad o un pueblo

civilización sociedad humana altamente desarrollada

clima los patrones del estado del tiempo de un lugar durante un largo período

colonia asentamiento de personas que se han mudado a otro país pero siguen bajo el gobierno de su país de origen

colono persona que vive en un asentamiento lejos del país que lo gobierna

comunismo sistema en el que el gobierno es el dueño de todas las propiedades de un país

condado una de las secciones en que se divide un estado

confederación unión de personas que trabajan juntas por un objetivo en común

conquistador una persona que conquista un territorio, especialmente de origen español del siglo XVI

conservar limitar el uso de algo para que no se desperdicie ni se use demasiado

constitución un plan escrito para el gobierno de la nación

consumidor persona o compañía que compra o usa productos o servicios

contaminación productos químicos y demás sustancias dañinas que afectan el aire, el agua o la tierra

convención reunión formal

costumbre manera en que un grupo de personas hace algo

cuadrícula sistema de líneas que se cruzan y forman un patrón de cuadrados

cuenca gran depresión con forma de tazón

cuerpo legislativo grupo de personas elegidas que hace nuevas leyes

cultivar sembrar cereales y otros cultivos

cultivo comercial lo que se cultiva para vender en el mercado

cultura forma de vida de un grupo de personas

D

deber algo que se debe hacer

delegado alguien que representa a otras personas

demanda número de productos que los consumidores, es decir, los compradores, están dispuestos a comprar por un precio determinado

depresión época en la que el comercio disminuye y los precios caen

derecho libertad que pertenece a los ciudadanos

derechos civiles derechos de las personas a la libertad y la igualdad

descendiente familiar de una persona

desempleado que no tiene empleo o trabajo

desierto zona que recibe menos de 10 pulgadas anuales de lluvia

deuda dinero que se debe a otras personas

diccionario libro que brinda el significado de las palabras. También muestra cómo se pronuncian y cómo se escriben

dictador gobernante que no responde ante el pueblo

discriminación trato desigual que se da a algunas personas

E

económico relacionado con el dinero y con pagar cuentas

ecuador línea que rodea la Tierra por el centro, entre el Polo Norte y el Polo Sur; divide la Tierra en hemisferio norte y hemisferio sur

edad de hielo época en la que grandes capas de hielo y nieve cubren partes de la tierra y el mar

embalse lago natural o artificial que se usa para reservar o almacenar agua

empresario agente de tierras que traía colonos, dividía las tierras y mantenía el orden

en peligro de extinción especies que corren el riesgo de desaparecer para siempre

enciclopedia conjunto de libros que brinda datos sobre personas lugares, cosas y sucesos

enmienda un cambio en la Constitución de los Estados Unidos

escala instrumento que muestra la relación entre la distancia que se ve en el mapa y la distancia en la Tierra

escaramuza pequeña batalla

escarpa cuesta de gran pendiente y extensión

esclavitud práctica de adueñarse de las personas y obligarlas a trabajar sin un salario

esquema plan escrito que organiza la información y las ideas de un tema

estado del tiempo condiciones del aire en un momento y un lugar, en las que se incluyen la temperatura, las precipitaciones y el viento

estampida corrida súbita de una manada de animales asustados, como ganado

expandirse extenderse

expansión urbana crecimiento rápido de áreas que rodean una ciudad

expedición viaje que se hace con un propósito especial

explorador persona que reúne claves sobre el enemigo o una ubicación

---

F

Fiesta del 19 de junio celebración en todo el estado del día en que los esclavos de Texas se enteraron de que eran libres; comenzó a celebrarse el 19 de junio de 1866

filántropo persona que dona dinero para ayudar a otras personas

frontera línea que marca un límite

fuente primaria evidencia creada por alguien en el momento en que ocurre un suceso

fuente secundaria evidencias reunidas después de que ocurrió un suceso

fuerte edificio resistente que se usa como vivienda para los soldados y para almacenar armas

G

ganado conjunto de animales criados por granjeros y rancheros

ganancia dinero que queda después de que se pagan los costos del negocio

globo terráqueo modelo redondo de la Tierra

gobierno sistema por el cual se rige un grupo de personas

grado unidad de medida; hay 360 grados de latitud y de longitud para ubicar lugares en la Tierra

grupo étnico grupo de personas de origen y cultura similares

H

hábitat lugares de la naturaleza donde viven animales y plantas

helio gas más liviano que el aire, sin color ni olor

hemisferio una mitad de la Tierra; el ecuador y el primer meridiano dividen la Tierra en mitades llamadas hemisferios

herencia historia compartida

huso horario zona en la que todos los relojes se ponen a la misma hora

I

imperio grupo de países bajo el dominio de un gobernante

importación producto que se trae de otro lugar para comerciar o vender

impuesto dinero que cobra un gobierno a cambio de servicios

industria grupo de empresas que hacen un tipo de producto o proporcionan un tipo de servicio

industria petroquímica industrias, refinerías y fábricas que utilizan gas y petróleo para hacer productos, como por ejemplo, plásticos, fertilizantes, productos químicos y telas

informe de investigación ensayo exhaustivo, basado en información detallada de un tema

inmigrante persona que se muda a un país nuevo

interdependiente cuando dos o más personas dependen unas de otras para satisfacer deseos y necesidades

interés dinero que se gana, a una tasa regular, por el uso del dinero prestado

Internet red global que conecta millones de computadoras en todo el mundo

invalidar cancelar

invento producto nuevo

isla barrera islas alargadas y angostas que se extienden frente a la costa

J

jazz tipo de música que comenzó en las comunidades afroamericanas

jinete vigilante vaquero que cabalga por los límites del rancho para vigilar el ganado

jurado grupo de personas que escuchan la evidencia y deciden el resultado de un juicio

kayak canoa con cubierta impermeable

latitud líneas que miden la distancia al norte y al sur del ecuador

lealtad fidelidad

leyenda referencia del mapa que dice qué representa cada símbolo

libre empresa sistema económico en el que las personas son libres de comprar y vender productos y servicios con poco control del gobierno

lignito tipo de carbón blando

límite línea que separa un lugar de otro

línea de montaje sistema que mueve un producto pasando por diferentes trabajadores que no cambian de lugar

llanura gran área de tierra plana con pequeñas colinas ondulantes y algunos árboles

locomotora máquina a vapor usada para jalar un tren

longitud líneas que miden la distancia al este y al oeste del primer meridiano

manantial lugar donde el agua subterránea sube a la superficie

mandato período de tiempo en que una persona ocupa su cargo tras ser elegida

manufacturar hacer o procesar bienes especialmente a máquina en grandes cantidades

mapa físico mapa que muestra las características geográficas de un lugar, como accidentes geográficos y masas de agua

mapa político mapa que muestra los límites de condados, estados o naciones, además de capitales

marca diseño que se hace en caliente sobre la piel de la vaca

materiales dibujos, mapas y organizadores gráficos

meseta planicie más elevada que la tierra que está alrededor de ella

milicia soldados voluntarios

misión asentamiento en donde se enseña religión

monumento estructura que se construye como muestra de respeto hacia un acontecimiento del pasado

municipal propio o relativo a una ciudad

neutral que no apoya a ningún bando

no combatiente persona que está en el lugar de la guerra pero no combate

nómada alguien que viaja de un lugar a otro según las estaciones del año

nortada masa de aire frío

números romanos combinación de letras del alfabeto latino que representan valores; solían usarse en la antigua Roma

O

oferta número de productos que un productor pone a la venta por un precio determinado

P

partido político grupo organizado de personas que comparten ideas similares acerca de cómo manejar un gobierno

pesticida producto químico que mata las pestes que dañan los cultivos

petición pedido oficial al gobierno, firmado por muchos ciudadanos

petróleo combustible fósil

piragua bote que se hacía vaciando un tronco largo

plantación granja grande en la que se siembran cultivos para después venderlos

poder ejecutivo poder cuya función básica es hacer cumplir la ley

poder judicial poder formado por cortes y jueces, cuya función básica es asegurarse de que las leyes se apliquen de forma justa y correcta

poder legislativo poder cuya función básica es crear leyes

precipitación agua que cae a la tierra en forma de lluvia, nieve, granizo o aguanieve

prejuicio opinión firme que no se forma a partir de hechos concretos

preservar mantener algo en su estado original

presidio fuerte militar español

primer meridiano línea que va del Polo Norte al Polo Sur y que atraviesa Europa y África

productor persona o compañía que hace o vende productos u ofrece un servicio

pueblo aldea

puerto lugar donde los barcos pueden atracar para cargar y descargar cargamento

puesto de comercio pequeño mercado fronterizo

punto de conexión lugar en donde se cruzan dos o más líneas de ferrocarril

punto cardinal las direcciones norte, sur, este y oeste

punto cardinal intermedio las direcciones noreste, sureste, suroeste y noroeste

Q

quinceañera celebración hispánica que puede tener una niña cuando cumple 15 años para señalar la transición de la infancia a la adultez

R

rastra tipo de trineo de madera arrastrado por perros o caballos

recesión período de actividad económica reducida

Reconstrucción época de reparación y cambio que tuvo lugar en el sur después de la Guerra Civil

recurso natural algo que se encuentra en la naturaleza y es útil para las personas

recurso no renovable recurso natural que se encuentra disponible en cantidad limitada y no puede ser reemplazado o renovado

recurso renovable recurso que puede renovarse en forma natural con el paso del tiempo, como un bosque

refinería de petróleo fábrica que limpia y procesa el petróleo para convertirlo en combustible o kerosene

región zona con características, personas y modos de vida comunes que la diferencian de otras zonas

región fronteriza lugar donde terminaban los asentamientos y comenzaban las tierras indígenas

república forma de gobierno en la que los ciudadanos eligen a líderes que los representan

república constitucional forma de gobierno en la que los representantes reciben su autoridad del pueblo, ocupan el cargo durante un tiempo establecido y juran respetar la Constitución al asumirlo

reserva territorio que se aparta para que vivan los indígenas

resolución decisión

responsabilidad algo que una persona debe hacer

retirarse abandonar el campo de batalla y no combatir

revolución derrocamiento de un gobierno y su reemplazo por otro

rodeo manera sistemática de reunir cosas, como por ejemplo, el ganado

rosa de los vientos símbolo que indica las direcciones en un mapa

rural que pertenece al campo

S

segregación separación injusta, basada en la raza

separarse abandonar oficialmente un grupo

sequía período de tiempo con poca lluvia

símbolo dibujito, línea o color que representa alguna cosa

sitio cuando fuerzas enemigas rodean un lugar para tratar de capturarlo

sitio de interés objeto, como una montaña, que se destaca de la zona que lo rodea

software programas especiales que indican a la computadora lo que debe hacer

soldado búfalo soldados afroamericanos que combatían a los indígenas de las llanuras a fines del siglo XIX

suburbio comunidad que está al lado o cerca de una ciudad

sufragio derecho al voto

T

tecnología uso de los conocimientos, las destrezas y las herramientas científicas para ayudar a las personas a satisfacer sus necesidades

territorio indígena tierra apartada para los indígenas en 1830

tierra adentro hacia el interior, alejándose de la costa

tierra firme tierra que forma parte de la masa continental

tipi gran tienda hecha de piel

título nombre que te indica de qué trata algo

tornado embudo de vientos fuertes, creado por tormentas eléctricas, que avanza como un feroz torbellino

tratado acuerdo formal entre dos países

turismo industria que atiende a quienes visitan una zona por placer

urbanización proceso por el cual los pueblos y las ciudades se forman y crecen, porque cada vez más personas comienzan a vivir y trabajar en áreas centrales

urbano perteneciente a la ciudad

vaquero persona española que desarrolló destrezas tales como amarrar y marcar el ganado

vegetación árboles y plantas que crecen en una zona, incluidos los cultivos agrícolas

vegetación natural plantas que han crecido en una zona durante largo tiempo sin que nadie las plantara ni las regara

ventisca tormenta con vientos fuertes y abundante nieve

vetar negarse a firmar una ley

villa pueblo

virrey persona que gobierna un país en representación de su rey y tiene el poder para actuar en nombre del rey

voluntario ciudadanos que brindan su tiempo para ayudar donde se los necesita

Índice

Este índice lista las páginas en las cuales aparecen los temas en este libro. Los números de página seguidos por *m* refieren a mapas. Los números de página seguidos por *i* refieren a imágenes. Los números de página seguidos por *c* refieren a cuadros, tablas o gráficos. Los números de página seguidos por *l* refieren a líneas cronológicas. Los números de página en negrita indican definiciones de vocabulario. Los términos *Ver* y *Ver también* muestran entradas alternativas.

F

G

N

comanches, 120
jumanos, 118, 119

O

Reconocimientos

Text Acknowledgments

Grateful acknowledgement is made to the following for copyrighted material:

Pages 4–5

Song "Texas, Our Texas," music by William J. Marsh, lyrics by Gladys Yoakum Wright & William J. Marsh.

Page 119
Penguin Books

Chronicle of the Narvaez Expedition by Alvar Nunez Cabeza de Vaca, translated by Fanny Bandelier. Copyright © Penguin Books.

Page 199
Texas Monthly

"Texas Primer: The Runaway Scrape" by Jan Reid from Texas Monthly, May 1989. Copyright © Texas Monthly.

Page 155
University of Texas

Music in Texas: A Survey of One Aspect of Cultural Progress by Lota M Spell. Copyright © University of Texas.

Page 158
Wallace L. McKeehan

"Rubí's Expedition 1767" from Entradas and Royal Inspection Expeditions Future DeWitt Colony 1550–1800. Copyright © Wallace L. McKeehan.

Note: Every effort has been made to locate the copyright owner of material reproduced in this component. Omissions brought to our attention will be corrected in subsequent editions.

Maps

XNR Productions, Inc.

Photographs

Photo locators denoted as follows: Top (T), Center (C), Bottom (B), Left (L), Right (R), Background (Bkgd)

Cover

Front Cover (TL) Texas flag, David Lee/Shutterstock; (TR) Sam Houston Monument, Witold Skrypczak/Getty Images; (CL) Battleship Texas, Jorg Hackemann/Shutterstock; (CC) Texas Ranger badge, Geoff Brightling/DK Images; (B) Fort Worth street scene, Al Argueta/Alamy.
Back Cover (TC) Mission Concepción, BentheRN/Fotolia; (C) San Jacinto Monument, Library of Congress Prints and Photographs Division [LC_DIG_highsm 14179]; (BL) Texas state seal, Peter Tsai Photography/Alamy; (BL) Congress Avenue Bridge, Kushal Bose/Shutterstock; (BC) Palo Duro Canyon State Park, mikenorton/Shutterstock.

Text

Front Matter

x: Rolf Nussbaumer Photography/Alamy; xi: Walter Bibikow/Getty Images; xii: Richard Cummins/SuperStock; xiii: Private Collection/Boltin Picture Librar, Bridgeman Art Library; xiv: Witold Skrypczak/Lonely Planet Images/Getty Images; xix: Interfoto, Alamy; xv: Stephanie Friedman, Alamy; xvi: Library of Congress Prints and Photographs Division [LC-DIG-ppmsca-19442]; xvii: Jetta/Fotolia; xviii: Underwood Archives/Archive Photos/Getty Images; xx: Bob Daemmrich/Alamy

Celebrate Texas and the Nation

00: Matt York/AP Images; 001: Bob Daemmrich/Alamy; 002: Andersen Ross/Stockbyte/Getty Images; 003: David Lee/Shutterstock; 004: Rusty Dodson/Fotolia; 006: VanHart/Fotolia; 006: Fotogal/Fotolia; 006: Richard Cummins/RGB Ventures LLC dba SuperStock/Alamy; 006: Witold Skrypczak/Alamy; 007: Daniel Gillies/Fotolia; 007: Patrick Ray Dunn/Alamy; 007: Walter Bibikow/JAI/Corbis; 007: Witold Skrypczak/Alamy; 008: Bill Florence/Shutterstock; 008: Joannapalys/Fotolia; 008: Michael J Thompson/Shutterstock; 008: Peter Wilson/Dorling Kindersley; 008: SunnyS/Fotolia; 008: Tom Suarez/Fotolia; 008: Viktoriya Field/Shutterstock; 010: Album/Oronoz/Newscom; 010: Chris Howes/Wild Places Photography/Alamy; 010: Jt Vintage/Glasshouse Images/Alamy; 010: W. Langdon Kihn/National Geographic Society/Corbis; 010: Wm. Baker/GhostWorx Images/Alamy; 011: Library of Congress Prints and Photographs Division [LC-USZ62-110029]; 011: North Wind Picture Archives/Alamy; 012: Corbis; 012: Library of Congress Prints and Photographs Division [LC-USZ62-4723]; 012: Library of Congress Prints and Photographs Division, [LC-USZC4-960]; 012: Library of Congress Prints and Photographs Division [LC-DIG-ppmsca-19241]; 013: Art Directors & Trip/Alamy; 013: Charles Tasnadi/AP Images; 013: Library of Congress Prints and Photographs Division Washington, D.C.[LC-USW361-1054]; 013: Roger L. Wollenberg/Upi/Newscom; 013: White House Photo/Alamy; 014: David Hensley/Flickr/Getty Images; 015: Chris Howes/Wild Places Photography/Alamy; 015: Ian Dagnall/Alamy; 029: Digital Media Pro/Shutterstock; 031: Tetra Images/Getty Images; Album/Oronoz/Newscom

Chapter 01

033: Pearson Education; 034: Pearson Education; 034: Rudolf Friederich/Fotolia; 035: oliclimb/fotolia; 035: Pearson Education; 036: Witold Skrypczak/Alamy; 036: Worldspec/NASA/Alamy; 038: Gary Retherford/Science Source; 040: Bill Heinsohn/Alamy; 040: John Elk III/Alamy; 040: Prisma/SuperStock; 040: Superstock/Glow Images; 046: Witold

Skrypczak/Alamy; 047: Greg Smith/Corbis; 049: Fotosearch/ AGE Fotostock; 051: Stephen Saks/Lonely Planet Images/Getty Images; 054: Fort Worth Star Telegram/McClatchy Tribune/ Getty Images; 054: Tosh Brown/Alamy; 055: Ian Dagnall/ Alamy; 055: Roger Coulam/Alamy; 056: Andy Newman/ AP Images; 057: Eric Nguyen/Corbis; 060: Gary Retherford/ Science Source; 060: Gordon & Cathy Illg/AGE Fotostock; 060: Keith Kapple/Alamy; 061: Michael J Thompson/shutterstock; 062: Dean Fikar/Shutterstock; 062–063: Danny Lehman/Corbis; 064: Wendy Conway/Alamy; 065: Clemente Guzman, TPWD; 066: Elliotte Rusty Harold/Shutterstock; 067: Rolf Nussbaumer Photography/Alamy; Brandon Seidel/Fotolia; Library of Congress Prints and Photographs Division; Library of Congress Prints and Photographs Division, [LC DIG highsm 12717]

Chapter 02
073: Pearson Education; 074: Fredlyfish4/Shutterstock; 074: Leena Robinson/Shutterstock; 074: Pearson Education; 074: Richard G Smith/Shutterstock; 075: Pearson Education; 076: Clint Farlinger/Alamy; 076: Michael Graczyk/AP Images; 078: Joseph Sohm/Visions of America/Alamy; 079: Rainer Hackenberg/Corbis; 082: Andre Jenny Stock Connection Worldwide/Newscom; 083: Holger Leue/LOOK Die Bildagentur der Fotografen GmbH/Alamy; 084: The Denton Record Chronicle, Al Key/AP Images; 084: Walter Bibikow/The Image Bank/Getty Images; 085: Rainer Hackenberg/Corbis; 086: Frank Staub/Photolibrary/Getty Images; 090: Bill Cobb/ Superstock; 090: Jill Johnson/Krt/Newscom; 092: George D. Lepp/CORBIS/Glow Images; 093: Alina Vincent Photography/ E+/Getty Images; 094: Oliclimb/Fotolia; 095: Richard Stockton/ Photolibrary/Getty Images; Frank Mantlik/Science Source; Joel Sartore/National Geographic/Getty Images; Michael J Thompson/shutterstock; mikenorton/Shutterstock; Radius Images/Alamy; Richard Stockton/Stockbyte/Getty Images; Skip Nall/Stockbyte/Getty Image; Stephen Saks Photography/Alamy; William Scott/Alamy; Witold Skrypczak/Alamy

Chapter 03
103: Pearson Education; 104: Pearson Education; 104: siur/ Fotolia; 105: Pearson Education; 107: Michael Waters/MCT/ Newscom; 109: Nancy Carter/North Wind Picture Archives; 112: W. Langdon Kihn/National Geographic Society/ Alamy; 113: Caddo incised bottle, 1200–1500 (ceramic), American School/Private Collection/Photo © Dirk Bakker/The Bridgeman Art Library; 114: National Park Service; 115: Witold Skrypczak/Alamy; 116: Brett Coomer/AP Images; 118: Buffalo Bill Historical Center/The Art Archive at Art Resource, NY; 119: Buffalo Bill Historical Center/The Art Archive at Art Resource, NY; 119: Richard Cummins/SuperStock; 120: Christie's Images Ltd./SuperStock; 121: Bob Daemmrich/The Image Works; 122: American School, (20th century)/Brooklyn Museum of Art, New York, USA/Gift of the estate of Ida Jacobus Grant/ The Bridgeman Art Library; 126: Mint Images/Art Wolfe/Getty Images; 127: J. Pat Carter/AP Images; 127: North Wind Picture Archives/Alamy; 128: Walter Rawlings/Robert Harding World Imagery/Corbis; 130: Jean Yves Foy/Fotolia; 131: Stockcam/

E+/Getty Images; 134: W. Langdon Kihn/National Geographic Society/Alamy

Chapter 04
137: Pearson Education; 138: Pearson Education; 138: quantabeh/Shutterstock; 139: Mi.Ti./Fotolia; 139: Pearson Education; 140: Private Collection/Boltin Picture Library/The Bridgeman Art Library; 142: Album/Oronoz/Superstock; 142: University of Texas at San Antonio Libraries Special Collections; 143: Kevin Fleming/Corbis; 150: University of Texas at San Antonio Libraries Special Collections; 150: Walter Bibikow/ Jai/Corbis; 155: The Trustees of the British Museum/Art Resource, NY; 156: Warren Price Photography/Shutterstock; 157: Stockbyte/Jupiterimages/Getty Images; 160: DNY59/ E+/Getty Images; 160: Erin Wilkins/E+/Getty Images; 160: Taylor Hinton/E+/Getty Images; 160: The Facts/Todd Yates/AP Images; 160: Wendy Connett/Robert Harding World Imagery/ Getty Images; 164: Steve Lindridge/Eye Ubiquitous/Corbis; 164: Tejano Ranchers, 1877 (colour litho), Walker, James (1818–89)/ Private Collection/Peter Newark Pictures/The Bridgeman Art Library; 166: North Wind Picture Archives/Alamy; 169: Bettmann/Corbis; 169: Scala/Art Resource, NY; 169: The New York Public Library/Art Resource, NY; 171: epa european pressphoto agency b.v./Alamy; Everett Collection/Newscom; Irochka/Fotolia; Prisma Archivo/Alamy; Private Collection/The Bridgeman Art Library International

Chapter 05
177: Pearson Education; 178: arinahabich/Fotolia; 178: CE Photography/Fotolia; 178: Pearson Education; 179: Jamespharaon/Fotolia; 179: Pearson Education; 180: University of Texas at San Antonio Libraries Special Collections; 181: North Wind Picture Archives/Alamy; 183: Bettmann/Corbis; 184: John Peace Collection, University of Texas at San Antonio Libraries, MS 296, Box 5, folder 70; 184: North Wind Picture Archives/ Alamy; 184: North Wind Picture Archives/Alamy; 185: bikeriderlondon/Shutterstock; 187: University of Texas at San Antonio Libraries Special Collections; 188: University of Texas at San Antonio Libraries Special Collections; 190: Bettmann/ Corbis; 191: Burstein Collection/Corbis; 191: Niday Picture Library/Alamy; 192: Neil Setchfield/Lonely Planet Images/ Getty Images; 194: dfikar/Fotolia; 195: Michael Hogue/KRT/ Newscom; 196: Flirt/SuperStock; 198: Witold Skrypczak/Lonely Planet Images/Getty Images; 200: Eyre/Alamy; 203: Harry Cabluck/AP Images; 204: University of Texas at San Antonio Libraries Special Collections; 205: NeonLight/Shutterstock; 207: Richard Nowitz/National Geographic Creative/Getty Images; 207: Texas Rangers at Shafter Mines, Big Bend District of Texas, 1890 (b/w photo), American Photographer, (19th century)/Private Collection/Peter Newark American Pictures/ The Bridgeman Art Library; 212: dfikar/Fotolia; 217: vvoe/ Fotolia; Bettmann/CORBIS; Burstein Collection/Corbis; Corbis; Library of Congress Prints and Photographs Division [LC USZ62 96282]; Library of Congress Prints and Photographs Division [LC USZC4 2133]; Library of Congress Prints and Photographs Division [LC USZ62 119830]; Library of Congress Prints and

M. Cox/The Galveston County Daily News/AP Images; 362: Library of Congress Prints and Photographs Division [LC USZC4 7501]; 363: Bart Young/NewSport/Corbis; 363: Bettmann/Corbis; 363: Dimitri Iundt/TempSport/Corbis; 363: F. Carter Smith/Sygma/Corbis; 363: Kevork Djansezian/AP Images; 364: Deborah Cannon/AP Images; 365: Gary Miller/FilmMagic/Getty Images; 368: Jason Janik/Bloomberg/Getty Images; 370: David J. Phillip/File/AP Images; 370: takecareoftexas.org; 371: LM Otero/AP Images; 374: Witold Skrypczak/Lonely Planet Images/Getty Images; Bud Force/Getty Images; Comstock/Stockbyte/Getty Images; David Wei/Alamy; Jochem Wijnands/Horizons WWP/Alamy; Mark Scott/Fotolia; Noel Powell/Fotolia

Chapter 11
377: Pearson Education; 378: Kushal Bose/Shutterstock; 378: Pearson Education; 379: Houghton Mifflin Harcourt/Fotolia; 379: Pearson Education; 380: Associated Press; 380: GL Archive/Alamy; 380: Image Asset Management Ltd./Alamy;

380: Library of Congress Prints and Photographs Division [LC DIG ppbd 00371]; 381: Courtesy of Texas State Library & Archives Commission; 382: Bob Daemmrich/PhotoEdit; 382: Nick Young/Alamy; 382: Stephen Finn/Alamy; 384: Stephen Saks Photography/Alamy; 385: David Coleman/Alamy; 385: Harry Cabluck/AP Images; 387: Jennifer Reynolds/The Galveston County Daily News/AP Images; 387: Photri Images/Alamy; 390: Bob Daemmrich/Alamy; 390: Monkey Business Images/Shutterstock; 392: Bob Daemmrich/PhotoEdit; 393: Courtesy of Texas State Library & Archives Commission; 393: AP Images; 393: John Barrett/ZumaPress/Newscom; 394: David Lee/Shutterstock; 394: Peter Tsai Photography/Alamy; 395: Jeff Greenberg/PhotoEdit; 396: AP Images; 396: Bettmann/Corbis; 396: Charles Tasnadi/AP Images; 396: HANDOUT KRT/Newscom; 397: Shawn Thew/EPA/Newscom; 398: Steve Debenport/Getty Images